HISTOIRE DE LA FRANCE AU XXe SIÈCLE

DES MÊMES AUTEURS

en poche

Le Fascisme italien, 1919-1945, Paris, Seuil, Points Histoire n° 44, 2002.

Histoire du XXe siècle, tome I, *1900-1945, la fin du monde européen*, Paris, Hatier, Initial, 1996.

Histoire du XXe siècle, tome II, *1945-1973, le monde entre guerre et paix*, Paris, Hatier, Initial, 1996.

Histoire du XIXe siècle, Paris, Hatier, Initial, 2001.

Histoire du XXe siècle, tome III, *De 1973 à nos jours, vers la mondialisation et le XXIe siècle*, Paris, Hatier, Initial, 2005.

Histoire de l'Europe, Du XIXe au début du XXIe siècle, Paris, Hatier, Initial, 2006.

collection tempus

Serge BERSTEIN
Pierre MILZA

HISTOIRE DE LA FRANCE AU XXe SIÈCLE

II. 1930-1958

PERRIN
www.editions-perrin.fr

ISBN : 978-2-262-02936-4

tempus est une collection des éditions Perrin.

Avant-Propos

Dans le précédent volume de *L'Histoire de la France au XXe siècle,* nous avions examiné comment la France, qui avait réussi à trouver à l'aube du XXe siècle une situation d'équilibre autour d'un modèle républicain, avait vu ses illusions balayées par la bourrasque de la Première Guerre mondiale. Désormais, elle vit avec la nostalgie de l'âge d'or perdu que, contre tout espoir, elle cherche à retrouver. Avec le recul, les tensions, les difficultés, les crises s'estompent pour ne laisser place qu'au mythe magnifié de la «Belle Epoque». Dans cette image d'Epinal s'inscrivent les traits d'une France prospère grâce à sa richesse financière, puissante et respectée du fait de l'étendue de son empire colonial et du rôle mondial que lui apportent ses alliances, une France dont les institutions parlementaires sont parvenues à un état de perfection qui garantit la liberté du citoyen et constitue un modèle pour l'ensemble du monde, dont les citoyens enfin accèdent de plus en plus nombreux au statut de membres des classes moyennes, commençant ainsi une promotion sociale qui promet au plus grand nombre l'accès aux classes supérieures de la société pour peu que leurs efforts, leur talent, leur esprit d'épargne leur permettent de saisir les chances que leur offre la République.

Or c'est ce modèle idéalisé qui va progressivement s'effriter du fait des conséquences de la Première Guerre mondiale. En entrant dans celle-ci, les Français sont convaincus que leur pays reste dans le droit fil de ce qui est sa mission historique : apporter au monde le progrès et la civilisation. La guerre, conduite contre les souverains autoritaires d'Autriche et d'Allemagne, contre les hobereaux de Prusse ou la morgue de l'aristocratie austro-hongroise, est vue comme la guerre du droit et de la justice (malgré la présence du tsar dans le camp de l'Entente). Il faudra la prolongation de la guerre et la révélation des souffrances qu'elle engendre pour que commencent à naître le doute sur sa nécessité et, plus généralement, l'interrogation sur les valeurs d'une société qui a pu s'engager dans une telle épreuve.

C'est au coin du doute que sont marquées les années vingt. Devant l'ombre tenace, omniprésente, obstinée des effets de la guerre qui recouvre si durablement la société française, tout espoir de pouvoir refermer la parenthèse du conflit paraît vain. Aux Français incrédules se révèle progressivement cette aveuglante évidence : les mutations de tous ordres entraînées par le conflit ne sont pas de simples épiphénomènes, mais de profondes transformations qui marquent de manière irréversible un nouveau visage de la France. Structures économiques, équilibre financier, place internationale de la France, comportements sociaux, institutions politiques, conceptions mentales, valeurs même, tout a été ébranlé, disloqué, remis en question. Et du même coup, tout est à reconstruire, à réorganiser, à repenser. Or cette reconstruction, si elle est perçue comme une crise dans la mesure où elle oblige la France à rompre avec l'image flatteuse et regrettée d'une «Belle Epoque» peinte aux couleurs des souvenirs d'enfance, s'avère féconde et pleine de promesses.

Les années vingt n'ont pas seulement été le temps des «années folles», de la joie de vivre retrouvée après les craintes et les alarmes de la guerre. Elles sont aussi celles d'une reconstruction économique réussie. Sur les bases posées par l'essor du début du XXe siècle, des entreprises pionnières, se plaçant dans le sillage du modèle américain, ouvrent la voie, encore peu empruntée, mais exemplaire de la grande entreprise moderne. Tout en déplorant l'équilibre perdu de la «Belle Epoque», une nouvelle société naît dans le monde urbain sans que les Français en prennent clairement conscience. Sur les ruines de la prépondérance perdue, la France jette les bases d'une nouvelle politique internationale, fondée sur le droit, dont les deux piliers sont la Société des Nations et son principe de sécurité collective et le rapprochement franco-allemand, noyau dur d'une Fédération européenne, plus rêvée que mise en œuvre. Une intense agitation intellectuelle est à l'œuvre pour penser et exprimer des idées neuves capables de servir à identifier les temps nouveaux en gestation... De cet immense bouillonnement commencent à se dégager les traits d'une France modernisée, c'est-à-dire adaptée dans tous les domaines aux modèles considérés comme les plus performants du monde de l'après-guerre. Traits encore indistincts et difficiles à individualiser tant ils restent enrobés dans un tissu de représentations, de valeurs, d'aspirations empruntées au monde défunt de la «Belle Epoque». Aussi ce nouvel âge d'or n'est-il pas vécu comme tel, mais comme une ère de déceptions, de bouleversements suscitant la nostalgie de l'avant-guerre.

Or, le pire reste à venir. Avec les années trente, la France entre pour près de trente années dans une ère de troubles qui va d'abord arrêter net le processus visible de modernisation, avant de précipiter au contraire à un rythme accéléré la transformation des structures, engendrant de nouvelles difficultés. De 1930 à 1958, les crises et les guerres sont l'arrière-plan sur lequel se joue l'aventure de la modernisation française. Elles seront présentées en deux volumes successifs, l'un traitant de la crise et de la guerre (1930-1945), l'autre évoquant la difficile reconstruction de la France de l'après-guerre (1945-58).

I

La crise économique et sociale en France (1930-1935)

Un îlot de prospérité dans un monde en crise

Les Français de 1930 ont bien des raisons d'être satisfaits. Alors que, depuis le krach de Wall Street d'octobre 1929, l'Amérique se débat dans une crise économique dont elle ne parvient pas à sortir, que les grands pays industriels connaissent tous, peu ou prou, des difficultés qui atteignent les plus performants d'entre eux, le Royaume-Uni ou l'Allemagne, la France semble miraculeusement épargnée par le marasme universel. Qu'on en juge. Les années 1929 et 1930 sont celles des records de production dans le domaine du charbon (55 millions de tonnes), du minerai de fer (51 millions de tonnes, premier rang mondial), de la bauxite (680 000 tonnes), de l'acier (9,7 millions de tonnes, le double de la production de 1913). La production d'électricité est florissante avec 9,2 milliards de kWh d'électricité d'origine hydraulique et 7,5 milliards de kWh d'origine thermique. La France est, derrière les Etats-Unis, le second producteur d'automobiles du monde avec 254 000 véhicules. Dans tous les secteurs de production, le bilan est positif.

Les autres indicateurs économiques sont également au beau fixe. C'est vrai du commerce extérieur, importations (58 milliards de francs) et exportations (50 milliards) atteignant des records en 1929. Et si la balance commerciale est, comme on le voit, déficitaire, la balance des paiements connaît un solde positif grâce aux «exportations invisibles» : revenus du capital placé à l'étranger, solde des réparations allemandes, revenus du tourisme... Conséquence de cette prospérité, le revenu national de 1929 atteint le niveau record de 245 milliards de francs, le budget, excédentaire depuis plusieurs années, dégage encore un solde positif de 5 milliards de francs pour l'exercice 1930-1931, le plein emploi est assuré et on ne recense, en 1930, que quelques milliers de chômeurs secourus. Enfin, et surtout, dans un pays où, sauf quelques spécialistes, on mesure la prospérité à la richesse financière, comment ne pas se réjouir de l'afflux d'or et de devises à la Banque de France? La solidité de l'économie française et l'attachement des Français à l'or ont fait du franc une valeur refuge. Les réserves de la Banque de France qui représentaient 18 milliards en 1927, après la stabilisation Poincaré, sont montées à 64 milliards en 1928, 67 en 1929, 80 en 1930 !

Ce succès apparent et célébré ne doit rien au hasard pour l'opinion publique française. Il est la preuve que les Français avaient vu juste en se méfiant du gigantisme à l'américaine, des entreprises capitalistes trop hardies, fondées sur l'abus de crédit, l'investissement massif, la concentration galopante. Les difficultés des trusts et de leurs imitateurs européens ne donnent-elles pas raison à la petite et moyenne entreprise, caractéristique de la France, sachant gérer avec prudence, se contenter d'un bénéfice modeste, s'autofinancer sans prendre le risque de faire appel au crédit bancaire ? Dans la célébration de la prospérité française face à la crise du grand capitalisme qui gagne le monde depuis 1929, se glisse donc un soupçon de chauvinisme et une manière de revanche sur un modèle américain admiré et célébré par les plus dynamiques des chefs d'entreprise français depuis la fin de la Première Guerre mondiale (voir tome I, chapitre VII). La crise économique a ainsi pour premier effet de stopper net l'aspiration à la modernisation qui s'était manifestée dans la société française à la fin des années vingt.

Sans doute le diagnostic porté sur la bonne santé de l'économie française en 1930 exige-t-il d'être nuancé. Il résulte, pour l'essentiel, de la méconnaissance des données économiques par la plupart des responsables politiques comme par l'opinion publique et de la négligence d'éléments statistiques, au demeurant connus seulement d'un faible nombre d'initiés. Sur le premier point, la prospérité financière dissimule aux yeux des Français les signes annonciateurs de la crise : la bonne tenue de la monnaie, l'abondance des réserves de la Banque de France masquent les difficultés de la production. Sur le second point, les spécialistes s'inquiètent de la chute mondiale des prix de gros constatée depuis 1926 et qui n'épargne pas la France où ils baissent de 3 % par an. Autre signe inquiétant, la diminution du solde positif de la balance des paiements, du fait de la suppression à partir de 1930 du paiement des réparations allemandes et de la chute des rentrées touristiques, conséquence immédiate de la crise économique mondiale. Non moins préoccupante est la perte de compétitivité de la production agricole et d'un certain nombre de secteurs industriels après la stabilisation Poincaré de 1926 qui fait disparaître l'avantage de change dont bénéficiaient les producteurs français. On en trouve la répercussion à la fois dans la baisse des exportations et dans le repli enregistré dès mars 1929 par un grand nombre de valeurs mobilières. C'est ainsi que, dès 1928, sont touchées les entreprises textiles et les entreprises traditionnelles de qualité, qu'en 1929 l'automobile commence à être atteinte, qu'en 1930 ce sont les entreprises de consommation courante et le caoutchouc qui connaissent à leur tour des difficultés. En fonction de ces données, Jacques Marseille a fortement insisté sur la précocité de la crise française et sur son caractère endogène, se refusant à y voir le seul effet de l'importation en France de la crise américaine (J. Marseille, «Les origines inopportunes de la crise de 1929 en France», *Revue économique*, vol. 31, n° 4, juillet 1980).

En fait, on peut s'interroger sur la réalité d'une crise qui n'est pas perçue comme telle par l'opinion publique, pas plus d'ailleurs que par les gouvernants. Le président du Conseil André Tardieu, successeur de Briand, ne promet-il pas aux Français en 1930 la «politique de la prospérité»? Et le «trésor» accumulé par Chéron, ministre des Finances de Poincaré, ne plaide-t-il pas en faveur de l'optimisme des Français? La non-perception de la crise en France s'explique largement par le caractère archaïque de larges secteurs de l'économie française. Les premiers secteurs touchés, l'agriculture ou le textile, se débattent depuis 1927 dans des difficultés nées de la stabilisation Poincaré et le krach américain ne fait que prolonger un marasme qui n'est pas nouveau. Mais ce secteur est précisément celui des petites entreprises n'employant qu'un faible nombre de salariés et n'ayant guère recours aux crédits bancaires. Les difficultés économiques les conduisent à s'adapter en réduisant leur production et le temps de travail des salariés. De même la restriction du marché mondial, résultat de la crise américaine, n'atteint qu'assez peu une économie surtout tournée vers un marché intérieur protégé, ne provoquant de gêne réelle que pour le secteur des entreprises performantes tournées vers l'exportation, secteur minoritaire au sein de l'économie française (voir tome I). Enfin, les effets du retrait des capitaux américains n'atteignent que faiblement la France, dont le médiocre dynamisme et la modicité des investissements n'étaient guère de nature à attirer massivement les capitaux étrangers. Si bien qu'au total, si quelques entreprises performantes qui représentaient le secteur moteur de la modernisation ont été, dans un premier temps, gênées par les effets de la crise mondiale, la majorité des entreprises françaises a subi les premiers effets de la crise sans véritablement en prendre conscience. Jusqu'à la fin de 1930, l'idée que la France grâce à la sagesse de ses chefs d'entreprise et de ses gouvernants, grâce à l'équilibre qu'elle a su maintenir entre l'agriculture et l'industrie constitue un «îlot de prospérité dans un monde en crise», est fortement marquée dans les esprits et ne paraît souffrir aucun démenti. Le réveil sera brutal et à la mesure du présomptueux optimisme affiché jusqu'alors.

La crise frappe la France

Quand la crise économique atteint-elle la France? S'il est malaisé de fournir une date précise, il faut bien constater que, dès l'automne 1930, la multiplication des difficultés, jusqu'alors tenues pour ponctuelles, amène les contemporains à s'interroger sur l'immunité réelle du pays dans la crise mondiale. Mais le moment décisif où les yeux se dessillent se situe en septembre 1931, avec la dévaluation de la livre sterling qui entraîne celle de la monnaie d'un grand nombre de pays (pays du Commonwealth, Finlande, pays scandinaves, Portugal, Autriche, Japon...) cependant que des ajustements monétaires ont lieu en Amérique latine, en Turquie ou en Iran. Désormais, les indices de production industrielle dont certains stagnaient depuis quelques mois connaissent massivement une chute brutale qui éclaire le mécanisme de la crise française. Celle-ci réside fondamentalement dans la surévaluation des prix français par rapport aux prix mondiaux. En effet, la stabilisation Poincaré de 1928 a été calculée de manière à laisser aux prix de la plupart des produits français (sauf aux prix agricoles et à ceux des produits de luxe) un appréciable avantage de change, de l'ordre de 20 % environ. Cet avantage s'est trouvé progressivement grignoté par les effets du ralentissement de l'économie mondiale à partir de 1928, puis par ceux de la crise économique, qui entraînent une baisse générale des cours mondiaux. Mais la parité entre cours français et cours mondiaux, approximativement établie vers 1930, est brutalement remise en cause en septembre 1931 par la dévaluation de la livre sterling et des monnaies qui s'alignent sur elle, puis par la dépréciation de ces mêmes monnaies dans les années qui suivent alors que, pour sa part, la France s'efforce de maintenir la valeur du franc Poincaré. Vers 1935, les produits français sont désormais surévalués de 21 % en moyenne par rapport aux cours mondiaux, mais le décalage est beaucoup plus important en ce qui concerne les prix agricoles.

Les conséquences de cette surévaluation des prix français sont redoutables. Dès 1931-1932, les exportations s'affaissent avant de s'effondrer littéralement en 1934. Les efforts du gouvernement pour restreindre les importations, afin d'éviter une trop grave détérioration de la balance des paiements, ont pour effet d'accroître l'asphyxie de l'économie française. De surcroît, les mesures protectionnistes prises pour éviter l'invasion du marché français par les produits étrangers s'avèrent vaines. Contingentements et prohibitions ont beau se multiplier, ils ne peuvent empêcher les produits étrangers de concurrencer victorieusement sur le sol français les produits nationaux surévalués. Cette situation se trouve encore aggravée en 1933 par la dévaluation du dollar qui porte un nouveau coup à la compétitivité des produits français. Or, se refusant à entrer dans le jeu des dévaluations monétaires — en quoi nombre de pays du monde, à la suite du Royaume-Uni et des Etats-Unis, ont vu la solution —, la France s'attache à maintenir la valeur de sa monnaie, constituant en 1933 le «bloc-or» avec la Belgique, la Suisse et les Pays-Bas. On peut donc admettre qu'engagée dans les processus de l'économie mondiale, la France subit le contrecoup d'une crise née aux Etats-Unis et qui a fini par l'atteindre, même si l'importance du secteur économique archaïque a joué dans un premier temps un rôle protecteur en masquant le retournement de la conjoncture.

Mais l'originalité de la crise française tient moins à son caractère tardif (ou au caractère tardif de sa perception) qu'à sa prolongation. Alors que l'ensemble des pays industriels connaît un début de reprise vers 1935, la crise française s'aggrave à partir de cette date, se prolongeant jusqu'en 1938, après une éphémère reprise en 1936. L'explication tient certes au caractère de la politique gouvernementale sur laquelle nous reviendrons et qui s'acharne à prendre des mesures qui apparaissent souvent comme contre-productives : maintien de la valeur du franc qui perpétue la surévaluation des prix français ou barrières protectionnistes isolant l'économie française du marché mondial. Mais les difficultés de l'économie française à sortir de la crise trouvent surtout leur origine dans la structure même de la majorité des entreprises. L'importance du nombre des petites et moyennes entreprises dans les secteurs agricole, artisanal et industriel conduit à une pratique de faible investissement qui interdit de rechercher la solution aux difficultés dans un accroissement de la productivité. Dès lors ces entreprises ne peuvent faire preuve du dynamisme qui leur permettrait de se lancer à la conquête des marchés et tout leur espoir est de convaincre le gouvernement d'élever des barrières douanières leur permettant de se réserver le marché intérieur sans crainte de la concurrence internationale. Si bien que l'archaïsme de l'économie française qui, dans un premier temps, avait joué un rôle protecteur pour l'économie française face à la dépression mondiale, joue ensuite le rôle de frein interdisant à la France de se réinsérer dans les circuits économiques mondiaux, sauf encore une fois, pour la minorité d'entreprises modernes, performantes, ouvertes sur le marché mondial, qui, une fois passé le choc de la crise, reprennent leur progression.

Comment rendre compte de l'importance, proportionnellement considérable de ce secteur, largement archaïque, des petites et moyennes entreprises dans l'un des grands pays industriels du monde? Sans doute faut-il évoquer, comme l'a fait Alfred Sauvy, l'importance déterminante des facteurs démographiques dans cette situation. La faiblesse de la natalité, l'importance des pertes humaines dues à la guerre, le vieillissement de la population auraient eu pour effet de priver les entreprises du marché capable de les inciter à l'investissement et à un esprit de conquête, de réduire la population active et d'accroître ainsi le niveau des salaires, donc des coûts de production, enfin de conduire les chefs d'entreprise à faire le pari du conservatisme plutôt que de l'ouverture et du risque. Mais il faut aussi faire la part du facteur politique et du poids des valeurs officielles. Sous l'effet de la prépondérance radicale, les gouvernements successifs de la France ont exalté la petite entreprise, tenue pour le modèle social capable de fonder cette démocratie de petits propriétaires en laquelle on voit le modèle social idéal. Le culte du «petit», clé de voûte des conceptions sociales de la République, apparaît ainsi comme un frein à la croissance économique et, plus spécifiquement, dans le contexte des années 1930-1938, comme l'un des éléments qui maintiennent la France dans la crise économique. Quel a été l'impact de la crise économique sur l'ensemble de l'économie française?

La crise agricole

Elle représente l'aspect le plus grave de la crise économique en France parce qu'aux difficultés nées de la restriction du marché mondial et de l'effondrement du cours des denrées alimentaires se juxtapose, dans le cas français, une crise structurelle beaucoup plus ancienne et qui tient à l'histoire rurale de la France. Le problème tient au morcellement des exploitations rurales dont près des trois quarts ont moins de 10 hectares. Ces exploitations exiguës, particulièrement nombreuses dans le Centre et le Midi, disposent de trop peu de capitaux pour se moderniser. Or c'est dans ces zones défavorisées que les densités rurales sont les plus élevées, entraînant un sous-emploi des trois quarts de la main-d'œuvre rurale. Sans doute ne peut-on négliger le début de modernisation qu'a connu l'agriculture durant les années vingt. Mais l'accroissement des revenus lié à la guerre a surtout conduit les paysans à solder leurs dettes, puis à acheter de nouvelles terres afin d'accroître la superficie de leurs exploitations. Il en résulte un accroissement du nombre des exploitations moyennes (constituant désormais 22 % du total), sur lesquelles les exploitants achètent des machines (moissonneuses, faucheuses, lieuses). Le nombre de celles-ci a certes décuplé entre 1913 et 1938, mais le chiffre ne doit pas faire illusion : il demeure très faible par rapport aux pays voisins de la France, Royaume-Uni, Belgique ou Allemagne, beaucoup mieux équipés. Ce problème structurel fondamental explique que le rendement des grandes cultures (blé, betterave à sucre, vin), s'il s'est amélioré, demeure bien en deçà de ce qu'il est dans les pays voisins. La France produit en moyenne 18 quintaux de blé à l'hectare en 1930 contre 23 au Royaume-Uni, 27 en Belgique, 30 aux Pays-Bas. L'importance de la densité rurale, le sous-équipement, la faiblesse des rendements posent à l'agriculture française un problème de prix. Trop élevés pour permettre l'écoulement de la plus grande partie de la production sur le marché mondial, ils sont trop peu rémunérateurs pour assurer aux revenus paysans une évolution normale.

Ces difficultés structurelles, très anciennes, ont été masquées durant les années vingt par les effets de la dépréciation du franc qui donnait un avantage de change aux paysans français. Mais la stabilisation Poincaré en 1926 a fait disparaître cet avantage artificiel et a jeté l'agriculture française dans les difficultés. L'effondrement du prix des denrées alimentaires sur le marché mondial du fait de la crise américaine, la dévaluation de la livre puis du dollar alors que la France s'efforçait de maintenir la valeur de sa monnaie ont encore aggravé les choses.

La crise est particulièrement grave car elle touche les trois secteurs de base de la production française, le blé, le vin et la betterave. Cette crise structurelle de l'agriculture française se greffant sur la crise mondiale est accrue par des phénomènes conjoncturels, en particulier par les excellentes récoltes de blé et de betterave des années 1932, 1933, 1934 et, pour le vin, par la récolte exceptionnelle de 1934. La conséquence en est l'importance de la surproduction, une mévente marquée et l'effondrement des cours de ces divers produits.

Production, rendements et prix de quelques produits agricoles

Froment	*Millions de quintaux*	*Quintaux à l'hectare*	*Francs le quintal*
1931	71,9	13,8	153,4
1932	90,8	16,6	117,3
1933	98,6	18	105,8
1934	92,1	17	118
1935	77,6	14,5	74,5

Betterave	*Millions de quintaux*	*Quintaux à l'hectare*	*Francs le quintal*
1931	72,3	249,6	15,5
1932	88,5	285,6	14,8
1933	87,1	273,4	15,3
1934	103,5	307,5	13,6
1935	83,2	274,7	12,1

Vins	*Millions d'hectolitres*	*Hectolitres à l'hectare*	*Francs*
1931	59,3	38,3	121
1932	49,6	32,2	128
1933	51,8	33,7	117
1934	78,1	50,2	78
1935	76,1	49,1	64

Source : Serge Berstein, *La France des années trente*, Paris, A. Colin, 1988.

Ainsi la crise de l'agriculture est-elle générale, contraignant les exploitants à diminuer leurs dépenses et à s'efforcer de vivoter dans des conditions particulièrement difficiles. Sévèrement atteinte, elle aussi, l'industrie connaît cependant des situations plus diverses.

La crise industrielle

En effet, la crise ne touche pas de manière identique toutes les branches industrielles. Les plus atteintes sont les branches anciennes qui n'ont pas su se moderniser, dont les entreprises sont peu concentrées, où les investissements sont insuffisants et le matériel vétuste. C'est le cas du textile, la plus importante des industries françaises en ce qui concerne l'emploi de la main-d'œuvre, qui est particulièrement éprouvée dans les domaines de la laine et de la soie, cependant que le coton recule lui aussi. C'est le cas des industries extractives, le charbon dont la production tombe entre 1929 et 1938 de 55 à 47 millions de tonnes, le minerai de fer qui, pour les mêmes dates de référence, chute de 50 à 33 millions de tonnes. Tout naturellement, la sidérurgie voit sa production diminuer de 10 à 6 millions de tonnes et les constructions mécaniques enregistrent un évident recul. Au total, entre 1929 et 1935, la chute de la production industrielle prise dans son ensemble est de l'ordre de 20 à 25 % avec des différences selon les industries concernées.

Indice de la production industrielle en France (base 100 en 1938)

	Indice global	*Industrie alimentaire*	*Textile*	*Métaux de base*	*Transformation des métaux*
1929	121	102	120	151	150
1932	90	111	88	85	93
1934	95	108	94	94	100
1935	94	110	96	95	98

Source : Serge Berstein, *La France des années trente, op. cit.*

Mais il serait faux de penser qu'à l'image de l'agriculture, c'est l'ensemble de l'industrie française qui est atteint par la crise. Certains secteurs s'organisent pour résister à la dépression. C'est le cas des services publics qui, n'étant pas directement soumis à la concurrence et jouissant d'une situation de monopole, peuvent maintenir leurs prix et leurs profits : les postes, les chemins de fer, la distribution d'électricité, la distribution d'eau se maintiennent ainsi sans difficulté. Dans un autre contexte, les grandes entreprises concentrées constituent des cartels pour éviter l'effondrement des prix. Ainsi en va-t-il de la sidérurgie où de Wendel et Schneider accroissent leur emprise, de la chimie où Saint-Gobain ou Michelin dans le caoutchouc accentuent leur prépondérance, de l'électricité où, à la suite d'Ernest Mercier, quelques groupes monopolisent désormais la production. D'une manière plus générale, les branches modernes de l'industrie, les mieux équipées, parviennent à résister à la crise et même à poursuivre leur progression. C'est le cas de l'électricité, dont la production passe entre 1930 et 1938 de 16 à 20 milliards de kWh, cependant que ces années de difficultés d'ensemble sont aussi celles où est entreprise la construction des barrages du centre de la France ou l'équipement du canal d'Alsace. Autres industries dynamiques, l'automobile qui, après une chute brutale de la production à 160 000 véhicules en 1932 contre 254 000 en 1929, commence une lente remontée qui lui permettra, à la veille de la guerre, de regagner le terrain perdu ou la chimie qui, dans le domaine des colorants, de la pharmacie, de la soude ou des engrais fait un bond en avant grâce à des fusions d'entreprises comme celle qui donne naissance à Rhône-Poulenc. Mais le progrès le plus remarquable en ces années de crise est celui du raffinage du pétrole. L'équipement des raffineries de la Basse-Seine et la création de nouvelles unités sur d'autres sites permettent ainsi à la France de se trouver dotée en 1938 d'une capacité de raffinage de 8 millions de tonnes (contre 1 million de tonnes en 1931). La crise industrielle en France a donc eu des effets sélectifs. Elle a atteint de plein fouet la plus grande partie de l'appareil industriel, dans la mesure où il s'agissait d'entreprises vétustes, mal adaptées au marché et incapables d'affronter la concurrence internationale dans des conditions difficiles. Ce faisant, elle a favorisé dans ces secteurs les entreprises les plus performantes, au profit desquelles s'est opérée une certaine concentration. On pourrait donc considérer que la crise a accentué les effets de la modernisation de l'économie française, engagée durant la période de prospérité des années vingt. Hormis certaines grandes entreprises, dont les audaces financières se paient durant la crise, comme Citroën, qui fait faillite en 1934, ce sont en effet les entreprises les plus modernes qui, le premier choc passé, reconstituent leur appareil de production et parviennent à retrouver des profits. Toutefois, ce tableau optimiste d'une modernisation économique accentuée par la crise exige d'être nuancé. A la fin des années vingt seule une minorité d'entreprises est engagée dans le processus de modernisation et celui-ci est insuffisamment installé pour pouvoir entraîner dans son sillage l'économie française tout entière. Or, de ce point de vue, la crise a un effet totalement négatif. Les bénéfices des entreprises s'amenuisant, la principale source de financement disparaît. Il n'est pas question de faire appel à un marché financier qui manque de disponibilités. Dans ces conditions, les entreprises renoncent à investir et la plupart vont se replier sur elle-même, s'efforçant de survivre en laissant vieillir le matériel. Il en résulte une stagnation d'ensemble de l'appareil productif. Au total, même si elle a consolidé le petit nombre de grandes entreprises modernes, la crise a eu pour effet de stopper l'ensemble du processus de modernisation engagé à la fin des années vingt, en interdisant à la masse des entreprises françaises de s'engager dans la voie ouverte par les établissements moteurs.

La crise des finances publiques

La crise économique qui atteint la France a pour résultat de mettre en déséquilibre des finances publiques dont la bonne santé constituait jusqu'alors un motif de fierté pour les gouvernants et de satisfaction pour les Français.

Le premier aspect de cette détérioration concerne le budget de l'Etat. Excédentaire depuis plusieurs années, il retrouve dès l'exercice 1930-1931 un déficit de 5 milliards, et ce déficit ne cessera de se creuser dans les années qui suivent, passant à 11 milliards en 1933, redescendant à 8,5 milliards en 1934, mais pour retrouver le niveau de 10,5 milliards en 1935. Comment s'explique ce retour au déficit? Fondamentalement par la diminution des rentrées due à la crise qui a pour effet d'amenuiser les recettes des impôts indirects, des douanes et des contributions directes. Or cette chute des recettes fiscales coïncide avec un accroissement considérable des dépenses dues à la politique de Tardieu, président du Conseil en 1929-1930. Fasciné par l'exemple américain dont la prospérité durant les années vingt s'explique à ses yeux par une consommation de masse entraînant une reprise de la production, le président du Conseil décide de se servir du «trésor» de Chéron pour se lancer dans la «politique de la prospérité». Il s'agit en fait de procurer aux Français un pouvoir d'achat supplémentaire par une politique de larges dépenses susceptible de dynamiser la vie économique. C'est ainsi que Tardieu lance un programme d'outillage industriel fondé sur la construction de routes, l'aménagement de ports et surtout l'électrification des campagnes qui va stimuler l'industrie électrique et moderniser le monde rural. Il multiplie les dégrèvements fiscaux en faveur de diverses catégories, indemnise généreusement les victimes de calamités agricoles, accroît les traitements des fonctionnaires, les soldes et les pensions, bloqués il est vrai depuis plusieurs années, et se laisse même arracher par le Parlement (après avoir, certes, tenté de résister à cette mesure démagogique) une pension pour tous les Anciens combattants. Est-on, comme on l'a pensé, en présence d'une politique keynésienne avant la lettre destinée à combattre les effets du ralentissement économique que la crise mondiale fait redouter? Outre que les effets de la crise en France sont perceptibles bien après les première mesures prises par Tardieu, ce serait créditer les gouvernants de 1930 d'une pensée économique très en avance sur leur époque, ce qui ne paraît pas être le cas. Ni les conceptions économiques de l'époque ni l'idée qu'on se fait alors de la place de la France dans l'économie mondiale ne permettent de penser à une politique contracyclique. Le modernisme de Tardieu paraît bien se limiter à la volonté, dans la croyance d'une prospérité économique durable, de créer en France une société de consommation à l'américaine, idée défendue à la fin des années vingt par nombre de chefs d'entreprise et de spécialistes de l'économie (voir tome I). Quoi qu'il en soit, la réapparition du déficit budgétaire va constituer désormais le cauchemar des gouvernements français et la volonté de le réduire ou de le supprimer devient le maître mot de la politique économique et financière de la France.

D'autant que le déficit budgétaire s'accompagne de celui de la balance des paiements. Cette situation nouvelle n'est pas due à une aggravation du déficit de la balance commerciale. Sans doute celle-ci présente-t-elle depuis de longues années un solde négatif. Mais, redoutant que celui-ci ne s'aggrave, du fait de la chute des exportations françaises, le gouvernement s'efforce de comprimer les importations. Il réussit ainsi le paradoxe, en pleine crise, de ramener de 13 milliards en 1931 à 6 milliards en 1936 le déficit de la balance commerciale, mais avec un volume total d'échanges qui n'est plus, en 1935, que le tiers de ce qu'il était en 1929. C'est donc en procédant à une forme d'anesthésie de l'économie française que le gouvernement parvient à limiter les effets de la crise sur le commerce extérieur. Mais le fait nouveau (et grave) est l'effondrement de certains postes de la balance des paiements qui, jusqu'alors, permettaient d'équilibrer le déficit de la balance commerciale. C'est le cas des recettes du tourisme qui tombent de 6 milliards en 1931 à 750 millions en 1935. C'est le cas des Réparations qui fournissent encore 2,6 milliards de francs en 1931, mais sont suspendues cette même année par le «moratoire Hoover» avant d'être définitivement supprimées en 1932. Enfin les revenus du fret, ceux des capitaux placés à l'étranger connaissent des chutes catastrophiques en raison de la crise économique. En 1931, la balance des paiements française devient déficitaire. De 1931 à 1935 son déficit cumulé atteint 14 milliards de francs-Poincaré qu'il faut solder en or. A partir de 1933, cette situation malsaine inquiète les porteurs de capitaux et la position du franc paraît menacée. Tout naturellement, l'or cesse d'affluer à la Banque de France. Dès février 1934, l'encaisse qui était encore de 82 milliards de francs-Poincaré à l'automne 1933 tombe à 75 milliards. A partir de 1935, les capitaux commencent à fuir la France.

Atteinte dans sa richesse financière, qui constituait à ses yeux la preuve même de sa prospérité, la France est désormais consciente de la gravité de la crise qui la frappe. Mais elle demeure désarmée pour réagir, incapable qu'elle est d'imaginer les remèdes susceptibles d'y mettre fin.

La lutte contre la crise : protectionnisme et malthusianisme

En fait, la crise économique suscite en France un sentiment de profond désarroi. L'analyse la plus fréquente consiste à considérer que la cause essentielle du marasme se situe à l'étranger et que le pays subit les effets de difficultés dues à la politique imprévoyante et risquée d'apprentis sorciers qui ont cédé au vertige du gigantisme. La France, pour sa part, est demeurée vertueuse.

Attachée au dogme de l'équilibre budgétaire, elle n'a pas cédé à la tentation d'abuser du crédit, abus qui, pour elle, est à l'origine de la crise américaine. Vertueuse, elle entend le demeurer en refusant, comme l'ont fait les Britanniques et les Etats-Unis, de dévaluer sa monnaie, le maintien de la valeur or du franc constituant aux yeux de ses gouvernants un dogme intangible, une forme de contrat passé entre l'Etat et les Français. Sans doute a-t-il fallu dévaluer en 1928, mais il s'agissait du moins du prix à payer pour les dépenses de la guerre. En revanche, il ne saurait être question, pour les Français, de manipuler la monnaie, étalon des fortunes, pour se sortir de difficultés momentanées. Or la dévaluation est techniquement le seul moyen de combler la disparité signalée entre les prix français et les prix étrangers, et c'est ce que font remarquer certains hommes politiques, à partir de 1934, par exemple le modéré Paul Reynaud ou le radicalisant Raymond Patenôtre. Mais leurs propositions soulèvent un véritable tollé politique, de l'extrême droite à l'extrême gauche, et aucun homme politique responsable n'envisage de se lancer dans une opération aussi condamnable que la dévaluation.

Dans ces conditions et, puisqu'il renonce à s'attaquer aux causes mêmes de la crise, le gouvernement ne peut que tenter d'en pallier les effets. Et cette politique d'action sur les conséquences de la crise marque indifféremment l'action de tous les ministères entre 1930 et 1935, qu'ils soient de droite ou de gauche. Politique au demeurant qui n'est exempte ni de contradictions, ni d'incohérences.

La première forme de cette politique consiste à tenter de préserver les revenus des Français dans la véritable situation de guerre économique entretenue par la crise et les dévaluations. Le principal problème est de lutter contre la concurrence des produits étrangers, en particulier en provenance des pays ayant dévalué, fournissant ainsi une véritable prime à leurs exportations. Pour ce faire, la France utilise tout d'abord l'arsenal des mesures protectionnistes employées de longue date : relèvement des droits de douane sur les produits agricoles et industriels. Le protectionnisme classique s'avérant insuffisant, le gouvernement institue une surtaxe de change à l'encontre des pays ayant dévalué leur monnaie. Entre 1931 et 1934, les produits britanniques subissent ainsi une taxe de 15 % *ad valorem*. Mais ces mesures, considérées comme inamicales, risquant d'entraîner des représailles, la France doit y renoncer pour généraliser les contingentements par produits qui limitent pour chacun d'entre eux la quantité globale dont l'importation est autorisée. En 1932, la quasi-totalité des produits industriels est ainsi contingentée. Dans certains cas, de véritables prohibitions sont instituées, par exemple pour les produits agricoles, qui en interdisent pratiquement l'importation. De même, la France accepte-t-elle d'entrer, avec l'Allemagne nazie ou les pays d'Europe centrale dépourvus de devises, dans un système de *clearing* (compensation) ayant pour effet en principe d'équilibrer strictement avec ces pays le montant des importations et des exportations. En fait, l'ensemble de ces mesures aboutit à limiter strictement les importations, permettant de réduire le déficit de la balance commerciale. Mais il en résulte une contraction générale du commerce français qui aboutit à une diminution globale de l'activité économique.

Si le protectionnisme permet de mettre au moins partiellement les producteurs français à l'abri de la concurrence étrangère, il est sans effet sur la chute des revenus des Français sur le marché intérieur. Pour tenter de préserver les revenus, le gouvernement va prendre un ensemble de décisions qui varie selon les secteurs. Pour le secteur agricole, considéré comme prioritaire, à la fois parce que c'est l'un des plus touchés par la crise et parce que l'importance politique et psychologique du monde rural en France est fondamentale, l'arme employée sera celle du malthusianisme. Il s'agit de soutenir le cours des produits clés en diminuant leur production.

A la suite de l'excellente récolte de 1932, le gouvernement prohibe totalement les importations de blé et, pour encourager les céréaliculteurs à stocker leur grain, promet pour 1933 un prix minimum de 115 F le quintal. Mais ce faisant, le gouvernement n'agit nullement sur les quantités; il parie sur la venue de mauvaises récoltes les années suivantes pour régulariser les cours. Or la récolte de 1933 atteint 98 millions de quintaux (contre 90 en 1932). Dès lors, le marché s'effondre; devant le risque d'accumulation des stocks, les agriculteurs préfèrent vendre leur blé au-dessous du prix plancher afin de faire rentrer l'argent. Le «blé gangster» vendu au-dessous du cours tombe ainsi à 60 ou 70 F le quintal. En ce qui concerne le vin, autre production clé, la politique malthusienne, poursuivie avec la même énergie, n'est pas plus efficace. A partir de 1932, le gouvernement interdit les cépages trop productifs et les plantations nouvelles, il frappe d'amendes les viticulteurs dont la production est trop importante, accorde des primes à l'arrachage et à l'exportation, puis finalement, en 1936, fixe les quantités de vin à distiller obligatoirement, qu'il rachète et revend à perte. A la veille de la guerre, le problème de la surproduction de vin n'est pas résolu. Enfin, pour la betterave, une loi de 1935 contingente les importations de sucre et encourage la distillation, l'Etat absorbant, comme pour le vin, les excédents d'alcool.

La politique malthusienne se retrouve dans le domaine industriel et commercial. Une série de lois interdit la création de nouvelles entreprises et de nouvelles firmes à succursales multiples. En ce qui concerne les entreprises industrielles existantes, le gouvernement encourage les ententes industrielles qui ont un caractère économiquement réactionnaire puisque leur but est de maintenir les intérêts en place et d'éviter une chute des prix du fait de la concurrence.

Enfin, sur le plan social, la lutte contre le chômage prend l'aspect d'une intervention de l'Etat qui reprend l'idée, lancée par Tardieu dans un tout autre contexte, d'un plan d'outillage national de 5 milliards. Mais alors que le but de Tardieu était de se servir du «trésor» de Chéron pour moderniser la France, il s'agit désormais de relancer une activité économique paralysée par la crise. En 1931, plus de 4 milliards de crédit sont ainsi votés par le Parlement pour l'instruction publique, l'agriculture, les travaux publics... cependant qu'une loi autorise le gouvernement à émettre pour 3 milliards et demi d'obligations du Trésor aux fins de lutter contre le chômage.

Le gouvernement ne cherche donc nullement à agir sur les structures de l'économie française en favorisant leur modernisation afin de leur permettre d'affronter la concurrence internationale. Par le protectionnisme et le malthusianisme, par les mesures conjoncturelles du plan d'outillage national, il cherche à préserver les situations acquises, à maintenir en l'état pour des raisons politiques et idéologiques, le tissu des petites entreprises agricoles, commerciales, industrielles qui correspond certes à sa conception de la démocratie, mais nullement aux conditions économiques nouvelles nées au lendemain de la Première Guerre mondiale. Ce faisant, la politique gouvernementale de lutte contre la crise par le protectionnisme ou le malthusianisme ajoute ses effets aux conséquences de la crise déjà signalées pour bloquer l'élan de modernisation qui avait pris son essor dans l'immédiat après-guerre.

Cette politique à courte vue se retrouve dans le domaine financier.

La lutte contre la crise : la politique de déflation

Ayant choisi pour les raisons indiquées de renoncer à toute opération de dévaluation monétaire, le gouvernement va consacrer sur le plan financier tous ses efforts à réduire le déficit budgétaire afin de maintenir la valeur de la monnaie. L'objectif est de diminuer la quantité de monnaie en circulation avec un double but. Dans un premier temps, en diminuant les dépenses de l'Etat, réaliser une déflation budgétaire qui fera, aux yeux des gouvernants, disparaître une des causes de la crise, celle-ci étant considérée comme la conséquence (et non comme la cause) de la dépression économique. Dans un second temps, la limitation par le biais du budget, de la monnaie en circulation devrait conduire à une diminution des achats, donc à une baisse des prix et, espère-t-on, par ce moyen, à une reprise des exportations. La déflation est ainsi le maître mot de la politique. Or, compte tenu des circonstances, elle présente bien des défauts. Le premier, et le plus grave dans l'immédiat, est d'accroître le marasme économique, puisque la diminution de la quantité de monnaie en circulation entraînera nécessairement une diminution de la demande, dont l'effet aggravera la crise. Le second réside dans son irréalisme : comment espérer comprimer assez la demande pour obtenir une baisse des prix d'environ 20 % qui permettrait de rattraper les cours mondiaux sans toucher à la valeur de la monnaie? Concevable dans une économie en forte croissance, la méthode paraît impraticable dans une économie déprimée. Enfin, le troisième défaut de la déflation est d'être rigoureusement incohérente, compte tenu de la politique de maintien des revenus des producteurs engagée par ailleurs. Comment espérer faire remonter les cours, même avec une production réduite par les mesures malthusiennes, si, par ailleurs, on diminue la demande par la déflation? Son incohérence, son irréalisme, son inadéquation condamnent donc à l'échec la politique de déflation. Et cependant, elle sera poursuivie sans faiblesse par tous les gouvernements successifs jusqu'en 1936.

Toutefois, durant les premières années de la crise économique, les gouvernants sont conduits à ne prendre que des mesures timides afin de ne pas mécontenter l'opinion par des décisions trop rigoureuses, et, par conséquent, impopulaires. Les premières mesures réelles de déflation sont prises en février 1933 par le gouvernement Daladier et consistent dans le vote d'un prélèvement exceptionnel sur les salaires des fonctionnaires au-dessus d'un seuil de 20 000 F, prélèvement qui épargne les petits fonctionnaires dont les traitements sont inférieurs à cette somme. Une nouvelle étape est franchie en décembre 1933 avec Camille Chautemps qui décide, cette fois, un prélèvement sur l'ensemble des traitements de la fonction publique, mais avec des taux progressifs, allant de 1,5 % pour les traitements les plus faibles à 6 % pour ceux qui dépassent 40 000 F. Les fonctionnaires, considérés par une bonne partie de l'opinion comme «budgétivores», et tenus en cette période de chômage pour des privilégiés en raison de la garantie d'emploi dont ils jouissent, étant ainsi désignés comme victimes de la déflation, la droite revenue au pouvoir après le 6 février 1934 aggrave les dispositions prises par Chautemps. Le gouvernement Doumergue décide ainsi en avril 1934 à la fois de réaliser une économie de 10 % sur les dépenses des personnels de l'Etat par réduction des effectifs et d'accentuer les taux du prélèvement sur les traitements, le taux minimal étant désormais fixé à 5 % et un taux progressif de 6 à 10 % affectant les salaires au-dessus d'un seuil de 20 000 F. La fonction publique devient ainsi un îlot de mécontentement, les fonctionnaires ayant le sentiment justifié que le pouvoir entend leur faire payer le prix de la crise. Sans doute objectera-t-on que la baisse des prix est bien supérieure au prélèvement ainsi effectué, mais l'effet psychologique de la diminution du salaire nominal est tel qu'aucun raisonnement ne vaut contre le sentiment que la situation des agents de l'Etat se détériore. Si les fonctionnaires apparaissent ainsi comme les boucs émissaires de la politique de déflation, il est un autre groupe que les gouvernements souhaiteraient atteindre pour parvenir à leur but, mais qui, lui, oppose une résistance longtemps victorieuse, c'est celui des Anciens combattants. La retraite des Anciens combattants, arrachée au gouvernement à la veille de la crise, et n'apparaissant pas comme indispensable, il ne semblerait pas scandaleux de la rogner quelque peu. Mais c'est compter sans la résistance des associations d'Anciens combattants qui défendent bec et ongles un avantage acquis à grand-peine. Et alors que toute la propagande officielle ne cesse d'exalter le sacrifice de ceux qui ont combattu dans les tranchées pour défendre la patrie, comment un président du Conseil pourrait-il entrer en conflit avec eux? Les gouvernements radicaux des années 1932-1934 préfèrent renoncer à leurs projets concernant les Anciens combattants. Finalement, en avril 1934, Gaston Doumergue, bravant l'hostilité de l'opinion, dans l'ébranlement qui suit le 6 février, décide un prélèvement temporaire de 3 % sur les pensions de guerre et la retraite du combattant (sauf pour les grands invalides).

Jusqu'à la fin de 1934, la politique de déflation n'est donc appliquée que de manière assez timide, en tout cas trop partielle pour pouvoir revêtir la moindre efficacité. Il en va tout autrement à partir de juin 1935 lorsque Pierre Laval accède à la tête du gouvernement. Il entend en effet appliquer sans défaillance la déflation afin de parvenir au redressement que les demi-mesures de ses prédécesseurs n'ont pas permis d'atteindre. A peine arrivé au pouvoir, il se fait octroyer le droit de prendre par décrets-lois une série de mesures préparées par les techniciens les plus réputés des finances de l'époque. En fonction de ces pleins pouvoirs, il décide en juillet 1935 une réduction générale de 10 % de l'ensemble des dépenses de l'Etat, qui concerne aussi bien les traitements des fonctionnaires que les pensions ou les intérêts de la dette publique. En même temps, il étend cette mesure au prix des loyers, du gaz, de l'électricité, aux emprunts publics et privés, aux baux à terme, aux droits et émoluments des professions libérales. Toutefois, les impôts et les tarifs des chemins de fer demeurent à l'écart de la baisse de 10 %, alors que, pour l'essentiel, les entreprises du secteur privé s'empressent d'appliquer à leur personnel la mesure gouvernementale. Pour la première fois une politique cohérente de déflation est ainsi appliquée en France. Ses résultats paraissent modestes : le déficit budgétaire n'est pas réduit dans des proportions sensibles; l'effet sur les prix est pratiquement nul, car, au même moment dans l'ensemble du monde, une reprise économique, qui affecte les cours d'un mouvement à la hausse, s'ébauche. Il est cependant juste de reconnaître que le temps a manqué à l'expérience Laval pour porter ses fruits éventuels. Le gouvernement tombe en janvier 1936 et l'amorce de la campagne électorale pour les élections de 1936 interdit à Sarraut, successeur de Laval, d'accentuer une politique de déflation extraordinairement impopulaire et contre laquelle se fait, dans le Front populaire, l'union de l'opposition (à laquelle se joint le parti radical, propre parti du président du Conseil). A partir de juin 1936, c'est vers une tout autre politique que s'orientera le gouvernement français.

Du moins peut-on remarquer que la politique de déflation a interdit à la France de profiter de la reprise qui commence dans l'ensemble du monde après 1935. Les statistiques traduisent au contraire, en France, à partir de cette date, une nouvelle aggravation de la crise économique.

La signification de la crise économique en France

Par ses caractères spécifiques, la crise économique française agit ainsi comme un révélateur de la situation réelle de l'économie française. C'en est fait des anticipations hardies de quelques secteurs pionniers qui, à la fin des années vingt, semblaient ouvrir la voie à une modernisation d'ensemble de l'économie française sur le modèle américain et à la création en France d'une société de consommation. Sans doute ces entreprises motrices, contraintes par la crise de modérer leur dynamisme, vont-elles résister et s'adapter aux temps difficiles en réalisant des gains de productivité. La période de la crise est aussi celle où l'industrie électrique est en pleine prospérité grâce à l'électrification des campagnes et au pari sur l'industrie hydraulique, où l'industrie du raffinage du pétrole opère une percée décisive, où la production d'aluminium qui était en 1929 de 29 000 tonnes atteint en 1938 42 000 tonnes (la France passant toutefois du 3e au 5e rang mondial dans ce domaine).

Mais si la crise ne frappe pas d'archaïsme le secteur le plus moderne, elle interdit aux branches traditionnelles qui paraissaient devoir s'y engager, de suivre l'exemple des industries pionnières. Désormais, dans ce domaine, majoritaire au sein des entreprises françaises, la modernisation fait peur. Le mot d'ordre est au repli, à la crainte renouvelée du recours au crédit bancaire, au refus de l'investissement porteur de risques. L'accent est mis sur la diminution de la production et des heures de travail pour s'adapter au marché intérieur déprimé, à la préservation du matériel existant, au souci d'économie. L'économie française, pour sa plus grande part (et sans oublier l'existence d'un secteur moderne et performant) refuse la modernisation et entre dans une hibernation que la guerre et les difficultés de l'immédiat après-guerre prolongeront jusqu'à l'aube des années cinquante. La crise, pour l'essentiel, ouvre pour l'économie française une stagnation de vingt années.

Révélatrice du dualisme économique de la France et du caractère malthusien et timoré d'une grande part de ses entreprises, la crise met aussi en relief le caractère archaïque de la pensée économique des gouvernants et de la plus grande partie de l'opinion publique. Car le choix d'une politique économique fondée sur le malthusianisme et le protectionnisme, d'une politique financière basée sur la déflation n'est pas seulement celui de quelques gouvernants mal inspirés. Seule une étroite minorité d'hommes politiques, isolés et placés du fait même de leur choix en position marginale, préconisent d'autres mesures. Mais de l'extrême gauche à l'extrême droite, les forces politiques qui gèrent la république et l'opinion qui les soutient partagent les conceptions dites «orthodoxes» qui fondent cette politique. L'idée que le maintien de la valeur de la monnaie est un impératif absolu dont la non-observance ne peut conduire qu'aux pires catastrophes, celle selon laquelle le budget de l'Etat doit être en équilibre parce que, pas plus qu'un particulier, il ne peut honnêtement dépenser plus qu'il ne gagne, la conception selon laquelle les lois de l'économie sont rigoureuses et qu'il convient de s'y adapter sans prétendre en quoi que ce soit les infléchir, sont fortement ancrées dans l'opinion publique et tenues pour des dogmes hors de toute discussion. D'une manière plus générale, l'affirmation qui fait partie des valeurs officielles, profondément intégrées par la population, selon laquelle seule l'entreprise à taille humaine, s'autofinançant, où le propriétaire travaille aux côtés de ses salariés, est saine et honnête traduit une profonde méfiance envers le capitalisme, affecté dans l'esprit public d'une connotation négative et dont les pourfendeurs sont assurés de recueillir les applaudissements d'une majorité de l'opinion. En d'autres termes, la crise et les réactions face à la crise montrent que la France des années trente n'était sans doute pas mûre pour cette modernisation, ardemment souhaitée par une poignée de chefs d'entreprise à la fin des années vingt. Il faudra la grande croissance de l'après-guerre pour que la France des années soixante s'engage résolument dans la voie de cette modernisation, un moment entrevue avant 1929.

En attendant, la crise économique va s'avérer lourde de conséquences pour une société française structurée à l'aune de la petite entreprise et dans laquelle domine la classe moyenne (voir tome I, chapitre VIII).

Les effets sociaux de la crise économique

La diminution d'activité de l'ensemble de l'économie française durant la crise n'est évidemment pas sans effet sur les revenus des Français. Les calculs opérés aussi bien par les contemporains que par les historiens de l'économie révèlent ainsi qu'entre 1929 et 1935, la chute d'ensemble des revenus distribués est de l'ordre de 30 %, passant en valeur nominale de 245 milliards de francs à 172. Toutefois, il est nécessaire de tenir compte, durant ces mêmes années, d'une baisse du coût de la vie, généralement évaluée entre 20 et 22 %. Si bien qu'au total, si on suit Alfred Sauvy (*Histoire économique de la France entre les deux guerres*, tome 2 (1931-1939), Paris, Fayard, 1967), la chute en valeur réelle du revenu moyen des Français serait, durant les années de crise, de l'ordre de 8,5 %.

Toutefois, il va de soi que ce chiffre recouvre dans la réalité d'importantes disparités et qu'il traduit pour les diverses catégories de la société française des situations extrêmement différentes. Aussi convient-il d'observer l'évolution des divers groupes de revenus pour se faire une idée exacte des effets sociaux de la crise.

	Valeur nominale	*Pouvoir d'achat*
Salaires et traitements	− 28,5 %	− 5,9 %
Retraites et pensions	+ 11 %	+ 46 %
Agriculture	− 48,1 %	− 31,7 %
Bénéfices industriels et commerciaux	− 37,7 %	− 18,1 %
Professions libérales	− 18,7 %	+ 6,7 %
Revenus mobiliers	− 26,6 %	− 3,4 %
Revenus fonciers	− 10,5 %	+ 11,7 %
Ensemble	− 30,5 %	− 8,5 %

Source : A. Sauvy, *op. cit.*, p. 137.

La situation des divers groupes sociaux met en relief le caractère sélectif de la crise économique qui ne frappe pas indifféremment et de la même manière toutes les catégories. En fait l'examen du tableau révèle que la crise économique si elle fait des victimes comporte aussi des bénéficiaires. La notion de bénéficiaires de la crise économique peut faire sursauter. Si l'on se fie aux résultats du tableau, entreraient dans cette catégorie les retraites et pensions, les revenus des professions libérales et les revenus fonciers. Il faudrait cependant se garder d'assimiler les uns aux autres des groupes qui ont peu en commun. La progression des revenus dissimule en fait des situations très contrastées. Ainsi, s'agissant des revenus fonciers et immobiliers, des pensions ou des retraites, ils ont subi avant 1929 une forte érosion du fait de l'inflation ou du réajustement monétaire de 1926-1928. Tardivement revalorisés (les pensions ne l'ont été qu'en

1931), ils rattrapent, au moment où la crise se déclenche, le retard accumulé durant les années vingt. Après 1934, ces revenus sont relativement épargnés par la politique de déflation : les loyers ne sont véritablement atteints, comme les baux fonciers, que par la déflation Laval de 1935, mais la diminution qu'ils subissent alors est inférieure de moitié à la baisse du coût de la vie, si bien qu'au total, ces revenus demeurent nettement bénéficiaires. En ce qui concerne les pensions et retraites, on peut faire la même observation; là, c'est la résistance des syndicats ou des associations d'Anciens combattants qui freine leur chute, et il faut attendre les mesures prises par Laval en 1935 pour qu'elles soient véritablement atteintes. Mais, pour toutes ces catégories, on ne saurait véritablement parler de bénéfices. Tout au plus est-on en présence d'un maintien ou d'une légère amélioration de revenus dont l'évolution avait été très défavorable durant les années vingt. Il s'agit d'un rattrapage, et non d'un véritable gain. En revanche, c'est de gain qu'il faut parler à propos des professions libérales. Celles-ci ont pu, sans difficulté, maintenir leur revenu durant les années vingt et adapter leurs honoraires à l'évolution du coût de la vie. En se fondant sur les déclarations fiscales des intéressés (élément éminemment sujet à caution), on peut admettre que leur revenu s'est maintenu jusqu'en 1932, a connu ensuite une légère baisse, sans que, pour la période qui s'étend jusqu'en 1935, celle-ci soit supérieure à la diminution du coût de la vie. Si bien qu'au total, pour ce groupe social, la crise se solde par une évolution réellement favorable.

Il reste que les catégories ainsi épargnées par la crise demeurent étroitement minoritaires au sein de la société française. Toutes les autres catégories de revenus qui concernent la très grande majorité des Français connaissent du fait de la crise une amputation en termes de pouvoir d'achat. Le groupe le plus atteint par cette chute des revenus est sans conteste possible celui des agriculteurs. Leur revenu nominal chute de plus de 50 % en raison de l'effondrement des prix du blé, du vin, de la betterave, puis de toutes les cultures. Il faut réviser les baux ruraux et la perte de revenus des petits et moyens exploitants agricoles restreint le marché des autres produits, les paysans se repliant sur l'autosubsistance qui leur permet de survivre.

A la crise paysanne, il faudrait ajouter celle de l'autre groupe fondamental des classes moyennes indépendantes, les commerçants et industriels. Là la chute des revenus nominaux avoisine les 40 % et la perte de revenu réel oscille autour des 18-20 %. Dès 1931, leur perte de revenu est de l'ordre du quart et cette baisse s'accentue les années suivantes. La plupart des entreprises concernées appartiennent en effet au secteur non cartellisé et elles sont victimes de la concurrence forcenée qu'elles doivent se livrer en période de baisse des prix. Ce sont les entreprises de ce secteur qui sont, pour l'essentiel, concernées par les faillites et liquidations judiciaires, en constante augmentation jusqu'en 1935.

Statistique des faillites et liquidations judiciaires (en moyenne mensuelle)

1929	708	1933	1 147
1930	755	1934	1 254
1931	906	1935	1 248
1932	1 169	1936	935

Au total, il est clair que la classe moyenne indépendante paie le plus lourdement le prix de la crise économique. Or c'est elle qui constituait l'assise sociale fondamentale sur laquelle s'appuyait depuis le début du XXe siècle la république parlementaire, et les conséquences des difficultés qu'elle subit vont se manifester en termes politiques.

Si on se fie aux statistiques, les salaires et traitements seraient nettement moins touchés puisque leur perte de pouvoir d'achat serait inférieure à 6 %. En fait, on est en présence d'un chiffre qui concerne la masse globale des salaires distribués et qui exige d'être nuancé en tenant compte des diverses catégories concernées. Le cas des ouvriers d'industrie est probablement le mieux connu, mais il recouvre une très grande diversité de statuts. Pendant la période de prospérité des années vingt, le salaire global des ouvriers a augmenté du fait de l'action syndicale. Les premiers symptômes de la crise ne l'affectent guère et là où l'action syndicale est puissante, il y aura durant la crise forte résistance du salaire nominal, particulièrement à Paris. Si bien qu'en ne se fiant qu'à cette donnée, on pourrait être amené à conclure que, compte tenu d'une baisse du coût de la vie de l'ordre de 20 à 22 %, l'ouvrier d'industrie aurait, en termes de revenus, vu son sort s'améliorer durant la crise.

Indice du salaire nominal de l'ensemble des ouvriers d'industrie

	Paris	*Province*
1929	100	100
1930	114	110
1931	114	111
1932	109	109
1933	110	107
1934	110	108
1935	109	106

Ce serait vrai si n'existaient pas le sous-emploi et le chômage qui réduisent ou annulent le nombre d'heures de travail effectivement payées. Or ce dernier qui était d'environ 48 heures hebdomadaires en 1929 tombe à 42,8 h vers 1932. Il demeure difficile d'évaluer avec précision le poids du chômage sur la société française durant la crise. Il se trouve en effet que le chômage partiel n'est comptabilisé qu'assez tard et que les statistiques du chômage concernent pour l'essentiel les grandes entreprises et les chômeurs aidés par les bureaux de bienfaisance ou les caisses municipales. Aussi ne fait-il aucun doute que les 465 000 chômeurs recensés en 1936 représentent un chiffre sous-évalué par rapport à la réalité. Sans doute faut-il le doubler et admettre que la France aurait compté, au plus fort de la crise, environ 900 000 chômeurs, ce qui est relativement peu. Quoi qu'il en soit, ce sont le sous-emploi et le chômage et non la baisse des salaires qui sont responsables de la perte de revenu des ouvriers d'industrie. On peut évaluer à environ 30 % cette perte de revenu, la masse des salaires distribués dans l'industrie et le commerce passant entre 1929 et 1935 de l'indice 100 à l'indice 69.

En ce qui concerne les salariés agricoles, l'absence de données précises conduit à émettre des hypothèses plus qu'à affirmer des certitudes. Il semble que la baisse des salaires nominaux ait été assez faible de 1930 à 1934 (de l'ordre de 10 %). Mais la situation des ouvriers agricoles est déterminée également par un certain chômage, encore plus difficile à évaluer que celui du commerce et de l'industrie.

Beaucoup plus claire est la situation des fonctionnaires. Financièrement épargnés par la crise, mais psychologiquement atteints par les campagnes qui les désignent comme les boucs émissaires des difficultés françaises, ils sont en revanche les principales victimes de la politique de déflation. Jusqu'en 1931, leurs revenus ont augmenté du fait de la baisse du coût de la vie. C'est à partir de 1933 avec les premiers prélèvements sur leurs traitements que commence la réduction de leur revenu nominal, laquelle s'aggrave avec les décrets-lois de 1935. Commence alors pour eux une période difficile qui se solde par une diminution de 13,6 % du salaire nominal des petits fonctionnaires, de 17,6 % de celui des hauts fonctionnaires. En ce qui concerne le revenu réel, on a donc (compte tenu de la baisse du coût de la vie) un maintien du pouvoir d'achat. Au total, dans le groupe des salariés, ce sont les salariés de l'industrie et du commerce qui ont payé le prix de la crise du fait du chômage et du sous-emploi.

Il reste, pour que le tableau soit complet, à examiner la situation des revenus de la bourgeoisie d'affaires qu'il est possible de mesurer par l'évolution des revenus du capital. Globalement, les statistiques indiquent pour la période 1929-1935 une chute du revenu réel des capitaux mobiliers de l'ordre de 3,4 %. Mais, comme pour les données précédentes, ce chiffre moyen recouvre des catégories très différentes dont la situation n'est pas identique. Le secteur des services publics qui dispose d'un monopole et fixe ses prix en accord avec l'Etat a naturellement peu souffert de la crise. Les bénéfices se maintiennent, voire s'accroissent jusqu'en 1934 et la distribution de dividendes aux actionnaires se poursuit. La déflation Laval de 1935 conduit à une baisse de 10 % des tarifs, mais qui est loin de rattraper celle du coût de la vie. On est ici en présence d'un secteur nettement bénéficiaire durant les années de la crise.

Second secteur à échapper aux conséquences les plus dommageables de la crise, le secteur cartellisé, concernant les grandes entreprises (chimie, sidérurgie, verre), qui est rudement atteint dans les premières années de la dépression entre 1929 et 1932, période durant laquelle les dividendes distribués chutent d'un tiers. Mais très vite, ce secteur s'organise pour résister à la dépression et, dès 1933, les profits reprennent ainsi que la distribution de dividendes et on a vu que certains groupes réussissent même à améliorer leur position durant ces années.

Si bien que l'essentiel des frais de la crise dans ce domaine retombe sur le secteur non organisé, celui des entreprises isolées où, dès 1931, la masse des dividendes distribués s'effondre, et qui ne réussira jamais à redresser sa situation. Entre 1929 et 1934, les dividendes distribués chutent de 69 % dans ce secteur.

On peut donc considérer que, comme la crise économique, la crise sociale est sélective et touche de manière très différenciée les diverses catégories de revenus. Dans l'ensemble, le monde des affaires tire son épingle du jeu, sauf pour les entreprises isolées. En revanche les salariés du secteur privé paient durement le prix de la crise en terme de chômage et de sous-emploi. Mais le groupe le plus atteint est celui de la classe moyenne indépendante, du petit patronat de l'agriculture, du commerce et de l'industrie. Autrement dit, ce sont les groupes majoritaires de la société française qui subissent les plus fortes chutes de revenu, constituant de ce fait un bloc de mécontents disponible pour toutes les contestations. La crise économique et ses conséquences sociales vont donc avoir pour double effet de stimuler la réflexion entamée au lendemain de la guerre sur la nécessaire rénovation des idées et des conceptions politiques afin de tenir compte du monde nouveau né du premier conflit mondial et d'aggraver la crise politique esquissée durant les années vingt.

II

La culture des années trente

Ramener la culture d'une époque à une tendance dominante est toujours un exercice dangereux. Nous avons pu le constater à propos de périodes dont la mémoire collective a conservé le souvenir enjolivé et passablement réducteur : la «Belle Epoque» pour les années qui sont à la charnière du XIXe et du XXe siècles, les «années folles» pour la décennie postérieure à la grande tuerie de 1914-1918 [1], etc. Il en est de même de l'espace temporel qui commence avec les premières retombées du krach de Wall Street et s'achève avec le déclenchement de la guerre. Années de crise et de pessimisme ambiant, sans nul doute, années de troubles et de bouleversements politiques débouchant sur la mise en cause radicale d'un modèle de société que l'on avait cru régénéré par le sacrifice d'une génération, et en tout cas amendable, années de tensions internationales enfin marquées par l'approche d'un conflit que beaucoup jugent inévitable

---

[1] S. Berstein & P. Milza, *Histoire de la France au XXe siècle*, tome I, *1900-1930*, Paris, Perrin, coll. tempus, 2009.

et dont la perspective réveille les souvenirs déjà un peu lointains de l'horreur.

Faut-il, dans ces conditions, parler d'une «culture de crise» pour qualifier la production et la consommation culturelles des années 30? Oui, si l'on considère que nombre d'œuvres majeures sont porteuses des stigmates d'une époque qui tranche avec l'optimisme apparent de l'«après-guerre». Oui encore, si l'on englobe dans la «culture de crise» les manifestations d'une insouciance de surface et les modes d'expression d'une fureur de vivre qui semblent prolonger la décennie précédente, mais qui sont tout autant le produit d'une inquiétude à laquelle chacun essaie d'échapper par l'«évasion», l'étourdissement ou la dérision. Non, si l'on réduit la culture des années 30 à ce filon unique et contradictoire, en oubliant qu'elle est également caractérisée par un retour partiel au classicisme, au rationalisme, à l'humanisme, et que la brève «embellie» du Front populaire a été porteuse d'une inspiration qui contraste, dans le domaine ici examiné, avec le défaitisme engendré par la grande dépression. Période complexe donc et qui, comme celle qui la précède, superpose des plans diversifiés, la décennie de l'«avant-guerre» ne saurait être perçue à travers une grille de lecture unique, aussi forte qu'ait pu être l'incidence de la crise sur les mentalités et sur la création.

Un nouveau rationalisme?

En publiant, à sept ans d'intervalle, son *Essai sur la connaissance approchée* (1928), puis le *Nouvel Esprit scientifique* (1935), Gaston Bachelard a posé les bases d'une réhabilitation de la science et de la raison. Celles-ci avaient été fortement secouées par la grande vague antipositiviste de la fin du XIXe siècle et par les retombées qu'avait eues dans le public le triomphe du relativisme einsteinien. De celui-ci, et des travaux de Louis de Broglie — prix Nobel en 1929 — sur la mécanique ondulatoire, on avait un peu vite retenu l'idée qu'il ne pouvait y avoir de vérité scientifique établie. L'apport considérable de Bachelard est d'avoir montré qu'à défaut de vérités absolues et immuables, la science était un «savoir en devenir», capable d'élaborer des propositions «vraies», c'est-à-dire aussi «approchées» que possible, à un moment donné de sa propre évolution. A chaque étape, les certitudes antérieures se trouvent ainsi reconsidérées et intégrées dans une synthèse nouvelle, un peu plus large que la précédente et un peu plus exacte. Ce «nouveau rationalisme» s'oppose donc aussi bien au credo naïf des positivistes attardés, qu'au relativisme outrancier de ceux qui finissent par dénier toute valeur à la science. Celle-ci, explique Bachelard, demeure l'instrument privilégié de la connaissance, mais elle ne conservera ce statut qu'en étant tout entière méthode, en ne s'érigeant pas en système. Toutes les propositions de la science, écrit-il, même les plus célèbres, même celles qui ont résisté au temps et aux «révolutions» épistémologiques, ne sont que des moments et des instruments dans une tâche infinie.

De cette approche dialectique des modes de production du savoir, il résulte une vision raisonnablement optimiste et «progressiste» de l'avenir de la science, les travaux qui paraissaient jusqu'alors les plus décapants, les plus ravageurs pour les théories traditionnelles de la connaissance, se trouvant eux-mêmes relativisés, considérés comme producteurs de «vérités» provisoires et en fin de compte intégrés à un «devenir de la raison» qui n'est rien d'autre qu'une très longue suite d'erreurs et d'errances surmontées. La pensée de Bachelard n'introduit pas un retour pur et simple au scientisme et à ses illusions naïves, mais elle traduit, ou annonce, un regain de confiance dans l'outil scientifique dont témoignent également la création du CNRS et du Musée de l'Homme en 1936, celle du Palais de la Découverte en 1937.

L'idée d'une connaissance solidaire du moment et des conditions dans lesquelles elle s'exerce, procède d'une tendance plus générale à considérer l'homme «en situation» et à relier sa conscience au mouvement qui la porte vers le monde. C'est ici qu'intervient l'influence de la phénoménologie allemande, et plus précisément celle des philosophies de l'existence, introduites en France par un petit nombre de jeunes philosophes et par les traductions qui sont faites dans les années 30 des œuvres de Kierkegaard, Husserl et Heidegger. L'heure n'est pas encore venue où, dans le mélange de frénésie de jouissance et de conscience de l'absurde qui caractérise le second après-guerre, l'«existentialisme» connaîtra sa «divine surprise», mais déjà s'affirment sous la plume d'un Bataille, d'un Jean Wahl, et surtout d'un Sartre, qui publie en 1937 *La Nausée*, quelques-uns des thèmes qui nourriront après 1945 le «mal du siècle» d'une génération dont l'adolescence aura coïncidé avec la guerre.

Bachelard et les premiers adeptes français de Kierkegaard et de la phénoménologie allemande n'éveillent encore dans les années 30 qu'un écho de faible amplitude, limité à une fraction novatrice de l'intelligentsia. Le courant dominant de la philosophie, celui qui jouit, depuis que son fondateur a reçu en 1927 la consécration du Nobel, du statut de philosophie officielle, est le bergsonisme. Il a du coup perdu beaucoup de sa valeur subversive et est désormais attaqué par les jeunes littérateurs — Nizan par exemple dans *Les Chiens de garde* — au même titre que les poncifs éculés de la pensée universitaire. Le maître lui-même ne donne plus, après 1930, qu'une œuvre importante : *Les deux sources de la morale et de la religion* (1932) et voit son influence se réduire au profit de celle des défenseurs de la raison : un Léon

Brunschvicg par exemple, professeur à la Sorbonne comme Bachelard, et auteur d'un ouvrage sur *La Raison et la religion*, publié en 1939 et qui fait un peu de ce néo-kantien un anti-Bergson.

Les intellectuels dans la mêlée

La littérature des années 20 avait eu pour caractéristiques essentielles la recherche de l'évasion, sous toutes ses formes, et une passion introspective à laquelle la mode du freudisme et les influences bergsoniennes n'étaient pas étrangères. Ceci n'avait pas empêché de grands noms de la littérature, des arts et de la pensée, de faire entendre leur voix dans le débat politique, voire de participer comme les surréalistes au combat d'idées. Ils étaient toutefois largement minoritaires.

Au cours de la décennie suivante, l'extension de la crise à toute l'Europe, la montée des totalitarismes et la confrontation des grandes idéologies de l'heure — démocratie libérale, socialisme réformiste, communisme, fascisme — bouleversent la vie culturelle du vieux continent et inclinent de plus en plus d'intellectuels à s'engager dans la bataille. A l'heure où l'extrême droite ligueuse s'apprête, en France, à donner l'assaut contre la République, où la guerre civile fait rage en Espagne, où Hitler engage l'Europe dans une série de coups de force dont sortira le second conflit mondial, où Staline soumet son pays à la terreur organisée, rares sont en effet les écrivains et les artistes qui, «au-dessus de la mêlée», peuvent encore se réclamer d'un humanisme fraternel transcendant les frontières des Etats et les clivages politiques, à la manière du Jules Romains des *Hommes de bonne volonté* (dont le premier des 27 volumes paraît en 1932) et du Roger Martin du Gard des *Thibault*. Les contraintes de l'actualité autant que l'«air du temps» poussent les créateurs à l'engagement politique, les uns dans le champ exclusif de la culture, d'autres dans celui de l'action militante.

Ainsi, au lendemain du 6 février 1934, des écrivains, des artistes, des savants appartenant aux divers courants de la gauche fondent le Comité de vigilance des intellectuels antifascistes, dont le rôle dans la constitution du Front populaire a été considérable. Le lancement en est assuré par trois personnalités prestigieuses : l'ethnologue Paul Rivet, directeur du musée d'ethnographie du Trocadéro (le futur «musée de l'Homme»), membre de la SFIO, le philosophe Alain, maître à penser du radicalisme français, et le physicien Paul Langevin, compagnon de route du PCF. Son action consiste surtout à diffuser des brochures dénonçant le danger fasciste (*Qu'est-ce que le fascisme*, 1935) et les méfaits du capitalisme français (*La Banque de France aux mains des deux cents familles*, 1936). En 1935, lors de la guerre d'Ethiopie, des écrivains et des journalistes de droite — académiciens, hommes de lettres proches de l'Action française et des organisations fascisantes, comme Robert Brasillach, Pierre Gaxotte et Thierry Maulnier, académiciens, «pacifistes» non marqués politiquement comme Pierre Mac Orlan et Marcel Aymé — signent un manifeste, *Pour la défense de l'Occident*, dans lequel ils se déclarent hostiles aux sanctions prises contre l'Italie. A quoi répond un contre-manifeste des intellectuels de gauche, rédigé par Jules Romains et où figure le nom d'Emmanuel Mounier.

Mais surtout c'est la guerre d'Espagne qui, de 1936 à 1938, mobilise intellectuels et artistes, quelques-uns comme combattants — André Malraux par exemple, enrôlé dans les brigades internationales et chef d'une escadrille aérienne engagée sur le front de Teruel —, les autres comme témoins présents sur le terrain (Bernanos, d'abord favorable aux nationalistes, puis dénonciateurs de leurs crimes dans *Les Grands Cimetières sous la lune*, Brasillach dans le camp adverse) ou simplement par le truchement de leurs œuvres : *L'Espoir* de Malraux, les *Présages de la guerre civile* de Salvador Dali, le *Guernica* de Picasso, les affiches appelant à aider l'Espagne républicaine de Joan Miró, etc.

De cet engagement des intellectuels, tous les mobiles ne sont pas d'ordre strictement idéologique. Il entre dans leur action nombre de considérations existentielles qui relèvent d'un mal de vivre propre à la génération à laquelle ils appartiennent. A gauche, le choix du compagnonnage de route avec les marxistes constitue pour un homme comme Malraux le moyen d'échapper à la précarité de la «condition métaphysique». A droite, la sympathie que manifeste Montherlant pour le vitalisme fasciste ne motive que très partiellement une action dont la valeur tient dans sa gratuité. Tel est le message du livre qu'il publie en 1935 et dont le titre significatif, *Service inutile*, résume clairement la pensée de son auteur. L'engagement est une nécessité pour l'homme. Il ennoblit son action et donne un sens à sa vie, à condition qu'il n'en soit pas dupe et qu'il sache qu'elle ne sert à rien, qu'elle n'est utile ni à l'individu ni à la société.

Tentations totalitaires

L'attrait exercé par le marxisme et par la forme qu'il est censé avoir prise en Russie depuis la Révolution d'Octobre est l'une des données majeures de la période. Il dépasse largement le cercle restreint des adhérents au PC et étend son influence à d'importants bataillons de «compagnons de route» auxquels il faudra beaucoup de temps pour qu'ils prennent conscience de la dérive accomplie par ce qui fut pour la plupart d'entre eux, représentants du monde intellectuel et de la jeunesse bourgeoise, «l'immense lueur née à l'Est».

Après des débuts difficiles, consécutifs aux conditions dans lesquelles s'est opérée la scission de 1920 et la «bolchevisation» de la section française de la IIIe Internationale, le communisme a en effet le vent en poupe dans la France des années 30. Les difficultés dues à la crise, le peu d'enthousiasme suscité par les institutions et les idéaux d'une démocratie libérale qui paraît avoir épuisé toutes ses capacités de renouvellement, le spectacle donné par le jeu alambiqué du parlementarisme, l'appétit d'absolu d'une jeunesse qui n'a pas pour sa part renoncé au rêve, tout cela joue dans une partie de l'opinion en faveur du jeune parti communiste et de la «patrie des prolétaires» que glorifie la propagande du Komintern. Beaucoup de ceux qui se sont rendus en URSS pour confronter leurs espérances avec les réalités bien tangibles de la «construction du socialisme» sont revenus, quand ils ne se sont pas laissé prendre par la mise en scène ou aveugler par d'inébranlables certitudes, déçus et parfois révoltés par la vision de la «révolution confisquée». Certains comme Gide, comme Georges Friedmann et comme beaucoup d'autres vont le proclamer avec vigueur, mais leurs voix sont encore moins fortes à gauche à la fin de la décennie que celles qui affirment que l'URSS est porteuse de l'espoir et de la jeunesse du monde.

Les années 30 voient ainsi le parti communiste faire entrer dans sa mouvance de nombreux écrivains appartenant à la génération de ceux qui ont fait la guerre, et à celle de leurs cadets, de Louis Aragon à Henri Barbusse, de Paul Eluard à Georges Friedmann, de Jean-Richard Bloch à André Wurmser, de Charles Plisnier à Paul

Nizan. Adhésion au marxisme, en tant qu'idéologie structurée et globalisante? Pour quelques-uns d'entre eux, comme Nizan, cela ne fait guère de doute, mais ils sont minoritaires. L'important pour la plupart des écrivains et des artistes qui s'engagent aux côtés du PC, c'est moins la doctrine que le message révolutionnaire dont il est porteur, et le romantisme que nourrit le mythe ouvriériste et libérateur de la Révolution d'Octobre. Jouent dans le même sens le rejet d'une société bourgeoise qui a enfanté la guerre et le non-conformisme d'un milieu qui se veut en marge des valeurs consensuelles inspirées par la classe dirigeante.

Dès cette période, la volonté des dirigeants communistes de soumettre les écrivains et les artistes se réclamant de la révolution aux impératifs d'une esthétique qui est déjà celle du «réalisme socialiste» provoquent des tensions qui se manifestent par exemple lors du «Congrès international pour la défense de la culture», tenu à Paris en 1935 sous la présidence d'André Gide. S'y opposent les écrivains qui entendent ne pas subordonner leur art aux directives du parti et aux nécessités du combat politique, et les marxistes purs et durs, pour lesquels la littérature d'analyse psychologique, d'inspiration proustienne ou mauriacienne, n'est rien d'autre que le produit de l'oisiveté bourgeoise. Déjà en 1933, le refus opposé par certains surréalistes, dont Breton et Eluard, à «soumettre leur activité littéraire à la discipline et au contrôle du parti», avait entraîné leur exclusion de l'organisation communiste. Mais la dissidence est encore affaire d'individus isolés et de groupes ultra-minoritaires, même après 1935, lorsque ont commencé à être dénoncés les effets de la radicalisation totalitaire et terroriste du régime stalinien.

Il faut attendre 1936 et la rupture avec Gide pour que les premières fausses notes dans le concert des intellectuels communistes et sympathisants trouvent un écho en dehors de quelques cercles restreints d'écrivains et de journalistes. L'auteur des *Nourritures terrestres*, dont la réputation reposait à bien des égards sur l'apologie qui était faite dans ses livres de l'hédonisme et du non-conformisme, était passé dans le courant des années de la dénonciation des hypocrisies bourgeoises à la critique d'un système politique et social qui entretenait exclusions et inégalités. Contempteur du colonialisme dans son *Voyage au Congo*, paru en 1927, Gide se rapproche des communistes au début de la décennie suivante, pour des raisons assez proches de celles des surréalistes. Il voit dans le message révolutionnaire dont le parti est le dépositaire un instrument de libération de l'Homme et de destruction de l'ordre bourgeois. Choyé par le PC, qui utilise largement ce compagnon de route prestigieux, au demeurant très éloigné de la morale et de l'esthétique «prolétariennes», Gide va occuper pendant quelques années une place de choix dans la nébuleuse du compagnonnage de route. Il figure au comité de rédaction de la revue *Commune*, organe de l'Association des écrivains et artistes révolutionnaires. Il préside des meetings. Il fait avec Malraux le voyage de Berlin pour plaider, après l'incendie du Reichstag, la cause de Georges Dimitrov, maintenu en prison par les nazis malgré la reconnaissance de son innocence. Pourtant, lorsqu'il se rend en URSS deux ans plus tard, il est déçu par ce qu'on veut bien lui montrer et il le dit, dans un ouvrage paru en novembre 1936, *Retour de l'URSS*, qui provoque un véritable tollé parmi les adhérents et les sympathisants du parti. L'heure est à la défense de la République espagnole et aux premières difficultés sérieuses rencontrées par le gouvernement Blum, et le livre est perçu à gauche comme susceptible de porter tort au rassemblement antifasciste. De là la violence de la polémique qui oppose l'écrivain non seulement à la mouvance communiste mais à des hommes aussi peu suspects d'être inféodés à cette dernière que

Jean Guéhenno. Elle conduira l'auteur des *Caves du Vatican* à rompre avec le parti et à faire repli vers des formes d'expression strictement littéraires.

Le cas de Gide est révélateur des difficultés que rencontrent les créateurs pour concilier leur engagement avec les impératifs qui leur sont dictés par leurs propres choix éthiques et esthétiques. Tout aussi significatif est celui de Romain Rolland, dont le compagnonnage a suivi toutefois un itinéraire plus complexe. Favorable au début au régime instauré par les bolcheviks, l'auteur de *Jean-Christophe* a répudié au début des années 20 la violence révolutionnaire dont les communistes s'étaient fait un drapeau. Elle lui paraissait inconciliable avec son idéal de tolérance et de fraternité. Il se tourna donc pendant quelques années vers la non-violence prônée par Gandhi. La montée du fascisme et l'avènement de la dictature en Allemagne le convaincront de l'illusion qu'il y a à vouloir opposer l'angélisme à la violence des forces réactionnaires. Il se tourne donc à nouveau vers le communisme, considérant la terreur révolutionnaire comme un mal nécessaire et passager, et cautionnant avec résignation un régime politique dont il n'ignore pas les excès. «*Malgré le dégoût,* écrit-il, *malgré l'horreur, malgré les erreurs féroces, je vais à l'enfant, je prends le nouveau-né: il est l'espoir misérable de l'avenir humain.*»

A l'autre extrémité du spectre idéologique, la fascination pour le fascisme — et pour son homologue nazi — n'a pas été moins forte, avec là aussi des degrés d'adhésion très variables selon les groupes et les individus concernés. Globalement, on peut admettre avec Raoul Girardet («Notes sur l'esprit d'un fascisme français, 1934-1940», *Revue française de science politique*, juillet-septembre 1955) qu'il s'est développé, au sein de l'intelligentsia française des années 30, un «phénomène d'imprégnation fasciste» qui est à la fois volonté de renouvellement, refus du monde bourgeois, de son conformisme frileux, de ses «commodités», de ses préoccupations matérialistes et de son idéologie rassurante et asexuée. Cet «esprit des années 30», étudié par Jean Touchard et par Jean-Louis Loubet del Bayle (*Les non-conformistes des années 30*, Paris, Seuil, 1969), a soufflé avec une égale intensité sur l'ensemble du paysage politique français et a nourri toute une gamme d'attitudes émanant d'individus, de groupes, de revues qui, sans vouloir explicitement substituer une dictature musclée à la République parlementaire, marquent leur hostilité à celle-ci et rêvent d'une révolution spirituelle qui rendrait à la nation française sa force vive et serait en mesure de s'opposer aux deux Léviathans matérialistes qui menacent l'identité de l'Europe : le communisme russe et l'hypercapitalisme *made in USA*.

Unanimes à exiger une rupture avec le «désordre établi» (l'expression apparaît dans la revue *Esprit* en mars 1933), les «non-conformistes» sont loin de former une famille homogène. Grossièrement, on peut distinguer trois groupes entre lesquels il existe des passerelles et des terrains de parcours communs, où se croisent des hommes et des idées venus d'horizons divers. Le premier et le plus aisément classable est celui de la «Jeune Droite». Apparu en 1928, il rassemble autour de revues plus ou moins éphémères telles que *Les Cahiers*, *Réaction*, *La Revue française* et un peu plus tard *Combat*, de jeunes intellectuels appartenant à la mouvance maurrassienne mais que l'immobilisme de l'AF a rendus impatients de trouver d'autres lieux de réflexion et d'expression. A côté d'un Robert Maxence, d'un Robert Francis et d'un Robert Brasillach, qui deviendront effectivement fascistes, on y trouve des hommes comme Thierry Maulnier, Jean de Fabrègues, Maurice Blanchot, Pierre Andreu et René Vincent. Caractéristique à maints égards de l'esprit rénovateur des années 30, la «Jeune Droite» représente en même temps la moins originale des entreprises «non conformistes» en ce sens que, recueillant une partie de l'héritage maurrassien, elle conserve de puissantes attaches avec le traditionalisme de l'Action française et n'offre pas un visage aussi radicalement nouveau que ceux des deux autres courants.

Ceux-ci présentent en effet une plus grande originalité et sont du même coup plus difficiles à situer sur le classique éventail des positionnements politiques. Parler de «centre» à propos de *L'Ordre nouveau* et de «gauche» pour qualifier l'orientation d'*Esprit*, comme le fait l'historien anglais Alastair Hamilton (*L'Illusion fasciste. Les intellectuels et le fascisme, 1919-1945*, Paris, Gallimard, 1973), n'a guère de sens appliqué à des courants qui répudient précisément ces catégories et se définissent eux-mêmes par leur volonté de dépasser les clivages traditionnels. Admettons néanmoins que, par rapport à la «Jeune Droite», ils se développent sur un versant ouvert à des influences diverses et qui n'est pas, *stricto sensu*, celui de la «révolution conservatrice».

De ces deux pôles du non-conformisme, le plus éloigné des itinéraires idéologiques reconnus est celui de l'«Ordre nouveau». Par cette appellation générique, il faut entendre non seulement la revue qui a commencé à paraître en 1933 et a pris le nom du groupe fondateur, mais ce groupe lui-même — constitué dès 1929 autour de personnalités telles qu'Alexandre Marc, Arnaud Dandieu, Jean Jardin, Daniel-Rops et Denis de Rougemont. S'y rattachent également la revue *Plans* de Philippe Lamour et le bulletin *Mouvements* fondé en 1932 par André Poncet et Pierre-Olivier Lapie.

Le troisième groupe est celui qui s'est formé au début de 1930 autour de Georges Izard, d'André Deléage et de Louis-Emile Galey et qui devait donner naissance deux ans plus tard à la revue *Esprit*, dirigée dès sa création par Emmanuel Mounier et à laquelle vont collaborer Jean Lacroix, Etienne Borne, Pierre-Henri Simon, Georges

Duvau, Henri Marrou et André Philip : en majorité des universitaires appartenant à la génération des 25-35 ans et proches pour la plupart d'un catholicisme influencé par Jacques Maritain ou par les divers courants de la démocratie chrétienne.

Un certain nombre d'historiens, parmi lesquels le Britannique Alastair Hamilton et l'Israélien Zeev Sternhell, ont mis l'accent dans leurs écrits sur les aspects du non-conformisme intellectuel des années 30 qui feraient qu'à bien des égards il pourrait être assimilé à une sorte de «fascisme spiritualiste» dont l'auteur de *Ni droite ni gauche* place le centre de gravité davantage du côté de *Combat*, la revue de Thierry Maulnier et de Jean de Fabrègues, que de l'espace intellectuel occupé par la revue *Esprit* et par le mouvement de l'Ordre nouveau, sans toutefois absoudre complètement ces derniers du péché de tentation fasciste. Or, s'il est vrai qu'il existe des points communs entre les «non-conformistes» et la petite légion d'intellectuels qui se réclame de l'idéologie des faisceaux — le rejet sans appel de la démocratie bourgeoise et du parlementarisme, à la fois effets et causes du déclin de l'Occident, le procès intenté au libéralisme, au capitalisme et aux hiérarchies de l'argent, le refus du matérialisme marxiste, l'exaltation de la jeunesse, l'obsession d'enrayer la «décomposition» de la nation, la répugnance enfin à exprimer le débat d'idées en termes de «droite» et de «gauche» —, cela ne suffit pas à tirer de ces convergences l'idée d'une fascination plus ou moins larvée des groupes considérés.

D'abord parce que ces traits communs, on les retrouve, plus ou moins accentués ou tempérés, dans beaucoup d'autres secteurs de l'opinion, dans certaines organisations d'anciens combattants, dans les minorités dissidentes de la gauche non communiste (néo-socialiste, «jeunes-turcs»), parfois de manière plus diffuse chez l'homme de la rue. Ensuite, parce que sur un certain nombre de points fondamentaux, les non-conformistes prennent leurs distances à l'égard du fascisme ou se déclarent en désaccord formel avec certains thèmes majeurs de l'idéologie et de l'éthique fasciste. Ils rejettent le mythe guerrier. Ils répudient le nationalisme érigé par les générations qui les ont précédés soit en «forme idéologique abstraite» (R. Aron & A. Dandieu, *Décadence de la nation française*, Paris, Riéder, 1931), sans le moindre enracinement charnel et affectif, soit en mystique collective porteuse de toutes les fièvres belliqueuses. Enfin ils se démarquent avec vigueur du totalitarisme. Du communisme, bien sûr, que l'on condamne sans réserve comme étant à la fois «*un système contre l'homme*» et «*le rigoureux achèvement réformiste des erreurs les plus monstrueuses du capitalisme*». Mais aussi du fascisme que les non-conformistes ont d'autant plus de mérite à prendre pour cible qu'ils reconnaissent volontiers ce qu'ils ont de commun avec lui, ainsi que la fascination qu'exercent sur nombre d'entre eux sa force vitale, sa modernité et ses potentialités révolutionnaires.

Ce sont des choix idéologiques et éthiques qui, tenant à leur culture politique, à leur engagement religieux, pour certains à leurs attaches demeurées très fortes avec la famille maurrassienne, ont empêché la plupart des «non-conformistes» de subir durablement l'attraction du fascisme : autrement dit, de subordonner leurs convictions à leur soif d'action et de changement, à l'illusion lyrique dont était porteuse cette «poésie de la nation» dans laquelle Brasillach croyait découvrir le symptôme et le remède au «mal du siècle» de sa génération.

Quelques-uns ont toutefois voulu aller plus loin que ce fascisme tendanciel, qui relevait davantage de la tradition antipositiviste et antibourgeoise de l'avant-guerre que de l'influence italienne ou allemande. C'est le cas de Drieu La Rochelle. Pour ce fils de bourgeois monarchiste, élevé dans une atmosphère ouatée et en quelque sorte «libéré» par une guerre qui le révèle à lui-même, le fascisme est d'abord une révolte contre sa classe et contre sa famille, un nihilisme antibourgeois. En dehors d'un nationalisme à vif, et qui ira d'ailleurs en s'atténuant au fur et à mesure que s'affirmera, pendant la guerre, l'adhésion de Drieu à l'européanisme hitlérien, la rupture est totale avec les valeurs traditionnelles de la bourgeoisie française, avec ses modes de vivre et de penser, avec son intellectualisme décadent. Drieu se dit «socialiste», mais son socialisme ne vise pas à l'amélioration du sort matériel des classes laborieuses, donc à leur embourgeoisement et à leur décadence. Il est au contraire volonté de développer chez tous les hommes les forces physiques et morales qui constituent leur dignité : ce que ni le capitalisme anonyme et égoïste, ni le matérialisme marxiste ne sont en mesure de leur apporter. Par réaction d'autre part contre la décadence bourgeoise — transposition ou sublimation d'un véritable dégoût de soi-même et d'une inaptitude durable à vivre avec son époque — Drieu développe une idéologie vitaliste qui fait de la vie en commun, du sport, du culte de la force et de la virilité les éléments rédempteurs d'une société corrompue par la civilisation moderne et l'ultime chance de porter remède au déclin français. En somme, le fascisme de Drieu est avant tout un effort pour changer l'homme, pour régénérer son esprit et son corps, pour lui permettre de reculer l'échéance de sa propre décomposition. Il n'est que secondairement l'adhésion à une idéologie politique. Telle est la signification de *Gilles*, le roman qu'il publie pendant la «drôle de guerre» et dont le héros est un jeune bourgeois qui, après avoir collectionné les déconvenues sentimentales et les déceptions politiques, croit trouver le salut dans l'engagement fasciste et dans l'aventure guerrière aux côtés des nationalistes espagnols.

Ce romantisme fasciste est également celui de la petite équipe qui, sortie du giron de l'Action française, s'est regroupée autour de l'hebdomadaire *Je suis partout* et de son rédacteur en chef Robert Brasillach : Pierre Gaxotte, Maurice Bardèche, Pierre-Antoine Cousteau, Lucien Rebatet, Georges Blond, Alain Laubreaux, etc. Chez Brasillach, on retrouve les idées et les sentiments chers à Drieu : une vision lyrique de la nation purifiée et régénérée débouchant inévitablement sur le racisme, l'amour de la force et de la jeunesse, l'oubli de soi dans la ferveur du groupe, l'adhésion à un fascisme vague qui, à cette date, s'inspire moins du national-socialisme que du modèle italien ou phalangiste. Et aussi un attachement viscéral à un passé idéalisé et poétisé qui n'est pas seulement celui de la France, mais déjà celui d'un «Occident» européen conçu comme le refuge des valeurs spirituelles face aux deux géants matérialistes que sont la Russie soviétique et l'Amérique anglo-saxonne.

Diversités des courants littéraires

L'engagement des écrivains a nourri durant les années 30 une production littéraire dont l'intérêt ne se limite pas au rôle qu'elle a pu jouer dans le combat politique. Des ouvrages tels que *L'Espoir* d'André Malraux, *Gilles* de Drieu La Rochelle, *Notre avant-guerre* de Brasillach, *Les Grands Cimetières sous la lune* de Bernanos, ou *La Conspiration* de Nizan ne sont pas seulement des témoignages ou des fictions romanesques ayant vocation à mobiliser les sympathisants de l'un ou l'autre camp. Ils ont une valeur esthétique. Ils ont survécu au temps en tant qu'échantillons d'un véritable courant littéraire, lequel englobe lui-même des œuvres produites par des écrivains moins directement «engagés» dans l'action militante. Que ce courant ait eu une résonance qui s'explique par la sensibilité de l'époque aux graves problèmes qui agitaient alors l'Europe ne signifie pas qu'il ait été quantitativement dominant, moins encore qu'il ait été perçu comme tel par les contemporains.

Plus encore peut-être que la période qui la précède, la décennie 1930 est marquée par la diversité des courants littéraires et par l'exubérance d'une production qui touche un public un peu plus large que celui de l'avant-guerre. Proche de la littérature politiquement et explicitement engagée, dont il vient d'être question, on trouve tout d'abord une série d'œuvres qui relèvent soit de ce qu'il est convenu d'appeler «l'esprit des années 30», en ce sens qu'elles s'attachent surtout à dénoncer la dérive matérielle de la civilisation occidentale, soit d'une critique plus classique, en même temps plus corrosive parfois, de la société française et des catégories sociales qui sont censées en constituer l'«élite».

A la première catégorie on peut rattacher, outre le Bergson des *Deux sources de la morale et de la religion*, pour qui faute d'un renouveau spirituel, l'humanité sera écrasée sous le poids de ses avancées techniques, et connaîtra une industrialisation qui aboutira à une nouvelle guerre, Paul Valéry et Georges Duhamel. Le premier dénonce dans un ouvrage publié en 1931 — *Regards sur le monde actuel* — l'impuissance de l'*homo faber* à dominer ses propres créations. L'intelligence humaine, estime-t-il, a failli en ce sens qu'elle a créé des outils, monnaies ou machines, dont l'usage lui échappe. Le second voit dans la civilisation américaine (*Scènes de la vie future*, 1930) la préfiguration de la société à venir, les gratte-ciel de New York et les abattoirs de Chicago symbolisant à ses yeux un univers désincarné et inhumain, dans lequel la mort elle-même prend la forme d'un acte anonyme et stéréotypé.

La seconde catégorie rassemble des écrivains très dissemblables mais qui ont pour point commun de se livrer à une critique acerbe, parfois féroce, de la société de leur temps, les uns — comme Mauriac et Bernanos — dans une perspective qui demeure assez proche de la tradition réaliste du XIXe siècle, les autres en donnant à la manière de Gide une forme classique à leur révolte contre les hypocrisies et les tabous de la morale «bourgeoise», d'autres enfin en usant de la dérision et d'un humour grinçant pour fustiger les bassesses de leurs contemporains (Marcel Aymé), ou en poussant jusqu'au nihilisme leur désespérance et leurs rancœurs. Chez Louis-Ferdinand Céline, l'un des plus grands écrivains de l'époque, ce rejet sans appel de valeurs humanistes dont l'auteur du *Voyage au bout de la nuit* (prix Renaudot 1932) dénonce l'hypocrisie et la faillite s'exprimera par le truchement d'une langue provocatrice et volontiers ordurière, et aboutira au délire antisémite de *Bagatelles pour un massacre*.

A l'autre extrémité du spectre idéologique, ceux qui avaient été durant les «années folles» à l'épicentre de toutes les provocations et de toutes les révoltes — héritiers de dada et apôtres de la religion surréaliste — n'ont pas épuisé toute leur sève et toute leur fureur. Certes, le groupe a perdu beaucoup de sa cohésion et de son impact, avec le départ de ceux de ses membres qui ont accepté, comme Louis Aragon, d'obtempérer aux consignes de l'Internationale communiste et des dirigeants du PC, puis avec la dissidence qui a suivi le publication du *Second manifeste*. Des artistes et des écrivains comme Buñuel, Prévert et Desnos ont alors rejeté ce qu'ils considéraient comme la dérive autoritaire de Breton, et ont quitté le groupe tout en déclarant qu'ils restaient fidèles à ses principes en matière d'esthétique et de volonté révolutionnaire. La légion s'est donc clairsemée au fil des ans. Elle conserve néanmoins une forte vitalité, particulièrement dans le domaine des arts plastiques comme en témoigne le succès de l'Exposition internationale du surréalisme qui se tient à Paris en 1938.

Toute la littérature de cette époque est loin de refléter au premier degré la crise de civilisation des *gloomy thirties* (les sombres années 30). Celles-ci inclinent en effet nombre d'écrivains et de lecteurs à chercher un remède aux angoisses de l'heure dans l'évasion, prolongeant ainsi une tendance déjà largement présente au cours de la décennie précédente. Les uns, après avoir proclamé, comme Valéry, l'impuissance de l'homme moderne devant le naufrage de sa civilisation, s'évadent dans l'esthétisme, dans la «poésie pure», vide de sens et de contenu humain. D'autres se construisent un monde de fantaisie et d'irréalité, tels Cocteau et Giraudoux. D'autres encore cherchent le dépaysement dans le voyage, dans le contact avec d'autres civilisations comme Malraux (*La Voie royale*), Nizan (*Aden Arabie*), Francis de Croisset, Maurice Dekobra et surtout Paul Morand, ou dans le retour aux sources de la nature et aux valeurs du monde paysan (Jean Giono, Ramuz, Henri Pourrat). Le public suit, en assurant de gros tirages aux hommes de plume qui parviennent à lui faire oublier les difficultés de l'heure et les menaces qui pèsent sur son futur immédiat : Paul Morand, André Maurois, Joseph Kessel, Pierre Benoit, etc.

Prendre argument du succès commercial de cette littérature d'évasion pour stigmatiser la «décadence» des lettres françaises au cours de la décennie qui précède la guerre, serait tout a fait abusif. D'abord, parce que l'évasion et l'exotisme nourrissent depuis longtemps en France un filon littéraire d'une envergure certaine, et que les œuvres qui s'y rattachent sont souvent des œuvres de qualité. Ensuite, parce que ni cette production à vocation «récréative», ni celle qui résulte de l'engagement politique des créateurs, ou de leur inclination à faire du «malheur de la conscience» le thème majeur de leurs écrits, ne constituent des courants hégémoniques. Il y a tous ceux qui, parmi les grands noms de la littérature, poursuivent leur cheminement intellectuel, esthétique et spirituel, sans se préoccuper de faire rêver les Français ou de les incliner à entrer dans le combat politique, tels un Saint-John Perse ou un Claudel. Il y a les survivants des deux générations précédentes qui n'appartiennent pas tous au petit monde sclérosé et réactionnaire de l'Académie (Roger Martin du Gard n'y a pas été admis, mais il a reçu le Nobel en 1937). Il y a enfin nombre d'isolés dont l'œuvre transcende les clivages et les courants et qui, à des titres divers, figurent à la veille de la guerre parmi les grands, tel Saint-Exupéry dont l'engagement s'efforce de concilier, comme plus tard celui de Camus, héroïsme et humanisme. Pascal Ory a raison d'écrire, en conclusion d'un ouvrage collectif sur la culture de l'entre-deux-guerres : «*Alors, repli sur toute la ligne et rien que du médiocre? On ne peut dire cela d'une nation qui, saignée à blanc, vieillissante, un peu somnolente, trouve encore la force de lancer dans l'universel Malraux et Giono, Prévert et Céline, Nizan et Sartre, Louis de Broglie et les Joliot-Curie, Georges Bernanos et la revue* Esprit, *Jean Renoir et Jean Vigo, qui naturalise Stravinski et publie l'édition originale d'*Ulysses, *d'une nation imperturbable au milieu des révolutions de toutes couleurs... des krachs de Wall Street et d'ailleurs, face à l'effondrement de la culture allemande et au saccage de la culture russe, réussit du moins à préserver son identité*» (Entre-deux-guerres. La création française, 1919-1939, Paris, F. Bourin, 1990, p. 585).

La création artistique

La décennie qui a suivi le premier conflit mondial a vu se développer, dans le domaine des arts plastiques, deux tendances contradictoires. Les provocations dada et les premières recherches esthétiques des surréalistes, qui constituent la partie la plus «visible» de la création artistique [2], sont contemporaines en effet d'une tendance générale au «retour à l'ordre». Tout se passe, pour beaucoup de créateurs, comme si la guerre les avait incités à refréner leurs audaces et à se rapprocher d'un public que l'hermétisme de leurs œuvres de jeunesse avait éloigné d'eux, donc de renouer au moins partiellement avec la figuration.

Paradoxalement c'est Picasso qui, après avoir ouvert les voies les plus révolutionnaires, a donné l'exemple, dès 1915, en abandonnant la géométrisation totale des formes pour une peinture — celle des périodes «bleue» et «rose» — qui, sans renoncer entièrement au cubisme, rend leur importance à la couleur et aux formes figuratives. La rupture avec le cubisme est moins nette chez Georges Braque qui va désormais adopter une voie moyenne entre le figuratif et une transcription très interprétée et structurée du réel dont il ne se départira pas jusqu'à sa mort. Avec Matisse au contraire, on en revient à une approche plus conventionnelle de la réalité et à un choix des sujets (nus, danseuses, etc.) qui fait la part belle au goût du public. Il en est de même pour d'autres peintres, eux aussi en retrait par rapport aux hardiesses d'avant-garde de leurs jeunes années, tels Derain, devenu classicisant dans ses représentations de natures mortes sévères et de nus, et Raoul Dufy.

Le «retour à l'ordre» de l'immédiat après-guerre est loin cependant de marquer le triomphe définitif du figuratif sur les autres formes de représentation du réel ou du pensé. Avec Fernand Léger et avec le «purisme», le choix des sujets empruntés au monde du travail et la rigueur du dessin ne constituent pas un pur et simple

---

[2] Cf. Vol. 1, pp. 461 sq.

retour à la figuration. Ils concourent à une esthétique dans laquelle «l'idée de la forme précède la couleur». La peinture abstraite, qui avait jusqu'alors trouvé son terrain d'élection en Europe centrale et orientale, va devoir migrer avec la victoire et l'expansion du nazisme vers l'ouest du continent, notamment aux Pays-Bas et à Paris, devenu au début des années 30, avec le groupe «Cercle et carré» et avec la revue *Abstraction-Création*, le pôle majeur de ce courant, autour duquel gravitent des créateurs venus du monde entier : les Français Michel Seuphor, Jean Gorin et Auguste Herbin, le Néerlandais Mondrian, le Suisse Max Bill, le Russe Kandinsky, l'Anglais Ben Nicholson, l'Américain Calder, l'Uruguayen Torrès-Garcia, etc. Malgré leur extrême vitalité, ces groupes ne représentent toutefois jusqu'à la guerre que des chapelles dont l'audience est des plus limitées. Ne font dans une certaine mesure exception que Robert et Sonia Delaunay qui, après avoir abandonné le figuratif au début des années 30, se verront passer commande de la décoration des pavillons de l'Air et des Chemins de fer pour l'Exposition internationale de 1937.

Enfin, quelques-uns des plus grands peintres français, ou fixés en France, ne vont pas tarder à déserter les voies du retour à l'ordre. Il en est ainsi de Matisse et de Bonnard. Le premier revient, après son voyage aux Etats-Unis en 1930, à son grand style synthétique visant à ne retenir de la vision du réel que l'essence des formes. Le second réintroduit dans sa peinture une part de figuratif, prétexte à une rêverie qui s'exprime par des lacis de pâte colorée (*Le Déjeuner*, 1932). Mais surtout, c'est avec Picasso que s'affirme la volonté de renouer avec les recherches et avec les découvertes des avant-gardes : surréalisme, cubisme synthétique et expressionnisme. Son *Guernica*, exécuté pour le pavillon de l'Espagne républicaine à l'Exposition de 1937, peut être considéré comme le sommet de l'expressionnisme pictural de l'époque.

Le retour à l'ordre et à la tradition a, dans l'ensemble, moins affecté la sculpture française de l'entre-deux-guerres que l'art pictural. Il n'en a pas moins connu de beaux jours avec Despiau et Bouchard, maîtres d'œuvre du vaste programme sculptural des Palais de Chaillot et de Tokyo, édifiés à l'occasion de l'Exposition de 1937, et il inspire l'œuvre de créateurs qui, quoique à contre-courant des tendances novatrices de l'époque, méritent mieux que le mépris avec lequel ils ont été longtemps jugés, qu'il s'agisse de Pierre Poisson, de Louis Dejean, de Léon Drivier, de Georges Saupique ou de Marcel Gimond.

La volonté novatrice et la création de formes nouvelles se manifestent essentiellement autour de deux pôles : celui de l'abstraction avec Robert Delaunay, dont tout l'œuvre sculpté relève après 1930 de cette tendance, avec Mondrian, qui réside, nous l'avons vu, à Paris mais qui est à cette date complètement ignoré du public, et avec les représentants du mouvement issu de la revue néerlandaise *De Stijl* — le Néoplasticisme —, dont Paris est également l'un des principaux foyers (avec le Français Gorin, le Hollandais Doméla, l'Allemand Freundlich, etc.); celui d'autre part du surréalisme, qui conserve jusqu'à la guerre son caractère avant-gardiste et qu'illustrent des créateurs tels que Joan Miró, Max Ernst, Giacometti, Julio Gonzalez et Germaine Richier.

La musique française des années 30 n'a pas connu une aussi grande variété de tendances que la littérature et les arts plastiques. L'influence de l'expressionnisme est médiocre, celle du surréalisme à peu près nulle. Les grands mouvements novateurs passent ici par la diffusion du jazz, lui-même passé du spontanéisme «*New Orleans*» à des formes plus élaborées, introduisant dans le style *swing* une orchestration plus savante, mais les grands noms de l'art musical, à l'exception peut-être de Ravel qui, frappé d'une maladie cérébrale, cesse de composer en 1932, subissent peu son influence. Celle d'Arnold Schönberg et de l'école «dodécaphonique» viennoise (Alban Berg, Anton Webern) — qui donne pendant cette période quelques-unes de ses œuvres majeures — ne touche également jusqu'à la guerre que de petits cénacles de spécialistes. Elle n'est pas cependant sans impact sur les musiciens du «groupe des six» (Georges Auric, Arthur Honegger, Darius Milhaud, Francis Poulenc, Germaine Tailleferre, Louis Durey), lequel n'existe plus depuis 1930 en tant que cellule organisée.

Les tendances néo-classiques et le retour aux formes traditionnelles demeurent très fortes, que ce soit chez Stravinski, dont l'exil, consécutif à la Révolution d'Octobre, s'est accompagné d'une conversion spectaculaire aux influences classiques, chez des musiciens affirmés comme Paul Dukas (mort en 1935), Albert Roussel et Florent Schmitt, ou chez Ravel lui-même, que la découverte de Schönberg et du jazz ne détournera pas de son écriture classique.

L'arrivée au pouvoir du nazisme, puis l'expansion hitlérienne provoquent à partir de 1934 une diaspora musicale à laquelle Paris et Londres servent de principaux refuges. Des compositeurs tels que Hans Eisler, Paul Dessau, Kurt Weill et Schönberg lui-même, des chefs d'orchestre comme Bruno Walter prennent ainsi le chemin de l'exil et vont apporter un sang neuf à l'art musical des pays d'accueil. A Paris, en juin 1933, est monté au théâtre des Champs-Elysées le ballet de Kurt Weill, *Les sept péchés capitaux*, écrit par Bertolt Brecht, dans une chorégraphie de George Balanchine. La musique, comme les arts plastiques et comme la littérature, subit donc la marque de son temps et reflète l'engagement de toute une génération d'intellectuels et de créateurs dans le combat politique. Au moment du Front populaire, Honegger met en musique dans *Jeunesse* les paroles de Vaillant-Couturier «*Nous bâtirons un lendemain qui chante*», et la musique de scène du *Quatorze Juillet* de Romain Rolland — représentée à l'Alhambra à l'occasion de la fête nationale en 1936 — est composée par Auric, Ibert, Milhaud, Roussel, Koechlin, Honegger et Lazarus. L'un des principaux novateurs de l'époque avec Olivier Messiaen, Erik Satie, alors complètement ignoré du public, rejoint les rangs du parti communiste, alors que son disciple, Henri Sauguet, reste indifférent à la politique.

Loisirs et culture de masse

Au sens classique et «noble» du terme, la production et la consommation de *culture* ne concernent encore en 1930 qu'une frange minoritaire de Français, quelques centaines de milliers, tout au plus, si l'on y inclut le roman, quelques milliers seulement si l'on ne prend en considération que la partie du public qui s'intéresse aux créations récentes, fréquente régulièrement le théâtre et le concert et ne se trouve pas automatiquement choquée par les hardiesses des avant-gardes. «Neuf Français sur dix — écrivent Dominique Borne et Henri Dubief — éclatent encore de rire devant un Braque ou un Picasso. Au cinéma des Ursulines, au cœur du quartier Latin, chaque représentation de *L'Etoile de mer* de Man Ray fut une bataille d'Hernani. Les deux plus grands cinéastes du temps, Vigo et Renoir, furent des créateurs maudits» (*La Crise des années trente, 1929-1938*, *Nouvelle histoire de la France contemporaine*, Vol. 13, Paris, Seuil, 1989, p. 283).

La décennie qui précède la guerre marque cependant une légère accélération dans l'élargissement du public, conséquence à la fois des progrès enregistrés dans la démocratisation de l'enseignement et des avancées technologiques qui ont accru la diffusion des grands moyens modernes de communication et d'information.

L'adoption graduelle, à partir de 1930, de la gratuité de l'enseignement secondaire, l'alignement des programmes du primaire supérieur et de l'enseignement secondaire féminin sur celui des lycées et collèges de garçons, l'accroissement du nombre des boursiers n'ont certes pas suffi à rompre les barrages de toutes sortes qui faisaient de l'enseignement du second degré (et à plus forte raison du supérieur) un fief de la bourgeoisie, à peine entamé à la veille du second conflit mondial. Des mesures explicitement malthusiennes, telles que l'institution en 1933 d'un examen d'entrée en sixième, destiné à canaliser le flux au demeurant très modeste provoqué par la gratuité, ont concouru à corriger le tir et à maintenir les vannes serrées. Néanmoins, les chiffres témoignent d'une incontestable ouverture dont les principaux bénéficiaires sont les fils (plus rarement les filles) des représentants de certaines catégories intermédiaires (fonctionnaires, enseignants, cadres moyens de l'industrie). Il y avait 107 000 élèves en 1930 dans les lycées et collèges des deux sexes. Il y en aura 195 000 en 1938 auxquels il faut ajouter les enfants et adolescents qui fréquentent les écoles primaires supérieures et les cours complémentaires, lesquels ont progressé à un rythme au moins équivalent.

A la veille de la guerre, la ségrégation reste forte entre les deux types d'établissements. Seuls les premiers donnent accès, au prix d'une vie adolescente passée dans une atmosphère de caserne (dénoncée par Jean Vigo dans *Zéro de conduite*), au baccalauréat, point de passage obligatoire pour tous ceux qui veulent entreprendre des études universitaires. Les seconds préparent, via le «brevet» et le «brevet supérieur», à des carrières subalternes :

instituteur, professeur d'enseignement primaire supérieur, «ingénieur des arts et métiers» ou fonctionnaire de rang modeste. Ce n'est donc encore qu'une petite fraction du corps social qui, détentrice du «bachot», se voit ouvrir les portes de l'université et des «grandes écoles» et qui accède par ce biais au «public cultivé».

Quant à ceux qui, issus des classes populaires urbaines et rurales et de la majorité des catégories intermédiaires, interrompent leur cursus scolaire au «certificat d'études», ils ne représentent que 30 % environ de leur classe d'âge. Près de 40 % — si l'on se réfère à une enquête sur les recrues du service militaire effectuée au début de la décennie précédente — ne dépassent pas le niveau du cours élémentaire et 7 % au moins ne savent pas lire. Ces pourcentages, au demeurant supérieurs à ceux de la plupart des autres pays européens, nuancent fortement l'image d'une France quasi universellement dotée d'un bagage culturel symbolisé par le «certificat». Tel qu'il est, celui-ci constitue néanmoins pour la majorité des habitants de l'Hexagone un outil de connaissance qui favorise la diffusion de l'imprimé dans toutes les catégories sociales.

Cet élargissement du public potentiel conjugue ses effets avec ceux des progrès techniques — en matière de composition et de tirage, mais aussi et surtout de transmission des images (bélinographe) — pour accroître l'audience des grands journaux d'information et pousser en même temps à la concentration des entreprises de presse. A la veille de la guerre, sur un tirage total qui tourne autour des 10 millions d'exemplaires, deux titres se partagent la part du lion dans la presse parisienne avec 1 million d'exemplaires pour *Le Petit Parisien* et 1,8 million pour *Paris-Soir*. Lancé au début de la décennie par Jean Prouvost, grand industriel du Nord et maître d'un véritable empire de presse, ce dernier doit sa réussite à l'utilisation des techniques «américaines» de captation du public par l'accent mis sur le «sensationnel» — titres racoleurs, utilisation de l'image choc (celle par exemple de l'attentat de Marseille en octobre 1934), envoi de «grands reporters» sur les principaux lieux de l'actualité internationale, etc. — plus que sur l'usage immodéré du «sang à la une» dont *Paris-Soir* est loin d'avoir l'exclusivité.

Derrière ces deux leaders, dont les tirages conjugués représentent 30 % de celui de la presse quotidienne, les autres titres paraissent relativement modestes. Parmi les quotidiens parisiens, seuls *Le Journal* (410 000), *Le Matin* (310 000), *L'Intransigeant* (135 000) et *Excelsior* (130 000) dépassent les 100 000 exemplaires, tandis qu'en province on compte une bonne douzaine de feuilles ayant un tirage supérieur à 150 000 : *L'Ouest-Eclair* (350 000), *La Petite Gironde* (325 000), *L'Echo du Nord* (260 000), *La Dépêche de Toulouse* (220 000), etc. A côté de ces chiffres, qui témoignent globalement d'une réelle prospérité de la presse d'information — en pleine crise les grands journaux ont souvent modernisé leurs ateliers —, ceux de la presse dite «d'opinion» sont loin d'être ridicules, encore que certains d'entre eux avancent des chiffres dont de nombreuses études ont montré qu'ils étaient fortement gonflés. *L'Humanité* et *Ce Soir*, les deux quotidiens du PCF, auraient eu ainsi respectivement 350 000 et 260 000 lecteurs, *L'Œuvre* (radical) 235 000, *Le Jour-Echo de Paris* (droite catholique) 185 000, *Le Petit Journal* (PSF) 180 000, *Le Populaire* (SFIO) 160 000. A quoi il faut ajouter les forts tirages des grands hebdomadaires politiques : 650 000 exemplaires pour *Gringoire*, philofasciste et antisémite, 500 000 pour *Candide* (maurrassien), 100 000 pour *Je suis partout*, soit plus de 1,2 million pour ces trois organes de la droite extrême, tandis que la gauche et l'extrême gauche doivent se contenter d'une diffusion plus modeste : 275 000 exemplaires pour *Le Canard enchaîné*, 100 000 en 1932 pour l'hebdomadaire communiste *Regards*, 100 000 également à l'apogée du Front populaire pour *Vendredi*.

On lit donc beaucoup dans la France des années 30. Dans le budget quotidien nécessaire à l'ouvrier, qui figure sur les affiches de la CGT, est inclus l'achat de deux journaux, un quotidien du matin et un journal du soir. Nombreux sont les lecteurs, principalement citadins, qui y ajoutent l'achat d'un hebdomadaire politique et celui d'un ou de plusieurs magazines d'évasion : *Détective* tire à plus de 300 000, *Ric et Rac* à 350 000, *Marie-Claire* et *Confidences*, les deux principaux magazines féminins à un million d'exemplaires, le *Match* de Jean Prouvost à 800 000.

Quelles sont les conséquences de cette apparente boulimie de prose et d'images journalistiques? Qu'elle ait concouru à une sorte d'homogénéisation culturelle de la société française ne fait guère de doute. Encore faut-il préciser que celle-ci n'incline pas nécessairement dans le sens d'un abaissement du niveau de réflexion des lecteurs. Globalement, on peut en effet affirmer que la qualité littéraire et le contenu intellectuel de la presse française ont plutôt eu tendance à s'élever durant cette période. Même un homme comme Prouvost, qui cherche avant tout à «faire» de l'audience et s'inspire des modèles d'outre-Atlantique, s'entoure au moment où il fonde *Paris-Soir* de collaborateurs prestigieux : des normaliens comme Pierre Audiat et Gabriel Perreux à la rédaction en chef, des hommes de lettres de renommée internationale comme Joseph Kessel, Blaise Cendrars, André Maurois ou Jean Cocteau, comme «envoyés spéciaux» contractuels, de grands professionnels du reportage tels que Jules Sauerwein, Bertrand de Jouvenel, Claude Blanchard et Marc Chadourne, qui comme leurs illustres confrères des feuilles concurrentes — Albert Londres, Andrée Viollis, Edouard Helsey, Louis Roubaud, etc. —, familiarisent le public avec les horizons proches ou lointains et avec les grands problèmes de l'heure.

Toute une fraction du lectorat se trouve ainsi préparée à une meilleure compréhension du monde contemporain, qu'il s'agisse de la connaissance des pays étrangers, des grands problèmes de société (par exemple les articles d'Albert Londres sur le «bagne») ou de l'audience qui est donnée par la critique aux œuvres littéraires, théâtrales et cinématographiques récentes. Les pages «culturelles» des grands quotidiens ne sont certainement pas les plus lues. Elles viennent loin derrière les pages sportives et la rubrique des «faits divers». Elles touchent néanmoins un public plus large que dans le passé.

L'impact sur les mentalités et sur le comportement politique est également considérable et il est clair qu'il joue dans un sens moins positif. Très largement positionnée à droite, et souvent à l'extrême droite, fortement reliée aux grands intérêts économiques, largement arrosée par les services de propagande des dictatures, la presse française des années 30 a beaucoup contribué à la diffusion dans le public d'une thématique favorable aux fascismes et à un rapprochement avec l'Italie mussolinienne, voire avec l'Allemagne de Hitler. Elle a servi de vecteur à un «pacifisme» sélectif qui a fortement freiné l'action des gouvernants les plus conscients du danger nazi. Elle a enfin constitué le lieu privilégié de production et de diffusion d'un discours xénophobe et antisémite qui n'a pas été sans conséquence sur la façon dont beaucoup de Français ont approuvé, tacitement ou non, les mesures adoptées à l'égard des naturalisés récents et des Juifs par le «premier Vichy».

La radio, qui connaît son «âge d'or» durant la décennie qui précède la guerre, tend dès cette période à supplanter la presse écrite, à la fois comme moyen d'information et comme outil de diffusion d'une culture de masse administrée à fortes doses. Les années 30 voient en effet le nombre de récepteurs déclarés passer de 500 000 à plus de 5 500 000, ce qui signifie que près de la moitié des habitants de l'Hexagone se trouve à la veille de la guerre à portée quotidienne des ondes radiophoniques. Celles-ci sont théoriquement placées sous le monopole de l'Etat (l'administration des PTT), mais des dérogations «provisoires» permettent des initiatives privées qui aboutissent à la création de nouvelles stations. Radio-Paris se trouve ainsi concurrencé dès le milieu des années 30 par Radio 37 de Jean Prouvost, le Poste parisien, et surtout Radio-Cité, née en septembre 1935 du rachat par le publicitaire Marcel Bleustein de Radio LL. Avec cette dernière station entre en lice un type nouveau de *medium* radiophonique où alternent les diverses éditions du «journal parlé» (la «voix de Paris»), les reportages sportifs, les grandes émissions publiques gratuites sponsorisées («Les Fiancés du Byrrh», le «crochet radiophonique», patronné par Monsavon et présenté par Saint-Granier, le «Music-Hall des jeunes» où triomphe Charles Trenet, etc.), les émissions de chansonniers, des émissions à sketches telles que «La Famille Duraton» ou «Sur le banc» qui met quotidiennement en scène un couple de clochards interprété par Jane Sourza et Raymond Souplex, ou encore des retransmissions de représentations théâtrales.

La radio va fortement concourir au bouleversement de certaines pratiques sociales. Les amateurs du sport-spectacle vont en effet pouvoir suivre l'épreuve pour laquelle ils se passionnent — arrivée d'une étape du «Tour de France», rencontres internationales de football ou de rugby, tournois de tennis, matches de boxe) sans quitter leur fauteuil, informés de toutes les péripéties de l'événement par des reporters de talent, par exemple Georges Briquet du Poste parisien. Il en est de même pour les grands événements de politique intérieure et surtout de politique internationale. Radio-Cité par exemple est la première station à interrompre ses programmes pour annoncer une nouvelle importante à ses auditeurs. Ainsi, ceux-ci peuvent-ils en 1938 entendre Alex Virot, de passage par Vienne au retour du championnat d'Europe de ski, commenter depuis une cabine téléphonique l'entrée de la Wehrmacht dans la capitale autrichienne. Sans doute continue-t-on à s'arracher, certains jours, la «spéciale dernière» des quotidiens du soir, mais la pratique devient moins fréquente. Beaucoup préfèrent en effet rester chez eux pour écouter le «poste». De là l'intérêt que revêt aux yeux des pouvoirs publics le contrôle des «informations». En juillet et septembre 1939, deux décrets-lois qui transfèrent de l'administration des PTT à celle de la Radiodiffusion nationale la gestion du réseau public et la surveillance des stations privées, interdit à ces dernières de diffuser leurs propres bulletins d'information.

Deux médias culturels de masse jouent un rôle déterminant dans la France des années 30 et soulignent l'engouement de l'époque pour les distractions collectives et pour le spectacle. Le sport tout d'abord, essentiellement réservé jusqu'à la guerre à une élite, et dont plusieurs disciplines se sont transformées dans les années 20 en pratiques et en spectacles de masse auxquels la presse et surtout la radio assurent désormais une formidable audience. Il en est ainsi du cyclisme, avec l'épreuve reine que constitue chaque été le «Tour de France» — où s'affrontent les champions français (René Vietto, Antonin Magne, André Leducq) et les autres stars européennes du «vélo», les Belges Maës et Scieur, les Italiens Botecchia et Bartali —, et avec les populaires épreuves des «Six jours cyclistes» qui peuvent attirer au vélodrome d'Hiver à Grenelle (le fameux «vel'd'Hiv'») jusqu'à 25 000 spectateurs.

Il en est ainsi également de la boxe et surtout du football. Ce dernier est devenu en effet depuis le début de la décennie précédente un sport populaire pratiqué par un nombre croissant d'adeptes, alors que son rival, le rugby, reste socialement et géographiquement circonscrit, et le sport-spectacle par excellence, avec ses équipes vedettes — Marseille, Roubaix, Sète, Montpellier ou le «Red Star» — et ses étoiles professionnelles, adulées et payées au prix fort. Déjà la coupe «Jules Rimet», qui couronne tous les quatre ans la meilleure équipe mondiale, est l'enjeu d'une bataille planétaire dans laquelle les Français ne viennent d'ailleurs qu'au second rang après les Italiens, les Britanniques et les Latino-Américains.

En même temps qu'il élargit son public, le sport-spectacle subit les effets corrosifs, pour l'idéal qui était censé animer depuis le siècle précédent les pratiquants des grandes disciplines du muscle, du professionnalisme clandestin et de la pénétration croissante des intérêts économiques. Il en résulte des crises et des scissions, comme celle qui a conduit certains clubs de rugby à rompre avec la forme orthodoxe de ce sport et à inventer le «jeu à XIII».

La démocratisation de la pratique et du spectacle sportifs n'affecte pas de la même manière toutes les disciplines. Bien que les exploits des «quatre mousquetaires» (Cochet, Borotra, Lacoste et Brugnon) — qui conservent jusqu'en 1933 la coupe Davis à la France — aient accru l'audience de ses supporters, le tennis demeure limité jusqu'à la guerre à une frange étroite du corps social, pour qui il constitue au même titre que le piano pour les jeunes filles, un signe de reconnaissance. Il en est de même de l'équitation. L'athlétisme est en principe plus ouvert, en ce sens que sa pratique n'exige pas de grands sacrifices financiers. A un certain niveau, il exige en revanche une disponibilité qui limite très fortement le recrutement des futurs champions, et ceci d'autant plus qu'à la différence de ce qui se passe dans les Etats totalitaires, l'Etat n'apporte aucune aide aux sportifs. Il en découle des résultats médiocres lors des grandes confrontations internationales et notamment des Jeux

Olympiques. A Amsterdam en 1928, la France avait encore obtenu une médaille d'or : celle du Marathon (dont le titulaire mourra d'ailleurs dans la misère). En 1932 à Los Angeles, ses athlètes figurent dans quelques-unes des finales d'athlétisme. Mais, lors de Jeux de Berlin en 1936, où triomphent les Américains, les équipes d'Allemagne et d'Italie, ils sont à peu près inexistants. Est-ce à dire que les Français n'obtiennent des victoires que dans des disciplines telles que le tennis, jugé peu représentatif des vertus viriles par les admirateurs des régimes forts, ou le cyclisme déconsidéré aux yeux de beaucoup par son caractère plébéien? Ce serait oublier les succès récurrents des escrimeurs français, égalés seulement par ceux des Italiens, des haltérophiles, des lutteurs, des pugilistes (une dizaine de titres de champion du monde durant l'entre-deux-guerres), des aviateurs et aviatrices, c'est-à-dire de sportifs pratiquant des exercices de force et de combat. Il n'en reste pas moins que, globalement, le sport français des années 30 apparaît, aussi bien au niveau de la pratique de masse que des scores enregistrés par les athlètes de haut niveau, comme largement surclassé par celui des Etats dictatoriaux, des pays anglo-saxons et de ceux de l'Europe du Nord.

Mais c'est surtout le cinéma qui constitue le grand divertissement de masse de la période, en même temps qu'il acquiert ses lettres de noblesse, s'érigeant selon la formule consacrée en un «septième art» dont il ne faut tout de même pas oublier qu'il est également, et peut-être principalement, une industrie commandée par de fortes contraintes budgétaires. Au début de la décennie 1930, celles-ci se trouvent amplifiées par l'adoption du «sonore» puis du «parlant» qui exigent des moyens financiers encore plus importants et poussent à une concentration que la crise accélère et qui favorise les industries filmiques américaine et allemande. Cela n'empêche pas la cinématographie française de connaître elle aussi son âge d'or et de figurer, qualitativement du moins, au premier rang de la production internationale.

Comme le vecteur radiophonique, dont le développement est contemporain de celui du parlant, le cinéma s'adresse à un public interclassiste qu'il contribue à homogénéiser. Là où le théâtre, le concert ou la scène lyrique servent de révélateurs à des clivages encore très marqués dans la France des années 30 — affaire de budget sans doute, mais davantage encore semble-t-il de pratiques sociales et culturelles —, il favorise le brassage des diverses strates de la société. Jean-François Sirinelli fait remarquer que le Jouvet acteur et metteur en scène de théâtre reste inconnu du grand public, alors que, personnage du grand écran (le proxénète d'*Hôtel du Nord*, le médecin affairiste de *Knock*), il devient pour celui-ci une figure familière (in R. Rémond, *Notre siècle, 1918-1988*, Paris, Fayard, 1988, p. 258). Dans l'autre sens, un artiste populaire comme Raimu finira par conquérir ses lettres de noblesse en s'imposant (pendant la guerre il est vrai et non sans réticences de la part d'une partie du public) sur la scène de l'Odéon (dans *Le Bourgeois gentilhomme* de Molière).

Ce brassage et cette homogénéisation sont favorisés par le fait qu'il s'agit, répétons-le, d'une cinématographie de qualité, d'une diversité extrême et d'où émergent un certain nombre de chefs-d'œuvre. Cinéma de divertissement tout d'abord, avec ses films «chantants» et «dansants», ses comédies légères et ses grandes fresques historiques (Abel Gance), cinéma à vocation sociale et politique, avec *Quatorze Juillet* et *A nous la liberté* de René Clair, *La Marseillaise*, *Toni* et *La Grande Illusion* de Jean Renoir (l'un des grands succès de l'immédiat après-guerre), cinéma «noir» inspiré par l'atmosphère de la crise, avec *Pépé le Moko* de Duvivier, *Quai des brumes* et *Hôtel du Nord* de Marcel Carné (sur un scénario de

Jacques Prévert tiré d'un roman de Pierre Mac Orlan), *La Règle du jeu* de Renoir, *Remorques* de Jean Grémillon, et surtout *Le Jour se lève* du couple Carné-Prévert, sorti sur les écrans quelques semaines avant le déclenchement du conflit.

A cette date, la veine du «réalisme poétique», qui avait également donné des œuvres moins pessimistes, porteuses de la grande espérance de 1936 — comme *La Belle Equipe* de Duvivier —, s'inscrit dans une production filmique qui n'a cessé de croître quantitativement depuis le début du «parlant» (environ 170 longs-métrages par an en 1937-1939 projetés dans plus de 4 500 salles pour 250 millions de spectateurs) et que dominent, de très loin, les œuvres ayant pour principal souci de distraire le public : comédies en tout genre et films chantés où triomphent notamment Fernandel et Tino Rossi. Il y a bien également, conséquence du climat de tension qui caractérise l'immédiat avant-guerre et signe du changement intervenu après Munich dans toute une partie de l'opinion, un cinéma d'inspiration patriotique exaltant les valeurs militaires et l'épopée coloniale (*La Bandera* de Julien Duvivier dès 1935, *Trois de Saint-Cyr*, *Alerte en Méditerranée*, etc.), mais il ne constitue qu'un filon très minoritaire.

Près des trois quarts des recettes du spectacle sont à la veille de la guerre drainés par les salles obscures, contre un peu plus de 30 % en 1925. Cet accroissement en pourcentage tient principalement à la dilatation globale du public, ce que gagne le cinéma n'étant pas néessairement perdu par les autres formes de divertissements. Le théâtre conserve sa clientèle d'habitués, recrutée dans les différentes strates de la bourgeoisie citadine, avec une prédilection tout aussi marquée que dans les années 20 pour les auteurs du «Boulevard» : les Bernstein, Bourdet, Pagnol, Jacques Deval, Marcel Achard et autres Sacha Guitry. Le vaudeville, la comédie légère, la «satire de mœurs» reproduisent jusqu'à saturation les mêmes canevas, les mêmes silhouettes, les mêmes situations stéréotypées, mais le genre attire un public qui sait apprécier, chez les auteurs qui viennent d'être cités, la qualité de la langue, le brio des dialogues, le jeu des acteurs (Pierre Fresnay et Henri Garat, Pierre Brasseur et Elvire Popesco, Raimu et Saturnin Fabre, etc.) et les clins d'œil faits à l'actualité politique et aux menus événements du «tout-Paris» mondain.

Pas de pertes sensibles non plus du côté du public «cultivé» qui aux reparties étincelantes d'Achard ou de Guitry préfère, outre le répertoire classique, les grands dramaturges étrangers (Pirandello, qui connaît un vif engouement pendant toute la période, Tchekhov, Ibsen ou Strindberg) et les œuvres d'auteurs français contemporains qui par leur profondeur, leur valeur littéraire ou leur originalité se distinguent de la production courante du «Boulevard». Servies par quelques grands metteurs en scène, comme ceux qui forment le «Cartel» des quatre (Gaston Baty, Sacha Pitoëff, Charles Dullin, Louis Jouvet), elles font le succès et la réputation d'auteurs tels que Giraudoux, Anouilh, Salacrou et Cocteau. En revanche, le théâtre populaire connaît une désaffection profonde, le public désertant les salles de quartier où triomphait autrefois le «mélo» pour le «ciné» et pour les exhibitions du sport-spectacle (cyclisme et boxe).

Il en est de même du café-concert qui avait connu ses beaux jours au début du siècle et s'était mal remis de la relative austérité du temps de guerre. Les genres qui s'étaient peu à peu substitués à lui — music-hall, cabaret, revues de variétés et de chansonniers — sont au contraire en plein essor. Les années 30 consacrent le triomphe de Rip (pseudonyme de Georges Thenon) et de Sacha Guitry au théâtre des Variétés, en même temps que le talent de jeunes chanteurs-compositeurs qui, avec Mireille et Charles Trenet, vont révolutionner la chanson française.

Sans doute les grosses recettes vont-elles encore à la veille de la guerre à des interprètes qui bousculent moins les habitudes du public, Tino Rossi dans le charme et Maurice Chevalier dans la «fantaisie» gouailleuse. Mais le vent est au changement et le «roi Maurice» lui-même, qui a le flair des grands professionnels, pressent qu'une page est tournée et se décide en fin de compte, après avoir boudé le «fou chantant», à mettre «Y'a d'la joie» à son répertoire devant le public du Casino de Paris.

Symbole d'une époque qui s'achève? La chanson française des années qui précèdent immédiatement la guerre paraît résumer, à s'en tenir à quelques-uns des titres qui ont figuré parmi les grands succès de l'heure, l'insouciance forcée et le repli égoïste d'une population qui a subi coup sur coup le traumatisme de la guerre, puis les effets déstabilisateurs et démoralisateurs de la crise, et qui se voit affrontée au risque d'une nouvelle conflagration européenne. On chante «*Tout va très bien madame la marquise*» (Ray Ventura), «*Chacun sur terre se fout, se fout, des p'tites misères de son voisin du dessous*» (Maurice Chevalier), ou encore «*Dans la vie faut pas s'en faire... Nos petites misères, seront passagères, tout ça s'arrangera*», tandis que résonne un peu partout en Europe le bruit des bottes. Soit. C'est du moins ce que la mémoire collective a surtout retenu des refrains de la veillée d'armes, inclinée en ce sens par nombre de fictions cinématographiques et de films de montage réalisés après coup et attentifs à pourchasser le virus munichois.

Illusion rétrospective, à bien des égards, en ce sens que, si elle a bel et bien existé, cette expression de l'indifférence populaire vis-à-vis des grands problèmes de l'heure ne constitue, elle aussi, qu'un versant du sentiment public. Dans la France de 1938-1939, on chante aussi «*Mon légionnaire*» (Damia), «*Le fanion de la légion*» (Fréhel) et «*Flotte petit drapeau*», au diapason des films qui exaltent la grandeur de l'Empire et la gloire des armes françaises et de sondages d'opinion — les premiers du genre — qui disent sans ambiguïté qu'une majorité d'habitants de l'Hexagone juge la guerre contre le IIIe Reich inévitable et sont résignés à la faire.

III

La crise politique en France (1930-1936)

L'échec de la droite (1930-1932)

Depuis juillet 1926, après l'échec du Cartel des gauches, la France est dirigée par des gouvernements du centre ou de la droite. Raymond Poincaré qui a gouverné d'abord avec les radicaux, puis après le passage de ceux-ci à l'opposition en 1928, avec une majorité de droite, a pris sa retraite en 1929. Après un bref intermède Briand qui dirige, entre juillet et novembre 1929, son onzième et dernier cabinet, la présidence du Conseil échoit à André Tardieu et Pierre Laval, hommes de droite qui apparaissent comme les deux candidats les plus solides à la succession de Poincaré. Ils sont appuyés par la majorité de centre-droit et de droite issue des élections de 1928. Malgré l'ambiguïté de celle-ci, il est clair en effet qu'il n'y a pas de majorité pour soutenir une expérience de centre-gauche et les radicaux Camille Chautemps et Théodore Steeg désignés comme présidents du Conseil l'un en février 1930, l'autre en décembre de la même année en font l'expérience, leurs gouvernements respectifs ne durant pas plus de quelques jours chacun. En revanche, Tardieu est président du Conseil presque sans discontinuer de novembre 1929 à décembre 1930, puis de février à juin 1932, cependant que Laval dirige le gouvernement de janvier 1931 à février 1932.

Entre les deux hommes qui aspirent l'un et l'autre à la direction politique d'une droite orpheline de Poincaré, il y a incontestablement différence d'envergure. Pragmatique, dépourvu de convictions, convaincu qu'un compromis est toujours possible, Pierre Laval, ancien socialiste désormais passé à droite après avoir fait fortune, se veut le successeur d'Aristide Briand, dont il imite la démarche voûtée, la cigarette au coin des lèvres et le cynisme délibéré. Au demeurant, il consacre l'essentiel de ses efforts durant son gouvernement à la politique étrangère, tentant de promouvoir un rapprochement franco-allemand malgré la poussée nationaliste qui agite la république de Weimar et en dépit de l'audience croissante des nazis. Pour lui, il s'agit en effet de maintenir la paix par tous les moyens. En revanche, il ne prend guère de mesures significatives contre la crise économique dont les premières manifestations deviennent perceptibles durant son ministère.

André Tardieu apparaît comme un homme d'Etat d'une tout autre envergure et les années 1930-1932 sont l'apogée de sa carrière politique, le moment où il apparaît comme le probable successeur de Poincaré. Normalien, journaliste brillant, collaborateur de Clemenceau à la conférence de la paix, ministre des Régions libérées en 1919-1920, il est réélu député en 1926 et Poincaré le ramène au gouvernement comme ministre des Travaux publics. Brillant, fourmillant d'idées, il a contre lui une suffisance qui irrite ses collègues et un mépris ostensible pour le monde politique qui le lui rend en hostilité plus ou moins voilée. Devenu président du Conseil en novembre 1929, à la suite de la démission de Briand et quelques jours après le krach de Wall Street, il lance la France dans la «politique de la prospérité» en faisant voter le plan d'outillage national dont les premiers effets retarderont sans doute la prise de conscience de la crise économique en France, même si, comme on l'a vu, son objet n'était nullement de provoquer une relance. Ministre de l'Agriculture du cabinet Laval lorsque se déclenche la crise, il est à l'origine des premières mesures de soutien des prix agricoles et des décisions protectionnistes (voir chapitre I). Mais lorsqu'il quitte le pouvoir, en juin 1932, la France s'enfonce dans la crise économique et ce fait pèsera lourd dans le résultat des élections législatives de cette année.

L'échec économique dans les mesures prises contre la crise n'est pas le seul à inscrire au passif de Tardieu. Plus sensible sans doute est celui qui affecte ses projets politiques. La grande idée de Tardieu est en effet d'aligner les institutions et la vie politique françaises sur celles de la Grande-Bretagne dont il est un admirateur inconditionnel. Pour parvenir à ce résultat, il songe d'abord à simplifier le système politique français en rassemblant les forces politiques. Il considère en effet que les différences entre partis sont minimes ou négligeables, à l'exception de celles qui séparent les partis marxistes des autres. Aussi souhaiterait-il rassembler le centre et le centre-gauche, avec une partie des modérés, dans un grand parti conservateur libéral dont il pourrait prendre la tête et qui s'opposerait aux socialistes et aux communistes, rejetés dans une opposition perpétuelle. Dans cette stratégie, son effort principal porte sur les radicaux qu'il tente de convaincre de le rejoindre. En mars 1930, dans le discours de Dijon, il fait au parti radical des offres précises et remarque que son gouvernement applique pratiquement sur tous les points la politique qu'eux-mêmes préconisent («*Ne tirez pas sur moi*, déclare-t-il dans une formule célèbre, *je tiens vos enfants dans mes bras*»). Mais cette tentative est un échec total. Bien qu'ils soient las d'une opposition à laquelle ils ne sont pas accoutumés, les radicaux qui se considèrent comme des hommes de gauche ne sont pas prêts à renoncer à leur identité pour rejoindre un président du Conseil qui est, à leurs yeux, le symbole de la droite. Le dépassement des vieux clivages que, comme Poincaré, mais avec moins d'habileté, Tardieu leur propose leur apparaît comme un reniement inacceptable. Si bien que, comme Poincaré, Tardieu devra, à son corps défendant, gouverner en s'appuyant sur une majorité de droite. En 1931, Laval ne sera d'ailleurs pas plus heureux lorsqu'il tentera en vain de pousser les radicaux à entrer dans son gouvernement. Et quand, début 1932, Laval, appuyé par Tardieu et Georges Mandel, propose, pour contraindre les radicaux à accepter l'alliance avec le centre, d'établir le scrutin uninominal à un tour (celui utilisé en Grande-Bretagne et qui favorise les forces politiques importantes en éliminant les autres), le Sénat où les radicaux sont en force renverse son gouvernement.

N'étant pas parvenu à rassembler comme il le souhaitait les forces politiques antimarxistes, Tardieu va désormais diriger ses critiques contre le régime parlementaire lui-même. En 1930, l'élargissement de la loi sur les assurances sociales, établie deux ans plus tôt par Poincaré, dresse contre lui une partie des forces conservatrices qui n'admettent pas les mesures incluses dans la loi. Ils saisissent, pour se débarrasser de lui, l'occasion de la révélation du «scandale Oustric», banqueroute frauduleuse d'un banquier, qui compromet le garde des Sceaux, Raoul Péret, et le sous-secrétaire d'Etat, Gaston Vidal. En décembre 1930, le Sénat renverse Tardieu. C'est que celui-ci a dressé contre lui une bonne partie des «Républicains» attachés à la prépondérance du Parlement dans les institutions. Or, Tardieu ne fait pas mystère de son souhait de voir s'établir un pouvoir exécutif puissant qui réduirait le rôle du Parlement dont il déteste les combinaisons au simple vote des lois et du budget et donnerait au gouvernement des moyens d'action accrus. Désespérant de voir les parlementaires accepter cette amputation de leurs pouvoirs qu'il appelle de ses vœux, Tardieu prête une attention vigilante aux ligues qui se sont multipliées depuis les années vingt et, ministre de l'Intérieur du gouvernement qu'il dirige en 1930, il n'hésite pas à les subventionner sur les fonds secrets. Ulcéré par sa chute de décembre 1930, il accentue, dans les mois qui suivent, ses critiques antiparlementaires. Redevenu chef de la majorité à la veille des élections de 1932, il lui appartient de conduire celle-ci dans le scrutin dont il s'efforce de faire un test, demandant à l'opinion de choisir entre ses vues et celles des socialistes qui apparaissent comme ses principaux adversaires, les radicaux étant accusés par lui de faire, par laxisme et irresponsabilité, le jeu des marxistes. Aussi les élections de 1932, à la différence de celles de 1928 qui s'étaient faites autour des projets consensuels de Raymond Poincaré (tome I, chapitre X) vont-elles être, du fait de Tardieu, des élections droite contre gauche, Tardieu faisant figure de chef d'une droite dure, autoritaire, «antirépublicaine» (c'est-à-dire prônant un renforcement du pouvoir exécutif).

Les élections de 1932 et le retour de la gauche au pouvoir

Les élections de 1932 voient proposer aux Français trois projets antagonistes. André Tardieu, chef de la majorité sortante, reprend son programme de constitution d'une vaste force rassemblant le centre-droit et les radicaux.

C'est un programme de concentration qu'il propose à Edouard Herriot, redevenu en 1931 président du parti radical. A l'opposé, Léon Blum, principal dirigeant du parti socialiste, propose aux radicaux un programme de lutte contre la crise économique inspiré des solutions socialistes et auquel toute la gauche pourrait se rallier. Quant à Edouard Herriot, président du parti radical, il offre aux Français une troisième voie. Opposant à Tardieu une fin de non-recevoir très ferme (au nom du refus de toute alliance avec la droite), répondant par le silence aux offres de Blum, il préconise un programme de caractère centriste, inspiré des idées radicales et auxquelles les autres forces politiques seraient invitées à se rallier. En cas de désaccord, il leur appartiendrait de prendre la responsabilité de renverser le gouvernement. La tactique d'Edouard Herriot est donc claire. Répudiant l'alliance à droite proposée par Tardieu, il n'entend pas devenir, comme il l'a été en 1924, l'otage des socialistes qui ne lui prêteraient qu'un soutien précaire et révocable, tout en lui laissant la totalité des responsabilités. Ce que propose Edouard Herriot, c'est le vieux programme traditionnel du parti radical, fondé sur la laïcité, la défense de la république, un réformisme prudent et la lutte contre la crise en respectant les dogmes de l'orthodoxie financière (équilibre budgétaire et maintien de la valeur de la monnaie), autrement dit la politique de déflation. Or c'est globalement la situation que l'électorat français choisit. Les élections de 1932 représentent en effet une nette victoire de la gauche. Celle-ci l'emporte d'un million de voix sur la droite. Au sein de la gauche, les socialistes devancent de peu, en voix, les candidats radicaux, cependant que les communistes toujours engagés dans leur tactique sectaire «classe contre classe» (voir tome I, chapitre X) perdent un tiers de leur électorat et enregistrent un net recul.

Electeurs inscrits			11 561 751
Suffrages exprimés			9 579 482
Conservateurs	82 859	Radicaux indépendants de gauche	500 000
Fédération républicaine	1 233 360	Radicaux-socialistes	1 836 991
Républicains de gauche	1 299 936	Républicains-socialistes et socialistes-indépendants	515 176
Démocrates-populaires	309 336	Socialistes SFIO	1 964 384
Radicaux indépendants	455 990	Socialistes-communistes	78 472
Modérés indépendants	499 236	Communistes	796 630
Droite	3 880 717	Gauche	4 895 023

Source : Serge Berstein, *La France des années trente, op. cit.*

Le second tour voit la nette confirmation de la victoire de la gauche qui l'emporte largement en sièges puisque, même en faisant abstraction des 12 députés communistes qui ne sauraient appartenir à aucune majorité, elle totalise 334 députés contre 259 à la droite.

Résultat en sièges
des élections de 1932

Communistes :	12
Socialistes-communistes :	11
Socialistes SFIO :	129
Républicains-socialistes :	37
Radicaux-socialistes :	157
Radicaux-Indépendants :	62
Démocrates-Populaires :	16
Républicains de gauche :	72
Indépendants :	28
Union républicaine démocratique :	76
Conservateurs :	5

L'explication de cette victoire de la gauche, et spécifiquement d'un parti radical qui apparaît plus que jamais comme sa force principale, est double. Elle tient d'abord au discrédit d'une droite qui a subi la crise sans véritablement agir pour la combattre. La gauche, écartée du pouvoir, qui critique la gestion de ses adversaires et affirme pouvoir mieux faire, est ainsi créditée d'un préjugé favorable. Mais elle est aussi propre au parti radical. La popularité d'Herriot dans une grande partie de l'opinion de gauche contraste avec les réserves que suscite le méprisant et cassant Tardieu. Enfin, le parti radical apparaît (à tort) en voie de rénovation en raison de l'action des «jeunes-turcs» qui s'efforcent de l'entraîner dans la voie du modernisme. Aussi l'échec de la droite conduit-il l'opinion à choisir de redonner le pouvoir à la gauche.

Compte tenu du résultat du scrutin, le nouveau président de la république, Albert Lebrun (élu entre les deux tours à la place de Paul Doumer, assassiné par un déséquilibré), confie la direction du gouvernement au radical Edouard Herriot, qui a remplacé Edouard Daladier à la direction du parti vainqueur en 1931. Echaudé par son expérience de 1924, Herriot n'entend nullement se lier les mains vis-à-vis des socialistes comme il l'avait fait à l'époque du cartel. De son amère expérience de l'époque, il a tiré la conclusion qu'il n'était pas possible de gouverner contre les milieux d'affaires. Aussi, pour éviter de se briser à nouveau sur le «mur d'argent» est-il résolu à pratiquer une politique économique et financière qui aura l'accord de la Banque de France et des milieux que celle-ci représente, industriels et banquiers. Or il est clair que cette hypothèse est impraticable si les socialistes sont membres du gouvernement. Mais, contrairement à la situation de 1924, les possibilités d'inclure la SFIO dans l'équipe gouvernementale sont grandes en 1932. En raison de la crise économique qui provoque des souffrances dans toutes les catégories de la population, mais surtout dans les classes populaires, une importante fraction de ce parti, et sans doute la majorité du groupe parlementaire, considère que le parti socialiste ne peut se dérober aux responsabilités du pouvoir. Si cet avis n'est pas partagé par la majorité des militants, beaucoup plus attachés à la pureté de la doctrine (ou moins conscients des réalités), il est clair que quelques concessions d'Herriot pourraient conduire à cette participation tant souhaitée en 1924. Mais la différence fondamentale tient au fait qu'en 1932, le président du Conseil désigné ne la souhaite pas. Aussi, en dépit des pressions de la gauche du parti radical, conduite par Gaston Bergery, qui l'adjure de proposer aux socialistes un programme acceptable pour fonder l'entrée de la SFIO au gouvernement, Herriot choisit une autre tactique, celle qui consiste à attendre que les socialistes réunissent le 29 mai 1932 leur congrès national, salle Huyghens à Paris. Herriot est, en effet, bien convaincu que, sous la pression des militants, la SFIO proposera alors des conditions tout à fait inacceptables pour le parti radical. C'est effectivement ce qui se produit. Le 30 mai, par 3 682 mandats contre 154, le congrès socialiste propose comme base d'une participation gouvernementale 9 conditions connues sous le nom de «cahiers de Huyghens», dont l'ensemble apparaît totalement irréaliste dans la situation de 1932 : réduction des dépenses militaires, interdiction du commerce des armes de guerre et nationalisation des entreprises qui les fabriquent, économies budgétaires ne portant ni sur les dépenses sociales, ni sur les crédits scolaires et agricoles, ni sur les salaires et traitements, contrôle des banques, création d'offices publics des engrais et du blé, semaine de 40 heures sans diminution de salaire, nationalisation des chemins de fer et des compagnies d'assurances, amnistie politique générale. Compte tenu de la politique qu'Herriot entend mener, il est clair que des propositions de participation formulées sur ces bases sont d'avance vouées à l'échec. Aussi est-ce sans illusion qu'une délégation socialiste propose au parti radical les «cahiers de Huyghens» le 31 mai. Le soir même, le Comité Exécutif du parti radical les rejette comme inapplicables, le parti du président du Conseil n'acceptant ni la réduction du budget militaire, ni les décisions unilatérales sur l'interdiction de la fabrication des armes de guerre, ni la semaine de 40 heures, ni la nationalisation des chemins de fer et des compagnies d'assurances.

Dans ces conditions, il n'y aura pas de socialistes dans le gouvernement Herriot. Celui-ci constitue un ministère de concentration, formé de radicaux et de modérés. La désignation la plus significative est celle de Germain-Martin comme ministre des Finances. Membre de la gauche radicale, c'est-à-dire d'un groupe parlementaire modéré, champion des vues orthodoxes en matière d'économie et de finances, il avait été le propre ministre des Finances d'André Tardieu. On ne saurait mieux affirmer que, sur ce point, il y a continuité de la politique poursuivie et que le gouvernement radical entend, comme le gouvernement modéré qui l'a précédé, lutter contre la crise par la déflation. Le problème naît de ce que, si le gouvernement est un gouvernement de concentration, la majorité parlementaire sur laquelle il s'appuie est une majorité de gauche dans laquelle les socialistes tiennent une place essentielle. Tel est le mécanisme qui va rendre compte de l'échec de la tentative radicale au pouvoir entre 1932 et 1934.

L'échec des radicaux au pouvoir (1932-1934)

Herriot considérait que la faillite du Cartel de 1924 était due à l'attitude irréaliste et aux surenchères des socialistes. Entre 1932 et 1934, c'est l'expérience du radicalisme seul, voulue par le président du Conseil, qui échoue à son tour et elle achoppe sur le problème de la nature même du radicalisme. Celui-ci, se considérant comme un parti de gauche, entend en effet s'appuyer à la Chambre sur une majorité comprenant les socialistes. Or la politique qu'il conduit suscite l'hostilité du parti socialiste SFIO. Les radicaux n'ont donc pas la majorité de leur politique ou ne font pas la politique de leur majorité. Telle est la contradiction insurmontable sur laquelle l'expérience de gauche de 1932 va se briser. L'antagonisme porte à la fois sur la politique économique et financière et sur la politique extérieure. Sur le plan économique et financier, Herriot est, on l'a vu, décidé à poursuivre la politique de déflation, timidement inaugurée par Tardieu et Laval. Il considère en effet qu'il n'en existe aucune autre si on entend respecter les grands équilibres économiques et financiers, maintenir la valeur de la monnaie et restaurer l'équilibre budgétaire. Ce point de vue est celui-là même que prônent la Banque de

France et les milieux d'affaires. En revanche, les socialistes préconisent une politique de lutte contre la crise par l'augmentation du pouvoir d'achat des masses, qui provoquera la relance économique et ils ne cessent de faire pression sur le gouvernement pour que cette politique soit adoptée. A cette opposition insoluble sur le terrain économique et financier s'ajoutent les désaccords sur la politique étrangère. Au moment où monte, en Allemagne, la vague nationaliste dans laquelle s'inscrit la poussée du parti nazi et où s'ouvre à Lausanne, sans grand espoir, la conférence du désarmement, les vues en politique étrangère du président du Conseil apparaissent notablement éloignées de celles de la SFIO. Herriot considère en effet que l'Allemagne représente toujours le danger essentiel. Aussi entend-il, pour faire face à un renouveau de l'agressivité allemande, coller étroitement aux Alliés de la Grande Guerre, Grande-Bretagne et Etats-Unis, sur lesquels il compte en cas d'un nouveau conflit. Par ailleurs, il souhaite céder le moins possible à l'Allemagne et s'efforce, autant que faire se peut, de conserver quelques-unes des garanties léguées à la France par le traité de paix. Les socialistes et une bonne partie de la gauche critiquent cette politique excessivement ferme à leurs yeux et préconisent vis-à-vis de l'Allemagne une attitude plus conciliante et plus généreuse, comportant par exemple la renonciation aux réparations. Ce n'est finalement que sous la pression des Alliés et à son corps défendant qu'Herriot accepte la suppression des réparations à la Conférence de Lausanne en juin 1932 et, à la Conférence du désarmement, la reconnaissance pour l'Allemagne du principe de l'égalité des droits en matière d'armement en décembre 1932.

Mais la situation du président du Conseil, ainsi écartelé entre la politique qu'il entend mener et la majorité qui le soutient, devient franchement intenable. La discussion du budget de 1933 révèle le caractère inconciliable de ses vues et de celles des socialistes. La chute du gouvernement sur le vote du budget paraît donc inscrite dans les faits. Herriot va choisir de tomber sur un motif plus satisfaisant pour son image politique, celui du remboursement des dettes de guerre aux Etats-Unis. L'opinion française considère en effet qu'il existe un lien moral (sinon contractuel, car les Etats-Unis ont toujours refusé ce lien) entre les dettes de guerre et les réparations. Or, la conférence de Lausanne ayant, en grande partie sous la pression des Etats-Unis, décidé d'annuler les réparations, l'opinion publique française, dans sa grande majorité, juge que la France n'a plus, dans ces conditions, à payer ses dettes aux Alliés. Telle n'est pas l'opinion du gouvernement des Etats-Unis qui refuse l'ajournement de l'échéance de décembre 1932. Herriot, par ailleurs convaincu que la France a besoin de l'alliance américaine, et jugeant que sa signature doit être honorée, se propose de payer l'échéance. Devant l'hostilité de la Chambre, il pose la question de confiance et est renversé à une forte majorité le 14 décembre. En réalité, l'issue ne pouvait guère faire de doute, compte tenu de la forte américanophobie de l'opinion publique française. Du moins le vote du 14 décembre 1932 permet-il à Herriot de tomber sur un motif plus glorieux que la dislocation de sa majorité : la volonté de respecter les engagements pris au nom du pays.

Il reste que la chute d'Herriot ne résout en rien la contradiction fondamentale qu'a révélée son gouvernement entre politique de déflation et majorité de gauche. Or cette contradiction continue à marquer les gouvernements qui vont succéder à celui d'Herriot, ceux du républicain-socialiste Paul-Boncour, puis des radicaux Daladier, Albert Sarraut, Camille Chautemps, entre décembre 1932 et février 1934. C'est en effet l'abstention ou l'hostilité des socialistes aux projets financiers de ces gouvernements qui sont à l'origine de la chute de Paul-

Boncour en janvier 1933, de Daladier en octobre de la même année, puis de Sarraut en décembre.

Aussi, en pleine crise économique, le désaccord entre les partis de la majorité sur la politique à conduire explique-t-il que la déflation, officiellement recherchée et mise en œuvre, soit appliquée avec une timidité qui lui interdit de donner d'éventuels résultats. Les gouvernements paraissent ainsi se réfugier dans l'immobilisme au moment où la crise atteint durement le pays. Il en résulte un discrédit du régime, d'autant plus intense qu'au même moment, les scandales économiques et financiers donnent l'occasion aux adversaires de la république d'en mettre en cause le fonctionnement.

Les scandales et le discrédit du régime

L'immobilisme dont fait preuve le gouvernement provoque d'autant plus l'irritation des Français victimes de la crise économique que l'opinion considère que le Parlement est non seulement incompétent, mais également corrompu. La crise est en effet l'occasion de la révélation d'une série de scandales qui révèlent la collusion du monde politique et du monde des affaires. Sans doute les scandales politico-financiers ne sont-ils pas un fait nouveau. De tous temps, et sous tous les régimes, les milieux d'affaires ont besoin d'appuis politiques, soit pour faire adopter des mesures législatives qui leur soient favorables, soit pour se faire réserver des marchés, soit pour bénéficier de la notoriété et du respect qu'inspire la position de certains hommes à la tête de l'Etat. En échange, les milieux d'affaires sont prêts à payer largement les inestimables services qui leur sont ainsi rendus, et, de tous temps, une fraction du personnel politique ne se montre pas insensible à la tentation de s'enrichir en monnayant son influence. Dans l'histoire politique récente de la France, l'opinion s'est ainsi indignée en 1928 du scandale Marthe Hanau qui a compromis, à l'époque du gouvernement Poincaré, une partie du personnel politique français. Les débuts de la crise économique font éclater en 1930 le scandale de l'Aéropostale qui éclabousse les milieux politiques modérés. En 1931, la faillite de la banque Oustric met fin à la carrière politique du modéré Raoul Péret, alors Garde des Sceaux et en qui on voit un futur président de la République, mais qui, comme ministre des Finances, a, contre l'avis de ses services, autorisé la cotation en Bourse d'une société financée par la banque Oustric, ce qui lui a valu ensuite de devenir conseiller juridique de cette firme. Avec la crise économique qui jette dans les difficultés de nombreuses entreprises, le recours de celles-ci aux milieux politiques se renforce, et scandales et compromissions se multiplient. L'opinion, naturellement prompte à généraliser et poussée dans cette voie à la fois par l'extrême droite hostile au régime et par la droite qui, réfugiée dans l'opposition, fait feu de tout bois contre la majorité, en conclut tout naturellement à la corruption du milieu parlementaire. Dans cette vague antiparlementaire qui se développe ainsi dans le pays, un homme joue un rôle fondamental, André Tardieu. Ulcéré par son échec des élections de 1932, il décide fin 1933 de renoncer à une action parlementaire qu'il juge stérile pour lancer un mouvement de réflexion sur la réforme des institutions. Radicalisant ses critiques contre le parlementarisme, il approuve assez largement l'action des ligues qui ébranlent la République parlementaire et se prononcent pour la création d'un exécutif fort.

C'est dans ce contexte d'antiparlementarisme qu'éclate l'Affaire Stavisky qui va servir de détonateur à la crise qui couve durant toute l'année 1933. Réduite à ses dimensions réelles, l'Affaire Stavisky ne dépasse pas par son ampleur les autres scandales qui ont émaillé les années de l'entre-deux-guerres. En effet, Alexandre Stavisky, Juif d'origine russe, naturalisé français en 1920, a, depuis la fin de la guerre, multiplié les escroqueries et, à diverses reprises, la justice l'a poursuivi pour abus de confiance, détournements, chèques sans provision, etc. Mais l'homme est habile, et, s'infiltrant dans les allées du pouvoir, il parvient à nouer des relations avec des hommes politiques, choisissant comme avocats des parlementaires bien introduits, réussissant à entrer en contact grâce à eux avec d'autres parlementaires, à se faire présenter à des ministres ou à des ministrables. S'appuyant sur la confiance que lui valent ces relations, il s'en sert pour monter de nouvelles escroqueries. C'est ainsi que, par son avocat, le député radical de Paris, Bonnaure, il entre en contact avec le député-maire de Bayonne, Garat, grâce à l'appui duquel il peut créer le Crédit municipal de Bayonne. Celui-ci émet alors pour 200 millions de bons de caisse, gagés sur des bijoux faux et volés et, grâce à une recommandation de Dalimier, alors ministre du Travail, des compagnies d'assurances souscrivent à ces bons. Le scandale éclate en décembre 1933 avec l'arrestation de Tissier, directeur du Crédit municipal de Bayonne. A ce stade, le scandale Stavisky ne compromet que quelques hommes politiques et sa gravité est moindre que le scandale de l'Aéropostale ou le scandale Oustric, aucun épargnant n'ayant été lésé et l'escroquerie ne touchant que les compagnies d'assurances. L'importance du scandale Stavisky réside dans son exploitation politique. La presse d'extrême droite et celle de droite s'emparent de l'Affaire, l'une pour discréditer le régime, l'autre pour atteindre la majorité, puisque la plupart des hommes politiques compromis par le scandale appartiennent au parti radical. Tardieu se distingue particulièrement dans cet amalgame, y trouvant l'occasion de faire payer aux radicaux l'échec de ses projets politiques de 1930 : il se spécialise dans la publication de listes fantaisistes d'hommes politiques compromis à ses yeux par l'Affaire et dont, à l'examen, on s'apercevra que leur implication est inexistante (le cas le plus connu est celui du radical Pierre Cot, accusé par Tardieu, sur l'indice selon lequel il aurait atterri au Bourget, le jour même où Stavisky y prenait un avion!). Or, la crise va se développer et gagner en ampleur avec la fuite de Stavisky, puis avec l'annonce du suicide de l'escroc dans une villa de Chamonix. Dès lors *L'Action française* orchestre une campagne de presse qui vise le président du Conseil, Camille Chautemps. On s'aperçoit en effet que Stavisky a bénéficié de dix-neuf reports de son procès sans que le procureur général Pressard, le propre beau-frère de Chautemps, intervienne pour s'y opposer. De là à affirmer que l'escroc a bénéficié de l'appui du chef du gouvernement, il n'y a qu'un pas que l'organisation royaliste s'empresse de franchir. A partir de là, le suicide lui-même est mis en doute et les adversaires du régime vont jusqu'à affirmer que Stavisky a été exécuté par la police sur l'ordre même du président du Conseil. Le 10 janvier 1934 *L'Action française* n'hésite pas à titrer : «Camille Chautemps chef d'une bande de voleurs et d'assassins.»

Dans le climat d'exaspération provoqué par la crise et l'impuissance du gouvernement à la combattre, ce type d'accusation rencontre une certaine audience dans l'opinion publique. Mais la clientèle de l'extrême droite est trop réduite pour que, même si cette accusation porte, elle soit en mesure d'ébranler la république parlementaire. Ce qui fait la gravité exceptionnelle de cette campagne déclenchée par l'Affaire Stavisky, c'est qu'on assiste à une juxtaposition de l'offensive de l'extrême droite contre le régime, et de la droite parlementaire contre la majorité radicale. C'est de cette rencontre, dans le climat de mécontentement né de la crise économique, qu'est issue la grave crise politique qui affecte la France à partir de 1934. Si le cas de Tardieu, partant en campagne contre le régime parlementaire dont il a été un des chefs, est extrême, il est non moins vrai que toute une partie de la droite parlementaire a mal accepté sa défaite électorale de 1932. Et dès ce moment s'affirme l'idée, née de l'expérience de 1926, que cette victoire de la gauche ne peut être que provisoire. La conviction est en effet fortement ancrée que l'inaptitude, en quelque sorte congénitale, de la gauche à gérer les finances publiques conduira immanquablement, comme en 1926, à un cinglant échec qui ramènera la droite au pouvoir. Mais, de 1932 à 1934, les radicaux pratiquent la politique même de la droite et la perspective d'une crise financière s'éloigne. Dès lors le scénario du mouvement d'opinion qui chassera les radicaux ne saurait être assimilé à la crise du franc de l'époque du Cartel. En revanche, les scandales financiers, abondamment exploités par l'extrême droite contre le régime, apparaissent comme susceptibles de fournir le motif de rupture attendu. Et c'est pourquoi la droite classique, tout en souhaitant changer la majorité et non le régime, ne dédaigne pas à son tour l'exploitation du scandale Stavisky contre les radicaux.

Deux stratégies de rupture paraissent donc aux prises, qu'il n'est pas toujours aisé de distinguer tant les manifestations s'en trouvent naturellement mêlées : une stratégie de déstabilisation de la république parlementaire qui est le fait de l'extrême droite et une stratégie de renversement de la majorité en place pour ramener l'opposition au pouvoir que la droite s'efforce de mettre en œuvre, mais sans se priver de l'appui que constitue l'infanterie des ligues. Toutefois, l'exploitation du scandale ne s'avère possible que parce que, dans l'impasse politique que connaît la France en 1934, les forces politiques traditionnelles paraissent frappées d'une crise profonde.

La crise des forces politiques traditionnelles : la gauche

La crise des partis de gauche est probablement la plus frappante parce que deux d'entre eux, le parti radical et le parti socialiste, sont directement impliqués dans l'échec de l'expérience gouvernementale commencée en 1932, l'un parce qu'il est au pouvoir, l'autre parce qu'il est un élément essentiel de la majorité. Toutefois, et en dépit des apparences, la crise la plus grave est celle qui affecte un parti communiste, pourtant verbalement bardé de certitudes.

Le problème du parti communiste, depuis sa création en 1920, est d'être à la fois une section de l'Internationale communiste et une force politique nationale. Comme section de l'Internationale communiste, il se voit imposer par les dirigeants de l'Internationale (d'abord Zinoviev, puis Boukharine, enfin Molotov) une tactique et des dirigeants, les leaders de l'Internationale étant amenés à trancher en dernier ressort entre les rivalités de dirigeants français. Mais les consignes qui sont ainsi données au parti communiste français tiennent davantage compte des luttes internes qui se déroulent à Moscou entre ceux qui aspirent à la succession de Lénine, ou des nécessités stratégiques de l'Internationale que de la situation française, la France ne présentant qu'un intérêt marginal aux yeux de la direction internationale du communisme, à la différence de l'Allemagne qui lui apparaît comme primordiale. Il en résulte des mots d'ordre comme la tactique «classe contre classe» décidée en 1928 qui pousse les communistes à refuser de se désister au second tour en faveur des socialistes ou des radicaux, favorisant ainsi l'élection d'hommes de droite. C'est aussi en fonction des priorités de l'Internationale que le mot d'ordre de «défense de la patrie du socialisme» est lancé, faisant des communistes des agents de la défense de l'Union soviétique en France et nourrissant l'accusation, lancée par le gouvernement, de complot contre la sûreté de l'Etat. Ce renforcement de la présentation du parti communiste comme un corps étranger dans la nation accentue l'anticommunisme, devenu l'un des éléments de la cohésion nationale, et justifie la politique de répression conduite contre les communistes par les gouvernements successifs (arrestation des chefs et des cadres, interdiction des manifestations, instruction d'affaires d'espionnage, etc.). Le parti communiste apparaît donc plus que jamais comme un parti différent des autres, hors la loi, étranger aux valeurs nationales (cf. J.-J. Becker et S. Berstein, *Histoire de l'anticommunisme en France*, vol. 1 : 1917-1940, Paris, Olivier Orban, 1987). Le problème est qu'en même temps, le parti communiste est une force politique nationale, recrutant ses troupes dans la population française, et appelée à agir sur une opinion à la culture républicaine et démocratique fortement ancrée, mal disposée à accepter les valeurs officiellement défendues par le parti communiste sous l'impulsion de l'Internationale. Aussi ses dirigeants les plus conscients s'efforcent-ils de trouver un compromis entre les consignes de l'Internationale et la culture politique républicaine, en particulier Pierre Sémard, principal responsable du parti communiste entre 1926 et 1928. Il en résulte des tensions permanentes entre la direction du parti communiste français et celle de l'Internationale, cette dernière imputant aux dirigeants français des échecs dus pour l'essentiel à l'inadéquation des consignes données par elle (Serge Wolikow, *Le Parti communiste français et l'Internationale communiste (1926-1933)*, thèse inédite de doctorat d'Etat, Université de Paris-VIII, 1990). Il en résulte une crise interne permanente du parti communiste, l'Internationale la mettant à profit pour se débarrasser des dirigeants les plus indociles et les remplacer par des hommes plus jeunes et qui lui doivent leur promotion (jusqu'à ce qu'un nouvel échec conduise à en faire des boucs émissaires et à les écarter des responsabilités). Ainsi, en 1929, Sémard est-il éliminé du secrétariat général et remplacé par une direction collective qui comprend surtout des dirigeants des jeunesses communistes, Henri Barbé, Maurice Thorez, chargé de la propagande et de l'organisation, Pierre Célor, responsable de l'appareil, et Benoît Frachon, chargé des syndicats. Appliquant à la lettre les consignes de l'Internationale, la nouvelle équipe durcit l'application de la consigne «classe contre classe», mise en œuvre avec mollesse par Sémard. Il s'agit de diriger tous les coups contre le parti socialiste SFIO, coupable de détourner les prolétaires de la voie révolutionnaire pour les conduire dans les ornières du réformisme. Jadis qualifiés de «social-traîtres», les socialistes deviennent désormais les «social-fascistes», avec lesquels aucun compromis n'est possible. Cette attitude dure, sectaire, ne fait qu'isoler davantage le parti communiste et réduire son audience dans l'opinion publique. Ses effectifs fondent, tombant à environ 30 000 adhérents en 1933. Ses cadres le quittent pour rejoindre la SFIO ou le Parti ouvrier et paysan fondé en 1929 par l'ex-communiste Louis Sellier. Les élections de 1932 sont une nouvelle défaite avec un sensible recul et la réduction à douze élus de l'effectif parlementaire du parti. Comme à l'habitude, la direction paie le prix d'un échec qui ne lui est pas vraiment imputable. En 1931, à la suite d'une véritable instruction judiciaire menée par l'Internationale (en fait le premier «procès de Moscou»), est «découvert» un mythique «groupe Barbé-Célor» qui aurait conduit une activité fractionnelle dans le parti. C'est l'occasion de se débarrasser des deux dirigeants, institués en boucs émissaires du mot d'ordre de l'Internationale, et de promouvoir Maurice Thorez qui approuve inconditionnellement les décisions de Moscou, et qui, depuis 1930, est secrétaire du Bureau politique. Encore, pour s'assurer de son orthodoxie lui donne-t-on un tuteur en la personne d'un émissaire de l'Internationale, le Tchèque Eugen Fried, dit Clement. Thorez, comme ses prédécesseurs, est d'ailleurs conduit pour tenter d'éviter l'échec de sa politique à s'efforcer de trouver un accommodement entre les mots d'ordre de l'Internationale et les réalités françaises. C'est ainsi que, profitant de la campagne contre le «sectarisme» qui suit l'affaire du «groupe Barbé-Célor», il s'efforce en 1932 et 1933 de conduire son parti dans une voie moins aventuriste et de retrouver des éléments de la culture républicaine si profondément ancrée dans les mentalités françaises. Mais, au début de 1934, les voies que le nouveau dirigeant tente d'ouvrir entraînent un sévère rappel à l'ordre de l'Internationale qui lui impose la consigne d'un retour à l'orthodoxie «classe contre classe». Si bien que la crise du 6 février 1934 prendra totalement à contre-pied un parti pris en tenaille entre son aspiration à s'intégrer à la société politique français et les ordres d'une Internationale qui, depuis 1928, ne cesse de renforcer une autorité aveugle et tatillonne sur les partis communistes nationaux (cf. Serge Wolikow, *op. cit.*).

La crise du parti socialiste SFIO n'est pas nouvelle, elle non plus (tome I, chapitre X). Ce parti qui se veut marxiste et révolutionnaire (et qui est d'autant plus porté à l'affirmer qu'il est soumis à la concurrence et à la surenchère du parti communiste) doit en fait l'essentiel de ses succès électoraux à l'image réformiste que donnent ses notables et ses élus. Aussi la dichotomie qui le frappe est-elle consubstantielle à sa nature. Nombre de ses élus et de ses responsables aspirent à ce qu'il mette en accord sa théorie et sa pratique et s'affirme enfin comme un parti réformiste, prêt à gérer la République en participant au pouvoir avec les radicaux. Tel est le point de vue défendu par *La Vie socialiste*, tendance rassemblée autour du journal du même nom et animée par des hommes comme Pierre Renaudel, Paul Ramadier et Marcel Déat. Les difficultés de la crise économique, la poussée du nationalisme en Allemagne, puis bientôt l'arrivée de Hitler au pouvoir apparaissent à ces hommes comme accentuant le caractère d'urgence de la participation de la SFIO aux responsabilités gouvernementales. Certains, comme Paul-Boncour, en tirent d'ailleurs les conséquences. Ne pouvant accepter le refus de la SFIO de voter le budget militaire, il quitte le parti en 1931. Mais il existe au sein du parti socialiste une aile gauche fanatiquement attachée aux thèses guesdistes et antiparticipationnistes d'avant 1914, pour qui toute participation au gouvernement serait une trahison de la doctrine qui la pousserait à la scission. Réunie autour de l'hebdomadaire *La Bataille socialiste*, elle est animée par l'helléniste Bracke-Desrousseaux et par Jean Zyromski. Cette gauche est renforcée par une extrême gauche ouvriériste rassemblée autour de Marceau Pivert. La lutte sans merci que se livrent la droite et la gauche, menaçant le parti de scission, donne la prépondérance à un centre, dirigé par Blum et Paul Faure, avec l'appui de Jean-Baptiste Séverac et de Vincent Auriol, dont la grande préoccupation est d'éviter l'arrivée au pouvoir du parti socialiste qui risquerait d'être pour lui l'épreuve de vérité en révélant l'hétérogénéité de sa composition. Et c'est la raison pour laquelle le problème du pouvoir apparaît comme le problème clé du parti socialiste durant l'entre-deux-guerres. C'est à le résoudre que Léon Blum consacre l'essentiel de sa subtilité dialectique, définissant en 1924 la notion de «soutien sans participation» aux gouvernements radicaux, puis distinguant, à mesure que la puissance électorale de la SFIO la rapproche de la nécessité d'exercer le pouvoir, «l'exercice du pouvoir» qui est simplement la gestion, sociale si possible, du régime capitaliste tel qu'il est, sans modification de structure si la SFIO n'est que le plus important des partis d'une coalition de gauche sans que les socialistes détiennent à eux seuls la majorité, la «conquête du pouvoir», cas de figure qui présuppose que les socialistes ou les deux partis prolétariens (communiste et socialiste) détiennent à eux seuls la majorité et qui devrait, dans ces conditions, se solder par une modification des structures sociales de la France dans un sens socialiste, puis plus tard «l'occupation du pouvoir» afin d'interdire au fascisme de s'emparer des leviers de commande. Pendant que se pose ainsi aux socialistes le problème du pouvoir intervient une remise en cause des bases doctrinales du socialisme d'une tout autre portée. C'est en effet en 1930 que Marcel Déat, secrétaire administratif du groupe parlementaire socialiste, publie le résultat de ses réflexions dans un ouvrage qui va frapper de stupeur une SFIO attachée à la lettre d'un marxisme intransigeant, *Perspectives socialistes* (voir tome I, chapitre X). S'inspirant de la réflexion du socialiste belge Henri de Man dont l'ouvrage *Au-delà du marxisme* a eu un profond écho chez les jeunes intellectuels socialistes, comme André Philip, l'auteur raisonne en sociologue pour proposer une profonde révision de la doctrine. Considérant la société française, il y discerne l'importance considérable de la classe moyenne, dont il constate qu'elle n'est pas moins victime de l'exploitation capitaliste que la classe ouvrière. Aussi propose-t-il qu'abandonnant son rôle de porte-parole exclusif de la classe ouvrière, la SFIO prenne en charge tout à la fois la défense des ouvriers et celle des classes moyennes qui, au demeurant, en particulier à travers les fonctionnaires, constituent une importante fraction des adhérents du socialisme français. A cette première hérésie, Déat en ajoute une seconde : l'instrument de la transformation sociale de la France devrait être l'Etat, à partir du moment où les socialistes (ou la gauche) en prendraient les leviers de commande. Cessant donc de considérer l'Etat comme l'expression des seuls intérêts de la bourgeoisie, Déat en fait un organisme neutre, au-dessus des classes, que le socialisme pourrait utiliser, au lieu de le laisser dépérir. Et la transformation sociale par l'Etat, telle que la voit Déat, ne serait pas cette révolution jetant bas le capitalisme, mais une pression exercée sur les banques et les sociétés, une pénétration de leurs conseils d'administration, préparant la socialisation du profit, première étape vers la socialisation de la propriété. Ce «néo-socialisme», même s'il s'éloigne de la vulgate marxiste inchangée depuis le début du XXe siècle, a l'avantage considérable de représenter une réelle adaptation du socialisme aux réalités économiques et sociales de la France de l'époque, de proposer un mode d'action moins mythique que la «révolution» dont la définition demeure floue et d'offrir à la SFIO des modalités d'action concrètes. Mais la perte avec le marxisme des origines qu'il implique apparaît comme une véritable rupture d'identité pour ce parti. L'ouvrage provoque une levée de boucliers dans la gauche du parti et, spécifiquement, dans la Fédération du Nord, conduite par Lebas, et attachée aux conceptions guesdistes du début du siècle. Léon Blum, que Déat espérait convaincre, ne répond que par le silence. Toutefois, Déat a l'oreille d'une grande partie du groupe parlementaire qui est tenté par la participation gouvernementale avec les radicaux; il reçoit l'appui des Etudiants socialistes dont il est le père fondateur et il peut compter sur les jeunes intellectuels et syndicalistes réunis dans la tendance *Révolution constructive*, qui poursuit des recherches voisines des siennes. Surtout, la crise économique paraît apporter de l'eau à son moulin en confirmant ses analyses. Le «néo-socialisme» provoque ainsi, à partir de 1932-1933, une crise majeure au sein du parti socialiste. Elle se noue au congrès national du parti à la Mutualité en juillet 1933. Le congrès blâme à la fois les partisans du révisionnisme néo-socialiste et les champions de la participation gouvernementale (indûment confondus car les deux groupes ne se recouvrent pas). De leur côté, les «néos» durcissent leur position. Prêchant pour un socialisme national qui résoudrait la crise par des moyens autoritaires s'il parvenait au pouvoir, Adrien Marquet, député-maire de Bordeaux et l'un des dirigeants néos, propose comme mot d'ordre à la SFIO «*Ordre, Autorité, Nation*», ce qui, pour Léon Blum qui, dans une phrase célèbre, se déclare «*épouvanté*», apparaît comme une forme de fascisme. Au demeurant le député de Paris, Barthélemy Montagnon, autre lieutenant de Déat, déclare voir dans le fascisme une forme de socialisme. Après cet éclat, la scission est inévitable. En novembre 1933, les dirigeants révisionnistes, ayant refusé de s'incliner, sont exclus de la SFIO. Avec eux, les partisans de la participation, même lorsqu'ils ne partagent pas leurs idées révisionnistes, comme Renaudel ou Paul Ramadier. Les dissidents créent d'abord une formation autonome, le Parti socialiste français-Union Jean Jaurès, avant de se fondre en novembre 1934 dans l'Union socialiste républicaine. Quant à la SFIO, son refus de prendre en compte les vrais problèmes posés par Déat, devait accentuer sa sclérose doctrinale, fait qui s'avérera lourd de conséquences lorsqu'elle parviendra au pouvoir en 1936.

La crise du parti radical n'est pas moins grave, même si l'habileté manœuvrière de ses dirigeants en a retardé les manifestations. Depuis 1926 et l'échec de l'expérience du Cartel des gauches, un groupe de jeunes gens, qu'on qualifiera de «jeunes-turcs» ou «jeunes radicaux», prend conscience de l'inadéquation du programme politique du radicalisme par rapport à la réalité de la France de l'après-Première Guerre mondiale... Rassemblés autour de l'hebdomadaire *La Voix*, puis du quotidien *La République*, créés par un proche de Caillaux, Emile Roche, des hommes comme Bertrand de Jouvenel, le journaliste Jacques Kayser, Jean Mistler auxquels se joindront entre 1928 et 1932 de jeunes députés comme

Pierre Cot, Pierre Mendès France, Jean Zay, Gaston Riou, Georges Potut s'efforcent alors de définir un néo-radicalisme adapté à la France de l'époque, en dehors des clivages politiques traditionnels qu'ils entendent dépasser. Ainsi, préconisent-ils, avec des formes diverses, car leurs idées ne constituent pas un ensemble cohérent, une réforme de l'Etat qui permettrait le renforcement de l'Exécutif et une représentation des forces socio-économiques, une économie qui, sans abandonner les principes libéraux de l'initiative individuelle et de la propriété privée, serait soumise au contrôle de l'Etat, garant de l'intérêt général et, dans le prolongement de la politique de Briand, qu'ils appuient chaleureusement, le maintien de la paix en Europe par la constitution d'une fédération européenne dont le rapprochement franco-allemand constituerait la clé de voûte. Accueillies avec réserve par les dirigeants radicaux qui voient dans ces idées une remise en question des principes mêmes du radicalisme qui privilégient la prépondérance du Parlement, les conceptions des jeunes-turcs n'en connaissent pas moins une audience considérable dans la jeune génération intellectuelle et se trouvent renforcées par le rôle que ce groupe joue dans la direction du parti radical où, entre 1927 et 1931, il apparaît comme l'auxiliaire du président Daladier. Lorsqu'il reprend la tête du parti radical, en 1931, Edouard Herriot dont les idées sont fort éloignées des leurs se garde bien cependant de les mettre à l'écart, conscient des avantages que son parti peut tirer de l'image moderniste qu'ils en donnent. Aussi le congrès de 1931 du parti radical reprend-il, dans ses conclusions, un certain nombre de leurs idées. Herriot fait entrer au bureau du parti radical, comme vice-présidents ou secrétaires, plusieurs de leurs dirigeants et il leur accorde une place d'honneur au banquet qui clôture le congrès (S. Berstein, *Histoire du parti radical, tome 2 : Crise du radicalisme*, Paris, Presses de la Fondation nationale des

Sciences politiques, 1982). Mais ces marques de sympathie mises à part, le nouveau président n'a nullement l'intention de modifier le programme radical pour tenir compte de leurs conceptions. La campagne électorale de 1932 sera faite sur les thèmes du radicalisme traditionnel et la politique que conduit Herriot président du Conseil n'a rien à voir avec les idées des jeunes radicaux. Aussi, dès l'automne 1932, la révolte gronde-t-elle dans le parti, mêlant la déception des jeunes radicaux et la rancœur de l'aile gauche du parti radical qui espérait une politique d'union des gauches. Cette révolte trouve en Gaston Bergery (député de Seine-et-Oise et partisan convaincu de l'alliance avec les socialistes) un éphémère dirigeant. Au congrès radical de Toulouse de l'automne 1932, Bergery attaque Herriot et sa politique avec une violence inhabituelle dans les milieux radicaux, sans pouvoir obtenir du congrès, effarouché par la virulence de son langage, le désaveu d'Herriot qu'il sollicitait. Découragé, Bergery quitte le parti radical au début de 1933 pour fonder avec le professeur Paul Langevin, proche du parti communiste, le député socialiste Georges Monnet et Bernard Lecache, président de la Ligue internationale contre l'antisémitisme, *Front commun*, rassemblement antifasciste. Tout en demeurant au sein du parti radical, nombre de «jeunes-turcs» ne cachent pas leur déception face à la politique d'Herriot et s'efforcent de l'infléchir afin d'obtenir la politique nouvelle qu'ils appellent de leurs vœux.

La crise des forces politiques traditionnelles: la droite

Si les forces politiques de gauche paraissent profondément ébranlées dans la mesure où leurs idéologies se révèlent inadéquates à affronter les situations nouvelles, aggravées par la crise économique, la droite, dont la gestion a été impuissante à redresser la situation jusqu'en 1932, n'est pas moins en crise. Ses trois forces politiques fondamentales, l'Alliance républicaine démocratique constituée des libéraux de gouvernement, la Fédération républicaine où se rassemblent catholiques ralliés à la République et patriotes intransigeants proches du nationalisme, sans compter la nébuleuse catholique qui nourrit des courants divers, politiquement situés à droite (dont la Fédération républicaine) sont parcourues de courants divergents qui traduisent la remise en cause de ses valeurs fondamentales.

Du côté du catholicisme, libéré depuis 1926, par la condamnation pontificale, de l'influence prédominante de l'*Action française*, l'essentiel réside dans la création en 1932 de la revue *Esprit* par Emmanuel Mounier. Pour lui et pour les jeunes gens qui l'entourent, l'essentiel est de trouver des moyens (à inventer) permettant de faire passer dans la vie politique le message spirituel des Evangiles. Aussi l'ordre social chrétien ne saurait signifier la restauration d'un ordre social antérieur à la Révolution, ni la défense du capitalisme (en quoi Mounier voit le «désordre établi»). Le but de ce courant est donc de parvenir à substituer à la société individualiste, matérialiste, productiviste issue du XVIIIe siècle, une société préservant la dignité et la totalité de la personne humaine. Ce «personnalisme» se veut antilibéral, anticapitaliste, antimatérialiste. Il rejette dos à dos les deux idéologies rivales, mais issues du même courant matérialiste que sont le capitalisme et le marxisme, et répudie également, tout en éprouvant pour lui un réel intérêt, «le faux spiritualisme fasciste». Ces jeunes chrétiens déclarent ne pas être effrayés par la perspective d'une révolution, et en cela, ils se distinguent de l'attitude traditionnelle des catholiques, lesquels se reconnaissent davantage dans des organisations conservatrices comme la Fédération nationale catholique (sur la naissance d'*Esprit*, voir Michel Winock, *Histoire politique de la revue «Esprit»*, Paris, Seuil, 1975). Si, dans les années trente, ce groupe demeure largement minoritaire, sa naissance traduit pourtant la recherche de voies politiques nouvelles dans les milieux chrétiens.

La droite libérale demeure puissante et constitue toujours une des forces de gouvernement de la France de l'époque. Elle est cependant profondément ébranlée par la perte de confiance dans le libéralisme économique et politique qui marque la période de crise. Sur le plan économique, la multiplication des propositions faites pour une organisation planifiée de l'économie, la montée du corporatisme et des idées technocratiques traduisent une profonde remise en question des dogmes fondamentaux de l'économie libérale. Mais l'Alliance démocratique et les groupes qui évoluent autour d'elle sont probablement encore plus atteints par la pluie de critiques qui s'abat sur le régime parlementaire, provenant de dirigeants en vue comme André Tardieu qui radicalise ses critiques ou Pierre Laval qui, après 1936, se range dans le camp des critiques virulents du parlementarisme. C'est cependant l'évolution de Tardieu qui est la plus caractéristique. Il préconise de plus en plus ouvertement un régime dont la clé de voûte serait le pouvoir exécutif, défendant l'usage du référendum, l'octroi du droit de dissolution au président de la République, la suppression de l'initiative du Parlement en matière de dépenses, le vote des femmes. Il n'est pas faux de considérer que le régime qu'il appelle ainsi de ses vœux est proche de celui qui, après 1958, s'instaurera dans la France de la Ve République. Mais, durant les années trente, les propositions qu'il fait dans divers ouvrages, *Sur la pente*, *Le Souverain captif*, *La Profession parlementaire* apparaissent imprégnées d'esprit boulangiste, voire bonapartiste et constituant une forme d'assaut contre la République parlementaire. Comme, par ailleurs, Tardieu montre une grande complaisance envers les ligues, il devient, pour l'opinion publique de gauche, un «fasciste», ce qui condamne ses idées.

La remise en cause n'est pas moindre du côté de la droite traditionaliste. Depuis le début du siècle, elle s'incarnait dans un parti rallié à la République, la Fédération républicaine. Or celle-ci est violemment critiquée par une «jeune droite» qui a souvent fait ses premières armes dans *L'Action française* avant de la quitter en raison de son verbalisme. Pour les jeunes gens qui se reconnaissent dans ce courant, tout le mal vient de la Révolution française et il importe par conséquent de rétablir la situation du pays en revenant à l'état de choses antérieur à celle-ci. Telles sont les idées que défendent des revues comme *Les Cahiers*, *La Revue française*, *La Revue du siècle*, *Combat*, dans lesquelles on retrouve les mêmes rédacteurs, Jean-Pierre Maxence, Jean de Fabrègues, Thierry Maulnier. Hostiles à la démocratie, au capitalisme et à l'Etat laïc, ils rêvent de restaurer la France des provinces, des corporations, de la religion catholique, en un mot la France de l'Ancien régime (voir Jean-Louis Loubet del Bayle, *Les non-conformistes des années trente*, Paris, Seuil, 1969).

Qu'il s'agisse des jeunes chrétiens d'*Esprit*, des idées de Tardieu, des revues traditionalistes, ces courants de novation à droite n'entraînent derrière eux qu'une étroite minorité d'intellectuels et témoignent plus de la prise de conscience de la crise des forces politiques traditionnelles de droite que de la naissance de ferments de renouveau. Aussi la crise politique de la droite va-t-elle profiter surtout aux groupes d'action directe que sont les ligues.

Les ligues ne constituent certes pas un phénomène nouveau dans la vie politique française. Dès la fin du XIXᵉ siècle, elles ont été la forme privilégiée d'expression politique du courant nationaliste et, dans les années vingt, le retour au pouvoir de la gauche et le prestige dont jouit le fascisme italien entraînent une prolifération de mouvements d'action directe (voir tome I, chapitres I et X). Si durant la période où la droite gouverne, c'est-à-dire jusqu'en 1932, les ligues antérieures (*Action française*, *Jeunesses patriotes*) vivotent sans connaître une grande audience, on constate qu'à partir de 1932, le retour de la gauche au pouvoir et la crise économique stimulent l'activité des ligues, d'autant que la droite classique se garde bien de négliger l'appui qu'elles peuvent lui apporter pour se débarrasser de la majorité radicale et socialiste. Il est vrai que la crise économique, en exaspérant les Français, entraîne la constitution de groupes de pression comme *La Ligue des contribuables*, qui proteste contre la lourdeur de la fiscalité et que d'habiles hommes politiques parviennent sans grand-peine à manipuler. Toutefois, l'essentiel n'est pas là, mais dans la naissance et le développement de ligues à caractère politique. A cet égard, les années trente voient naître deux types très différents d'organisations.

C'est du nationalisme traditionnel que se réclame la ligue des Croix-de-Feu. A l'origine, il s'agit d'une association d'Anciens combattants, fondée par Maurice d'Hartoy en 1927 et rassemblant des combattants de l'avant et des blessés de guerre cités pour action d'éclat. En 1930, cette association élit comme président le lieutenant-colonel en retraite François de La Rocque qui la transforme en une ligue politique en adjoignant à ses premiers membres de nouvelles catégories d'adhérents, les «Fils et filles de Croix-de-Feu», puis les «Volontaires nationaux» qui, sans être Anciens combattants eux-mêmes, partagent l'idéal des Croix-de-Feu. Par ailleurs, La Rocque donne à la ligue une organisation paramilitaire, recrutant en son sein des groupes de combat et de défense, les «dispos» (disponibles), faisant défiler ses troupes, les entraînant dans des manœuvres, les mobilisant, les transportant par camions. Pour la gauche qui s'inquiète de ce qui apparaît comme des préparatifs de guerre civile et qui voit dans le nationalisme professé par le colonel une volonté d'abattre la République, La Rocque devient le «Mussolini français». En fait le programme des Croix-de-Feu, pour autant qu'on puisse en percevoir les lignes de force à travers un discours vague et rhétorique, est un programme nationaliste classique, peu différent de celui des associations d'Anciens combattants marquées à droite et ne doit rien au fascisme. Mais il est peu douteux que La Rocque rêve de substituer au régime parlementaire (en quoi s'incarne la République pour les contemporains) un régime fort qui aurait l'efficacité de la hiérarchie militaire. Si La Rocque n'est certes pas un fasciste, ceux qui voient en lui un danger réel pour la République parlementaire n'ont sans doute pas tort. D'autant que nombre de ceux qui viennent à lui sont plus attirés par le chef charismatique qui pourrait être l'homme fort dont ils rêvent que par le contenu, au demeurant très flou, du programme qu'il défend. Si on peut admettre que La Rocque n'est pas fasciste, une partie de ses adhérents parmi les Volontaires nationaux, certaines de ses sections (en Afrique du Nord notamment) souhaitent l'instauration d'un régime radical, antilibéral, autoritaire, imposé par la force et la violence qui pourrait être un fascisme français. La crise économique, en radicalisant l'ensemble du corps politique français, accentue encore la parenté. Sans doute le programme que La Rocque propose alors à ses adhérents se contente-t-il d'assortir le nationalisme d'origine d'articles sociaux de défense de l'économie nationale contre la concurrence étrangère et de protection de la main-d'œuvre française, d'allégement de la fiscalité, de lutte contre la fraude et de critiques contre la mainmise de l'Etat sur la vie économique. De cette ligne assez inoffensive, La Rocque refusera de s'éloigner, résistant autant qu'il le peut à la dérive antisémite des fédérations d'Afrique du Nord ou aux surenchères des Volontaires nationaux qui exigent de lui la préparation d'un coup de force et la mise au point d'un programme fascisant. Si l'opinion voit en lui le leader éventuel d'un fascisme français, la réalité de l'action de La Rocque ne répond pas à ce schéma. Son refus de sortir de la légalité n'en fait cependant pas pour autant un partisan bon teint de la république parlementaire, mais le champion d'un autoritarisme politique nuancé de préoccupations sociales que son refus du coup de force lui interdit de réaliser.

Toutefois, le fascisme est bien présent dans la France de 1934, même si c'est sous la forme de petits groupes sans aucun rapport avec les dizaines de milliers de membres qu'ont pu réunir les Croix-de-Feu. C'est le cas du Francisme, fondé en septembre 1933 par Marcel Bucard, ancien collaborateur du parfumeur Coty et ancien dirigeant des Légions du Faisceau de Georges Valois. Le mouvement qui n'est qu'une assez plate imitation du fascisme italien (et que Mussolini subventionnera d'ailleurs) ne vise rien d'autre que la prise du pouvoir, la suppression du régime parlementaire et son remplacement par le corporatisme. Mais les quelques milliers d'adhérents du Francisme rendent l'hypothèse de la mise en œuvre de cet objectif assez peu réaliste.

A la même mouvance politique appartient la Solidarité française. Elle est fondée en 1933, également par le parfumeur Coty, inlassable bailleur de fonds des ligues d'extrême droite, qui en confie la direction au commandant d'infanterie coloniale en retraite Jean Renaud. Son but est extrêmement vague puisque ses statuts définissent cette association comme ayant «*pour objet l'étude et la solution des problèmes se rattachant à toutes questions économiques, financières, politiques et sociales*». Mais François Coty a doté son organisation d'une structure paramilitaire. La Solidarité française est organisée en régions et brigades. Elle porte un uniforme : béret, chemise bleue et culotte grise, un insigne (un écusson de drap rouge frappé du coq gaulois). Des équipes d'estafette à motocyclette et à bicyclette complètent le dispositif. Elle réussit à rassembler quelques milliers d'adhérents, attirés par l'indemnité versée à ceux qui participent aux manifestations du mouvement et elle possède en outre une section nord-africaine. Coty assigne pour tâche à son organisation d'«abattre la puissance politicienne», c'est-à-dire l'influence du Parlement, pour lui substituer une République plébiscitaire de type bonapartiste, Coty espérant dans cette hypothèse jouer le rôle d'un Premier Consul.

Ces ligues des années trente ont-elles représenté la forme française du fascisme comme le pensait l'historien américain Robert J. Soucy («The nature of fascism in France», *Journal of contemporary History*, tome 1, janvier 1966 et *Le Fascisme français 1924-1933*, PUF, 1989)? On voit bien en quoi les similitudes entre fascisme et ligues peuvent constituer des arguments pour étayer cette thèse : une clientèle qui se recrute dans la masse des mécontents et des insatisfaits, aigris par les déceptions de l'après-guerre et la crise économique, une volonté de donner un coup d'arrêt à une situation jugée comme celle d'une décadence nationale en dotant le pays d'un régime fort et dynamique, capable de gouverner efficacement, des organisations aux structures paramilitaires, pratiquant le culte du chef charismatique, une volonté d'action directe aux limites de la légalité, obtenue en faisant appel aux masses qu'on invite à manifester dans la rue. Comme telles, on conviendra que les ligues françaises ont, en raison de situations de crise proches dans tous les pays de l'Europe occidentale, une origine commune à celle des mouvements fascistes et leurs membres des réactions voisines de celles d'une base qui, en Allemagne ou en Italie, a accepté le fascisme.

Mais le problème est précisément qu'en France, en dépit de l'existence de cette clientèle potentielle, aucun mouvement fasciste digne de ce nom n'a vu le jour. Les petits groupes qui se réclament du fascisme, comme le Francisme ou la Solidarité française, n'ont que des effectifs insignifiants et les grandes organisations, comme les Jeunesses patriotes ou les Croix-de-Feu, professent un nationalisme traditionnel, proche du bonapartisme et non du fascisme. Aussi, si les historiens français qui se sont penchés sur la question admettent volontiers l'existence en France d'un «fascisme diffus» (Raoul Girardet, «Notes sur l'esprit d'un fascisme français», *Revue française de science politique*, vol. 5, n° 3, juillet-septembre 1955) marqué par la présence de phénomènes d'antiparlementarisme, d'aspiration à un pouvoir fort, de goût pour les parades paramilitaires, de volontarisme dans l'action politique, de propension à l'action directe, ils contestent que l'ensemble de ces éléments constitue un fascisme. René Rémond (*Les Droites en France*, Paris, Aubier, 1982) a souligné avec force tout ce qui distingue le fascisme du comportement des ligues françaises : volonté de bouleversement des hiérarchies d'une part, imprégnation conservatrice et nationaliste de l'autre, volonté de création de nouvelles élites dans les fascismes, respect des élites sociales militaires et religieuses chez les ligueurs, frustration nationaliste dans le premier cas, fierté de la victoire dans le second ; enfin, le fascisme des origines prétend s'exprimer au nom d'un peuple conçu comme une totalité alors que les mouvements français significatifs se réclament des traditions nationales dont aucune ne se réfère à une vision totalitaire de la société. Reprenant les données antérieures, Pierre Milza (*Fascismes français, passé et présent*, Paris, Flammarion, 1988), qui apporte un élément essentiel de réflexion en distinguant fortement mouvements et régimes fascistes, conclut lui aussi à l'impossibilité d'assimiler les ligues à un fascisme français. L'explication de cette non-acclimatation du fascisme en France résiderait dans la profondeur d'une culture politique républicaine et démocratique qui imprègne l'esprit public et fait que, même lorsque les circonstances conduisent à la contestation du régime, cette attitude négative ne peut se solder par un programme répudiant les acquis de l'histoire nationale, que seules des minorités négligeables sont en mesure d'accepter. Et l'histoire montrera que lorsque les mouvements sont conduits à passer de leur virulente critique de la République parlementaire à des propositions concrètes, celles-ci ne dépassent guère le stade d'un aménagement de la République, mais ne vont jamais jusqu'au fascisme. L'exemple d'un La Rocque écrivant en 1934 *Service public* qui plonge dans la stupéfaction, par son inconsistance, les membres les plus radicaux de son mouvement, est, à cet égard, caractéristique. Au total, la culture politique républicaine paraît avoir efficacement préservé la France de la tentation du fascisme, les ligues servant d'exutoire au désir d'efficacité que suscitent les difficultés du parlementarisme et la crise économique (Serge Berstein, «La France des années trente allergique au fascisme», *Vingtième siècle, Revue d'histoire*, avril 1985).

D'un côté, le sentiment fortement ancré de l'inadéquation des forces politiques de gauche comme de droite à réformer un régime impuissant, de l'autre des mouvements d'action directe au sein desquels, le fascisme étant absent, l'aspiration à un régime fort se manifeste puissamment, c'est ce sentiment d'impasse qui explique à la fois l'émeute du 6 février 1934 et son issue.

La crise du 6 février 1934

Le mois de janvier 1934 est, en France, une période de troubles permanents. Se saisissant de l'Affaire Stavisky pour tenter de déstabiliser le régime, *L'Action française* multiplie les manifestations violentes, invitant les Parisiens à descendre dans la rue, au cri de «*A bas les voleurs!*» contre le gouvernement et les parlementaires. Ces démonstrations sont l'occasion de heurts violents avec la police, entraînant même des blessés et des arrestations. Au cours du mois, on voit se joindre à *L'Action française* les troupes des Jeunesses patriotes ou de la Solidarité française, et bientôt celles de la Fédération des contribuables. Le 5 février, s'intégrant à cette agitation, La Rocque fait manœuvrer les Croix-de-Feu autour du ministère de l'Intérieur qu'il se flatte, dans un communiqué triomphant, d'avoir «investi». L'opinion a le sentiment que la République est en voie de déstabilisation. C'est dans ces circonstances que le gouvernement de Camille Chautemps, en fonctions depuis novembre 1933, est conduit à démissionner le 28 janvier 1934 à la suite non de l'Affaire Stavisky mais de la révélation de l'escroquerie montée par le banquier Sacazan, qui compromet le garde des Sceaux, Raynaldy.

Pour les hommes politiques de droite qui attendaient impatiemment depuis 1932 la crise qui chasserait du pouvoir la majorité de gauche, le scénario envisagé depuis cette date est désormais en route, non du fait d'une crise financière, mais en raison des scandales. Et c'est pourquoi la fraction de l'opposition qui juge que le temps du parlementarisme est passé, celle que représentent un Tardieu ou un Laval, regarde avec intérêt du côté de l'agitation des ligues dans laquelle ils veulent voir la réaction spontanée d'honnêtes citoyens indignés par la corruption du régime. Dans cette perspective, on cherche même le sauveur qui pourrait jouer le rôle de Poincaré en 1926. Et comme il n'y a pas à espérer un retour aux affaires de celui-ci, très malade (il mourra quelques semaines plus tard), on lance le nom d'un possible substitut, l'ancien président de la République, Gaston Doumergue, qui a montré bien des sympathies à la droite durant son septennat et qui est, pour l'heure, retiré dans son domaine de Tournefeuille. Au demeurant, la situation paraît justifier le recours à des mesures exceptionnelles. Le président Albert Lebrun songe à un gouvernement de salut public et consulte à cette fin l'ancien président Doumergue, le président du Sénat, Jules Jeanneney, celui de la Chambre, Fernand Bouisson. Les uns et les autres s'étant dérobés, il fait appel non à Herriot, président du parti radical (ce parti étant l'objet de graves accusations à la suite de l'Affaire Stavisky), mais à un autre radical, Edouard Daladier, considéré comme un homme d'une parfaite intégrité et d'une grande énergie. Daladier forme, fin janvier, un gouvernement à ossature radicale, mais dans lequel acceptent d'entrer des hommes du centre-droit. Toutefois la décision prise le 3 février par le président du Conseil de limoger le préfet de police, Jean Chiappe, qu'il accuse de négligences dans l'Affaire Stavisky, provoque la démission des ministres du centre-droit et la colère des ligues. Le préfet de police s'est en effet toujours montré d'une grande complaisance à leur égard, complaisance vigoureusement dénoncée par le parti socialiste. Aussi l'extrême droite voit-elle dans le renvoi du préfet de police une mesure à caractère politique, destinée à obtenir l'appui de la SFIO au président du Conseil.

C'est en se servant de ce prétexte que, le 6 février 1934, les ligues de droite invitent leurs adhérent à manifester devant la Chambre le jour même où le président du Conseil se présente devant elle afin d'obtenir sa confiance. L'Action française, la Solidarité française, les Jeunesses patriotes, la Fédération des contribuables, les Croix-de-Feu invitent les Parisiens à se réunir sur les Champs-Elysées, afin de descendre vers la Concorde pour gagner le Palais-Bourbon. De leur côté, deux associations d'Anciens combattants, l'Union nationale des combattants (UNC) à sensibilité de droite et l'Association républicaine des Anciens combattants (ARAC), proche du parti communiste, appellent également à une manifestation. Celle-ci commence vers 17 heures et très vite se produisent des heurts entre les forces de l'ordre qui barrent le pont de la Concorde pour interdire l'accès du Palais-Bourbon et les manifestants. Vers 20 heures sont tirés les premiers coups de feu, dont l'origine reste douteuse. En tout cas, à partir de ce moment, la manifestation tourne à l'émeute et celle-ci dure jusqu'à 2 heures 30 du matin. Le bilan s'établira à 15 morts (dont 14 parmi les manifestants) et à 1 435 blessés. Dès le lendemain, cette manifestation sanglante donne lieu à deux interprétations opposées. Pour la presse de droite et les partis de droite et d'extrême droite, un pouvoir corrompu a sciemment fait massacrer d'honnêtes citoyens et des Anciens combattants qui venaient clamer leur indignation. Pour la gauche, au contraire, le 6 février est un coup de force fasciste, l'équivalent français de la «Marche sur Rome» ou de la prise de pouvoir par Hitler et, contre le danger fasciste, il importe de réagir. En fait, toute interprétation univoque du 6 février est erronée. Divers groupes, aux intentions différentes, ont saisi l'occasion de jouer leur propre partie et on peut distinguer dans cette complexe «journée» au moins cinq scénarios différents (S. Berstein, *Le 6 février 1934*, Paris, Gallimard-Julliard, 1975).

Le plus aisé à comprendre est celui qui concerne le parti communiste, à travers l'action de l'ARAC. S'efforçant de saisir toute occasion d'affaiblir la République bourgeoise et d'attirer à lui les masses, le parti communiste appelle à manifester contre le gouvernement Daladier, dénoncé comme «fasciste», mais aussi contre l'UNC, dont l'ex-président Rossignol s'est trouvé compromis dans l'Affaire Stavisky. Réalisant l'amalgame entre le gouvernement qui protège les «voleurs» et dont le chef a, le premier, proposé la révision des pensions des Anciens combattants, les dirigeants de l'UNC, le préfet Chiappe, etc., l'ARAC entend se présenter comme le meilleur défenseur des Anciens combattants. Au demeurant, elle invite ses adhérents à remonter les Champs-Elysées jusqu'à l'Arc de triomphe et non à les descendre vers la Concorde. Toutefois, compte tenu de l'heure tardive et de la confusion qui règne sur cette avenue, nombre d'adhérents de l'ARAC se trouveront mêlés au cortège des ligues et feront le coup de poing contre les forces de l'ordre sur le pont de la Concorde. Ce qui n'empêchera nullement le lendemain *L'Humanité* de dénoncer le coup de force fasciste et le laxisme du gouvernement et des socialistes dont les complaisances ont permis qu'il se produise.

Le second mouvement est le fait des Anciens combattants de l'UNC. En principe leur objectif et leur itinéraire sont différents de ceux des ligues puisqu'il s'agit d'aller du Grand Palais à l'Elysée afin d'y déposer une pétition au président de la République·demandant, au nom des Anciens combattants, que toute la lumière soit faite sur les scandales et qu'une épuration sans concession ait lieu. Toutefois, les choses sont moins claires que l'UNC ne l'affirme. Présidée en 1934 par Georges Lebecq, élu de droite de Paris, elle choisit un itinéraire proche de celui des ligues, fixe l'heure de sa manifestation de telle sorte qu'elle coïncide avec la leur et tente de franchir de force les barrages établis autour de l'Elysée, ce qui donne lieu à des matraquages et des charges de cavalerie au cours desquels Lebecq sera blessé. Il en résulte une confusion qui va mêler une partie des Anciens combattants aux manifestants des ligues. Tout se passe comme si Lebecq avait délibérément choisi un scénario faisant apparaître les Anciens combattants comme solidaires des ligues et la répression comme une agression du pouvoir contre les héros de la guerre.

Troisième acception du 6 février, celle du colonel de La Rocque et de ses Croix-de-Feu. Aux yeux de l'opinion, ils sont solidaires des ligues. En fait, le colonel prend grand soin de conserver son autonomie par rapport aux autres manifestants et le 6 février est pour lui l'occasion d'une de ces grandes manœuvres stratégiques qu'il affectionne. Il divise en effet ses troupes en deux colonnes qui doivent converger vers le Palais-Bourbon, l'une en partant du Petit Palais, l'autre en prenant le siège de la Chambre à revers, à partir des Invalides, par la rue de Bourgogne. La manœuvre s'exécute sous le contrôle du colonel. Mais lorsque celui-ci apprend que des coups de feu sont échangés, il donne à ses troupes l'ordre de dislocation. Les autres dirigeants des ligues ne lui pardonneront pas cette dérobade dont ils estiment qu'elle est à l'origine de l'échec du 6 février.

C'est qu'en effet l'attitude des autres ligues est bien différente. L'Action française, la Solidarité française, les Jeunesses patriotes sont venues à la Concorde pour en découdre. Certains de leurs membres sont armés et ce sont eux qui tentent les premiers de franchir le barrage de la Concorde puis, durant la nuit, qui fournissent les troupes de l'émeute. Ces trois associations rassemblent au demeurant la majorité des morts et des blessés. Quel était l'objectif précis des trois ligues? L'Action française dont le but avoué est de renverser la République pour instaurer la monarchie ne fera aucune difficulté pour reconnaître que son but était de se saisir de l'occasion pour déstabiliser le régime. La Solidarité française, de son côté, est prête à agir dans le même sens. Mais ni l'une ni l'autre de ces ligues ne paraissent avoir de solution de rechange à proposer au cas où l'émeute entraînerait l'effondrement du pouvoir. Il paraît en aller différemment des Jeunesses patriotes. Celles-ci ont pour chefs une poignée d'élus municipaux de Paris, Pierre Taittinger, des Isnards, d'Andigné... qui jouent un rôle actif le 6 février.

Ce sont eux qui animent le cinquième mouvement qui se produit ce jour-là, le seul au demeurant qui ait une signification politique précise. Depuis les premiers jours de février, l'hôtel de ville de Paris, tenu en main par une solide majorité de droite et d'extrême droite, est devenu le centre nerveux de l'agitation contre le gouvernement radical. Ces élus (parmi lesquels Laval) lancent des appels à la population dont le résultat est de faire monter la tension. Le 6 février, ils convoquent à l'Hôtel de ville à 19 heures les Jeunesses patriotes, liées aux élus parisiens. Dans les heures qui précèdent, les conseillers municipaux d'extrême droite jouent un rôle actif dans la manifestation, avec Lebecq à la tête de l'UNC ou le lieutenant-colonel de Puymaigre qui, malgré La Rocque, tente de pousser les Croix-de-Feu à s'attaquer aux barrages de police. Et après 19 heures, c'est au cri de «Démission» que les conseillers municipaux (une cinquantaine), ceints de leurs écharpes tricolores, se dirigent à la tête des Jeunesses patriotes vers le Palais-Bourbon où, reçus par le président du Conseil, ils exigent (en vain) son retrait et la nomination d'un gouvernement d'union nationale. Il apparaît bien que dans ce comportement réside la véritable signification du 6 février. Celui-ci n'est pas un complot fasciste contre le régime, mais une conjuration de la droite qui a laissé sciemment se développer l'agitation des ligues afin de pouvoir renverser la majorité de gauche en place depuis 1932 et revenir au pouvoir à la faveur de l'émeute.

Au soir du 6 février, ce scénario paraît avoir échoué. Daladier résiste aux pressions qui s'exercent sur lui. Il reçoit l'appui massif de la Chambre qui lui vote la confiance par 360 voix contre 220. Durant la nuit, il s'apprête à prendre des mesures contre les émeutiers. Mais cette fermeté est de courte durée. Le 7 février, Daladier renonce et offre sa démission au président de la République, Albert Lebrun. Ce retournement éclaire la profondeur de la crise qui frappe le régime. Durant la nuit Daladier a vu en effet se dérober la justice, l'armée et la police. Le procureur général refuse d'ouvrir une information pour complot contre la sûreté de l'Etat, l'armée n'accepte pas de décréter l'état de siège et la police ne parvient à appréhender aucun des dirigeants des ligues qui ont conduit l'émeute. Au matin, c'est le personnel politique et les plus hautes autorités de l'Etat qui font défection, de crainte d'avoir à réprimer de nouvelles émeutes. Le ministre de l'Intérieur, Eugène Frot, multiplie les déclarations alarmistes et une partie des ministres les plus proches de Daladier (Guy La Chambre, Jean Mistler, Pierre Cot, Léon Martinaud-Deplat) conseille la démission. Le même conseil est donné à Daladier par le président de la République Lebrun, les présidents des deux Chambres et Edouard Herriot, président de son parti et du groupe parlementaire radical. L'émeute du 6 février réussit donc de façon différée. Ce n'est pas son ampleur qui a conduit le gouvernement à l'échec, mais le traumatisme qu'elle a provoqué et qui a révélé l'inconsistance et la faiblesse des dirigeants de la République. La voie est donc libre pour la réalisation de l'union nationale qui doit ramener la droite au pouvoir.

La «Trêve» et l'échec du gouvernement Doumergue

Le 7 février, le président Albert Lebrun peut mettre en application le scénario imaginé de longue date. Rappelé de Tournefeuille, l'ancien président de la République, Gaston Doumergue, est nommé président du Conseil et, s'appuyant sur le traumatisme provoqué par l'émeute du 6 février, il propose une «trêve» des luttes politiques et la création d'un gouvernement d'union nationale où l'opposition siégerait aux côtés des radicaux. De fait, si Daladier paraît durablement discrédité par le sang qui a coulé le 6 février, Edouard Herriot accepte d'entrer, comme ministre d'Etat, dans le gouvernement Doumergue et, avec lui, une poignée de ministres radicaux qui garantissent au gouvernement sa majorité. Mais à leurs côtés, et comme pour symboliser l'échec de la majorité de 1932, siègent les chefs de la droite vaincue dans ce scrutin, André Tardieu, ministre d'Etat aux côtés d'Herriot, Pierre Laval, Pierre-Etienne Flandin, président de l'Alliance démocratique. Ce gouvernement s'assigne comme objectif essentiel de promouvoir une réforme de l'Etat que chacun juge alors nécessaire et dont une Commission de la Chambre, présidée par Paul Marchandeau, doit étudier les modalités, concurremment avec une Commission du Sénat. Tout le monde s'accorde sur les grandes lignes du projet futur qui consisterait en un aménagement des institutions : renforcement du pouvoir exécutif par la création d'une véritable présidence du Conseil dotée de services autonomes (jusqu'alors, un des ministres, par ailleurs en charge d'un département, fait office de président du Conseil), restauration du droit de dissolution du chef de l'Etat, limitation des pouvoirs du Parlement à ses fonctions législatives et budgétaires. Mais retenu par des tâches administratives et la gestion quotidienne des affaires, Doumergue tarde à imposer une réforme qui, dans le sillage du choc du 6 février, aurait été adoptée sans difficulté. Il veut se laisser l'été pour réfléchir au problème et préparer un projet. En attendant, la situation de son gouvernement se détériore. Radicaux et modérés se heurtent sur les questions budgétaires et le problème des ligues (dont les radicaux réclament la dissolution). Par ailleurs, jusque dans les conseils des ministres, les querelles ne cessent guère entre Tardieu qui accuse les radicaux d'incompétence et de corruption et Herriot que ces propos ulcèrent et qui menace à plusieurs reprises de démissionner. Or Doumergue n'arbitre que mollement ces querelles et il est clair que sa sympathie va davantage à Tardieu qu'aux radicaux. Au demeurant, il est convaincu que les radicaux n'oseront pas quitter le gouvernement de trêve et reprendre le pouvoir, de crainte d'une nouvelle émeute. La force de Doumergue repose donc avant tout sur la peur du vide.

Aussi lorsqu'à l'automne 1934, Doumergue annonce les grandes lignes de la réforme de l'Etat qu'il propose aux Français, sa situation est-elle plus détériorée qu'il ne le pense. Son projet n'a certes rien de révolutionnaire, mais le personnel parlementaire a eu le temps de se reprendre depuis le 6 février. Il est beaucoup moins convaincu qu'à ce moment que la solution de la crise française passe par un amenuisement de son pouvoir. En particulier, le président du Conseil a dressé contre lui le Sénat, ulcéré que le projet supprime l'avis conforme qu'il devait donner, selon la Constitution de 1875, à la dissolution de la Chambre. L'autoritarisme du chef du gouvernement a, par ailleurs, indisposé une grande partie du personnel politique. Enfin, les radicaux ne lui pardonnent pas son attitude à leur égard et les ménagements qu'il n'a cessé de prendre envers Tardieu, leur ennemi juré. Ils n'attendent qu'une occasion de se débarrasser de lui. Or celle-ci se produit début novembre 1934. Au congrès de l'Alliance démocratique, tenu à Arras, Pierre-Etienne Flandin envisage la constitution d'un gouvernement unissant son parti et les radicaux. Pendant qu'une bonne partie de la droite vitupère le «traître d'Arras», les radicaux, libérés de la peur du vide qui les retenait jusque-là, renversent le gouvernement Doumergue. C'en est fait de la réforme de l'Etat dont il ne sera plus question en France jusqu'en 1940.

L'impasse politique (1934-1936)

En théorie, au lendemain de la démission de Doumergue, la «trêve» continue. En fait, alors que sous le gouvernement précédent, l'union nationale jouait contre les radicaux qui apparaissaient comme les otages de la droite, à partir de novembre 1934, Edouard Herriot et ses lieutenants deviennent les arbitres d'une situation politique qu'ils contrôlent sans la diriger. C'est très nettement le cas avec le gouvernement conduit jusqu'en mai 1935 par Pierre-Etienne Flandin. Associant hommes de l'Alliance démocratique et radicaux, avec une représentation symbolique de la Fédération républicaine, ce gouvernement apparaît comme une tentative de concentration. Toutefois, la bonne entente entre Flandin et les radicaux est compromise par la gravité de la crise agricole qui entraîne l'impopularité du gouvernement. Par ailleurs, les élections municipales de 1935, considérées comme un test de la valeur politique de la concentration, sont décevantes. Le scrutin révèle une percée de l'union des gauches, favorable aux alliances qui sont en train de se conclure entre radicaux, socialistes et parfois communistes. L'échec des élections municipales condamne le gouvernement Flandin qui tombe en mai 1935.

Les conditions de la chute de Flandin auraient dû conduire à la formule, un moment envisagée, d'un gouvernement de gauche, constitué par les radicaux et les socialistes, gouvernement qui peut disposer à la Chambre de la majorité élue en 1932, mais le refus des socialistes de compromettre leur audience dans une expérience gouvernementale avant les élections de 1936 conduit à repousser le projet. Dès lors, il ne reste plus qu'à replâtrer un gouvernement d'union nationale que Pierre Laval est chargé de constituer et dans lequel Herriot assume, comme dans les deux gouvernements précédents, les fonctions de ministre d'Etat. Le gouvernement Laval de juin 1935-janvier 1936 illustre assez bien l'impasse politique dans laquelle la France s'enfonce. Ossature du gouvernement, le parti radical détient des portefeuilles clés comme les Finances (avec Marcel Régnier) ou l'Intérieur (avec Paganon), sans compter bien entendu Herriot qui fait figure de vice-président du Conseil. Mais en même temps, depuis juillet 1935, ce parti figure dans le rassemblement populaire, coalition d'opposition constituée avec les socialistes et les communistes en vue des élections de 1936 et qui ne se prive pas de critiquer avec virulence la politique du gouvernement. Membre à la fois de la majorité et de l'opposition, le parti radical est en outre en désaccord avec le gouvernement auquel il appartient sur les principaux aspects de sa politique. Il critique avec force les atermoiements du président du Conseil qui tergiverse pour ordonner le désarmement des ligues paramilitaires et il ne l'obtiendra (avec beaucoup de difficultés) que fin 1935. Il est clair que Laval voit plutôt avec sympathie des ligues qui, pour les radicaux, constituent une menace contre la République. En second lieu, les radicaux sont, dans leur majorité, moins convaincus des vertus de la déflation qu'ils ne l'étaient jusqu'en 1934. Or si Herriot y demeure attaché, son parti voit d'un mauvais œil le renforcement de cette politique et manifeste sa mauvaise humeur devant les décrets-lois qui la mettent en œuvre avec rigueur. Mais comment les critiquer quand le ministre chargé de les appliquer est le radical Marcel Régnier?

Enfin, le désaccord le plus grave porte sur la politique étrangère. Les radicaux, Herriot en tête, sont, on le sait, partisans de la sécurité collective et attachés à la Société des Nations. Ils sont ulcérés des distances que prend Laval avec la SDN, de son rapprochement avec l'Italie fasciste et des ménagements dont il témoigne envers Mussolini après l'agression italienne contre l'Ethiopie. Il faut toute la pression de l'opinion publique et des ministres radicaux pour que les sanctions contre l'Italie soient décidées par la France. En décembre 1935, il est de notoriété publique que le discours violemment critique envers la politique étrangère du gouvernement prononcé par le radical Yvon Delbos traduit les vues du ministre d'Etat Edouard Herriot, évidemment empêché par la solidarité ministérielle de le prononcer lui-même.

Dans ces conditions, il faut toute l'habileté manœuvrière de Laval pour empêcher que le retrait des radicaux ne fasse s'effondrer le gouvernement. Et, de fait, Laval réussit à convaincre Herriot que l'intérêt national exige le maintien en place du ministère. On assiste donc au paradoxe d'un Herriot se faisant inlassablement l'avocat d'un gouvernement dont il désapprouve la politique, auprès de son parti qui brûle de le renverser. Situation évidemment intenable. En décembre 1935, Herriot, excédé par les critiques dont il est l'objet, démissionne de la présidence du parti radical où Daladier, champion du Front populaire, le remplace peu après. En janvier 1936, il quitte le gouvernement Laval, provoquant la chute de celui-ci.

Comme il ne saurait être question ni de reconstituer la concentration, ni de former un nouveau gouvernement d'union des gauches, la seule solution est donc, dans l'attente des élections qui doivent se dérouler en avril-mai, un gouvernement uniquement chargé de préparer celles-ci. Telle est la mission confiée au ministère Albert Sarraut, dernier gouvernement de «trêve», à forte ossature radicale, et dépourvu de toute autorité dans l'attente du résultat des futures élections. On en est donc revenu à la situation de 1932-1933 : un gouvernement impuissant, paralysé face à la crise économique qui perdure en France et qui va se trouver condamné à la passivité face à la grave crise internationale menaçant directement la sécurité française que constitue, en mars 1936, la remilitarisation de la Rhénanie par Hitler.

Les radicaux seuls au pouvoir s'étant montrés impuissants à résoudre la crise française, l'union des gauches constituée dans le Front populaire sera-t-elle capable d'y parvenir?

Les présidents de la République de 1930 à 1936

Gaston Doumergue	mai 1924-mai 1931
Paul Doumer	mai 1931-mai 1932
Albert Lebrun	mai 1932-juillet 1940

Les présidents du Conseil de 1930 à 1936

André Tardieu (premier cabinet)	nov. 1929-fév. 1930
Camille Chautemps (premier cabinet)	21 fév.-1er mars 1930
André Tardieu (second cabinet)	mars-déc. 1930
Théodore Steeg	déc. 1930-janv. 1931
Pierre Laval (premier, second et troisième cabinets)	janv. 1931-fév. 1932
André Tardieu (troisième cabinet)	fév.-juin 1932
Edouard Herriot (troisième cabinet)	juin-déc. 1932
Joseph Paul-Boncour	déc. 1932-janv. 1933
Edouard Daladier (premier cabinet)	janv.-oct. 1933
Albert Sarraut (premier cabinet)	oct.-déc. 1933
Camille Chautemps (second cabinet)	déc. 1933-janv. 1934
Edouard Daladier (second cabinet)	30 janv.-7 fév. 1934
Gaston Doumergue (second cabinet)	fév.-nov. 1934
Pierre-Etienne Flandin	nov. 1934-mai 1935
Pierre Laval (quatrième cabinet)	juin 1935-janv. 1936
Albert Sarraut (second cabinet)	janv.-juin 1936

IV

Le Front populaire et l'agonie de la IIIe République (1934-1939)

Les origines du Front populaire

Que l'émeute du 6 février 1934 soit à l'origine directe du Front populaire comme l'ont longtemps affirmé les forces de gauche n'apparaît nullement comme une évidence à l'historien. Il est vrai que, considérée de façon quasi unanime comme une tentative de coup d'Etat fasciste, elle provoque à la base, parmi les militants, les cadres locaux, voire certains dirigeants des partis de gauche, une incontestable volonté unitaire. En témoignent les multiples mais éphémères comités antifascistes qui se créent dans tout le pays au lendemain du 6 février et qui rassemblent adhérents et sympathisants du parti socialiste et du parti radical, des syndicalistes, des membres de la Ligue des droits de l'homme... mais très rarement des communistes. Il est vrai qu'à Saint-Denis, le maire communiste Jacques Doriot prend l'initiative de fonder un comité antifasciste comprenant des représentants des autres forces de gauche, mais Doriot est en difficulté depuis de longues années avec la direction de son propre parti. Si l'aspiration unitaire est puissante à la base, elle n'a nullement son répondant dans la direction des partis où subsistent les méfiances traditionnelles et le souvenir des affrontements passés.

C'est ainsi que le parti communiste français, en dépit des velléités d'intégration à la société politique de Maurice Thorez, chapitré par l'Internationale qui l'a contraint à procéder début 1934 à une révision rigoureuse de sa tentative d'ouverture, poursuit après le 6 février les critiques virulentes adressées au gouvernement et aux socialistes qu'il accuse, par leur complaisance, d'être responsables de ce «glissement vers le fascisme». Le 9 février, le parti communiste organise une manifestation place de la République en collaboration avec la CGTU pour protester contre la tentative de coup d'Etat fasciste, mais aussi pour conspuer les «fusilleurs Daladier et Frot». L'amalgame étant ainsi réalisé entre fascistes et gouvernement, la manifestation communiste dégénère en scènes d'une extrême violence, les affrontements avec la police faisant 6 morts et des centaines de blessés. Faut-il dès lors considérer que les communistes changent d'attitude le 12 février en décidant de se joindre à la manifestation organisée sur le cours de Vincennes par la CGT, avec l'appui du parti socialiste? En aucune manière. Il s'agit, dans le cadre de la tactique «classe contre classe», de porter la concurrence aux socialistes en montrant aux membres de ce parti que le véritable dynamisme antifasciste est celui des communistes. Aussi le parti communiste a-t-il prévu d'égrener une série d'estrades, le long du parcours envisagé par les socialistes, à partir desquelles des orateurs harangueraient les manifestants et effriteraient ainsi le cortège socialiste. Mais c'était sans compter avec les sentiments unitaires de la base: c'est le contraire qui se produira, les militants communistes se trouvant entraînés par le cortège des socialistes et de la

CGT. Si le parti communiste lance dès le lendemain la légende de la manifestation «unitaire» (elle le fut en effet, mais pas du fait des dirigeants des deux partis), jusqu'à la fin juin 1934, le parti communiste, fidèle à la ligne de l'Internationale, tire à boulets rouges sur radicaux et socialistes, accusant les «social-fascistes» de tous les maux dont souffre le pays.

De la même manière, faut-il voir dans les deux rassemblements interpartisans que sont le Comité Amsterdam-Pleyel et le Front commun des creusets du futur Front populaire? Créé en 1932, à l'initiative du parti communiste pour lutter contre la guerre (que, selon l'Internationale, les puissances capitalistes méditent de déclencher contre l'Union soviétique), se voyant après l'arrivée de Hitler au pouvoir assigner en outre la mission de lutter contre le fascisme, le Comité Amsterdam-Pleyel est placé sous la présidence de deux écrivains, compagnons de route du parti communiste, Romain Rolland et Henri Barbusse. S'il réussit à attirer des écrivains, des artistes, des syndicalistes CGT et CGTU, des membres du parti radical, de la SFIO, des républicains-socialistes, c'est uniquement à titre individuel, les partis de gauche croyant discerner dans la constitution de cette organisation un moyen d'entraîner des hommes de gauche vers le parti communiste en débauchant les adhérents des autres organisations. En revanche, la création du Front commun par Gaston Bergery en mars 1933 et l'adhésion de nombreux intellectuels à cette organisation inquiètent le parti communiste, à l'instar des autres partis de gauche, et tous refusent de cautionner ce rassemblement qui végète. L'intérêt que montre Doriot pour le Front commun et la constitution par le maire de Saint-Denis, après le 6 février, d'un «Comité d'action antifasciste» vont constituer les pièces maîtresses du procès pour indiscipline que lui intente le parti communiste et qui, après arbitrage de l'Internationale, aboutit à son exclusion en juin 1934. Celle-ci apparaît comme le refus par le parti communiste de l'union antifasciste avec les autres organisations de gauche.

A ce refus du parti communiste jusqu'en juin 1934 (malgré la volonté de certains dirigeants) de participer à un rassemblement antifasciste, s'ajoute le poids des rancunes qui opposent radicaux et socialistes, les premiers reprochant aux seconds d'avoir fait échouer par leurs surenchères et leur irréalisme leurs deux expériences gouvernementales de 1924-1926 et de 1932-1934. Quant aux socialistes, ils font grief aux radicaux d'avoir rompu l'union des gauches pour s'allier à la droite dans des gouvernements d'union nationale. Ce sont d'ailleurs les attaques des socialistes et des groupes qui leur sont liés (Ligue des droits de l'homme, franc-maçonnerie) contre le gouvernement de trêve et le parti radical qui le soutient qui conduisent à l'échec rapide la plupart des comités antifascistes formés au lendemain du 6 février 1934.

Il faut enfin prendre en compte l'opposition résolue, fondamentale, apparemment irrémédiable entre radicaux et communistes qui appartiennent, par nature, à des mondes irréductiblement opposés. Les communistes voient dans les radicaux un parti bourgeois, chauvin, colonialiste, conservateur, ouvrant la voie au «fascisme» selon la terminologie en vigueur dans l'Internationale jusqu'en 1934. Pour les radicaux, les communistes sont un parti insurrectionnel, inféodé à l'Union soviétique, prêt à fomenter des troubles et à provoquer l'effondrement de la nation pour le plus grand profit de Moscou, foulant aux pieds les valeurs nationales et ayant comme objectif d'établir en France une dictature sanglante et impitoyable. Entre ces deux partis que tout oppose, il n'y a ni contact, ni discussion, ni même anathème, chacun représentant pour l'autre un mal absolu. Le fossé est tel que la crainte commune du fascisme ne semble même pas pouvoir constituer un élément de rapprochement, le communisme constituant pour les radicaux un danger de nature identique à celui du fascisme et les radicaux étant pour les communistes (au même titre il est vrai que tous les autres partis) une force favorisant objectivement le fascisme.

Dans ces conditions, il a fallu un retournement politique de grande ampleur pour que cette impossible union entre les trois forces de gauche que le 6 février n'a pas suffi à provoquer soit finalement mise en œuvre.

La constitution du Front populaire

Ce retournement est incontestablement le fait du parti communiste dont les initiatives sont à l'origine de la formation du Front populaire. On peut le dater avec précision de la Conférence nationale d'Ivry du parti communiste français. Commencée dans le cadre de la tactique «classe contre classe» et de l'appel au «front unique» avec les adhérents du parti socialiste (mais non avec ses dirigeants), la Conférence s'achève par un discours de Maurice Thorez qui, tout en employant les mêmes mots, rend un son nouveau dans la mesure où il envisage un accord avec les partis de gauche contre le fascisme. Ce retournement spectaculaire est-il dû à une initiative des dirigeants communistes qui ont obtenu l'autorisation de l'Internationale (comme sembleraient le montrer les tentatives faites depuis plusieurs années par les dirigeants de ce parti pour obtenir du Komintern la prise en compte de la spécificité française) ou l'initiative est-elle venue de Moscou qui, après la consolidation du nazisme en Allemagne, décide un changement de tactique? C'est là un objet de débats et de polémiques historiques qu'il est difficile de trancher. Quoi qu'il en soit, il est clair que l'Internationale a, pour le moins, donné son accord et il est non moins clair que le parti communiste français se jette dans la nouvelle tactique avec un enthousiasme qui révèle à quel point la thématique antérieure a représenté pour lui une contrainte.

On constate en effet, de la part du parti communiste, un virage spectaculaire qui lui fait adorer ce qu'il brûlait la veille. Dans cette nouvelle ligne, l'adversaire prioritaire n'est plus la social-démocratie mais le fascisme. Contre lui, il importe de défendre les libertés démocratiques (qualifiées hier de «libertés formelles») et ce en union avec tous les démocrates (accusés naguère de frayer la voie au fascisme). Sans doute ce retournement ne concerne-t-il que le court terme et le parti communiste ne renonce-t-il pas, en principe, à ses objectifs révolutionnaires à long terme. Mais, en attendant, l'initiative communiste bouleverse le paysage politique français.

Dans un premier temps, les communistes opèrent en effet un rapprochement avec leurs frères ennemis du parti socialiste. Le 27 juillet 1934, les deux formations marxistes signent en effet un pacte d'unité d'action par lequel elles s'engagent à lutter en commun contre le fascisme, la guerre et les décrets-lois préparés par le gouvernement Doumergue. La même hostilité sera d'ailleurs témoignée par les deux partis envers tous les gouvernements de «trêve» qui se succèdent jusqu'aux élections de 1936. Est-ce le rapprochement, ouvrant la voie à l'unification entre les frères séparés du congrès de Tours? On peut le penser jusqu'en octobre 1934 où se produit un événement inouï. Dépassant le «front prolétarien» formé avec les socialistes, Maurice Thorez, dans un discours prononcé à Nantes, lance le mot d'ordre de «Rassemblement populaire» qu'il définit comme «*l'alliance des classes moyennes avec la classe ouvrière*». Si la thématique n'est pas neuve (dès la fin des années vingt, Maurice Thorez considérait qu'une course de vitesse entre communisme et fascisme était engagée pour la conquête des classes moyennes), elle prend un aspect inédit dans la mesure où peu à peu, le parti communiste explicite son objectif en précisant qu'il s'agit dans son esprit d'attirer, non les membres isolés des classes moyennes, mais leur représentant le plus authentique, le parti radical, dans le rassemblement antifasciste qu'il appelle de ses vœux. Et on conçoit la stupéfaction du parti socialiste, hier encore dénoncé par les communistes comme «social-traître» pour avoir conclu avec les radicaux des accords de désistement lors des élections législatives.

Toutefois, si la nouvelle tactique des communistes apparaît surprenante, ses chances de réalisation sont des plus minces. Comment penser que les radicaux, présents au gouvernement avec Herriot, leur président, pourraient accepter de rejoindre un rassemblement qui jette l'anathème sur les gouvernements de trêve? Et cependant, les bases d'un rapprochement existent. Elles tiennent d'abord à la tradition radicale, fortement marquée à gauche, à laquelle demeurent fidèles la majorité des militants du parti, au fait que la majorité des élus le sont grâce aux désistements à gauche, aux attaques dont les radicaux sont l'objet de la part de leurs associés de droite dans les gouvernements d'union nationale, au désir de ce parti de sortir de l'impasse politique dans laquelle il est enfermé depuis 1932, enfin à la force de la dynamique de gauche, révélée par les élections municipales de 1935 et qui ne saurait laisser les radicaux indifférents à la veille de la consultation de 1936. Il s'y ajoute le fait que les radicaux se montrent sensibles aux changements qui affectent l'attitude communiste à leur égard et à l'égard des grands problèmes nationaux et qui leur font juger que les communistes ont changé. Dès les élections cantonales de 1934, les communistes ont proposé de se désister pour les radicaux clairement partisans de l'union des gauches et la presse communiste ménage le parti radical, exaltant son rôle d'héritier de la Révolution française et de représentant des classes moyennes. Les radicaux sont encore plus sensibles à l'évolution qui s'opère chez les communistes sur les problèmes de défense nationale. Après la signature par Laval et Staline du pacte franco-soviétique en mai 1935 et la déclaration faite à cette occasion par Staline et par laquelle il «comprend et approuve l'effort fait par la France pour maintenir sa force armée au niveau de sa sécurité», le parti communiste se présente comme un parti patriote, ce qui lève un obstacle considérable au rapprochement. Enfin, il existe au sein du parti radical un groupe de dirigeants qui voit dans le Front populaire un moyen de rompre avec la politique de vassalisation vis-à-vis de la droite qu'incarne la présence d'Herriot au gouvernement. Les partisans traditionnels de l'alliance à gauche, l'aile gauche du mouvement jeune-turc représentée par des hommes comme Jacques Kayser, Jean Zay, Pierre Mendès France, Pierre Cot, se déclarent partisans de l'adhésion au Rassemblement populaire. Et surtout Edouard Daladier dont l'avenir politique paraît compromis par le 6 février voit dans le Front populaire le moyen de faire sa rentrée politique. Jouant sur les réserves d'Herriot envers le Rassemblement, il s'offre comme leader à la gauche de son parti qui souhaite le réaliser. Or, dès les premiers mois de 1935, les comités radicaux se prononcent majoritairement pour l'entrée de leur parti dans le Front populaire. Conscient de l'attrait exercé sur les radicaux par l'union des gauches, Herriot, tout en se maintenant personnellement sur la réserve, laisse faire. Le 3 juillet 1935, le Comité exécutif du parti radical décide de répondre à l'invitation de participer pour le 14 juillet à une grande manifestation unitaire rassemblant à Paris le parti communiste, la SFIO, la CGT et la CGTU, les républicains-socialistes, la Ligue des droits de l'homme, le Comité de vigilance des intellectuels antifascistes formé au lendemain du 6 février, diverses associations d'Anciens combattants orientées à gauche. Au lendemain du succès de la manifestation, où Daladier défile en tête parmi les dirigeants des organisations de gauche, les organisateurs constituent un Comité national du Rassemblement populaire chargé de mettre au point une plate-forme commune en vue des élections de 1936.

Après de longues discussions, le programme du Rassemblement populaire est publié en janvier 1936. Les discussions ont révélé la profondeur des désaccords entre radicaux et socialistes, en particulier sur les questions économiques. Alors que les socialistes souhaitent un important train de nationalisations qui amorceraient les réformes de structure qu'ils appellent de leurs vœux, les radicaux s'y opposent, afin de demeurer dans le cadre d'une organisation économique libérale. Or, fait surprenant, le parti communiste a appuyé les vues des radicaux contre les socialistes. C'est que, pour lui, les nationalisations n'ont aucun caractère socialiste, que leur extension lui est indifférente et, surtout, qu'il s'agit de ne rien faire qui puisse effrayer les classes moyennes et les dissuader d'entrer dans le Rassemblement populaire.

Si bien que les radicaux sont fondés à considérer que le programme du Rassemblement populaire est très proche du programme classique du parti radical. De fait, il tient en trois thèmes que résume le triptyque : le pain, la paix, la liberté. La première rubrique concerne évidemment la lutte contre la crise économique. En souvenir du Cartel des gauches, il est prévu de faire de la Banque de France la «Banque de la France» en donnant le droit de vote à tous les actionnaires et pas seulement aux 200 plus importants (les «200 familles» représentant la Haute banque et la grande industrie). Pour le reste, il s'agit de relancer l'activité économique en mettant fin à la déflation et en évitant la dévaluation. Le moyen essentiel est l'élévation du pouvoir d'achat des masses par la «reflation», et l'Etat doit en assurer la mise en œuvre par tout un éventail de mesures : grands travaux, création d'un fonds de chômage, retraite pour les vieux travailleurs, réduction du temps de travail sans diminution de salaire et, dans le domaine agricole, création d'un Office national des céréales pour régulariser le marché. La défense de la paix consiste surtout en un état d'esprit plus que dans des mesures concrètes, si on met à part la décision de nationaliser les fabrications de guerre, avec comme objectif principal d'interdire aux «marchands de canon» d'infléchir la politique française dans un sens belliciste. Enfin, la défense des libertés fait l'unanimité et comporte quelques mesures destinées à interdire toute tentative fasciste en France (dissolution des ligues), la défense des droits syndicaux et de l'école laïque, l'obligation pour les journaux de faire connaître leur bilan, afin d'informer le public sur l'identité des bailleurs de fonds de la presse.

Que recherchent les partis ainsi associés autour de cette plate-forme très modérée? La principale question concerne évidemment le parti communiste qui a fait preuve en cette affaire d'une surprenante volonté de conciliation. Si, sur le court terme, sa volonté antifasciste explique sa rassurante modération, il reste à voir que la lutte contre le fascisme ne fait l'unanimité que sur le plan intérieur. Socialistes et radicaux qui sont très majoritairement pacifistes n'entendent s'engager dans aucune croisade antifasciste à l'extérieur. Or il est évident que, pour les communistes, le pacte franco-soviétique représente la clé de voûte d'un rassemblement international antifasciste destiné, le cas échéant, à barrer la route à une extension du fascisme en Europe. Mais cette hypothèse d'école est, au début de 1936, moins grave que les interrogations sur les desseins à plus long terme du parti communiste. Celui-ci paraît en effet vouloir utiliser le Front populaire comme un moyen d'attirer à lui des masses séduites par son dynamisme. Il utilise alors trois moyens à cette fin. Le premier est la proposition de constituer des sections départementales du Front populaire sur la base d'adhésions individuelles qui permettraient aux communistes de noyauter aisément ces organisations. La vigilance des radicaux et des socialistes fait échouer le projet : les comités départementaux du Rassemblement populaire seront constitués des sections locales des organisations membres. Le second est le projet d'unité organique entre le parti communiste et le parti socialiste, vu par ce dernier comme un nouveau procédé utilisé par les communistes pour «plumer la volaille socialiste». Après d'interminables discussions, le projet échouera. Enfin le troisième moyen utilisé pour attirer les masses est la réunification syndicale et celle-ci sera un succès. En mars 1936, au congrès de Toulouse, CGT et CGTU fusionnent aux conditions posées par la première. En fait, cette victoire apparente de Jouhaux se révélera illusoire. Intégrés dans la CGT, les syndicalistes «unitaires» conservent leur organisation dirigée par Frachon et Racamond, membres du Bureau confédéral, et leur dynamisme va permettre aux communistes d'attirer à eux la masse des nouveaux adhérents, conquérant ainsi la majorité dans les fédérations départementales ou les syndicats de base.

A cette méfiance des radicaux et socialistes envers les communistes s'ajoutent les désaccords qui opposent les deux partis sur la politique économique et financière à suivre et qui vont miner l'expérience du Front populaire. Mais les discussions serrées et les divergences du sommet n'entament en rien l'enthousiasme de l'opinion de gauche. Celle-ci, toute à la satisfaction de l'unité de toute la gauche enfin rétablie, à l'espoir que le Rassemblement trouvera les voies de la solution de la crise économique, s'apprête à donner la victoire au Front populaire. Et, dans l'attente d'un succès du parti radical, on spécule sur la composition du futur gouvernement Daladier et sur l'éternel problème de la participation socialiste.

La victoire électorale du Front populaire

Si la plate-forme du Front populaire est très modérée, elle ne constitue en rien un programme commun pour les formations qui y participent. Au premier tour, chacun se bat sous ses propres couleurs et ce n'est que pour le second tour que la plate-forme servira de base au candidat unique du Rassemblement populaire dans chacune des circonscriptions, candidat pour lequel les autres se seront désistés. Aussi le premier tour donne-t-il le spectacle d'une curieuse cacophonie entre les partis du Rassemblement populaire. Les radicaux privilégient la défense des intérêts locaux malgré les accents jacobins de leur président Daladier. Les socialistes défendent sans sourciller un vaste programme de nationalisations et de mesures anticapitalistes, préconisant par ailleurs la suppression du Sénat et l'établissement de la Représentation proportionnelle. Quant aux communistes, ils se déclarent toujours partisans de la «République française des soviets». Toutefois, c'est le parti communiste qui innove le plus. Sa plate-forme électorale insiste sur la lutte contre la crise et le fascisme, et son principal dirigeant, Maurice Thorez, prêche pour l'union de tous les Français contre les 200 familles et le fascisme, «tendant la main» à tous, y compris aux catholiques et aux Croix-de-Feu.

Au soir du 26 avril, le Front populaire l'emporte comme prévu dans un scrutin auquel les Français ont largement participé (à plus de 84 %). La gauche, rassemblée dans le Front populaire, accentue de 300 000 voix l'avance qu'elle possédait déjà en 1932, devançant d'un million deux cent mille voix la droite. Mais, pour celle-ci, il ne s'agit nullement d'un effondrement puisque, par rapport à 1932, elle ne perd que 70 000 voix.

Plus que l'équilibre droite-gauche, légèrement amélioré au profit de la gauche, mais qui n'est pas bouleversé, c'est la répartition des voix à l'intérieur du camp victorieux qui est riche d'enseignements.

Répartition des suffrages aux élections de 1932 et de 1936

	1932	*1936*
Inscrits	11 533 593	11 998 950
Votants	9 579 482	9 847 266
Communistes	783 098	1 468 949
Socialistes et assimilés	2 034 124	1 996 667
Radicaux et assimilés	2 315 008	1 955 174
Droite	4 307 865	4 223 928

D'après G. Dupeux, *Le Front populaire et les élections de 1936*, Paris, A. Colin, 1959.

Globalement, on assiste en effet à une poussée à gauche du corps électoral qui bénéficie au parti communiste et s'inscrit au passif des radicaux, éléments les plus modérés du Rassemblement populaire. Le parti radical et les socialistes indépendants perdent environ 400 000 voix, sanction de la politique de déflation menée par les gouvernements radicaux de 1932 à 1934 et de l'ambiguïté d'un parti qui n'a pas su choisir entre l'union nationale et le Front populaire, entre Herriot et Daladier. En revanche, avec près de 1 500 000 voix contre 780 000 en 1932, le parti communiste double ses suffrages et fait mieux que reconquérir le terrain perdu entre 1928 et 1932. Visiblement, l'électorat a été sensible aux changements dans le sens d'une intégration à la culture républicaine qui affectent le parti communiste et au dynamisme dont il fait preuve, espoir de solution pour l'opinion de gauche de l'interminable crise dans laquelle se débat le pays. Mais du même coup, la victoire du Front populaire apparaît avant tout comme celle du parti communiste, ce qui épouvante une partie de l'opinion publique, laquelle, pour la première fois, ne considère plus comme une simple hypothèse d'école et un argument de polémique électorale la possibilité de voir un jour les communistes prendre le pouvoir en France. Dans l'immédiat, le Parti socialiste SFIO qui devance les radicaux, comme en 1928 et 1932, mais dont l'audience stagne par rapport aux élections de 1932, fait figure d'un parti en perte de vitesse face à un rival communiste en pleine expansion.

Le second tour des élections va, dans le domaine des rapports entre forces de gauche, nuancer les résultats du premier tour. Il est clair tout d'abord que la victoire en sièges du Front populaire est beaucoup plus nette que son succès en voix. Avec 369 sièges contre 231 à la droite, le Rassemblement populaire dispose d'une confortable majorité. Il faut toutefois observer que les deux partis marxistes, socialiste et communiste, qui réunissent 228 sièges (avec le petit parti d'unité prolétarienne) équilibrent très exactement le poids de la droite et que de ce fait, la majorité du Front populaire dépend précisément des voix du parti radical et de ses alliés républicains-socialistes.

Résultat en sièges des élections de 1936

<table>
<tr><td rowspan="5">Front populaire</td><td>Communistes</td><td>72</td><td></td></tr>
<tr><td>Parti d'unité prolétarienne</td><td>10</td><td></td></tr>
<tr><td>Parti socialiste SFIO</td><td>146</td><td></td></tr>
<tr><td>Républicains-socialistes</td><td>26</td><td rowspan="7">Majorité d'union nationale de 1938-39</td></tr>
<tr><td>Parti radical-socialiste</td><td>115</td></tr>
<tr><td></td><td>Gauche radicale et radicale-indépendante</td><td>31</td></tr>
<tr><td></td><td>Républicains de gauche</td><td>83</td></tr>
<tr><td></td><td>Démocrates-Populaires</td><td>23</td></tr>
<tr><td></td><td>Union républicaine démocratique</td><td>88</td></tr>
<tr><td></td><td>Conservateurs</td><td>11</td></tr>
</table>

Confirmant les résultats du premier tour, le parti communiste, avec 72 députés, devient un grand parti parlementaire dont le nombre d'élus a sextuplé. Autre résultat inédit des élections de 1936 : pour la première fois dans l'histoire parlementaire de la France, le parti socialiste devance en sièges le parti radical et devient le premier parti de gauche. Situation qui conduit très directement, compte tenu de la pratique parlementaire, à un autre fait, inédit lui aussi : la SFIO est en mesure d'exiger la direction du gouvernement.

Léon Blum au pouvoir

Dès le lendemain des élections de 1936, Léon Blum revendique pour les socialistes la direction du gouvernement de Front populaire. Il reste que, depuis 1924, la SFIO n'a envisagé qu'avec répugnance sa présence au gouvernement et qu'il est par conséquent nécessaire de savoir quelle sera la politique suivie par un gouvernement à direction socialiste, même si la constitution du Rassemblement populaire a modifié la nature des choses. En fait, les élections de 1936 réalisent un des cas de figure envisagés par Léon Blum, celui où la SFIO serait la force principale d'une majorité de gauche dans laquelle les partis marxistes ne disposeraient pas à eux seuls de la prépondérance. Dans ce cas, avait de longue date affirmé Léon Blum, il s'agirait, non d'établir le socialisme en France, mais d'exercer le pouvoir dans le cadre des structures sociales existantes. Le 31 mai 1936, intervenant devant le Conseil national de la SFIO, le dirigeant socialiste confirme cette analyse en fixant dans une déclaration, à l'intention de son parti, la ligne du gouvernement qu'il a l'intention de former : «*Non seulement le parti socialiste n'a pas la majorité,* déclare-t-il, *mais les partis prolétariens ne l'ont pas davantage. Il n'y a pas de majorité socialiste; il n'y a pas de majorité prolétarienne. Il y a la majorité du Front populaire dont le programme du Front populaire est le lieu géométrique. Notre mandat, notre devoir, c'est d'accomplir et d'exécuter ce programme. Il s'ensuit que nous agirons à l'intérieur du régime actuel, de ce même régime dont nous avons montré les contradictions et les iniquités au cours de notre campagne électorale. C'est cela l'objet de notre expérience, et le vrai problème est de savoir si, de ce régime social, il est possible d'extraire la quantité de bien-être, d'ordre, de sécurité, de justice qu'il peut comporter pour la masse des travailleurs et des producteurs.*»

Ainsi se trouvent fixés les caractères de l'expérience Blum qui n'est nullement une expérience socialiste, mais une expérience de gestion sociale du régime capitaliste. S'il n'est aucunement question de faire la révolution, par conséquent, il n'en reste pas moins que c'est dans un climat révolutionnaire que Léon Blum arrive au pouvoir.

En effet, depuis la mi-mai, une vague de grèves d'une

ampleur sans précédent s'étend dans le pays. Parti des usines d'aviation, le mouvement fait rapidement tache d'huile et gagne tous les types d'activité et toutes les régions. Après les industries, les magasins et même un certain nombre d'exploitations agricoles sont touchées. Or, ce qui fait la spécificité des grèves de mai et juin 1936 (car le mouvement continue en juin), c'est à la fois leur ampleur inusitée (elles concernent plus de deux millions de travailleurs) et la forme particulière qu'elles revêtent : ce sont des grèves avec occupation des locaux, procédé que certains observateurs considèrent comme constituant une volonté d'atteinte à la propriété privée. En effet, en occupant les entreprises, les ouvriers mettent en cause l'autorité des patrons. En entretenant le matériel, ils paraissent prendre en main l'instrument de travail. On conçoit donc que les grèves de juin 1936 aient été considérées par toute une partie de l'opinion, les uns pour s'en féliciter, les autres pour s'en épouvanter, comme une tentative de révolution sociale partie de la base et destinée à pousser le gouvernement Blum dans la voie de cette transformation des structures sociales que le président du Conseil déclarait ne pas envisager. Telle est, par exemple, l'opinion de Marceau Pivert, leader de la tendance Gauche révolutionnaire de la SFIO qui, dans un article du *Populaire* du 27 juin 1936 intitulé «Tout est possible», invite le gouvernement à s'appuyer sur le mouvement populaire pour prendre des mesures révolutionnaires et transformer l'exercice du pouvoir en conquête du pouvoir.

Les travaux historiques conduits sur les grèves de mai-juin 1936 n'ont pas discerné dans le mouvement de véritable volonté révolutionnaire organisée, mais un ensemble complexe de motivations allant de la volonté d'empêcher un lock-out patronal après les grèves du 1er mai dans certaines entreprises à l'intention de faciliter la nationalisation des usines d'aviation (prévue par la plate-forme du Front populaire) en passant par des revendications sur les salaires et les conditions de travail et par la simple imitation d'un mouvement qui gagne progressivement les entreprises voisines (Georges Lefranc, *Juin 36*, Paris, Julliard, 1966). Par ailleurs, il est avéré que si certains militants révolutionnaires, en particulier trotskistes, ont pu jouer un rôle dans le déclenchement des grèves, les syndicats n'y sont pour rien et que, le plus souvent, la grève revêt un caractère spontané, la CGT tentant après coup de l'encadrer. Enfin, les observateurs ont longuement insisté sur le caractère joyeux revêtu par ces grèves, sur leur allure de fête populaire qui exclut toute volonté de haine et de bouleversement, mais témoigne de l'attente et de l'espérance d'un monde ouvrier qui attend du premier gouvernement à direction socialiste de l'histoire française une modification radicale de ses conditions de travail et de vie.

C'est d'ailleurs la raison pour laquelle le président du Conseil, Albert Sarraut, impuissant devant l'extension du mouvement de grève, souhaite voir Léon Blum prendre le plus rapidement possible la tête du gouvernement, convaincu que l'arrivée au pouvoir du leader socialiste les arrêtera. Mais le légalisme de Blum le conduit à rejeter cette proposition. Il entend ne constituer un nouveau gouvernement que lorsque le mandat de la Chambre élue en 1932 sera arrivé à expiration. Ce n'est donc que le 4 juin 1936 que le président Albert Lebrun charge Léon Blum de constituer le ministère. Mais à cette date, l'ampleur des grèves est telle que le pays est paralysé et semble au bord de la révolution.

Le gouvernement formé en juin 1936 par Léon Blum n'est que partiellement à l'image de la majorité sortie des urnes. Reprenant à l'égard de la SFIO la pratique que celle-ci avait exercée vis-à-vis des radicaux, les communistes décident en effet le soutien sans participation. Affirmant leur désir de voir l'expérience réussir, ils prétextent de la crainte que leur présence au gouvernement pourrait provoquer dans l'opinion publique pour s'abstenir d'y entrer. On peut également penser que, considérant comme un expédient provisoire le Rassemblement populaire, ils n'entendent pas se compromettre dans une expérience qu'ils ne dirigeraient pas et qui ne correspond en rien à leur objectif à long terme. Dans ces conditions, Blum forme un gouvernement constitué pour l'essentiel de socialistes et de radicaux. Trois ministres d'Etat, le radical Chautemps, le républicain-socialiste Maurice Viollette, le socialiste Paul Faure représentent les trois partis associés dans le Front populaire. Pour le reste, Blum réserve aux membres de la SFIO les grands ministères économiques et sociaux, les Finances (Vincent Auriol), l'Economie nationale (Charles Spinasse), les Travaux publics (Albert Bedouce), l'Agriculture (Georges Monnet), le Travail (J.-B. Lebas) et la Santé publique (Henri Sellier). Enfin, le ministère clé de l'Intérieur est confié au député-maire socialiste de Lille, Roger Salengro. De leur côté, les radicaux détiennent, sauf l'Intérieur, les autres grands ministères. Edouard Daladier, ministre de la Défense nationale, apparaît comme le numéro deux du gouvernement avec le titre de vice-président du Conseil. Il est entouré de Marc Rucart (Justice), d'Yvon Delbos (Affaires étrangères), de Pierre Cot (Air), de Gasnier-Duparc (Marine), de Jean Zay (Education nationale).

C'est à ce gouvernement qu'il appartient d'apporter une réponse à la crise qui, depuis plusieurs années, atteint la France et dont la vague de grèves rend la solution plus urgente encore. Durant quelques semaines, il semble devoir y parvenir.

Compte tenu de la gravité de la crise sociale, le gouvernement est amené dans un premier temps à prendre les mesures nécessaires pour mettre fin à la vague de grèves. Il est d'ailleurs pressé d'agir par le Comité des Forges qui lui demande d'arbitrer le conflit et par la CGT, inquiète de l'extension d'un mouvement qu'elle ne parvient guère à contrôler. Mais il est bien évident pour Léon Blum que la solution passe par une reprise économique qui résoudrait le malaise social dont souffre le monde ouvrier. Partisan depuis le début de la crise de la «reflation», il considère donc que c'est en accroissant le pouvoir d'achat des plus pauvres que s'opérera la relance qu'il préconise. Par ailleurs, décidé à lutter contre la plaie du chômage, il juge que la solution réside dans la diminution du temps de travail qui libérera des postes et permettra la reprise de l'embauche. C'est dans cette perspective qu'entre juin et juillet 1936 le gouvernement prend ou encourage toute une série de mesures destinées à la mise en œuvre de cette politique.

Il s'agit en premier lieu des Accords Matignon, signés entre la CGT et l'organisation patronale, la Confédération générale de la production française, réunies à l'initiative du gouvernement au siège de la présidence du Conseil. Par l'accord signé le 5 juin 1936 sont décidées des augmentations de salaires de 12 % en moyenne, la signature de conventions collectives, l'élection de délégués du personnel dans les entreprises et la liberté d'exercice du droit syndical. En échange, la CGT s'engage à ce que soit mis fin aux occupations d'entreprises. Décision que la centrale syndicale aura le plus grand mal à mettre en œuvre en dépit de l'insistance de ses cadres et de l'intervention du dirigeant communiste Maurice Thorez qui, encourageant les ouvriers à reprendre le travail, déclare : «*Il faut savoir terminer une grève dès que satisfaction a été obtenue.*» Toutefois, ce n'est pas avant la première quinzaine de juillet que le mouvement cesse, d'ailleurs progressivement.

Les Accords Matignon sont complétés par deux lois votées au Parlement en juillet 1936 et qui ont, elles aussi, pour objet de combattre la crise tout en améliorant le sort des ouvriers. L'une donne pour la première fois en France deux semaines de congés payés aux ouvriers. L'autre fixe à 40 heures au maximum la durée de la semaine de travail, sans diminution de salaire, ce qui, dans l'esprit du gouvernement, devrait diminuer le chômage en permettant l'embauche de nouveaux salariés afin de maintenir la production.

Parallèlement à ces mesures de lutte contre la crise sont mises en œuvre les grandes réformes de structure annoncées par la plate-forme du Front populaire. En premier lieu, la réforme de la Banque de France, dont l'objet est de modifier les règles de fonctionnement de celle-ci pour interdire que, comme en 1924, les grands intérêts ne puissent, par son intermédiaire, faire échouer un gouvernement de gauche. Sans oser aller jusqu'à la nationalisation préconisée par une Commission présidée par Vincent Auriol, le gouvernement décide de donner le droit de vote dans les assemblées générales aux 40 000 actionnaires de la Banque et non aux seuls 200 plus importants. En outre, le gouvernement de la Banque de France est transformé. Si le gouverneur et les deux sous-gouverneurs demeurent, le Conseil des régents est remplacé par un Conseil général de 20 membres où les personnalités nommées par le gouvernement sont en majorité. Réforme sans grand effet, la plupart des petits actionnaires ne se déplaçant guère pour assister aux assemblées générales et les gros actionnaires restant, de ce fait, maîtres du Conseil d'administration. Peu efficace également se révèle la nationalisation des industries de guerre. Mise en œuvre avec une grande timidité par Daladier, elle comporte une large indemnisation des propriétaires qui, le plus souvent, demeurent à la tête des entreprises nationalisées. Mais la nationalisation a surtout pour effet, dans un premier temps, de désorganiser des entreprises peu efficientes du fait du manque d'investissement. Il faudra attendre que la réorganisation des industries de guerre soit effectuée pour que la production reprenne dans des conditions valables, mais ce résultat ne sera pas atteint avant 1939. En revanche, en dépit des préventions qui l'accueillent, la réforme qui donne naissance en août 1936 à l'Office interprofessionnel du blé s'avérera beaucoup plus efficace. Géré par des représentants des paysans, des consommateurs, de la meunerie et de l'Etat, il a pour charge de fixer chaque année le prix du blé et d'en régulariser le marché. Il doit créer dans chaque département des coopératives tenues d'acheter le blé au prix fixé, puis de se charger de le commercialiser ou de le stocker. La réforme est difficilement adoptée, paysans et sénateurs redoutant une étatisation de l'agriculture. Mais, dès sa création, l'Office fixe à 141 F contre 80 en 1935 le prix du blé et, de ce fait, reçoit un accueil favorable de la paysannerie.

Il faudrait ajouter à cet ensemble de mesures la tentative d'une politique plus libérale dans les colonies. Attaché au maintien de la souveraineté française dans l'Empire, le gouvernement Blum entend, du moins, libéraliser la gestion des colonies et y promouvoir une politique de réformes en négociant avec les représentants des peuples colonisés. Telle est la tâche que s'assignent le ministre des Colonies, Marius Moutet, et le sous-secrétaire d'Etat aux Affaires étrangères, Pierre Viénot, chargé des relations avec les protectorats et les mandats français. Si les négociations qu'il noue en Tunisie avec Habib Bourguiba, chef du parti nationaliste Néo-Destour, et au Maroc avec Allal el-Fassi qui conduit le «Comité d'action marocaine» achoppent sur le refus d'envisager plus qu'un aménagement de la souveraineté française, il en ira autrement dans les mandats du Levant. En novembre 1936, Viénot signe des traités donnant l'indépendance à la Syrie et au Liban en échange d'avantages économiques et du maintien des intérêts culturels français dans les deux pays. Mais l'opposition des parlementaires est telle que le gouvernement n'ose proposer au Parlement la ratification des traités. Le même sort est réservé au projet Blum-Viollette proposant l'octroi de la citoyenneté française à un certain nombre de musulmans algériens avec maintien de leur statut personnel : anciens officiers et sous-officiers, décorés de guerre, détenteurs de diplômes universitaires, représentants officiels du commerce et de l'agriculture... Bien qu'il ne concerne, dans l'immédiat, que 20 000 personnes environ, le projet suscite une forte hostilité des Français d'Algérie qui redoutent de perdre leur prépondérance sur les musulmans. Dans le domaine colonial, si les intentions sont nouvelles, les résistances sont si considérables qu'on ne dépasse guère le stade des velléités réformatrices.

En revanche, l'esprit nouveau du Front populaire marque très nettement le domaine de la culture. Le rôle essentiel est joué ici par Jean Zay, ministre de l'Education nationale, et par Léo Lagrange, sous-secrétaire d'Etat à la Jeunesse, aux Sports et aux Loisirs. C'est dans ces domaines que le Front populaire tente de mettre en œuvre la philosophie humaniste qui l'anime et dans laquelle la culture joue un rôle fondamental. C'est pour la développer que Jean Zay porte de 13 à 14 ans la limite de l'obligation scolaire. C'est pour permettre au monde ouvrier d'utiliser les congés payés nouvellement octroyés pour bénéficier d'une vie saine au grand air en s'éloignant des villes que Léo Lagrange crée le billet annuel de congés payés à tarif réduit. Enfin, c'est pour que les loisirs dégagés grâce à la réduction de la semaine de travail débouchent sur un accès du monde ouvrier à la culture que sont encouragés les pionniers du théâtre populaire, tel Firmin Gémier, et que les plus grands écrivains, comme Romain Rolland avec son «Quatorze-Juillet» tentent de mettre des spectacles didactiques à la portée du peuple.

Complétant les mesures destinées à améliorer la condition ouvrière, cette attention portée aux sports, aux loisirs, à la culture populaire explique que l'opinion de gauche, et spécifiquement le monde ouvrier, ait eu l'impression qu'une ère nouvelle naissait en cet été 1936, une ère où les plus pauvres et les plus démunis accéderaient enfin à de meilleures conditions de vie et à quelques-uns des plaisirs de l'existence. Et c'est pourquoi les premières semaines du Front populaire, coïncidant avec les premiers congés payés, les départs vers la campagne ou la mer, les spectacles de théâtre populaire, se déroulent au milieu d'un enthousiasme considérable. Pour la première fois depuis 1930, une partie de l'opinion publique française a le sentiment qu'une solution de la crise est en vue et le monde ouvrier s'enthousiasme de voir un gouvernement considérer ses problèmes comme prioritaires. Il est vrai que cet enthousiasme a pour contrepartie la rancune du patronat devant les concessions qu'il a dû faire en juin 1936 et la sourde inquiétude de la classe moyenne face aux bouleversements qui s'esquissent. Mais l'été 1936 représente bien, au moins pour une partie des Français, une «embellie» dans la grisaille de la crise française. Brève parenthèse. Dès l'automne 1936 commencent les déceptions et les difficultés qui vont conduire à l'échec une expérience commencée dans l'enthousiasme.

Un gouvernement affronté à des oppositions violentes

L'arrivée au pouvoir du Front populaire provoque dans la presse d'extrême droite un déferlement de haine. Celle-ci prend avant tout la forme de l'antisémitisme. Le fait que le président du Conseil soit juif, qu'un certain nombre de membres des cabinets ministériels soient également de confession israélite conduit la presse d'extrême droite à lancer une violente campagne antisémite dans laquelle se distinguent Charles Maurras dans *L'Action française* et Henri Béraud dans *Gringoire*. Cette même presse s'en prend avec violence à certains ministres contre lesquels elle n'hésite pas à user de la calomnie. Ce sera le cas contre le ministre de l'Intérieur, Roger Salengro, accusé de désertion devant l'ennemi par *Gringoire*, alors qu'il a été fait prisonnier en allant rechercher le corps d'un de ses camarades tué au combat. Profondément traumatisé par la campagne menée contre lui, le maire de Lille met fin à ses jours le 17 novembre 1936. C'est pour éviter le retour de telles pratiques que sera votée (difficilement), en décembre 1936, une loi sur la presse réprimant la calomnie.

Le déploiement d'antisémitisme ou les calomnies répandues contre certains ministres donnent une idée de la violence des oppositions au Front populaire. Sans aller jusqu'à ces excès, la droite combat avec détermination le gouvernement en jouant sur le puissant levier de l'anticommunisme (J.J. Becker et S. Berstein, *Histoire de l'anticommunisme en France, tome I : 1917-1940*, Paris, Olivier Orban, 1987). La thématique anticommuniste se met en place fin juin 1936 avec les grèves qui culminent alors. Contre toute vraisemblance, les grèves sont considérées comme le résultat d'un complot du parti communiste qui s'efforcerait ainsi de déborder le gouvernement.

Désormais la droite se livre à une lecture des événements qui discerne derrière chaque difficulté la main du parti communiste, ourdissant ses sinistres projets, cependant que Blum assimilé à Kerenski fait figure d'apprenti sorcier, bien incapable de contenir les forces qu'il a déchaînées et responsable d'avoir introduit le loup communiste dans la bergerie de l'Etat. Ce thème du complot communiste est largement utilisé par la droite classique qui le répand à travers les nombreux journaux qu'elle contrôle, de *L'Echo de Paris* au *Temps* en passant par *Le Figaro*, *Le Matin*, ou *Le Journal des débats*. Cet anticommunisme systématique a d'ailleurs un très large écho dans l'opinion publique qui voit la preuve d'un complot communiste dans l'agitation sociale sporadique qui se développe à partir de l'été 1936 et ne cessera guère avant l'automne 1938, dans le noyautage de la CGT, dénoncé autour de René Belin et de son journal *Syndicats* par les syndicalistes non communistes, dans les grandes manifestations lancées à jet continu par le parti communiste qui paraît, dans cette lecture des faits, utiliser ainsi la pression de la rue contre le gouvernement. Mais le succès même de cet anticommunisme qui, dès l'automne 1936, transforme en adversaire du Front populaire une partie de ceux qui l'ont soutenu à l'origine, va déborder très largement les milieux de la droite parlementaire et favoriser le développement en France d'une extrême droite, prête à s'opposer par la violence au gouvernement légal de la République, soupçonné de préparer, consciemment ou inconsciemment, le lit du communisme.

Cette opposition extrémiste prend par exemple la forme du complot organisé par un ancien adhérent de l'Action française, Eugène Deloncle. Après la victoire du Front populaire, il forme le Comité secret d'action révolutionnaire que l'on surnommera la Cagoule. Jouissant de complicités dans l'armée, Deloncle joue la déstabilisation du régime qui pourrait provoquer une intervention militaire et porter au pouvoir l'un des maréchaux survivants de la Première Guerre mondiale. S'il ne parvient pas à convaincre Pétain de jouer ce rôle, Deloncle obtient, semble-t-il, des assurances de Franchet d'Esperey. Il prépare dès lors son scénario, faisant éclater en 1937 des bombes aux sièges d'organisations patronales afin de faire croire à un complot communiste. En novembre 1937, le complot est découvert et ses organisateurs incarcérés.

La dissolution des ligues, ordonnée dès juin 1936 par le gouvernement de Front populaire, donne naissance à des partis nationalistes, radicaux et qui ajoutent à leur programme politique des préoccupations sociales destinées à attirer les masses. Toutefois une différenciation assez nette s'opère au sein de cette nouvelle droite, dont l'anticommunisme demeure un des leviers fondamentaux. La dissolution des Croix-de-Feu conduit le colonel de La Rocque à créer le Parti social français qui, poursuivant l'évolution amorcée au lendemain du 6 février, accentue son attitude légaliste, acceptant désormais la République et se proposant de parvenir au pouvoir en jouant le jeu légal des institutions. Si le nouveau visage du PSF ne convainc pas la gauche qui voit en cette attitude une simple ruse de celui qui continue, pour elle, à incarner le danger fasciste, une partie de l'opinion de droite est séduite par ce nouveau parti nationaliste, social, brûlant d'agir et dont la devise «Travail, Famille, Patrie» répond si bien à ses aspirations. Entre 1936 et 1940, plusieurs centaines de milliers d'adhérents (on avance parfois le chiffre de 800 000) entrent au PSF qui est sans doute à cette date le premier parti politique français. Mais il est vrai qu'en dépit de quelques succès initiaux, le résultat des élections partielles ne semble pas confirmer les espoirs que La Rocque nourrit quant au succès qu'il pourrait remporter lors des élections de 1940. En tout cas, avec le PSF naît un nouveau style de parti de droite se différenciant des vieux partis de cadres, modérés ou conservateurs, un parti nationaliste, populiste, attirant à lui les masses qui se reconnaissent dans une idéologie à la fois sociale et anticommuniste.

La transformation en partis politiques des autres ligues, Jeunesses patriotes ou Francisme, ne donnera naissance qu'à des petits groupes sans véritable audience dans l'opinion, même si, autour de Taittinger ou de Bucard, la présence de la gauche au pouvoir favorise les éléments les plus radicaux qui se réclament d'un activisme frénétique et multiplient les violences verbales. Il y a dans ce secteur de l'opinion une véritable tentation fascisante qui ne trouve cependant pas de répondant dans la masse de la population. En revanche, c'est d'un véritable parti fasciste qu'on peut parler avec la fondation en 1936 par l'ancien communiste Jacques Doriot, passé en quelques années à un anticommunisme déterminé, du Parti populaire français (PPF). Par ses thèmes, son recrutement, son organisation, ses projets, le PPF est sans doute la formation française qui se rapproche le plus du fascisme, même si Jacques Doriot évite soigneusement de se qualifier comme tel, du fait que, dans sa grande majorité, l'opinion publique française répudie le fascisme. Mais l'anticommunisme virulent de Doriot, son opposition violente au gouvernement, le dynamisme dont il fait preuve attireront au PPF une masse de 300 000 adhérents qui forment le fer de lance de la droite radicale en France (J.-P. Brunet, *Jacques Doriot*, Paris, Balland, 1986).

Entre la gauche dont l'antifascisme est le ciment principal et la droite qui fait campagne sur le thème de l'anticommunisme, les heurts sont nombreux. Contre les dangers supposés du communisme et du fascisme se multiplient discours et manifestations et une sorte de guerre civile larvée, surtout verbale, s'installe en France (S. Berstein, «L'affrontement simulé de la France des années trente», *Vingtième siècle, Revue d'Histoire*, avril

1985). Toutefois, de l'affrontement verbal à la violence physique, il n'y a qu'un pas, que l'échauffement des esprits conduit aisément à franchir. C'est le cas à Clichy en mars 1937. Une manifestation de gauche destinée à interdire la tenue d'une réunion du PSF est violemment réprimée par la police qui tente de faire respecter la liberté de réunion. L'affrontement fera 5 morts et 200 blessés et soulèvera contre le gouvernement Blum la colère d'une fraction de la gauche, déjà profondément déçue du caractère trop timoré à ses yeux de la politique suivie par le Front populaire.

Entre la hargne de la droite et de l'extrême droite et la rancœur de la gauche (en particulier de Marceau Pivert et de sa *Gauche révolutionnaire*, dissoute en 1937, avant que l'année suivante Marceau Pivert soit exclu de la SFIO), le gouvernement dispose d'une très étroite marge de manœuvre. Or il se trouve affronté à des problèmes de politique étrangère, à des difficultés économiques et à des tensions sociales qu'il se montre incapable de résoudre.

Les difficultés de politique étrangère et le problème de la guerre d'Espagne

On a déjà souligné l'ambiguïté marquée entre l'objectif de lutte antifasciste du Front populaire et la volonté pacifiste qui anime une grande partie de ses partisans. Au demeurant, Léon Blum ne voit guère de contradiction entre les deux termes, affirmant tout à la fois sa volonté de maintenir la paix et sa fermeté vis-à-vis des dictateurs fascistes. La mise en œuvre de cette double volonté paraît d'ailleurs ne pas souffrir de difficultés. Au plan de la fermeté, le président du Conseil met fin aux missions diplomatiques (comme celle conduite par Henry de Jouvenel) qui, dans le cadre de la politique inaugurée par Laval, tentent de promouvoir un rapprochement avec l'Italie fasciste, afin d'isoler l'Allemagne nazie. Au chapitre du maintien de la paix figure l'acceptation de Blum de recevoir à Paris, en septembre 1936, le Dr Schacht, ministre de l'Economie du Reich, en dépit de la fureur des communistes qui souhaitent la rupture de tout lien avec l'Allemagne nazie. Mais cette bonne volonté n'est pas faiblesse et le président du Conseil le montre en tranchant en faveur d'Edouard Daladier le conflit budgétaire qui l'oppose au ministre des Finances, Vincent Auriol : alors que les militaires réclamaient un plan de 9 milliards de crédits d'équipement militaire, Blum accepte la proposition de son ministre de la Défense nationale de porter à 14 milliards sur 4 ans le montant des crédits nécessaires, afin de rattraper le retard pris du fait de la politique de déflation.

Mais l'antagonisme entre pacifisme et antifascisme va éclater au grand jour lorsque va se poser le premier problème concret que doit affronter le gouvernement en politique étrangère, la guerre d'Espagne. Lorsque le 18 juillet 1936, les troupes du Maroc espagnol sous la direction du général Franco se soulèvent contre le gouvernement légal de la République espagnole (dirigée elle aussi par un ministère de Front populaire), le premier réflexe du président du Conseil est de répondre favorablement à la demande d'aide militaire formulée par le gouvernement de Madrid. Du matériel militaire, et en particulier des avions sont envoyés en Espagne. Révélée par une indiscrétion, cette aide déchaîne la colère de la droite et de l'extrême droite qui accusent le gouvernement de méditer une intervention de la France dans la guerre civile espagnole et accusent le président du Conseil de faire le jeu du parti communiste contre le vœu de la majorité des Français. La violence de la réaction est telle que certains n'hésitent pas à menacer le gouvernement d'un soulèvement populaire s'il persiste dans ses intentions. En même temps, les ministres radicaux du gouvernement, en particulier Yvon Delbos, ministre des Affaires étrangères, et Paul Bastid, ministre du Commerce, font connaître l'opposition majoritaire de leur parti à toute intervention en Espagne (bien que Daladier et Pierre Cot, également radicaux, soient plutôt favorables à l'aide à l'Espagne républicaine). Un voyage de Blum et Delbos à Londres apporte au président du Conseil la conviction que si la France se trouvait engagée dans un conflit à propos de l'Espagne, la Grande-Bretagne refuserait d'intervenir à ses côtés. Devant toutes ces difficultés, Blum propose alors aux puissances européennes un pacte de non-intervention dans la guerre d'Espagne. Celui-ci est signé en août 1936 par la France, la Grande-Bretagne, l'Italie et l'Allemagne, ces puissances s'engageant à n'aider aucune des parties en présence. En fait, seule la Grande-Bretagne respecte rigoureusement le pacte, l'Italie et l'Allemagne aidant massivement le général Franco en armes, en matériel et en hommes, des «volontaires» issus de ces deux pays combattant aux côtés des nationalistes. Quant à la France, elle laisse filtrer à travers la frontière des Pyrénées quelques armes et surtout les volontaires des «Brigades internationales».

Contre la politique officielle de non-intervention se dresse une opposition de gauche, conduite par le parti communiste, qui lance une grande campagne dans le pays destinée à contraindre le gouvernement de Front populaire à aider la République espagnole. Sur le thème «Des canons, des avions pour l'Espagne!», les communistes entraînent à leur suite l'aile gauche du parti socialiste avec Marceau Pivert et sa *Gauche révolutionnaire* et Jean Zyromski et la fédération de la Seine, plus un certain nombre de radicaux comme Pierre Cot et de syndicalistes de la CGT derrière Jouhaux et les anciens «unitaires».

Mais Blum, personnellement déchiré par cette décision, n'a plus le choix. Les responsabilités qu'il assume le contraignent à demeurer fidèle à la non-intervention. Il en résultera une fêlure profonde au sein du Rassemblement populaire qui se manifestera par exemple par l'abstention du parti communiste en décembre 1936 dans un vote de confiance sur la politique extérieure du gouvernement et par l'amertume de l'aile gauche de la SFIO et du parti radical.

Toutefois la déception des communistes et des partisans de l'intervention en Espagne, si elle sape la confiance d'une partie de la gauche dans le gouvernement Blum, est insuffisante pour expliquer l'échec de l'expérience gouvernementale. Celle-ci résulte des erreurs du gouvernement sur le plan économique et social.

L'échec économique du gouvernement Blum

Un des objectifs fondamentaux du Front populaire était, on l'a vu, la lutte contre la crise économique et la victoire électorale du rassemblement trouve son explication la plus convaincante dans l'espoir des électeurs de voir les méthodes nouvelles préconisées par les socialistes sortir le pays du marasme. Les premières mesures prises durant l'été 1936 par le gouvernement Léon Blum sont, pour cette raison, accueillies avec satisfaction par une grande partie des Français d'autant qu'elles s'opèrent dans des structures économiques inchangées qui sont celles de l'économie libérale. A l'exception de la loi de 40 heures qui suscite des réserves importantes, en particulier au Sénat, elles sont d'ailleurs votées sans difficulté par les Chambres. Toutefois, la politique économique de Léon Blum ne peut réussir que si elle ne suscite pas l'hostilité des milieux d'affaires, la confiance des porteurs de capitaux constituant un ressort fondamental dans le cadre de l'économie libérale.

Or, deux phénomènes différents vont se conjuguer pour conduire à l'échec la politique économique du Front populaire : d'une part, l'hostilité du monde des affaires; d'autre part, les effets économiquement pervers d'un certain nombre de mesures prises par le gouvernement. Sur ce point, les choix opérés pour résoudre la crise au profit du monde ouvrier supposaient que le patronat paie les frais de l'opération. De fait, les hausses de salaires décidées par les accords Matignon, la loi sur les congés payés, celle des 40 heures se soldent par un accroissement des coûts salariaux généralement estimé à 30 % environ. Si le patronat a cédé, c'est bien entendu en raison de l'occupation des usines qu'il importait de faire cesser, mais aussi parce que le gouvernement n'avait nullement l'intention d'employer la manière forte pour faire rentrer les choses dans l'ordre. Dès lors, il est clair que les milieux d'affaires jugent qu'ils sont en présence d'un gouvernement qui leur est hostile et dont ils attendent avec impatience qu'il quitte le pouvoir. Cette absence de confiance des milieux d'affaires dans le gouvernement se solde, durant l'été 1936, par la baisse des souscriptions aux bons du Trésor et le médiocre rendement de l'emprunt lancé par Vincent Auriol. Par ailleurs, on constate une importante fuite des capitaux à l'étranger, d'autant que, respectant les engagements libéraux qu'il a pris, Blum se refuse à instituer le contrôle des changes. L'accélération des sorties de capitaux aboutit à la réduction de l'encaisse de la Banque de France qui tombe à 50 milliards en septembre 1936.

Toutefois, il est évident que cette fuite des capitaux n'a pas pour seule explication l'hostilité politique des porteurs de capitaux au gouvernement Léon Blum. La stagnation de la production et la hausse des prix constituent également des éléments qui rendent compte de la situation. La politique de Léon Blum avait pour objet d'obtenir une relance de la production grâce à l'accroissement du pouvoir d'achat disponible. Celle-ci se produit effectivement durant l'été 1936, mais, dès l'automne, elle marque le pas. C'est que, les producteurs ayant répercuté sur les prix les hausses de salaires qu'ils ont dû consentir, l'inflation absorbe très rapidement celle-ci. De surcroît, à partir du début de 1937, l'entrée en vigueur de la loi de 40 heures, appliquée avec rigidité, aboutit à une chute de la production. Les inspecteurs du travail, soucieux de conserver à la loi son efficacité sociale, rejettent en effet la plupart des demandes de dérogation présentées, jetant dans les difficultés certaines activités saisonnières, placées pratiquement dans l'impossibilité de fonctionner. En outre, la loi a été fondée sur la vision simpliste que l'emploi libéré par la diminution de l'horaire hebdomadaire de travail pourrait aller aux chômeurs et que, par ailleurs, durant les cinq jours ouvrables, il devrait être possible de faire travailler sur les machines trois équipes successives d'ouvriers afin d'éviter qu'elles ne demeurent inactives. Or sur le premier point, il se révèle que les chômeurs sont, pour la plupart, des ouvriers sans qualification alors que les entreprises ont besoin d'ouvriers qualifiés et de cadres, si bien que la loi de 40 heures se révèle inopérante pour la résorption du chômage et qu'en revanche, elle aboutit, du fait de la diminution du temps de travail, à une restriction de la production. Quant à compenser la diminution des heures de travail par un emploi plus intensif des machines, c'est ne pas tenir compte du fait que, durant la crise, l'investissement a été très faible et que le matériel, souvent vétuste, est incapable de supporter les rythmes que supposerait le travail à temps plein sur 24 h. Si bien que la diminution de la production entraînée par la loi de 40 heures au moment même où l'accroissement du pouvoir d'achat augmente la circulation aboutit mécaniquement à une situation d'inflation. Celle-ci se trouve encore aggravée par les dépenses de réarmement et par la ponction sur la main-d'œuvre résultant de l'allongement à deux ans de la durée du service militaire décidé par le gouvernement Sarraut avant les élections de 1936.

A partir de septembre 1936, les tensions sur la monnaie dues aux fuites de capitaux qui provoquent une hémorragie d'or à la Banque de France et la crise de trésorerie due à la faiblesse des souscriptions aux bons du Trésor sont telles que le gouvernement est acculé à la dévaluation, en dépit des engagements solennels pris par Léon Blum et son ministre des Finances, Vincent Auriol, en juin 1936. Baptisée pudiquement «ajustement monétaire», la dévaluation est fixée, après négociations avec les Etats-Unis et la Grande-Bretagne, dans une fourchette de 25 % à 35 %. Au franc-Poincaré qui représentait 65,5 mg d'or fin se substitue le franc-Auriol pouvant varier entre 42 et 49 mg d'or fin. Compte tenu des conceptions monétaires qui prévalent alors en France, la dévaluation est accueillie comme la preuve de l'échec financier du gouvernement. Elle ne procure d'ailleurs à celui-ci qu'un sursis temporaire. Elle se révèle en effet insuffisante pour rattraper la distorsion entre les prix français et les prix mondiaux et permettre la reprise des exportations. Si bien qu'elle n'aboutit qu'à une relance sans lendemain de la production industrielle qui stagne à nouveau début 1937.

Blum, comme Herriot quelques années plus tôt, prend alors conscience qu'il lui est impossible de gouverner dans un cadre libéral sans la confiance des milieux d'affaires et, dès l'automne 1936, il s'efforce discrètement de regagner celle-ci, déposant à cette date un projet de loi instituant avant toute grève un arbitrage obligatoire. Une nouvelle avance est faite par le président du Conseil lors de son discours de la Saint-Sylvestre où il se glorifie d'avoir maintenu en France le libéralisme économique. Mais c'est en février 1937 qu'est franchi le pas décisif. Léon Blum annonce alors la «pause» dans la politique de réformes sociales, considérant que les entreprises privées doivent avoir le temps d'assimiler les réformes déjà accomplies. Le gouvernement renonce donc dans l'immédiat à faire voter quelques-unes des réformes de son programme telles que la retraite des vieux travailleurs ou l'indexation des salaires sur les prix. Pour rassurer les milieux d'affaires, il s'engage à revenir à l'orthodoxie budgétaire, promettant de ne pas demander au Parlement de nouveaux crédits, de réduire son programme de grands travaux et de financer par l'emprunt les dépenses de défense nationale. Enfin un comité d'experts comprenant le gouverneur de la Banque de France et trois spécialistes financiers d'une parfaite orthodoxie, Charles Rist, Paul Baudouin et Jacques Rueff, doit surveiller le marché des changes et conseiller le gouvernement. Huit mois après son entrée en fonction, le gouvernement de Front populaire reconnaît donc lui-même l'échec de la politique économique qu'il a conduite et en revient aux vues classiques qu'il avait si souvent reproché aux radicaux de pratiquer.

Ce voyage à Canossa va-t-il du moins être politiquement profitable au gouvernement? Celui-ci perd, dans la «pause», une grande partie de sa crédibilité auprès du monde ouvrier qui avait salué avec tant d'espoir son arrivée au pouvoir. L'aile gauche du Front populaire qui proclame de longue date sa déception ne dissimule pas sa colère. Le parti communiste accuse Blum d'avoir «capitulé devant les trusts». Marceau Pivert, chargé de mission à la présidence du Conseil, démissionne avec éclat et la CGT ne cache pas sa déception. Si la droite modérée, par la voix de Paul Reynaud ou les articles du *Temps*, se félicite de la décision du président du Conseil, les milieux d'affaires voient dans le recul du gouvernement un aveu de faiblesse. Leur espoir est grand désormais de se débarrasser du ministère. Or l'échec social de celui-ci vis-à-vis des classes moyennes va leur en fournir la possibilité.

L'échec social du gouvernement Léon Blum et le passage à l'opposition des classes moyennes

Dans la victoire électorale du Front populaire, le rôle du vote des classes moyennes a été important. Profondément touchés par la crise économique et les effets de la déflation, petits patrons de l'agriculture, du commerce et de l'industrie, fonctionnaires, employés ont donné leur voix à ceux qui promettaient une issue à la crise économique. Et c'est pourquoi, une partie des classes moyennes s'est détournée des modérés ou des radicaux qui avaient été les champions de la déflation pour soutenir les candidats socialistes, partisans d'une relance par l'accroissement du pouvoir d'achat, voire communistes qui proposaient une voie radicalement différente de celle suivie jusqu'alors et qui était synonyme de difficultés.

Or, pour ce groupe dont le ralliement a été fondamental, le gouvernement Léon Blum n'a rien à proposer, malgré la présence au gouvernement des radicaux dont il constitue la clientèle. Mais, on l'a vu, les ministères économiques et sociaux sont aux mains des socialistes. Ceux-ci (et Léon Blum avec eux) se réclament d'une orthodoxie marxiste pour laquelle le seul groupe social important, moteur de l'histoire, est celui des ouvriers d'industrie, et on a vu que c'est en fonction de leurs intérêts que le gouvernement met en œuvre sa solution de la crise économique. Quant au petit patronat des classes moyennes, il constitue aux yeux des socialistes un groupe voué, par l'évolution de l'économie, à la prolétarisation et il n'est par conséquent pas nécessaire de réfléchir aux moyens de protéger une classe intermédiaire promise à la disparition (voir Alain Bergounioux, «Les classes moyennes impensées», *L'univers politique des classes moyennes*, Paris, Presses de la Fondation nationale des Sciences politiques, Paris, 1982). Ce refus de prendre en compte les intérêts des classes moyennes est consolidé par la condamnation formulée en 1933 par le congrès de la Mutualité contre les idées des néos. Comment, après avoir rejeté les thèses de Déat sur la prise en compte des classes moyennes dans la vision socialiste de l'organisation sociale, mettre en pratique ses propositions sans se contredire? Si bien que Léon Blum arrive au pouvoir sans rien avoir à proposer pour le groupe social le plus éprouvé par la crise économique. Pire, le Front populaire va apparaître rapidement pour le petit patronat comme une source d'alarmes et de difficultés supplémentaires.

Les alarmes proviennent de la vague de grèves avec occupation des lieux de travail qui se déclenche en mai-juin 1936. Pour le petit patronat, il y a là un mouvement révolutionnaire qui entend mettre en cause le principe même de la propriété privée, celui auquel les membres de ce groupe social sont probablement le plus attachés. Dans ce milieu, on acceptera sans discussion dès la fin du mois de juin 1936 la campagne de la presse de droite (et d'une partie de la presse radicale) pour qui cette vague de grèves est le résultat d'un complot ourdi par le parti communiste pour déborder le gouvernement et déclencher la révolution. Les grèves sporadiques qui, après la grande vague du printemps 1936, se poursuivent jusqu'à l'automne 1938 ne font que conforter cette analyse. L'anticommunisme qui trouve ainsi son terrain d'élection dans les classes moyennes est en outre alimenté par la campagne que le parti communiste lance début août

1936 contre la non-intervention et en faveur de l'Espagne républicaine. La classe moyenne fera sienne la lecture de la presse hostile au Front populaire pour qui le parti communiste cherche ainsi à jeter la France dans une guerre contre les Etats fascistes, guerre dans laquelle on fait en sorte qu'elle soit vaincue en sabotant, par des grèves à répétition, son effort de réarmement. Le parti communiste se voit ainsi soupçonné de reprendre à son profit la tactique du défaitisme révolutionnaire qui a permis à Lénine de prendre le pouvoir en Russie.

Mais ces alarmes politiques et l'hostilité à un Front populaire tenu pour le fourrier du communisme sont aggravées par la colère que suscite dans le petit patronat la politique du gouvernement Léon Blum. Les mesures sociales prises durant l'été 1936 (augmentation des salaires, congés payés, 40 heures) se soldent, nous l'avons vu, par un accroissement des coûts salariaux. Or si le grand patronat représenté au sein de la Confédération générale de la production française, signataire des Accords Matignon, est en mesure de supporter cet accroissement des coûts, il n'en va pas de même des petits patrons dont les marges bénéficiaires sont réduites par la crise. Le résultat en est d'ailleurs une crise très grave au sein de la CGPF, qui subit une mutation importante. Elle modifie son nom pour devenir la Confédération générale du patronat français, ses structures sont transformées pour permettre une représentation plus importante des petits patrons et son président, Duchemin, démissionne pour laisser la place à Claude-Joseph Gignoux. Cette exaspération du petit patronat ne s'exerce pas seulement à l'encontre du syndicat patronal. Elle est surtout tournée contre le gouvernement accusé de préparer par ses mesures sociales favorables aux ouvriers une gigantesque expropriation des patrons les moins solidement installés. Dans toute la France se forment des organisations spontanées pour résister aux projets gouvernementaux, les «Comités de salut économique» qui rassemblent des représentants du commerce et de l'industrie, convaincus qu'une menace mortelle pèse sur eux du fait de la politique du gouvernement de Front populaire.

Si le retournement du patronat est le plus spectaculaire et le plus dangereux pour le pouvoir, il s'accompagne également d'autres motifs de mécontentement au sein des classes moyennes. Les rentiers dont le capital s'est trouvé rogné par la dévaluation de 1936 expriment une profonde amertume de l'amputation de leur fortune et considèrent que le gouvernement a trahi leur confiance. Il n'est pas jusqu'aux fonctionnaires, cependant majoritairement gagnés au Front populaire pour des raisons idéologiques, qui ne constatent que leurs revenus réels, relativement épargnés par la crise et atteints seulement par la déflation, se détériorent au contraire rapidement du fait de l'inflation qui se développe durant l'été 1936 et les mois qui suivent, leurs salaires ne suivant que d'assez loin l'augmentation du coût de la vie qui en résulte. Si bien que, pour des raisons diverses, la plus grande partie des classes moyennes se considère comme lésée par les effets de la politique gouvernementale dès l'automne 1936. La déception de ces groupes est une aubaine pour l'opposition qui y trouve l'appoint nécessaire pour combattre le gouvernement. Quelques élections partielles survenues à l'automne 1936 ou au début de 1937, par exemple celle de Lucien Lamoureux, radical hostile au Front populaire, qui avait été battu par un socialiste en juin 1936, montrent que le retournement de l'opinion dû au passage à l'opposition des classes moyennes est en cours.

C'est ce retournement des classes moyennes, renforçant considérablement l'opposition au Front populaire, qui rend compte de la chute du gouvernement.

La chute de Léon Blum

Le mécontentement des classes moyennes va avoir pour effet politique la prise de distance du parti radical vis-à-vis du gouvernement de Front populaire. On a vu l'importance politique de celui-ci, puisque la centaine de députés radicaux est l'arbitre de la majorité, que Daladier est le second personnage du gouvernement et que les grands ministères politiques sont entre les mains des ministres radicaux. Or, il existe depuis juin 1936 une opposition radicale au gouvernement de Front populaire. Constituée d'une poignée de députés, d'un groupe de sénateurs beaucoup plus consistant, de responsables de fédérations, pouvant compter sur le journal d'Emile Roche, *La République*, sur le parrainage de Caillaux et sur le dynamisme des *Jeunesses radicales*, cette opposition ne manque ni de moyens, ni d'ambition. Elle épouse très rapidement les vues de la droite sur le complot communiste et fait de la défense des classes moyennes contre le Front populaire le thème privilégié de son action. Toutefois, sa marge de manœuvre est réduite par la fidélité dont Daladier, président du parti radical, témoigne envers le Front populaire ainsi que par le fait que la très grande majorité des députés radicaux a été élue grâce à des désistements à gauche. Cependant, ni Daladier, ni les députés ne peuvent rester indifférents, sauf à se couper de leur base, aux doléances des classes moyennes, dont l'écho se trouve amplifié par la propagande des adversaires du Front populaire. Aussi dès la fin de l'été 1936, Daladier s'efforce-t-il d'infléchir l'action du gouvernement dans un sens plus favorable aux classes moyennes et multiplie-t-il avertissements et mises en garde au président du Conseil (S. Berstein, *Histoire du parti radical, tome 2: Crise du radicalisme*, Paris, Presses de la Fondation nationale des Sciences politiques, 1982).

Bien que le président du Conseil s'efforce de rassurer l'aile radicale de son gouvernement, lors de son voyage à Lyon où il rencontre Herriot à l'automne 1936, dans son discours de la Saint-Sylvestre, puis lors de l'officialisation de la «pause», il ne peut enrayer le mouvement d'opposition déclenché par les adversaires radicaux du Front populaire et qui entraîne une fraction croissante du parti radical et même son président Daladier. A partir du printemps 1937, les radicaux organisent dans le Sud-Ouest de grandes manifestations d'hostilité au Front populaire auxquelles assistent députés, sénateurs, militants du parti. Débordé par un mouvement qu'il ne parvient pas à contrôler, Daladier finit par se placer dans son sillage. En mars 1937, il approuve la constitution par Emile Roche d'un comité de défense des classes moyennes dont les dirigeants radicaux prennent la tête. Après avoir feint d'ignorer les manifestations du Sud-Ouest, il se rend le 6 juin à celle de Saint-Gaudens et il y prononce un discours généralement interprété comme proposant un changement de ligne politique. A cette date, Daladier fait donc figure de recours en cas de chute du gouvernement Blum. Dès lors, le sort de celui-ci est scellé. Les sénateurs radicaux, hostiles dès l'origine à l'expérience du Front populaire, mais retenus d'y mettre fin parce que le suffrage universel s'est prononcé en sa faveur lors des élections de 1936 et parce que leur parti est engagé dans l'expérience gouvernementale, se sentent désormais les mains libres. L'opinion paraît avoir évolué et le parti radical semble prêt à changer de cap. L'occasion de l'hallali est fournie par les projets financiers d'Auriol déposés le 10 juin devant la Chambre des députés. Constatant que la pause est demeurée sans effet, le ministre des Finances demande au Parlement les pleins pouvoirs financiers jusqu'au 31 juillet 1937. On ignore le contenu exact des projets du gouvernement. Mais la démission des experts, garantie de l'orthodoxie de la politique gouvernementale, et la rumeur selon laquelle Auriol entend établir un contrôle sur les mouvements de capitaux sont de nature à susciter la méfiance. Si les députés radicaux n'osent rompre la solidarité de la majorité et renverser eux-mêmes le gouvernement, ils font connaître à leurs collègues sénateurs qu'ils verraient sans déplaisir la Haute Assemblée rejeter les textes qu'eux-mêmes s'apprêtent à voter. Après que la Chambre a accepté de donner au gouvernement les pleins pouvoirs financiers, le Sénat, à l'instigation de Caillaux, les refuse à deux reprises. Le 22 juin, Léon Blum porte au président Lebrun la démission du premier gouvernement de Front populaire.

Ainsi l'expérience inaugurée dans l'espoir en juin 1936 échoue-t-elle au milieu d'une déception généralisée un an plus tard. Le Front populaire n'a pas été cette solution à la crise française que ses électeurs espéraient. Si la mémoire de gauche conserve le souvenir de «l'embellie» de l'été 1936, l'analyse de l'histoire du premier gouvernement de Front populaire révèle que l'échec tient aux ambiguïtés et aux contradictions qui condamnent à l'impuissance la coalition des gauches. On a vu que les contradictions entre pacifisme et antifascisme n'ont cessé de planer sur la politique gouvernementale. Il en va de même pour ce qui est de la solution de la crise. Entre les communistes qui proposent de «faire payer les riches», les socialistes qui préconisent des réformes de structure dont les radicaux ne veulent à aucun prix, ces derniers qui ne parviennent pas à faire prendre en compte par un gouvernement obnubilé par la considération des problèmes ouvriers les intérêts des classes moyennes, aucune politique cohérente n'est possible. A cet égard le Front populaire ne fait que renforcer les conclusions que l'on pouvait tirer de l'expérience du Cartel : il n'existe pas sur les problèmes économiques et sociaux de terrain d'entente entre les partis qui se réclament de la gauche, ce qui conduit à l'impasse toute expérience gouvernementale. Enfin et surtout, le Front populaire révèle, après celle des radicaux en 1932-1934, la faillite des conceptions de la SFIO. Les vues idéologiques qu'elle professe se sont brisées sur les réalités et Blum a dû prendre conscience, durant cette première expérience au gouvernement, que les réalités économiques ne se prêtaient pas volontiers aux conceptions des socialistes et que la société française n'était nullement à l'image de vues théoriques de la SFIO. Si Blum entame une révision du marxisme intransigeant qu'il professait jusqu'alors, l'aile gauche du parti socialiste préfère donner tort aux faits que réviser la doctrine. L'expérience gouvernementale approfondit ainsi la crise du Parti socialiste SFIO. Quant au Front populaire, c'est pour lui l'heure de l'agonie.

L'agonie du Front populaire : de Chautemps au second gouvernement Blum (juin 1937-avril 1938)

La chute de Léon Blum, si elle marque l'échec de l'expérience du Front populaire à direction socialiste, ne modifie cependant pas l'équilibre des forces politiques en France. Le Comité national du Rassemblement populaire, réunissant les organisations participantes, reste en place, de même que demeure à la Chambre l'importante majorité de Front populaire issue du scrutin de 1936. La lecture de la crise de juin 1936 conduit donc le président Albert Lebrun à appeler au pouvoir un autre des dirigeants du Rassemblement populaire, mais un radical cette fois, puisqu'à l'évidence, c'est la défection des radicaux qui est responsable de la chute de Blum. Son choix se porte sur Camille Chautemps, homme de souplesse et de conciliation, susceptible, estime-t-on, de trouver un compromis entre les diverses forces associées dans la majorité. Le gouvernement qu'il constitue représente un glissement à droite par rapport au gouvernement Blum. Si celui-ci est vice-président du Conseil et ses collègues de parti Paul Faure, Marx Dormoy, Georges Monnet, Marius Moutet respectivement ministres d'Etat, de l'Intérieur, de l'Agriculture et des Colonies, la direction du gouvernement échappe aux socialistes et surtout, au ministère des Finances, le socialiste Auriol cède la place au radical Georges Bonnet, très hostile à la politique économique et financière suivie par les socialistes depuis juin 1936. C'est d'ailleurs là que se trouve le défaut de la cuirasse du gouvernement Chautemps, la politique suivie par Georges Bonnet suscitant les réserves des socialistes et la franche opposition des communistes et des syndicalistes. Il en résulte une vague de mouvements sociaux qui paralyse la vie économique du pays et provoque en janvier 1938 une crise gouvernementale. Excédé des critiques communistes et des mouvements de grève, Chautemps dénonce l'attitude des communistes et fait savoir qu'il ne souhaite pas le maintien de ce parti dans la majorité. Les socialistes ayant démissionné à la suite de cet éclat, il ne reste plus à Chautemps qu'à constater que son gouvernement n'a plus de majorité et à se retirer. Chargé de constituer le nouveau ministère, le président du Conseil sortant replâtre la majorité sortante, mais le refus de la SFIO de participer entraîne un nouveau glissement à droite. Pour remplacer les ministres socialistes, Chautemps fait appel aux républicains-socialistes Frossard et Ramadier. Est-on encore en présence d'un gouvernement de Front populaire? Sans doute les partis du Rassemblement accordent-ils leur confiance au nouveau ministère Chautemps, mais la droite manifeste sa satisfaction de l'éviction des socialistes en votant également pour lui : les 501 voix contre 1 accordées au gouvernement de janvier 1938 traduisent moins sa solidité que l'ambiguïté qui le marque.

La même réflexion peut être faite à propos de la politique gouvernementale. En principe, Chautemps déclare rester fidèle au programme du Rassemblement populaire, mais ses propres conceptions l'inclinent plus vers l'orthodoxie que vers les audaces qui ont marqué l'action du gouvernement Léon Blum. N'osant franchement rompre avec la majorité de 1936, tout en souhaitant infléchir dans un sens plus modéré les pratiques suivies depuis juin 1936, il est condamné aux demi-mesures et à l'immobilisme qui achèvent de donner à ses gouvernements l'image de formules de transition entre le Front populaire et le retour aux pratiques traditionnelles.

C'est dans le domaine économique et financier que ce caractère est le plus perceptible. Lui-même et Georges Bonnet sont partisans d'un retour aux méthodes libérales classiques, mais, soumis aux critiques de la gauche du Front populaire, ils n'osent appliquer la politique de leurs vœux et se contentent de prendre des mesures partielles. Le gouvernement décide ainsi de supprimer la limite inférieure de la parité or du franc pour permettre à celui-ci de se déprécier et aux prix français de rejoindre les cours du marché mondial. Cette politique est impuissante à rétablir l'équilibre des échanges extérieurs et elle débouche en octobre 1937 sur une grave crise financière qui menace la monnaie. Le déficit de la balance des paiements s'aggrave, atteignant, fin 1937, 4 milliards de francs-Poincaré, les sorties d'or s'accélèrent, le déficit budgétaire atteint 28 milliards de francs en raison des dépenses de réarmement et de la diminution des recettes publiques. Tentant de juguler la crise par les moyens classiques (économies, augmentation des impôts et des tarifs ferroviaires), Bonnet se heurte à l'opposition de la majorité de Front populaire.

L'immobilisme est sans doute encore plus frappant en

matière sociale. Alors que les syndicats s'efforcent de faire pression sur le gouvernement pour obtenir la reprise de la politique de réformes du gouvernement Léon Blum en multipliant les grèves et en conduisant une guerre d'escarmouches contre le pouvoir, Chautemps se refuse à rompre la «pause». Pour tenter de juguler les grèves, il presse le vote de la loi déposée par Léon Blum sur l'arbitrage obligatoire en cas de grèves. Mais entre son gouvernement et les partis de la gauche marxiste s'ébauche une fêlure que seule la volonté de maintenir le Front populaire en vie empêche de déboucher sur une rupture. Il faut que Léon Blum jette tout son poids dans la balance pour que le parti socialiste accepte de voter la confiance aux deux gouvernements Chautemps. Quant au parti communiste, s'il demeure dans la majorité, c'est avec l'intention déterminée d'opposer le programme du Front populaire à l'action du gouvernement. Le Front populaire est à l'agonie et sa majorité ne se survit que de façon formelle.

C'est probablement dans le domaine de la politique extérieure et de la politique coloniale que les conséquences de l'immobilisme du gouvernement Chautemps apparaissent comme les plus graves. Ce gouvernement abandonne les velléités libérales qui avaient été celles du gouvernement Blum dans les colonies. Il ne propose à la ratification des Chambres ni le projet Blum-Viollette sur l'Algérie, ni les traités franco-libanais et franco-syrien. Aux troubles qui agitent l'Indochine et le Maroc, les représentants de la France ne répondent que par la répression. Il en va de même en politique étrangère où la situation de la France se détériore sans que le gouvernement réagisse. La Belgique s'est déclarée neutre en avril 1937, mais le gouvernement ne juge pas utile de prolonger les défenses de la ligne Maginot au-delà des Ardennes. La Pologne, la Yougoslavie, la Roumanie se rapprochent de l'Allemagne nazie. Les Etats-Unis ont voté en

1936 et 1937 deux lois de neutralité qui impliquent qu'en cas de conflit la France ne pourrait pas compter sur leur appui. Mais, sous l'impulsion du général Gamelin, chef d'état-major général, la politique défensive mise en place par Pétain et Weygand n'est pas modifiée et Edouard Daladier, ministre de la Défense nationale, se fait le défenseur inconditionnel de l'état-major. La politique extérieure motive si peu le gouvernement que Chautemps démissionne le 9 mars 1938 devant le refus socialiste de voter les pleins pouvoirs financiers qu'il sollicite, sans tenir aucun compte du fait que Hitler prépare, au vu et au su de toute l'Europe, l'Anschluss, l'annexion de l'Autriche. En pleine crise internationale, la France est sans gouvernement et l'image d'impuissance qu'elle donne alors montre que la crise française ne cesse de s'aggraver.

La démission de Chautemps ne met d'ailleurs pas fin à la dramatique paralysie que connaît la France. Les socialistes étant à l'origine de la chute du gouvernement, le président Lebrun propose à Léon Blum de former un nouveau gouvernement. Inquiet des menaces qui pèsent sur la France du fait de la politique agressive de Hitler, Blum se propose de constituer, non un gouvernement de Front populaire dont son expérience gouvernementale montre qu'il a divisé les Français, mais un gouvernement d'union nationale qui irait des communistes aux modérés, de «Thorez à Reynaud», afin de faire face au danger extérieur. La tentative va montrer que les forces politiques françaises ne sont pas prêtes à cette formule que les circonstances paraissent cependant imposer. Si Blum enregistre l'accord du parti communiste et celui d'un certain nombre d'hommes de droite — par exemple le modéré Reynaud ou le démocrate-chrétien Champetier de Ribes —, il ne parvient à convaincre ni la gauche de son propre parti, au sein duquel Marceau Pivert organise la résistance au projet, ni les groupes parlementaires de droite qui, à l'appel de Pierre-Etienne Flandin, repoussent l'idée d'une union nationale conduite par le leader socialiste.

Dans ces conditions, Blum ne peut se faire d'illusions sur la suite des événements. Il reconstitue un gouvernement de Front populaire et dépose devant le Parlement une demande de pleins pouvoirs financiers qui, dans une perspective keynésienne, se propose de mettre en œuvre une relance économique au prix d'une inflation fiduciaire. Le projet prévoit, à la différence de 1936, l'institution d'un contrôle des changes et celui d'un impôt sur le capital. Ce projet de pleins pouvoirs, comme la brève existence du second gouvernement Blum, donnent à l'opinion le sentiment d'une mise en scène formelle prolongeant sans nécessité la période de paralysie inaugurée par la chute du premier ministère Blum en juin 1937. Il est clair en effet que le caractère radical du projet de pleins pouvoirs ne lui donne pas la moindre chance d'être accepté et que l'ensemble de la démarche de Blum est purement formel. De fait, si la Chambre vote les pleins pouvoirs, le Sénat, à l'appel de Caillaux, comme en juin 1937, renverse le gouvernement. Cette fois, il est bien clair que l'épisode du Front populaire est achevé. La place est libre pour la politique de rechange que, depuis juin 1937, le président du parti radical, Edouard Daladier, se propose de conduire.

Daladier et la liquidation du Front populaire

(Sur le sujet, on consultera René Rémond et Janine Bourdin, *Edouard Daladier, chef de gouvernement*, Paris, Presses de la FNSP, 1977).

Nommé président du Conseil le 10 avril 1938, Edouard

Daladier reprend la politique de Chautemps en jouant de l'ambiguïté entre la fidélité au Front populaire dont il fut l'un des fondateurs et la répudiation du Front populaire qui lui assure l'appui de la droite. Son gouvernement représente un nouveau glissement à droite par rapport aux ministères Chautemps puisque si les socialistes en sont absents et si l'aile gauche est représentée par les républicains-socialistes Frossard et Ramadier, pour la première fois depuis 1936 des hommes de droite figurent dans l'équipe gouvernementale avec Paul Reynaud (Justice), Mandel (Commerce), Champetier de Ribes (Colonies). Aussi la majorité de 572 voix contre 5 qui lui vote la confiance comprend-elle à la fois les partis du Front populaire qui s'efforcent de retenir Daladier dans la majorité de 1936 et les formations de droite qui lui offrent la possibilité de s'en dégager. A dire vrai, Daladier, ministre de la Défense nationale depuis 1936 et conscient des dangers qui pèsent sur le pays, ne se hâte pas de choisir, préférant jouer, comme Blum a voulu le faire, la carte de l'union nationale qui lui paraît s'imposer dans ces circonstances. Mais la logique même de sa politique va le conduire à la rupture de la majorité de Front populaire. Préoccupé de la persistance de la crise française, il décide tout d'abord de donner priorité au redressement économique. Le 5 mai 1938, en accord avec le ministre des Finances Marchandeau, il décide une nouvelle dévaluation du franc qui va conduire à rétablir la parité entre les prix français et le marché mondial pour la première fois depuis 1931. Cette mesure, bien accueillie dans les milieux financiers, et la présence de ministres modérés au gouvernement entraînent un retour de la confiance qui provoque des rapatriements de capitaux. En même temps, une série de décrets-lois a pour objet de faciliter une reprise de la production dans les usines d'armement en autorisant celles-ci à demander à leurs ouvriers des heures supplémentaires au-delà de la limite légale de 40 heures. Cette remise en question de la mesure la plus symbolique prise en juin 1936 provoque une grave crise au sein du gouvernement. Tandis que Reynaud plaide pour l'abolition de la loi de 40 heures en laquelle il voit une entrave insupportable à la reprise de la production, les ministres républicains-socialistes Frossard et Ramadier demandent le maintien de la loi ou du moins l'ouverture d'une négociation avec les syndicats sur son aménagement éventuel. Dans son discours du 21 août 1938, caractérisé par sa célèbre conclusion «*Il faut remettre la France au travail*», Daladier tranche en faveur des thèses de Reynaud. Frossard et Ramadier quittent alors le gouvernement et il devient clair que la liquidation du Front populaire n'est plus qu'une question de temps.

La crise de Munich va rendre irréversible le processus de rupture de la majorité de Front populaire. En acceptant le 29 septembre 1938 à Munich de céder aux exigences de Hitler, en abandonnant l'allié tchécoslovaque, Edouard Daladier apparaît à une grande partie de l'opinion publique française qui l'acclame à son retour d'Allemagne comme le sauveur de la paix. Mais aux yeux des communistes et d'une partie de l'aile gauche du Front populaire, l'attitude de Daladier à Munich trahit (autant que la non-intervention en Espagne) les idéaux antifascistes du Front populaire. Dès lors, le parti communiste déclenche une violente campagne contre le président du Conseil, ouvertement accusé de fouler aux pieds les engagements pris en 1936. Et tout l'effort du parti communiste est d'obtenir un désaveu du président du Conseil par le Comité national du Rassemblement populaire, tenu pour le symbole du rassemblement. La campagne communiste échoue doublement. A la Chambre, le 4 octobre 1938, le débat sur la ratification des Accords de Munich voit les communistes isolés dans leur opposition, les députés ratifiant le traité par 535 voix contre 75. Quant au Comité national du Rassemblement populaire, Daladier montre le peu d'intérêt qu'il lui attache en faisant décider par le Comité exécutif du parti radical, le 12 novembre 1938, le départ des délégués radicaux de cette organisation. Les socialistes n'entendant pas rester seuls en tête à tête avec les communistes se retirent à leur tour. Institutionnellement, le Front populaire est mort.

A cette date, les choix de Daladier sont opérés. Les décisions financières prises en novembre traduisent sa volonté de mener dans ce domaine une politique de rigueur pour préparer la France à la guerre, inévitable à ses yeux. Le 1er novembre, il décide la permutation des portefeuilles de Paul Reynaud, jusqu'alors ministre de la Justice, et de Paul Marchandeau, ministre des Finances. Désormais en charge des Finances, Reynaud annonce, le 13 novembre, un train de décrets-lois propre à indigner l'aile gauche du Front populaire. Ils prévoient en effet l'augmentation des impôts et l'aménagement de la loi de 40 heures puisqu'il est désormais possible de demander aux ouvriers des heures supplémentaires jusqu'à un plafond de 48 heures. Communistes, socialistes, syndicalistes se mobilisent aussitôt contre les «décrets de misère».

Cette mobilisation débouche sur la grève du 30 novembre 1938 qui enterre définitivement l'esprit du Front populaire. Ce jour-là, la CGT, appuyée par les partis communiste et socialiste, décide en effet de déclencher une grève générale dirigée à la fois contre les décrets-lois Reynaud et contre les Accords de Munich. Il est peu douteux que l'amalgame des objectifs nuit à la mobilisation. Si les décrets-lois Reynaud font contre eux l'unanimité de la gauche, on a vu que les Accords de Munich avaient reçu l'approbation de la plus grande partie de l'opinion publique (même si les réactions de celle-ci, révélées par les premiers sondages, réalisés à cette occasion, montrent l'existence d'un courant antimunichois plus important que ce que semblent indiquer le vote de la Chambre et les manifestations apparentes de la population). Pendant qu'un certain flottement se manifeste ainsi à gauche, Daladier, excédé des attaques portées contre lui, refuse tout compromis et accepte l'épreuve de force, bien décidé à se débarrasser de l'hypothèque que font peser sur son gouvernement les nostalgiques du Front populaire. Il reçoit d'ailleurs l'appui des modérés et surtout celui du patronat, résolu à en finir avec l'agitation sociale permanente et les grèves rampantes qui n'ont guère cessé depuis 1936, et qui voient dans le 30 novembre la revanche de juin 1936. Ainsi engagée, l'épreuve de force tourne incontestablement à l'avantage du gouvernement. La grève elle-même est diversement suivie, selon les professions et selon les régions, et apparaît comme un demi-échec. La décision du gouvernement de réquisitionner les transports, les menaces de sanctions contre les contrevenants, le refus de certains cadres et militants syndicaux de remettre en cause les Accords de Munich contribuent à limiter les résultats de la journée. Les sanctions prises au lendemain de la grève transforment en échec irrémédiable la mobilisation sociale avortée. Le gouvernement procède à des révocations dans la fonction publique et le patronat à des licenciements de grévistes. Les syndicats protestent, mais sont incapables de réagir après la médiocre mobilisation du 30 novembre. Il est clair que la gauche a perdu la bataille. Vaincus, en proie à de violentes attaques de la presse de droite et de la presse gouvernementale, syndicats et partis de gauche, désormais rejetés dans l'opposition, ne constituent plus un obstacle pour Daladier. Celui-ci est désormais maître du jeu.

La «dictature» de Daladier

Entre novembre 1938 et septembre 1939, se situe une période de trêve des luttes politiques qui permet à Daladier de disposer d'une autorité rarement obtenue en régime parlementaire, à telle enseigne qu'on a pu parler avec exagération de la «dictature» de Daladier. En fait celle-ci est purement morale, le président du Conseil pouvant, comme par le passé, être renversé par une majorité parlementaire. Toutefois, après Munich et le 30 novembre, celle-ci n'existe pas. La gauche, vaincue le 30 novembre, ne constitue plus une opposition crédible et la vague antimarxiste qui submerge le pays et qui entraîne toute la droite et la très grande majorité du parti radical condamne à la défensive les partis communiste et socialiste. Accusée d'entraver l'effort de défense nationale, la CGT, ébranlée par la déroute qui a suivi le 30 novembre, est hors d'état de lancer des mouvements sociaux contre le gouvernement. Quant au centre et à la droite, ravis de voir enfin le Front populaire rompu, ils soutiennent sans état d'âme le président du Conseil, ainsi promu chef d'une nouvelle union nationale. L'opinion, elle, plébiscite littéralement Daladier en qui elle voit le démocrate énergique que la France appelle de ses vœux depuis les années trente. Elle lui est reconnaissante d'avoir sauvé la paix à Munich, de s'atteler au redressement, économique du pays, de préparer activement le pays au risque d'un éventuel conflit dont on espère pourtant que sa sagesse et sa fermeté sauront l'éviter. Nanti de cet extraordinaire capital de confiance, Daladier fait en sorte que le débat politique ne renaisse pas et il fonde son autorité sur cette atonie de l'opinion publique qui lui laisse les mains libres. Ainsi se garde-t-il bien de réunir le Comité exécutif du parti radical, instance suprême de son propre parti, pour éviter que l'aile gauche de celui-ci n'ouvre un débat sur la répudiation du Front populaire. De la même manière, afin d'interdire la reprise des luttes politiques, fait-il campagne en avril 1939 pour la réélection du président de la république Albert Lebrun qui achève à ce moment son premier mandat, ce qui est aussi une façon de déjouer les intentions de ses adversaires radicaux qui songent à pousser son éternel rival, Edouard Herriot, à l'Elysée.

Désormais appuyé sur une majorité du centre et de la droite, il obtient d'elle en mars 1939 le vote des pleins pouvoirs. En vue des élections de 1940, afin de dégager son parti de la «discipline républicaine» qui le rend dépendant de la gauche socialiste et communiste, il fait décider par la Chambre, le 27 juin 1939, le retour à la représentation proportionnelle à la place du scrutin majoritaire à deux tours qui suppose des désistements entre partis au second tour.

Au demeurant, Daladier se sert de son immense autorité pour préparer la France à affronter une guerre dont il est convaincu depuis Munich que la politique de Hitler la rend inéluctable. Signataire des Accords de Munich parce qu'il considère à ce moment que la France n'est pas prête au conflit, il entend au contraire inciter les Français à la fermeté dès le lendemain de la ratification du traité, politique qui l'oppose à son ministre des Affaires étrangères, Georges Bonnet, partisan, pour sa part, de la poursuite de l'apaisement (voir chapitre V). C'est ainsi que Daladier réagit avec fermeté aux revendications de Mussolini qui, en novembre 1938, réclame la Corse, Nice, la Savoie, Djibouti et la Tunisie. Pour manifester avec éclat la détermination de la France, il entreprend en janvier 1939 un voyage en Corse et en Afrique du Nord. Enfin, après l'invasion par Hitler de la Bohême-Moravie le 15 mars 1939, il s'engage avec détermination dans la politique de résistance à Hitler, à la suite des Britanniques.

Cette France qui, sous l'autorité de Daladier, s'apprête ainsi à affronter l'Allemagne est-elle prête à faire la guerre? En fait, on est en présence d'un pays encore profondément marqué par la crise qu'il subit depuis le début de la décennie (voir René Rémond et Janine Bourdin, *La France et les Français en 1938-1939*, Paris, Presses de la FNSP, 1978). La France en 1939 amorce enfin sa sortie de la crise économique. Le rétablissement de la confiance, l'accession de Reynaud au ministère des Finances, la rupture du Front populaire sont autant de causes du rétablissement de la confiance qui se manifeste par les rentrées de capitaux. Le chômage amorce un déclin dû au rétablissement de l'activité, mais surtout à la reprise de la production d'armement. On constate d'ailleurs une remontée de la production industrielle, mais sans que celle-ci parvienne à retrouver son niveau de 1928. Ni la sidérurgie, ni le textile, ni la chimie, ni le bâtiment, ni les mines, même si leur production amorce une nette remontée, n'ont effacé en 1939 les séquelles de la crise économique. L'absence d'investissement qui a été un des caractères majeurs de la crise française entraîne une vétusté du matériel qui freine la capacité de la production nationale. Le phénomène paraît très inquiétant en ce qui concerne la production d'armement, en particulier celle d'avions.

Mal préparée à faire la guerre sur le plan matériel, la France ne l'est pas davantage sur le plan moral. Le danger extérieur qui croît depuis 1936 n'a provoqué aucun réflexe d'union sacrée comme on a pu le voir avec l'échec de la tentative d'union nationale de Léon Blum. Les traces de la crise politique que la France a subie et le souvenir des luttes inexpiables de l'époque du Front populaire ne sont pas effacées. La haine qui oppose antifascistes et anticommunistes passe souvent avant la perception du danger extérieur et celui-ci fournit des arguments dans le combat politique interne plutôt qu'il ne suscite un réflexe défensif. La gauche accuse la droite, qui a généralement joué l'apaisement face à Hitler, de capituler devant le nazisme par haine du socialisme. De son côté, la droite rend le Front populaire responsable de l'affaiblissement français pour avoir encouragé les grèves et octroyé aux ouvriers les 40 heures et les congés payés. Enfin toute une fraction de la droite et de l'extrême droite se refuse à tout conflit avec l'Allemagne, de crainte de favoriser l'Union soviétique en tirant ainsi pour elle les marrons du feu et, plus encore, de renforcer le communisme en France.

A l'anticommunisme se mêle souvent l'antisémitisme, accru par le passage au pouvoir de Blum, symbole du Front populaire (P. Birnbaum, *La République juive*, Paris, Fayard, 1989). En 1938-1939 une vague d'antisémitisme se répand en France, alimentée par la crainte de la guerre, déborde les milieux de l'extrême droite où il était pour l'essentiel cantonné jusque-là, pour gagner l'ensemble des formations politiques. La droite modérée, le radicalisme, le socialisme, jusque-là épargnés par l'antisémitisme, y succombent à leur tour. Si l'influence de l'antisémitisme allemand sur une partie de l'opinion n'est pas contestable, c'est le plus souvent par crainte de la guerre que l'antisémitisme, qui chemine de concert avec la xénophobie (l'immigration juive d'Europe centrale s'est accrue avec les persécutions qui suivent l'arrivée au pouvoir de Hitler), se répand en France. Les Français redoutent en effet que les Juifs n'entraînent la France dans une guerre contre l'Allemagne afin de porter secours à leurs coreligionnaires en butte à la persécution nazie outre-Rhin.

S'il est en effet un sentiment dominant dans cette France qui s'apprête à témoigner de sa fermeté retrouvée face à Hitler, c'est bien le refus viscéral de faire la guerre. Le traumatisme de la Première Guerre mondiale n'est pas effacé, tant s'en faut, et quasiment personne dans l'opinion publique comme parmi les responsables n'envisage sereinement d'affronter un nouveau massacre. La volonté de paix étant générale dans l'opinion publique, le choix ne porte que sur les moyens de préserver cette paix. Pour ceux qu'on appelle les pacifistes et qui ont applaudi Munich, il s'agit de faire à Hitler toutes les concessions qui empêcheront un nouveau conflit d'éclater. Et c'est à gauche, chez les syndicalistes et les pacifistes de doctrine de la SFIO, que cette analyse va le plus loin, jusqu'au point où l'on considère que mieux vaut la servitude que la mort (voir Jean-François Sirinelli, *Génération intellectuelle*, Paris, Fayard, 1988). Mais les «bellicistes», ainsi dénommés par leurs adversaires, ne sont pas moins qu'eux partisans de la paix. Ils considèrent simplement que la meilleure façon de la préserver est d'arrêter Hitler avant qu'il ne soit trop tard, en se montrant fermes à son égard et en l'avertissant clairement qu'un nouvel acte d'annexion de sa part déboucherait sur une guerre européenne. Entre «pacifistes» et «bellicistes», c'est la lutte ouverte et ce nouveau clivage se superpose sans les effacer aux séquelles des luttes de naguère. La ligne de partage entre pacifistes et bellicistes passe au centre de presque toutes les formations politiques (sauf le parti communiste tout entier acquis à la résistance contre Hitler), et accroît les divisions françaises. Au congrès de décembre 1938 de la SFIO, ce parti se coupe pratiquement en deux entre pacifistes, conduits par le secrétaire général Paul Faure, et «bellicistes» qui suivent Léon Blum. Enfin, la crainte de la guerre a pour effet d'exacerber l'anticommunisme, le PC étant tenu pour le parti de la guerre. En décembre 1938, 432 journaux lancent un appel au président du Conseil pour lui demander de prononcer l'interdiction du parti communiste. La signature le 23 août 1939 du pacte germano-soviétique qui prend à contre-pied le parti communiste en pleine campagne antifasciste, va encore aggraver son isolement. Sans regagner l'appui des pacifistes, il perd la sympathie des champions de la fermeté face à Hitler pour qui il apparaissait comme un chef de file ou du moins un partenaire.

Si bien que la «dictature» de Daladier ne s'exerce nullement sur un pays sorti de la crise, mais au contraire sur une nation où les conséquences de la crise débouchent sur une totale atonie. La déclaration de guerre du 3 septembre 1939 précipite dans le conflit un pays qui refuse viscéralement le conflit. La crise française débouche ainsi sur un effondrement qui constitue une des pages les plus noires de son histoire.

Les présidents de la République de 1934 à 1939

Albert Lebrun	1932-1940 (réélu en avril 1939)

Les présidents du Conseil de 1934 à 1939

Léon Blum (premier cabinet)	juin 1936-juin 1937
Camille Chautemps (troisième cabinet)	juin 1937-mars 1938
Léon Blum (second cabinet)	mars-avril 1938
Edouard Daladier (troisième cabinet)	avril 1938-mars 1940

V

La France à l'épreuve des turbulences internationales (1932-1939)

Ministre des Affaires étrangères depuis le printemps 1925, promoteur avec Stresemann du rapprochement franco-allemand et véritable figure emblématique d'un ordre international fondé sur la sécurité collective et le respect du droit, Aristide Briand s'éteint le 7 mars 1932, miné par la maladie et prématurément vieilli. Quelques semaines plus tôt, il avait dû quitter le Quai d'Orsay à la suite de la démission du cabinet Laval, ce dernier ayant aussitôt procédé à un replâtrage dont le «pèlerin de la paix» avait été écarté, le président du Conseil assurant lui-même — pour un temps d'ailleurs extrêmement bref — la direction des Affaires internationales.

Le départ et la mort de Briand marquent de manière symbolique la fin d'une époque qui avait été, après la «guerre froide» des années immédiatement postérieures au premier conflit mondial, celle de la détente, sur fond de désarmement psychologique et de prospérité. Pourtant, les choses avaient commencé à se gâter plusieurs mois avant que l'ancien négociateur des accords de Locarno n'eût quitté la scène politique, le climat des relations intra-européennes se trouvant affecté, dès le milieu de l'année 1931, par les effets de la crise économique mondiale. En moins de deux ans, celle-ci va radicalement modifier les rapports entre les principaux acteurs du jeu international, inaugurant une période de turbulences et de crises qui s'achèvera en 1939 avec le déclenchement d'une nouvelle conflagration mondiale.

Premières incidences de la «grande dépression»

La crise qui a commencé à ébranler le monde capitaliste à la fin de 1929 et qui, en Europe, est surtout devenue manifeste dans le courant de l'été 1931, n'a pas frappé en même temps, ni surtout avec la même intensité, tous les Etats du Vieux Continent. L'Allemagne et l'Autriche ont été les premières touchées, du fait de l'importance des investissements américains et par conséquent du caractère déstabilisateur, pour l'économie de ces deux pays, des rapatriements massifs effectués par les banques d'outre-Atlantique. En Grande-Bretagne, où les difficultés financières se sont brusquement aggravées en juillet 1931 — à la suite de la faillite de la *Kredit Anstalt* de Vienne, où étaient placés beaucoup de capitaux britanniques —, la crise proprement dite a semblé moins violente au début, parce qu'elle atteignait un pays déjà plongé depuis plusieurs années dans le marasme. Pourtant, de 1929 à 1931, la production avait déjà diminué de 30 % et les exportations de moitié. La balance des comptes, traditionnellement excédentaire, accusait un déficit sensible dont les conséquences n'avaient pas tardé à se manifester sur le comportement de la livre.

De tous les grands pays industriels, la France a été celui

où la crise a été à la fois la plus tardive — elle ne devient vraiment perceptible pour la masse de la population qu'au début de 1932 — et la moins profonde. Ceci, on le sait, est dû à une autonomie économique plus grande (production agricole plus que suffisante, achats de matières premières limités), à une industrialisation moins poussée que celle des Etats-Unis, de l'Allemagne et même de l'Angleterre, à l'importance très modérée des investissements étrangers et à l'excellente santé du franc-Poincaré. Sans doute la Banque de France, qui possédait des réserves importantes de livres sterling, va-t-elle subir le contrecoup de la dévaluation anglaise en septembre 1931. Celle-ci a eu d'autre part pour effet de réduire la compétitivité des prix français et de restreindre les exportations si bien qu'en 1931 celles-ci avaient déjà diminué de 40 % par rapport à 1929.

Néanmoins, pendant la seconde moitié de 1931 et les premiers mois de l'année suivante, la France est apparue aux yeux de ses partenaires, et tout particulièrement de l'Allemagne, comme un pays privilégié, pour l'instant à l'écart de la tourmente financière et dont on comprenait mal qu'elle pût se montrer intransigeante dans la question toujours brûlante des réparations, alors que sa voisine de l'Est se trouvait menacée de naufrage. Affronté aux immenses problèmes posés par la crise économique et par la montée en force des formations extrémistes (6,5 millions de voix et 107 sièges pour le NSDAP, 4 millions de voix et 77 sièges pour le parti communiste aux élections législatives de septembre 1930), le chancelier Brüning s'efforçait évidemment de jouer sur la disparité des situations entre les deux puissances riveraines du Rhin, faisant valoir auprès de ses interlocuteurs, et en particulier de Laval, qu'en l'absence d'un geste significatif de la part du gouvernement français, lui permettant de redresser la situation financière de son pays, Hitler serait probablement le principal bénéficiaire de l'effondrement du régime de Weimar : avec les conséquences inévitables que la victoire des nazis aurait sur la paix européenne et la sécurité de la France.

Or, peu nombreux sont les secteurs de l'opinion française qui se montrent perméables à cette argumentation. A défaut de sondages, un examen attentif de la presse française des années 1931-1932 révèle une nouvelle flambée de germanophobie à laquelle échappent seulement les organes socialistes et démocrates-chrétiens, ainsi que ceux d'une partie de la droite modérée. Rares sont les journaux, et au-delà des organes de presse les cercles politiques et les groupes d'opinion et de pression, qui voient dans les avertissements angoissés de Brüning autre chose qu'un instrument de chantage destiné à faire supporter par la France les effets internationaux de la crise et le renflouement de l'économie d'outre-Rhin.

Président du Conseil jusqu'en février 1932, Pierre Laval fait partie des rares hommes politiques qui ne prennent pas à la légère les appels au secours du chancelier allemand. Mais si les socialistes, qui se trouvent dans l'opposition, sont prêts à le suivre sur ce terrain, il est loin d'en être de même dans les rangs de sa majorité. La fraction du monde des affaires qui regroupe les intérêts de l'industrie lourde et les milieux protectionnistes, et qui s'exprime notamment dans *La Journée industrielle* de Claude-Joseph Gignoux, voit plutôt dans la crise allemande un événement positif dont la France ne peut que se féliciter, dès lors qu'elle a toute chance de la débarrasser d'un concurrent économique redoutable. La droite nationaliste et conservatrice raisonne en termes semblables et se montre peu disposée à voler au secours d'un pays sur lequel souffle, depuis la mort de Stresemann, un vent revanchard que les gouvernements en place ont de plus en plus de mal à contenir. Le thème de la France économe, ayant rétabli sa situation financière et monétaire après les errements du «Cartel», et pour laquelle il est vital d'éviter toute prodigalité extérieure, surtout à l'égard d'une nation aussi ouvertement révisionniste que l'Allemagne, fait les beaux jours de la presse de droite, voire de certains journaux radicaux. C'est le moment où, dans le très conservateur *Echo de Paris*, le caricaturiste Sennep représente un Laval en discobole à l'antique, projetant au-dessus du Rhin des pièces de monnaie à l'effigie de la République.

De l'été 1931 à l'été 1932, le problème majeur qui se pose à la diplomatie française est celui des réparations et des dettes de guerre. En principe, le montant, la durée et les modalités de règlement des sommes dues par l'Allemagne avaient été fixés par le plan Young. Adopté en juin 1929 par la Conférence de La Haye, celui-ci avait été mis en vigueur dès le début de l'année suivante, sans qu'il ait été prévu de procédure d'aménagement en cas de circonstances économiques exceptionnelles. Or, la crise qui frappe de plein fouet l'économie allemande au début de l'été 1931 rend extrêmement difficile le versement des réparations. Du moins est-ce ainsi que le chancelier Brüning et le président du Reich, le maréchal Hindenburg, présentent les choses, ce dernier lançant un appel au président Hoover pour qu'il soit procédé à une suspension temporaire des paiements effectués par l'Allemagne.

Le chef de l'exécutif américain en ayant lui-même accepté le principe, Washington proposa aussitôt à toutes les puissances intéressées qu'un moratoire général sur les dettes intergouvernementales — englobant les réparations allemandes et les dettes interalliées — fût appliqué pendant un an, à dater du 1er juillet 1931. La France était perdante dans cette opération, dès lors que les encaisses obtenues au titre des obligations allemandes étaient supérieures de 2 milliards de francs aux sommes dont elle était débitrice à l'égard de ses anciennes alliées. Néanmoins, par souci de conciliation, et pour empêcher qu'une banqueroute généralisée en Allemagne ne fît encore davantage le lit du national-socialisme, le chef du gouvernement, Pierre Laval, soutenu par les socialistes mais contre une partie de sa majorité, accepta le principe du moratoire Hoover.

Laval aurait même été prêt à renoncer définitivement au paiement des réparations, pour peu que les Américains voulussent bien abolir de la même façon les dettes interalliées. Mais il se heurta à l'intransigeance de Washington. En proposant en juillet son moratoire, Hoover avait tenu à réaffirmer le principe de non-solidarité entre les réparations — strictement liées aux affaires européennes — et les créances des Etats-Unis. Par la suite, il avait paru se montrer un peu plus réceptif aux thèses françaises, notamment lorsque Pierre Laval s'était rendu à Washington en octobre 1931. Le chef du gouvernement français n'avait rien cédé et il avait, semble-t-il, ébranlé l'hôte de la Maison-Blanche, ce qui lui avait valu un bref regain de popularité auprès de l'opinion nationaliste. A son retour des Etats-Unis, débarquant du train du Havre à la gare Saint-Lazare, il avait été chaleureusement accueilli par une foule dans laquelle les Croix-de-Feu du colonel de La Rocque faisaient leur première apparition publique. Mais le 10 décembre 1931, le Congrès rejetait toute réduction éventuelle des créances américaines, empêchant qu'une solution globale fût trouvée au problème des dettes intergouvernementales, et ceci au moment où les effets de la crise commençaient à prendre en Allemagne un caractère dramatique.

Sollicités à plusieurs reprises, des experts de renommée internationale comme le Britannique Walter Layton et le Français Charles Rist rédigèrent des rapports dans lesquels ils diagnostiquaient que l'Allemagne se trouverait, après l'expiration du moratoire, hors d'état de reprendre ses paiements. Le Royaume-Uni et l'Italie en tirèrent la conclusion qu'il était préférable de désamorcer une crise éventuelle en décidant de manière unilatérale de renoncer aux réparations allemandes. La France était beaucoup plus réticente, mais elle était en même temps isolée et elle dut accepter le principe de la réunion d'une conférence internationale qui se tint à Lausanne du 16 juin au 9 juillet 1932. La délégation française était présidée par Edouard Herriot, qui venait de remplacer Tardieu à la tête du gouvernement. D'entrée de jeu, il est apparu qu'elle ne pourrait empêcher les autres puissances de faire valoir le principe d'un «coup d'éponge général», comme le proposait l'Anglais Neville Chamberlain, et que, dans ces conditions, la solution la moins catastrophique serait d'obtenir de la conférence qu'elle liât la suppression des réparations à celle des dettes contractées auprès des Etats-Unis et qu'elle exigeât de l'Allemagne un ultime versement, dont le montant fut fixé à 3 milliards de marks-or (il ne sera jamais acquitté).

L'acte final de la conférence de Lausanne était assorti d'un accord officieux, signé par la France, la Belgique, l'Italie et le Royaume-Uni et qui faisait dépendre la ratification de l'annulation des réparations allemandes de l'acceptation par les Américains de l'abandon de leurs propres créances. Or chacun avait conscience du fait que Berlin n'effectuerait plus aucun paiement et que Washington ne renoncerait pas à ses droits. On décida cependant de se réunir à nouveau à Londres en 1933 pour discuter d'un règlement général du problème des dettes, mais la conférence n'eut jamais lieu. La Grande-Bretagne, l'Italie et la plupart des petits Etats voulurent bien encore effectuer des paiements symboliques, mais la France, malgré l'insistance d'Herriot qui estimait qu'elle devait honorer ses engagements internationaux, refusa de les suivre sur ce terrain. Droite et socialistes mêlés, la Chambre désavoua le chef du gouvernement, le 14 décembre, par 402 voix contre 96, provoquant la chute du cabinet.

Conséquence immédiate de la crise sur les relations

internationales, les réparations et les dettes de guerre, qui avaient depuis la fin du conflit mondial pesé sur les rapports entre anciens vainqueurs et anciens vaincus et opposé les premiers entre eux, se trouvaient emportées par la tourmente mondiale sans qu'une solution de bon sens ait pu être imposée aux Etats intéressés. Au total, sur les 132 milliards de marks-or que l'Allemagne aurait dû acquitter au titre de l'article 231 du traité de Versailles, elle n'en avait versé que 23 milliards environ, dont un peu plus de 9 milliards et demi à la France. Cela représentait pour cette dernière puissance un manque à gagner important, compte tenu de la différence substantielle (2 milliards de francs) qui existait entre les encaisses en provenance du Reich et les remboursements à destination des Etats-Unis. Surtout, il s'agissait de la première entorse apportée aux dispositions du traité de paix avec l'Allemagne, intervenue à un moment où cette dernière se trouvait encore dotée d'un régime démocratique, trop tard cependant pour que l'extrême droite nationaliste ne tire argument de l'«acharnement» des Français à faire payer leur ancienne ennemie et à profiter de la crise pour se débarrasser d'elle. En juillet 1932, au moment même où la conférence de Lausanne venait de constater l'impossibilité dans laquelle se trouvait l'Allemagne de reprendre ses paiements et d'admettre le principe de l'annulation de sa dette, les nazis obtenaient près de 13 800 000 voix (37,3 % des suffrages exprimés) et 230 sièges sur 607 au Reichstag.

Le problème du réarmement allemand et l'échec du Pacte à quatre

Lorsque Hitler arrive au pouvoir, le 30 janvier 1933, la question des réparations est donc réglée. Il est loin d'en être de même de celle du réarmement allemand, autre pomme de discorde dans les rapports entre les deux puissances riveraines du Rhin. En 1927 et 1928, en pleine euphorie de l'ère Briand-Stresemann, ont été élaborés en Allemagne des projets visant à mettre progressivement sur pied une armée de 570 000 hommes, au lieu des 100 000 autorisés par les clauses militaires du traité. On n'est guère allé plus loin jusqu'au début de la crise mais, en 1932, des mesures préparatoires sont prises sous l'autorité de von Schleicher : création d'un «Curatoire du Reich pour la formation de la jeunesse», destiné à superviser la formation donnée aux jeunes par les diverses organisations paramilitaires, préparation militaire dissimulée derrière la pratique du *Wehrsport*, création d'un service volontaire du travail, recouvrant lui aussi, sous couvert de fournir des emplois aux chômeurs, des activités martiales, formation d'unités dotées d'un matériel interdit par le traité de Versailles — artillerie lourde, chars, DCA — et souvent testé sur le territoire de l'URSS, etc. La Wehrmacht hitlérienne ne sort donc pas d'une coquille vide. Toutefois, dès son arrivée à la chancellerie, le *Führer* opère, avec l'aide du ministre de la Guerre von Blomberg, un changement de rythme dans l'effort de réarmement du Reich, tant en matière d'effectifs (accélération du recrutement, diminution du temps de service permettant d'accroître l'importance numérique des réserves instruites) que d'équipement. Il ne s'agit bien sûr que d'un expédient provisoire. Ce que veut Hitler, c'est le rétablissement de la conscription et la suppression de toutes les entraves au réarmement de l'Allemagne, et de cela les responsables de la diplomatie française ne veulent entendre parler à aucun prix.

Il faut dire que cette reconstitution à petits pas de la puissance militaire allemande s'est effectuée dans un contexte international où l'on n'a jamais autant parlé de désarmement. En février 1932 s'est ouverte à Genève, dans l'orbite de la SDN mais avec le concours des Etats-Unis et de l'URSS qui n'en sont pas membres, une Conférence du désarmement où 62 pays sont représentés. Plusieurs plans y sont proposés par quelques-uns des «ténors» de la vie internationale. Celui du président du Conseil français, André Tardieu, qui prévoit la création d'une force internationale dotée d'armements lourds et l'arbitrage obligatoire de la SDN, est aussitôt rejeté par l'Allemagne au nom d'une conception multilatérale du désarmement dont l'application réduirait à 100 000 hommes les forces permanentes de chaque puissance. Celui du président Hoover, qui propose l'abolition de la plupart des armes dites «offensives» (chars, artillerie lourde et aviation de bombardement) et la réduction d'un tiers de toutes les autres, est accepté par l'Allemagne — qui n'est pas concernée par de telles mesures — mais bien sûr repoussé par Londres et Paris. Autrement dit, dans le dialogue de sourds qui s'est instauré entre les principaux acteurs du jeu international, chacun ne songe qu'à faire prévaloir son propre intérêt : les Allemands en prenant au pied de la lettre le mot «désarmement», c'est-à-dire en essayant d'obtenir la parité avec leurs partenaires, les Britanniques (pour les armements navals) et les Français (pour les armements terrestres) en préconisant des solutions qui leur permettraient de conserver intacte leur suprématie militaire, gage ultime de leur sécurité.

Complètement isolée dans cette affaire, la France va devoir accepter, à la fin de 1932, le principe de l'égalité des droits réclamé à grands cris par le délégué allemand à la conférence de Genève, Nadolny. Le 22 juillet, celui-ci a fait savoir que dans le cas où il lui serait refusé, son pays ne participerait pas à la seconde phase de la conférence et, pour faire bon poids, von Schleicher a prononcé un discours radiodiffusé qui a sonné comme un ultimatum : faute d'obtenir l'égalité des droits, l'Allemagne reprendra sa liberté et organisera son armée à sa guise. Le 16 septembre, ses délégués quittent la conférence et il faudra, pour les faire revenir, qu'une conférence à cinq (Allemagne, France, Royaume-Uni, Italie, Etats-Unis) se réunisse à Genève et lui donne satisfaction. Le 11 décembre 1932, six semaines avant l'avènement de Hitler, l'égalité des droits lui est reconnue «*dans un système qui assurerait la sécurité de toutes les nations*». Herriot, qui une nouvelle fois s'est retrouvé face aux Allemands et aux Anglo-Saxons, ne peut que se montrer amer envers la SDN, «*Tour de Babel dans la forêt de Bondy*». La porte est désormais ouverte à la révision des traités.

Les historiens qui ont stigmatisé dans leurs travaux la faiblesse, l'idéalisme ou l'incompétence en matière internationale du leader radical ne se montrent guère plus tendres à son égard quand ils parlent des événements de 1932 que pour ceux de 1924[1]. Pour eux, Herriot a manqué de force de caractère sinon de patriotisme. Il a été le *renonciateur* qui a abandonné la Ruhr sans contrepartie à l'époque du Cartel, puis qui a offert sur un plateau à l'Allemagne l'«égalité des droits» en matière d'armements huit ans plus tard. On peut en discuter à l'infini. On peut continuer de parler d'Herriot comme s'il était autre chose que le produit d'une fraction importante de l'opinion française, peu encline à payer au prix fort le maintien par la France d'une politique d'hégémonie

[1] Cf. les pages que nous avons consacrées à cette question dans le tome I de cet ouvrage : S. Berstein & P. Milza, *Histoire de la France au XXe siècle, 1900-1930*, Paris, Perrin, coll. tempus, 2009, pp. 323-328.

militaire en Europe. Comme si cette puissance avait les moyens d'imposer aux autres grands acteurs internationaux la pérennisation de son statut privilégié, et surtout de s'opposer par un autre moyen que la guerre au désir qu'avait l'Allemagne de mettre fin à une situation qu'elle jugeait injuste et inacceptable. Il ne s'agit pas de vouloir réhabiliter à tout prix l'ancien maire de Lyon, mais simplement de faire le constat des immenses contraintes qui pesaient sur ses choix de politique étrangère : des choix qu'il partageait d'ailleurs avec d'autres partisans résolus de la sécurité collective, à commencer par son successeur au Quai d'Orsay, Joseph Paul-Boncour, et par le remplaçant de Philippe Berthelot au poste de secrétaire général des Affaires étrangères, Alexis Léger.

Dans ses relations avec la France et avec les autres puissances en matière de «désarmement», Hitler hérite donc d'une situation qui a fortement évolué depuis la retraite de Stresemann, et il est clair que sur un certain nombre de points — concernant le rétablissement de la puissance militaire et la révision des frontières orientales —, il y a continuité entre la politique étrangère du IIIe Reich et celle de la République de Weimar. Simplement, pour le nouveau maître de l'Allemagne, la révision des traités et la restauration de l'outil militaire ne constituent pas une fin en soi, mais un moyen, un préalable aux desseins hégémoniques qu'il a conçus dix ans plus tôt et qu'il lui tarde de mettre en œuvre. Aussi, va-t-il précipiter les choses dans les domaines où elles paraissent le plus avancées et présentent, semble-t-il, le moins de risques.

Il le fait avec prudence, de manière à n'alarmer ni ses appuis intérieurs — état-major et milieux conservateurs qui répudient d'avance toute action aventuriste — ni surtout ses partenaires internationaux, voire ses adversaires potentiels comme la France. Au moment de son arrivée au pouvoir, l'idée d'un rapprochement entre les deux puissances riveraines du Rhin est de nouveau à l'ordre du jour dans les milieux qui avaient eu, au milieu de la décennie précédente, l'initiative de l'apaisement et du désarmement psychologique. Certes, à l'heure où Hitler s'installe à la chancellerie, le CFAID (Comité franco-allemand d'information et de documentation) de Mayrisch et de Pierre Viénot, qui avait joué un rôle important, on s'en souvient, dans l'action menée auprès des opinions publiques des deux pays et dans la conclusion en 1926 de l'Entente internationale de l'acier, a fortement réduit son activité. Mais les jalons qu'il a posés ont permis à d'autres initiatives de se développer et à deux reprises, en avril 1932 et en janvier 1933, des rencontres entre représentants du monde des affaires et hauts fonctionnaires français et allemands se déroulent à Luxembourg et à Paris. On y parle d'aménagement des réparations et de désarmement, on envisage un «échange» de territoires entre l'Allemagne et la Pologne, cette dernière puissance obtenant la Lituanie ou Memel en échange du corridor de Dantzig que l'Allemagne pourrait annexer si elle acceptait de garantir ses frontières de l'Est (le «Locarno oriental»).

Il est possible que le gouvernement Tardieu ait prêté une oreille complaisante à ces projets, sans toutefois leur donner une forme concrète. Herriot et Paul-Boncour les ont pour leur part ignorés. De leur côté, les dirigeants politiques allemands les ont, à l'exception de von Papen, soit tenus pour peu sérieux, soit — ce fut notamment le cas du ministre des Affaires étrangères, von Neurath — énergiquement rejetés. Hitler lui-même, dont l'arrivée à la chancellerie a très exactement coïncidé avec la première rencontre, n'en fut pas informé.

Quoi qu'il en soit, les premiers mois de l'ère hitlérienne sont marqués, répétons-le, par une très grande prudence de la part du nouveau chancelier. Ce dernier a besoin pour installer son pouvoir, sinon de la bienveillance du moins de la neutralité des autres nations, et en particulier de celle de la France qui reste, à cette date, la première puissance militaire de l'Europe. Aussi, le Führer, se montre-t-il favorable au nouveau plan de désarmement présenté par le Premier ministre britannique MacDonald, lequel préconise la destruction des armes lourdes et le nivellement des effectifs terrestres à 200 000 hommes pour toutes les grandes puissances, avec un supplément de 200 000 hommes pour la France et de 50 000 pour l'Italie, affectés aux possessions d'outre-mer. Le 8 avril, recevant pour la première fois l'ambassadeur de France François-Poncet, il se montre selon ce dernier «*courtois et aimable*» et se présente auprès de lui comme un partisan résolu de la paix. «*Je répète,* déclare-t-il à cette occasion, *que mon gouvernement est sincèrement et profondément pacifique. Nous sommes tous convaincus qu'une guerre, même victorieuse, coûterait en sacrifices de toute espèce plus cher qu'elle ne saurait rapporter. Le problème, pour l'Allemagne, c'est de sortir du chômage et de la crise économique.*»

Ces propos, qui ne font d'ailleurs que confirmer la profession de foi «pacifiste» prononcée par le Führer dans son discours du 17 mars, n'ont évidemment pour but que de gagner du temps. Il en est de même des réactions du chancelier allemand au projet de «Pacte à quatre» élaboré par Mussolini dans le but affiché de «maintenir la paix» tout en admettant une possible révision négociée des traités. Adopté lors d'une réunion du Grand Conseil du fascisme et présenté par le Duce en mars 1933 au nouvel ambassadeur de France, Henry de Jouvenel — considéré comme très favorable à l'Italie et dont la nomination à Rome constituait de la part de Paul-Boncour un geste d'apaisement en direction de ce pays — ce projet, s'il avait été mené à son terme, aurait rétabli entre les principaux Etats européens (à l'exception de l'URSS) le «concert des puissances» qui avait caractérisé, pendant la plus grande partie du XIXe siècle, la conduite des affaires internationales sur le Vieux Continent et aurait permis un remodelage partiel de la carte européenne, sans que les petites nations aient leur mot à dire.

L'article 2 du pacte, dans sa version initiale concoctée par Mussolini, stipulant que «*les quatre puissances confirment le principe de la révision des traités de paix, d'après les clauses du pacte de la Société des Nations, dans le cas où se vérifieraient des situations susceptibles d'amener un conflit entre les Etats*», l'Allemagne et l'Italie ne pouvaient que retirer le plus grand profit de cette combinaison qualifiée de «géniale» par von Papen. Elle leur offrait en effet — ainsi qu'aux Etats «révisionnistes» qui relevaient de leur mouvance — d'obtenir à bon compte des modifications ponctuelles du statu quo, tout en préservant l'avenir et en leur laissant le temps de se préparer à la guerre. Aussi la France, inclinée en ce sens par les très vives protestations de ses alliés orientaux bénéficiaires des traités de paix (Petite Entente et Pologne), va-t-elle sinon rejeter purement et simplement le projet de Pacte à quatre, du moins s'efforcer de donner à celui-ci un tout autre contenu en proposant des modifications radicales. Si bien que le texte qui est finalement paraphé à Rome le 7 juin 1933, et qui est conclu pour dix ans, n'institue entre les quatre puissances signataires rien d'autre qu'une «*politique de collaboration effective en vue de maintenir la paix*». Il est spécifié que l'on ne pourra disposer des autres Etats sans leur assentiment, et qu'en cas de révision des traités la décision sera prise par le Conseil de la SDN, ce qui ôte à l'instrument diplomatique conçu initialement par le Duce toute valeur en tant que moyen de transformation graduelle du statu quo de 1919. Le Pacte à quatre ne sera d'ailleurs pas ratifié et Mussolini lui-même ne tardera pas à s'en désolidariser, déclarant dans un article publié en décembre 1933 : «*A défaut de révision, c'est sa majesté le canon qui parlera.*»

Barthou et la tentative d'encerclement du Reich

Dans la négociation qui a abouti à la conclusion du Pacte à quatre, Hitler a eu l'habileté de se tenir dans une réserve prudente, multipliant les déclarations d'intentions pacifiques et laissant à Mussolini et à Daladier (alors président du Conseil) la responsabilité d'un projet qui devait surtout lui permettre de gagner du temps et d'endormir les démocraties. Pour le Führer, l'essentiel est en effet à cette date d'obtenir l'application immédiate de l'égalité des droits en matière d'armements et d'effectifs militaires. Or, le plan proposé en mars 1933 à la conférence de Genève par MacDonald est loin de lui donner satisfaction. Outre qu'il autorise la France — qui en accepte le principe en septembre de la même année — à conserver des troupes coloniales en plus des 200 000 hommes de la métropole et qu'il comptabilise les SA et les SS dans les effectifs concédés à l'Allemagne, il prévoit une période transitoire de cinq ans au cours de laquelle le Reich ne pourra bénéficier de l'égalité effective. Hitler paraît d'abord disposé à temporiser mais, dans le courant de l'été 1933, la position des Alliés se raidit à la suite des premières persécutions contre les Juifs, et la France obtient que la période transitoire soit portée de cinq à huit ans : quatre années de phase «probatoire» et quatre années pendant lesquelles la France commencerait à désarmer tandis que l'armée pourrait commencer à accroître ses armements et ses effectifs.

C'est beaucoup plus que ce que le maître du IIIe Reich est prêt à accepter, ne serait-ce qu'au niveau des principes car son propre calendrier est beaucoup plus resserré. Si bien que, lorsque reprennent en septembre 1933 les travaux de la conférence de Genève, il décide de se retirer du jeu. Le 14 octobre, il annonce que son pays quitte la

Conférence du désarmement, et cinq jours plus tard qu'il donne sa démission de membre de la Société des Nations, affirmant ainsi sa volonté de ne soumettre à aucun arbitrage la question du réarmement du Reich.

Des négociations vont cependant se poursuivre jusqu'en avril 1934. Au plan allemand, présenté le 18 décembre 1933, et qui envisageait la constitution sous contrôle international d'une armée de 300 000 hommes recrutée par conscription, le gouvernement français réplique en exigeant au préalable que l'Allemagne revienne à Genève. Le Royaume-Uni propose de son côté un compromis accepté par Mussolini et, avec quelques réserves, par le Führer. Mais le 17 avril 1934, le gouvernement Doumergue, suivant le président du Conseil et le maréchal Pétain, ministre de la Guerre — alors que le ministre des Affaires étrangères, Louis Barthou, et l'ambassadeur à Berlin François-Poncet sont plutôt favorables à un accord qui aurait au moins le mérite de lier juridiquement l'Allemagne —, publie une note déclarant qu'il «*se refuse solennellement à légaliser le réarmement allemand, que celui-ci a rendu les négociations inutiles et que la France assurera désormais sa sécurité par ses moyens propres*». C'est la rupture. Hitler se contente encore pendant plus d'un an d'accélérer le réarmement clandestin du Reich. Puis, le 16 mars 1935, prenant prétexte du projet français de rétablissement du service de deux ans, il annonce la décision de rétablir en Allemagne le service militaire obligatoire et de porter à 36 divisions les effectifs de la *Wehrmacht*.

Le fait que Barthou ait plaidé en avril 1934 en faveur d'un accord de compromis avec l'Allemagne sur la question des armements ne signifie pas qu'il doive être rangé dans le camp des partisans de la paix à tout prix avec le Reich, bien au contraire. S'il a préconisé l'acceptation du compromis élaboré par les Britanniques, c'est parce qu'il est persuadé qu'en l'absence de liens contractuels en bonne et due forme, rien ne peut empêcher Hitler de poursuivre sans limites un réarmement qu'il a déjà entrepris. En revanche il estime que, même dotée d'une armée puissante, l'Allemagne n'a de chance d'imposer sa loi à l'Europe que si ses victimes éventuelles se révèlent incapables d'opposer un front uni à l'impérialisme hitlérien. Aussi va-t-il consacrer toute son énergie, pendant son bref passage au Quai d'Orsay, à tenter d'isoler diplomatiquement le Reich.

Pour atteindre cet objectif, la France, estime Barthou, n'a pas d'autres moyen que de renforcer ses alliances et d'en conclure de nouvelles, quelles que soient les divergences idéologiques qu'elle peut avoir avec les principaux acteurs du jeu européen. Le successeur de Paul-Boncour ne peut être suspecté de tendresse ni envers le communisme — dont il avait poursuivi les militants lorsqu'il était garde des Sceaux de Poincaré en 1922 — ni envers le fascisme. Mais son opportunisme, et la conviction qui est la sienne que tout doit être subordonné à la sécurité de la France, l'inclinent à se rapprocher des deux puissances continentales qui, pour des raisons d'ailleurs différentes, peuvent avoir intérêt à entrer dans une coalition anti-hitlérienne : l'Italie mussolinienne et l'URSS.

Du côté de Rome, le ministre des Affaires étrangères poursuit les négociations qui ont été engagées par le gouvernement Paul-Boncour et par Henry de Jouvenel. Il est poussé dans cette direction par le nouvel ambassadeur de France à Rome, Charles de Chambrun, lequel, après avoir redouté que l'Italie et l'Allemagne ne s'engagent dans une politique d'alliance, juge au début de l'été 1934 que le moment est venu pour la France de faire un pas en direction de la «*sœur latine*». «*Par une attitude dilatoire prolongée,* câble-t-il au chef de la diplomatie française, *nous donnerions aux Italiens l'impression que nous nous désintéressons de leur politique et que nous sous-estimons leur influence, ce qui les amènerait à renouer avec l'Allemagne des liens qui s'étaient beaucoup relâchés au cours de ces derniers mois.*» Barthou est d'accord sur ce point avec son ambassadeur, et il estime comme lui qu'«*il faut s'attacher par tous les moyens à améliorer nos relations avec l'Italie*». Mais il le met en garde en même temps contre une excessive précipitation, subordonnant de donner une réponse positive à l'invitation qui lui a été faite de rencontrer Mussolini à Rome à l'examen des résultats de l'entrevue que ce dernier doit avoir à Venise avec le maître du IIIe Reich.

A cette date, le Duce joue en effet encore sur deux tableaux, multipliant d'un côté les avances discrètes du côté de la France et manifestant de l'autre une relative sympathie envers le régime instauré par Hitler. Chef de file du révisionnisme européen, Mussolini a d'abord interprété la victoire du nazisme comme le signe d'un renforcement du camp des «insatisfaits». La parenté idéologique des deux régimes a joué dans le même sens et l'on a vu se multiplier, dans le courant de 1933, les démonstrations de cordialité entre les deux Etats totalitaires. Celles-ci cependant dissimulent mal une certaine froideur de la part du dirigeant fasciste. Les raisons en sont la crainte que l'attraction exercée par le nazisme sur l'extrême droite européenne n'enlève à l'Italie une partie de sa clientèle, la menace que les ambitions hitlériennes dans la zone danubienne font peser sur l'influence fasciste en Autriche, voire sur le Sud-Tyrol, l'hostilité du peuple italien pour le caractère racial de la doctrine nazie et pour les références qu'elle fait aux critères «nordiques». Mussolini lui-même ironise sur le fait que les Lapons doivent constituer la plus pure des races, dès lors qu'ils occupent les régions les plus septentrionales de l'Europe.

Mais ce que le Duce craint par-dessus tout, c'est que l'Allemagne ne se substitue à son propre pays comme chef de file des pays contestataires de l'ordre international fixé par les traités. C'est la raison pour laquelle il s'est efforcé de noyer le révisionnisme allemand dans le «concert des puissances» qu'aurait dû à ses yeux constituer le Pacte à quatre, et c'est pourquoi il maintient et multiplie les contacts avec la diplomatie française.

Trois événements vont incliner le Duce à explorer d'un peu plus près la voie d'un rapprochement avec la France. Tout d'abord la façon dont Hitler a liquidé ses principaux rivaux lors de la «nuit des longs couteaux», la sauvagerie des méthodes nazies ayant provoqué en Italie une réaction très vive, et ceci jusque dans les milieux proches du pouvoir. En second lieu l'entrevue de Venise avec le Führer à la mi-juin 1934. Recevant son homologue allemand à Stra, près de Padoue, puis dans la cité des Doges, Mussolini a été très négativement impressionné par son hôte qui lui a inspiré, dira-t-il, une «*véritable répulsion physique*». Enfin, et ceci a pesé davantage encore sur le virage opéré durant l'été 1934 par la diplomatie fasciste, la tentative de putsch nazi à Vienne et l'assassinat du chancelier Dollfuss le 25 juillet. C'est la menace pesant sur l'indépendance de l'Autriche et, à plus long terme, sur la partie du Tyrol annexée par l'Italie en 1919, qui a conduit Mussolini à envoyer plusieurs divisions sur le Brenner et à parler du maître du IIIe Reich comme d'un «*horrible dégénéré sexuel*». Au lendemain de ce coup de force avorté, tout semblait donc disposer le chef du fascisme à se rapprocher de la France, tout aussi intéressée que lui au maintien de l'Etat autrichien et à la mise au pas de l'Allemagne hitlérienne.

En même temps qu'il cherchait à normaliser les rapports de la France avec l'Italie fasciste, Barthou donnait un coup d'accélérateur au rapprochement avec l'URSS. Celui-ci avait été amorcé par Briand et Laval en 1931. Il avait été relancé l'année suivante par Herriot, donnant lieu successivement à la conclusion d'un accord commercial avec l'URSS (mars 1931), puis à la signature d'un pacte de non-agression le 29 novembre 1932. Bien qu'elle fût majoritairement très hostile au communisme, l'opinion et la classe politique françaises considéraient d'un œil plutôt favorable l'amorce d'un rapprochement tactique avec la Russie soviétique. Lors du débat parlementaire des 16 et 18 mai 1933, Herriot eut beau jeu de rappeler que le roi très chrétien François Ier n'avait pas hésité en d'autres temps à s'allier aux Turcs musulmans. Il n'y eut qu'une voix, celle de Tardieu, pour refuser la ratification du traité de non-agression, votée par 554 députés contre 1, et 41 abstentions.

Le rapprochement se précisa dans le courant de l'été 1933, marqué par une série de voyages dans les deux sens, et par la signature, le 23 août, d'un protocole commercial provisoire qui sera transformé en un accord formel le 9 janvier 1934. En même temps, les Soviétiques ont fait connaître leur souhait de conclure avec la France une véritable alliance militaire — perspective très favorablement accueillie par Paul-Boncour et par les bureaux du Quai d'Orsay, ainsi que par certains milieux militaires (le maréchal Pétain, les généraux Weygand et Gamelin) — et d'adhérer à la Société des Nations. Le terrain était donc préparé pour un resserrement des liens avec l'Etat qui avait incarné pendant une quinzaine d'années le désordre intérieur et la subversion internationale.

Soucieux d'isoler l'Allemagne, Barthou songe à mettre sur pied un «pacte de l'Est» fondé sur le principe de la sécurité collective et dans lequel entreraient l'Union soviétique et le Reich hitlérien, qui accepterait ainsi indirectement de reconnaître ses frontières orientales (la Pologne, la Tchécoslovaquie, les Pays Baltes et la Finlande en faisant également partie). En fait, le ministre français ne croit guère à l'adhésion de l'Allemagne et voit surtout dans ce «pacte de l'Est» le moyen d'aboutir à une véritable alliance franco-soviétique.

Le Royaume-Uni, sans grand enthousiasme, est prêt à

accepter cette combinaison, mais Hitler ne tarde pas à opposer un refus catégorique au projet de Barthou, imité d'ailleurs par les dirigeants polonais, alors en plein flirt avec Berlin. Le seul résultat de la négociation sera l'entrée de la Russie soviétique à la SDN. Elle y est admise, le 18 septembre 1934, par 38 voix contre 3 et 7 abstentions, et se voit aussitôt attribuer un siège de membre permanent au Conseil, spécialement créé à son intention. On s'oriente donc dans la voie d'un encerclement diplomatique de l'Allemagne. Pour que celui-ci soit effectif, Barthou entreprend de resserrer les liens avec les pays de la Petite Entente et de jeter les bases d'un «pacte méditerranéen» qui réconcilierait Rome et Belgrade, d'où l'invitation au roi Alexandre de Yougoslavie.

Un événement d'une grave portée internationale va cependant porter un coup très dur à cette politique d'isolement du Reich orientée à la fois vers l'Europe de l'Est et vers l'Italie. Le 9 octobre 1934, le roi Alexandre Ier, en visite officielle en France, et Barthou qui est venu l'accueillir à Marseille, sont assassinés par des terroristes croates membres de l'organisation fasciste *Oustacha*. Sans que l'on n'ait jamais eu de preuves formelles d'une participation des services secrets allemands et de la Gestapo à la préparation de cet attentat, de fortes présomptions pèsent sur ces organisations. Quoi qu'il en soit, le crime profitait à l'Allemagne, encore que celle-ci ne se préoccupât pas outre mesure d'un resserrement des liens franco-soviétiques dont l'un des effets majeurs serait vraisemblablement de la rapprocher de la Grande-Bretagne. C'est plutôt du côté de l'Italie que se situait l'avantage obtenu par l'élimination de Barthou. Et de fait, les auteurs de l'attentat de Marseille ayant trouvé refuge de l'autre côté des Alpes, et le gouvernement fasciste se refusant à les extrader, il s'ensuivit une période de tension entre Rome et Paris. Toutefois, l'arrivée au Quai d'Orsay de Pierre Laval, qui souhaitait une entente avec

Mussolini et n'insista pas sur les responsabilités italiennes lorsque la question fut évoquée à Genève, permit très vite de renouer le dialogue.

Laval et la constitution du «front» de Stresa

A première vue, le nouvel hôte du Quai d'Orsay, dans un gouvernement présidé par Doumergue, puis par Flandin, paraît assumer dans sa totalité l'héritage de la politique élaborée par Barthou. Pourtant, entre les deux dossiers préparés par son prédécesseur, celui de l'alliance avec la Russie soviétique et celui d'un rapprochement plus intime avec l'Italie des faisceaux, il va privilégier le second, et ceci à la fois pour des mobiles intérieurs et pour des raisons de politique étrangère.

Ancien socialiste devenu dans les années trente l'un des chefs de file de la droite modérée et affairiste, Pierre Laval n'est pas, et ne sera jamais, un «fasciste». S'il manifeste une certaine sympathie pour le régime de vigueur de l'autre côté des Alpes, c'est pour des raisons identiques à celles qui inclinent alors nombre de représentants de la droite libérale à admirer en Mussolini l'homme qui a rétabli l'ordre dans un pays menacé par l'anarchie et par le bolchevisme. Pour le reste, il estime que l'entente avec l'Italie mussolinienne est une condition nécessaire à la détente en Europe, en ce sens qu'elle doit incliner Hitler à plus de modération. Or Laval veut, sans être davantage un partisan du national-socialisme, aspirer à un désarmement durable des relations franco-allemandes. Pendant les quinze mois qu'il passe au Quai d'Orsay, il va pratiquer une politique des «petits pas» dirigée tantôt dans une direction, tantôt dans une autre, sans véritable ligne conductrice. Il est, écrit Jean-Baptiste

Duroselle, «*plus rusé que compétent. Il n'est pas l'homme des solutions tranchées, mais l' 'ami de tout le monde'. A une 'belle et bonne alliance', il préfère une demi-douzaine de presque alliances. Il se complaît dans l'à-peu-près. Avec Barthou, le contraste est total*» (*La Décadence*, Paris, Imprimerie nationale, 1979, p. 125).

Désirant établir un contact direct avec le Duce, selon la méthode qu'il a inaugurée en 1931 avec Brüning et avec Hoover, le ministre français décide de répondre favorablement à l'invitation qui a été faite à son prédécesseur de se rendre dans la capitale italienne, afin de rencontrer Mussolini et de régler avec lui le contentieux franco-italien. Le Duce est alors en pleine préparation de la guerre qu'il a déjà décidé de mener contre l'Ethiopie, et il est tout prêt à accepter un arrangement qui puisse lui permettre de se concilier les puissances coloniales. Une sympathie réelle semble jouer d'autre part entre les deux hommes, si proches l'un de l'autre par leurs origines et par leur itinéraire politique. Aussi, l'accord se fait-il sans difficulté. La France cède à l'Italie quelques dizaines de milliers de territoires désertiques au nord du Tchad et aux confins de l'Erythrée ainsi que ses intérêts économiques en Ethiopie. En échange, Rome accepte de mettre fin de manière progressive au statut privilégié des Italiens de Tunisie et surtout s'engage à collaborer avec la France dans l'éventualité d'une nouvelle menace allemande dans la zone danubienne.

Le plus important est sans doute ce qui ne figure pas dans les accords. Le 6 janvier, au cours d'une conversation en tête à tête au Palais Farnèse, siège de l'ambassade de France, il a été question de l'Ethiopie, Laval s'engageant à laisser à son interlocuteur «les mains libres» dans cette partie du continent africain. Formule volontairement floue, qui sera interprétée plus tard par le gouvernement français comme un simple encouragement à l'expansion éxonomique de l'Italie, mais dans laquelle

Mussolini verra — ou feindra de voir — un blanc-seing délivré par Paris à l'occupation militaire du pays.

Quelles que soient les arrière-pensées de chacun, tout semble indiquer au début de 1935 que l'Italie est prête à mettre en sommeil ses visées révisionnistes pour se rapprocher des démocraties et en particulier de sa voisine occidentale. En janvier et février 1935, Mussolini et Badoglio font à plusieurs reprises des avances au gouvernement français pour que soit conclue une alliance militaire en bonne et due forme et si celle-ci reste finalement à l'état de projet, c'est au peu d'empressement manifesté par Laval qu'on le doit, le général Maurin, ministre de la Guerre, estimant pour sa part que des conversations militaires avec Rome seraient «*utiles et opportunes*».

Si la France laisse ainsi passer l'occasion de voir l'Italie se désolidariser de la cause révisionniste pour faire front avec elle contre l'expansionnisme hitlérien, c'est parce que ses dirigeants privilégient l'appui de l'Angleterre et ceci pour des raisons qui, semble-t-il, relèvent davantage à cette date de la stratégie que de l'idéologie. L'Italie n'est pas considérée comme un appui efficace dans l'éventualité d'une guerre contre l'Allemagne. «*C'est avant tout* — peut-on lire dans une note préparatoire à la réunion du Haut Comité militaire du 22 mars — *le secours immédiat de l'Angleterre qui doit être recherché et organisé.*» Laval joue donc sur les deux registres du rapprochement avec la «*sœur latine*» et de l'«*amitié britannique*», réaffirmée avec éclat lors du voyage effectué à Londres, début février, en compagnie de Flandin, sans voir — ou sans vouloir considérer — qu'un choix entre ces deux alliées potentielles ne pourrait être indéfiniment reporté.

Les événements du printemps 1935 paraissent provisoirement lui donner raison. En effet, lorsque intervient la décision du Führer de rétablir la conscription, les représentants de la France, de l'Italie et du Royaume-Uni se rencontrent à Stresa, du 11 au 14 avril, afin d'arrêter une attitude commune. En fait, contrairement à une légende tenace, cette conférence n'aboutit pas à la mise en place d'un véritable «front» dirigé contre l'expansionnisme allemand, comme l'auraient souhaité l'Italie et la France, mais pas les dirigeants britanniques qui avaient promis à la Chambre des Communes de ne prendre aucun engagement. On s'en est simplement tenu à des accords très vagues — réaffirmation de la fidélité au pacte de Locarno, confirmation de déclarations antérieures sur la nécessité de maintenir l'indépendance autrichienne — et l'on a, à aucun moment, fait allusion à la question éthiopienne sur laquelle devait achopper, quelques mois plus tard, le rapprochement entre l'Italie fasciste et les démocraties. On s'est donc séparé sur une illusion d'accord, vite démentie par les événements d'Afrique.

Il reste qu'aux yeux des dirigeants français, l'encerclement diplomatique du Reich paraît se concrétiser au printemps 1935, et ceci d'autant plus que, parallèlement au rapprochement avec l'Italie, Laval poursuit les négociations avec l'URSS, encouragé dans cette voie par plusieurs membres du cabinet, dont Herriot qui avait été à l'origine des ouvertures en direction de Moscou, d'abord en 1924, puis en 1931-1932. Préparé en décembre 1934 par des conversations à Genève avec Litvinov, un pacte d'assistance mutuelle entre les deux pays est signé à Paris le 2 mai 1935. Il stipule qu'en cas de menace d'agression par un Etat européen contre l'une des deux parties contractantes, l'autre pourrait lui apporter «immédiatement» aide et assistance, une fois l'agression reconnue par le Conseil de la SDN. Le texte, qui n'est assorti d'aucune convention militaire, est d'un flou consommé et introduit, écrit à juste titre J.-B. Duroselle, «*vingt échappatoires possibles*» (*La Décadence*, *op. cit.*, p. 142). Cela n'empêche pas Laval de se rendre à Moscou une quinzaine de jours plus tard, et d'obtenir *in extremis* de Staline une déclaration favorable aux efforts de réarmement du gouvernement français. Ce qui a pour effet immédiat de faire cesser la campagne menée par le PCF contre la loi de deux ans. Le 16 mai, le système se trouve complété par une alliance entre l'URSS et la Tchécoslovaquie. Laval semble donc avoir réalisé les objectifs fixés un an plus tôt par Barthou.

En réalité, les deux hôtes successifs du Quai d'Orsay ont eu une politique très différente. Barthou songeait principalement à établir une alliance solide avec l'URSS, sans avoir le moins du monde de sympathie pour le régime stalinien. La négociation étant très avancée et s'inscrivant dans toute une tradition d'alliances de revers de la diplomatie française, Laval ne pouvait faire autrement que de la mener à son terme. Mais, une fois l'accord signé, il se garde de le faire ratifier par les Chambres et ne donne pas suite aux avances faites par l'ambassadeur Potemkine pour assortir le pacte d'une convention militaire. C'est au contraire le rapprochement avec l'Italie mussolinienne qui a les faveurs de Pierre Laval. Celui-ci à maintenant l'appui de la droite nationaliste, très favorable à une alliance avec ce pays, et il est vrai que les considérations de politique intérieure commencent à jouer un rôle essentiel dans la détermination des objectifs de politique étrangère.

Mais surtout, l'ancien avocat socialiste et pacifiste ne partage pas, à propos des relations avec l'Allemagne, les vues de son prédécesseur, plus proches de celles de Poincaré que de celles défendues par Briand, dont Laval prétend, au moins sur ce plan, être le continuateur. Il craint les effets périlleux d'une politique d'isolement systématique et souhaite une détente avec le Reich. Ceci explique à la fois le peu d'empressement manifesté par son gouvernement — il devient président du Conseil en juin 1935 — à faire ratifier par les Chambres le pacte avec l'URSS, ainsi que son abstention dans la préparation du plébiscite sarrois.

Conformément aux clauses du traité de Versailles, celui-ci a lieu en janvier 1935 sans que le gouvernement français ait fait quoi que ce soit pour soutenir les partisans du maintien du statu quo (c'était l'une des trois options offertes aux électeurs, le rattachement à la France étant de toute évidence exclu) et pour empêcher les 45 000 nazis envoyés par Hitler de semer la terreur dans la population. Dans ces conditions, le résultat ne peut être douteux. La consultation donne 90 % des votes en faveur du retour à l'Allemagne, un accord préalable au plébiscite ayant stipulé que dans ce cas les mines seraient rachetées par le gouvernement du Reich pour un milliard de reichsmarks. Une intervention française dans la campagne n'aurait sans doute pas fait pencher la balance dans un sens différent. Du moins aurait-elle rendu moins éclatant le succès des nazis. Quoi qu'il en soit, Laval ne tirera aucun avantage substantiel de son abstention, même si des déclarations apaisantes de Hitler ont certes suivi le retour de la Sarre à l'Allemagne en mars et en mai 1935. Le 8 mai, à l'occasion des funérailles de Pilsudski, Laval aura un entretien plutôt cordial à Varsovie avec Goering, mais il n'en ressortira rien de tangible. L'attitude conciliante adoptée par le ministre français dans la question sarroise n'a pas empêché le Führer de rétablir deux mois plus tard le service militaire obligatoire en Allemagne, inaugurant une série de violations du traité de Versailles devant lesquelles la France va demeurer passive.

L'isolement diplomatique du IIIe Reich, qui paraissait acquis au lendemain de la conférence de Stresa et de la conclusion du pacte franco-soviétique, ne dure pas plus de quelques semaines. La solidarité franco-italo-britannique montre en effet ses limites lorsque le gouvernement de Londres prend l'initiative d'un accord bilatéral avec l'Allemagne au sujet des armements navals, obtenant de cette puissance qu'elle limite ses forces maritimes à 35 % du tonnage de la flotte anglaise (sauf pour les sous-marins). De cette défection du Royaume-Uni, il faut rechercher la cause dans le fait que Londres n'a jamais complètement avalisé la politique de sécurité que la France a cherché à faire prévaloir en imposant à l'Allemagne une paix léonine, dans la crainte que suscite en Angleterre le rapprochement franco-soviétique et dans l'état d'une opinion publique de plus en plus encline à souhaiter un repli sur la communauté impériale et que traversent de forts courants pacifistes. Les réponses apportées par une dizaine de millions de personnes, lors du *Peace Ballot* de juillet 1935, indiquent qu'à cette date 90 % des Britanniques jugent qu'il faudrait interdire «*la fabrication et la vente des armes pour des profits privés*», 82,6 % se prononcent pour «*une abolition généralisée des forces militaires*», mais 58,6 % seulement estiment qu'au cas où «*une nation menacerait d'en attaquer une autre*», les autres membres de la communauté internationale devraient répondre à cette menace «*par des mesures éventuellement militaires*».

En France, l'opinion publique et la classe politique ne sont pas davantage portées à souhaiter qu'un coup d'arrêt brutal soit donné aux entreprises hitlériennes. Dans le magistral ouvrage qu'il a consacré à la politique étrangère de la France durant cette période (*La Décadence,*

1932-1939, *op. cit.*), Jean-Baptiste Duroselle a analysé l'«ambiance», c'est-à-dire l'environnement psychologique dans lequel les décideurs ont conduit leur action diplomatique, et il a montré que si le patriotisme hexagonal n'était pas mort, la cohésion de la nation autour de ses élites, autour de ses symboles (le drapeau tricolore, le 14 juillet, etc.), autour de ses valeurs traditionnelles, était loin d'être aussi forte qu'à la veille de premier conflit mondial.

C'est que, précisément, l'immense holocauste de 1914-1918 a eu lieu, et a laissé dans les mémoires et dans les corps des cicatrices indélébiles, nourrissant dans toutes les couches de la société, dans toutes les classes d'âge, dans toutes les familles politiques, un pacifisme aux contours et aux visages multiples. Pacifisme des anciens combattants, rassemblés dans la puissante UNC (900 000 adhérents en 1934), dispersés dans les ligues et dans d'autres organisations de vétérans, ou simplement déterminés à tout faire pour que «plus jamais» leur pays ne connaisse la tuerie qu'ils ont eux-mêmes vécue. Pacifisme de gauche, partagé entre la modération radicale, un militantisme de la non-violence plus affirmé à la SFIO et à la CGT, et le refus absolu de la guerre et du «militarisme» dans la fraction de la SFIO rassemblée autour de Paul Faure (lequel déclarera en avril 1939 dans *Pays socialiste* : «*N'importe quelle concession territoriale est préférable à la mort d'un vigneron du Mâconnais*»), dans le syndicalisme enseignant (le Syndicat national des instituteurs d'André Delmas), dans la mouvance libertaire, ou encore dans l'antibellicisme de principe de certains intellectuels : un Jules Romains, un Gide ou un Giono.

Pacifisme de droite enfin, et même d'extrême droite, affirmé de façon plus sélective toutefois dès lors que l'adversaire potentiel se situe du côté des régimes fascistes et fascisants. Lors de la guerre d'Ethiopie, à la fin de 1935, ce sont les «Camelots du Roy» et les jeunes gens des ligues qui défilent sur les Grands Boulevards aux cris de «*Vive l'Italie! Vive la Paix!*», empêchent à la Faculté de Droit le professeur Jèze (qui avait préparé la requête du Négus à la SDN) de faire ses cours, et font un triomphe à *La Guerre de Troie n'aura pas lieu* de Giraudoux. Ici, le pacifisme apparaît comme directement relié à la politique intérieure, commandé par l'hostilité profonde à l'égard du communisme et bientôt par la grande peur suscitée par le Front populaire.

L'hostilité au collectivisme bolchevique et la crainte de voir se déclencher une nouvelle vague révolutionnaire, favorisées en France par l'alliance avec l'URSS, motivent chez beaucoup d'hommes politiques, d'écrivains et de publicistes l'idée d'un rapprochement avec l'Allemagne, fût-elle nationale-socialiste. Il en est ainsi du rédacteur en chef de *La République*, Emile Roche, de Joseph Caillaux, de Piétri, Montigny et Flandin, d'écrivains comme Louis Bertrand, Abel Bonnard et Fabre-Luce. Chez certains intellectuels fascistes ou proches du fascisme — un Brasillach, animateur de l'équipe rédactionnelle de l'hebdomadaire *Je suis partout*, un Drieu La Rochelle, un Paul Marion, un Alphonse de Châteaubriant —, l'anticommunisme se double d'une réelle fascination pour les totalitarismes italien et allemand, fréquemment teintée d'antisémitisme. Elle conduira quelques années plus tard la plupart d'entre eux à la collaboration avec l'occupant.

Cela ne suffit pas à faire de tous les sympathisants des dictatures mussolinienne et hitlérienne, et de tous les partisans d'un rapprochement avec Rome et avec Berlin, des traîtres stipendiés par les services secrets étrangers. Beaucoup ont cru sincèrement aux chances d'une réconciliation entre les anciennes ennemies et se sont laissé prendre au mirage des illusions pacifistes. Il en fut ainsi, par exemple, des dirigeants des deux principales organisations d'anciens combattants : Jean Goy et R. Monnier pour l'UNC, Georges Scapini et A. Pichot pour l'UFAC, auxquels Hitler a donné audience en novembre et décembre 1934 et qui ont organisé avec les anciens combattants allemands la commémoration en commun de la bataille de Verdun en juillet 1936. Et aussi de nombreux jeunes Français qui ont participé, à partir de 1930, aux rencontres organisées en Forêt-Noire par Otto Abetz, prélude à la constitution en 1935, sous l'égide du même Abetz et de Fernand de Brinon, du Comité France-Allemagne.

Il reste que les services de propagande du Reich ont eu tôt fait, tout comme ceux de l'Italie fasciste, de récupérer une partie de ces initiatives et de les utiliser à des fins de manipulation de l'opinion publique. Le Comité France-Allemagne et ses supports médiatiques, *Les Nouveaux Temps* de Jean Luchaire et les *Cahiers franco-allemands*, bénéficient d'un soutien financier qui transite par le «Bureau Ribbentrop». Abetz subventionne directement ou indirectement (contrats de traduction, voyages en Allemagne tous frais payés, etc.) nombre de journalistes et d'hommes de lettres dont les écrits sont favorables au Reich hitlérien. Les archives du *Minculpop* italien révèlent que, pendant plusieurs années, des fonds importants ont été mis à la disposition d'un représentant du gouvernement fasciste à Paris, le consul Landini, à charge pour ce dernier de les ventiler entre des individus, des groupes politiques et des organes de presse dont l'action était jugée positive par le gouvernement de Rome. Marcel Bucard et son mouvement «franciste», le CSAR de Deloncle, que les services italiens chargeront en 1936 et 1937 de l'exécution sur le territoire français des basses œuvres du régime (l'assassinat notamment des frères Rosselli à Bagnoles-de-l'Orne), le journal doriotiste *La Liberté*, figurent parmi les principaux bénéficiaires de ces libéralités qui sont également dispensées à des journalistes et à des personnalités politiques «italophiles». Dans divers rapports adressés à Rome à l'époque de la guerre d'Ethiopie, Landini s'est ainsi vanté auprès de son gouvernement — sans que ses affirmations puissent d'ailleurs être vérifiées —, d'avoir acheté un certain nombre de députés français dont le vote avait permis le maintien au pouvoir de Pierre Laval, lors du grand débat de politique étrangère de décembre 1935 (cf. la thèse de Max Gallo et le résumé qu'il en donne dans *La Cinquième Colonne, 1930-1940*, Paris, Plon, 1970; Bruxelles, Complexe, 1984).

Il est difficile de mesurer l'impact de ses actions subversives sur l'évolution du sentiment public et d'évaluer de manière précise la force du courant pacifiste au cours des années qui précèdent le second conflit mondial. Il apparaît cependant que, dès 1935, le concert des voix hostiles à une épreuve de force avec l'Allemagne s'amplifie et que, lorsque Hitler décide, en mars de l'année suivante, de faire entrer ses troupes dans la zone rhénane, c'est la quasi-totalité de la presse parisienne, l'ensemble des mouvements d'anciens combattants, des syndicats et des partis qui, sur des registres divers, clament leur volonté de préserver la paix. On conçoit que, dans ces conditions, les dirigeants politiques français aient une bien étroite marge de manœuvre pour contrer les initiatives hitlériennes. A quoi il faut ajouter que, jusqu'à l'avènement du premier gouvernement Blum, qui s'engagera à petits pas dans une politique de réarmement, les impératifs déflationnistes jouent en France le même rôle qu'en Grande-Bretagne. La nécessité de réduire, ou du moins de contenir les dépenses militaires, incline la France à adopter, comme sa partenaire britannique, une stratégie défensive dont l'application en 1939-1940 lui coûtera d'autant plus cher que la ligne Maginot n'est pas le *Channel*.

Au début de 1936, la situation internationale paraît donc beaucoup plus favorable à Hitler qu'elle ne l'était un an plus tôt, lorsqu'il a pris la décision de rétablir le service militaire obligatoire. Certes, la France a noué depuis cette date des relations plus intimes avec l'URSS, mais ce rapprochement même a eu pour effet de distendre ses relations avec le Royaume-Uni et de pousser à la dislocation du «front de Stresa». La guerre d'Ethiopie a fait le reste. Engagée par Mussolini en octobre 1935, elle a provoqué de la part des Britanniques et des Français des réactions contradictoires. Tandis que les premiers, inquiets de la menace que l'agression italienne faisait peser sur le Soudan et sur la route des Indes, concentraient en Méditerranée une flotte de 800 000 tonnes, les seconds — en la personne de Laval — tentaient de réduire la portée des sanctions économiques que le représentant de la France avait bien été obligé de voter à la SDN, mais dont on avait exclu l'embargo sur le pétrole et sur la plupart des matières premières industrielles (fer, acier, plomb, zinc, cuivre, coton, etc.).

En décembre 1935, désireux de trouver un accommodement avec le Duce, Laval va mettre au point avec l'accord du chef du Foreign Office, sir Samuel Hoare, un projet de partage de l'Ethiopie qui accorde à l'Italie les deux tiers du pays. Mais ce «Plan Laval/Hoare» est ébruité par la presse — notamment en France par Geneviève Tabouis dans *L'Œuvre* et par Pertinax (André Géraud) dans *L'Echo de Paris* —, à la suite semble-t-il d'indiscrétions calculées de la part de hauts fonctionnaires du Quai d'Orsay (Pierre Comert, chef du service de presse? Le secrétaire général des Affaires étrangères Alexis Léger?). Quoi qu'il en soit, il suscite aussitôt l'indignation des Britanniques et d'une partie de l'opinion française. A un mois d'intervalle, Samuel Hoare et Pierre Laval doivent quitter les Affaires, sans avoir réussi ni à empêcher la conquête par l'Italie fasciste d'un Etat indépendant membre de la SDN, ni à replâtrer le «front de Stresa».

Hitler ne peut que tirer profit de l'indécision des démocraties. L'engagement fasciste en Ethiopie, comme plus tard en Espagne, sert ses desseins en ce sens qu'il fixe durablement hors de la zone danubienne une partie des forces italiennes et ravive les tensions entre Rome, Londres et Paris. D'abord séduit par l'idée d'un rapprochement avec l'Angleterre, dont l'accord naval de juin 1935 lui paraît être le prélude, il choisit finalement, une fois écartée la perspective d'une alliance des Etats «nordiques», de tendre la main au Duce et de fournir à l'Italie les matières premières, les produits chimiques et le charbon dont elle a besoin pour triompher de la résistance éthiopienne.

Si le Führer a ainsi beaucoup hésité entre l'Angleterre démocratique et l'Italie mussolinienne, c'est à bien des égards parce que l'aide, ou du moins le désintéressement de la première lui paraissait nécessaire à la réalisation de ses projets continentaux. Parmi ces derniers, la remilitarisation de la Rhénanie est à l'ordre du jour lorsque Laval quitte le pouvoir, en janvier 1936. Le gouvernement Sarraut-Flandin auquel il cède la place ne saurait, estime le maître du IIIe Reich, se montrer très énergique dès lors qu'il n'est là que pour assurer une sorte d'intérim, dans l'attente d'élections législatives qui doivent avoir lieu au printemps. Gauche et droite s'affrontent déjà dans une campagne dont les enjeux ont été fortement radicalisés par les deux camps (pour ou contre la paix, pour ou contre le «fascisme», pour ou contre la «révolution sociale») et qui polarise toutes les énergies.

Le moment d'agir est jugé d'autant plus favorable que le pacte franco-soviétique offre à la diplomatie nazie le prétexte dont elle a besoin pour justifier à l'avance le coup de force. Dès le 25 mai 1935, la Wilhelmstrasse a adressé en ce sens une note aux puissances, faisant valoir qu'elle considérait ce pacte comme incompatible avec le traité de Locarno. Sa ratification par la Chambre française, le 27 février 1936, par 353 voix, dont 80 appartenant comme Paul Reynaud à la droite modérée et «réaliste», contre 164, va permettre à Hitler de dénoncer l'acte diplomatique signé en 1925, et d'engager la Wehrmacht dans le coup de poker rhénan, avec l'accord de ses chefs. Selon Charles Bloch en effet, leur prétendue opposition est une légende (cf. *Le IIIe Reich et le monde*, Paris, Imprimerie nationale, 1986, pp. 154 sq.).

Aussi aventureuse qu'ait été la décision du Führer, elle n'est pas le résultat d'une improvisation. Dès la fin du mois de juin 1935, les préparatifs militaires ont commencé et la date de la réoccupation a été fixée à la mi-février. Il est clair par conséquent que la ratification du pacte franco-soviétique n'est qu'un utile prétexte pour légitimer une décision arrêtée de longue date. Si coup de poker il y a, c'est exclusivement sur le plan militaire qu'il faut l'envisager car, diplomatiquement, Hitler a pris ses précautions et acquis, dans le courant du mois de janvier 1936, la certitude qu'aucune des puissances co-signataires avec la France du traité de Locarno n'interviendra pour faire respecter ce document devenu caduc aux yeux du Führer.

Quant à la France, elle a eu tout le temps de se préparer à un événement dont les dirigeants du IIIe Reich ne cachaient pas qu'il interviendrait dès que la ratification du pacte franco-soviétique serait devenue effective. Certes, l'ambassadeur de France à Berlin, François-Poncet, se montrait résolument optimiste, affirmant dans une dépêche du 24 janvier que l'Allemagne n'avait pas «*l'intention de dénoncer le pacte de Locarno, ni de le rompre brutalement en nous mettant en présence d'un fait accompli, analogue à celui du 16 mars 1935*». Mais les informations données par les attachés militaires et par les consuls généraux de France à Cologne (Dobler) et à Düsseldorf (Noël Henry), allaient dans un tout autre sens, faisant état des préparatifs allemands en Rhénanie et attirant l'attention de leurs supérieurs sur l'imminence de l'intervention allemande. Encore aurait-il fallu que leurs voix fussent entendues et que les décideurs eussent connaissance de leurs dépêches, ce qui se produisait rarement. Rien ne fut en tout cas mis en œuvre pour préparer la riposte à une éventuelle action de la Wehrmacht.

La suite est bien connue. Le 7 mars 1936 — un samedi en début de matinée, les députés et les ministres français se trouvant alors presque tous loin de la capitale —, 30 000 soldats allemands pénètrent dans la zone démilitarisée. Du côté français, en attendant les décisions du Conseil des ministres, on se contente de mettre en place le dispositif d'«alerte simple», en rappelant les permissionnaires, en faisant occuper les fortins de la ligne Maginot, puis en disposant 55 000 hommes sur la frontière. On sait aujourd'hui que dans le cas où ces troupes auraient reçu l'ordre d'intervenir, Hitler aurait aussitôt fait reculer ses propres unités : mais c'était là précisément que résidait son coup d'audace calculé. Il était persuadé que, sans l'assurance de l'appui britannique, le gouvernement français se résignerait au fait accompli, et il avait vu juste.

Pourtant le 8 mars au soir, le président du Conseil, Sarraut, prononce un discours énergique qui a été préparé par René Massigli, directeur adjoint des Affaires étrangères. «*Nous ne sommes pas disposés,* déclare-t-il, *à laisser Strasbourg exposé au feu des canons allemands.*» Simple baroud d'honneur verbal, car ni le Conseil des ministres du 8, ni celui du lendemain ne prennent les décisions militaires qui, selon toute vraisemblance, auraient fait reculer l'armée allemande. Interrogé sur les chances de réussite d'une riposte française, le général Maurin, ministre de la Guerre — qui s'appuie sur les évaluations totalement erronées que lui a fournies le général Gamelin et qui surévalue fortement les effectifs de l'armée allemande —, déclare que pour être efficace celle-ci devrait se faire de concert avec l'Angleterre et être accompagnée d'une mobilisation générale. Or, nous l'avons vu, l'opinion publique est à peu près unanime à répudier l'usage de la force, dès lors qu'il peut déclencher la guerre, et l'on est à six semaines des élections générales!

On se résout donc à ne rien faire, ou plutôt on se contente de faire appel aux signataires du pacte de Locarno et à la Société des Nations. La Belgique, qui vient de dénoncer la convention militaire secrète de septembre 1920, ne bouge pas. Le nouveau chef du Foreign Office, Anthony Eden, juge devant l'ambassadeur Corbin que l'initiative hitlérienne est «*déplorable*» mais, le 9 mars devant les Communes il affirme que si «*l'occupation de la Rhénanie par la Reichswehr est un coup sévère pour le principe de la sainteté des traités (...), il n'y a heureusement aucune raison de supposer que la présente action de l'Allemagne comporte une menace d'hostilité*». Et lorsque muni d'une note de René Massigli, qui lui rappelle que «*la question qui se joue en ce moment est celle de savoir si l'Europe sera ou non allemande*», le ministre des Affaires étrangères Flandin demande au Conseil de la SDN de voter des sanctions économiques, puis militaires, contre le Reich, le chef de la diplomatie anglaise lui oppose une résistance courtoise mais ferme. Seules la Pologne et l'URSS vont manifester leur solidarité avec les thèses françaises, la première pendant quelques heures seulement, la seconde sans convaincre les dirigeants français qu'ils pouvaient après tout se prévaloir d'un pacte dont la ratification venait précisément de donner à Hitler le prétexte de son intervention dans la zone rhénane.

Le coup de force et le coup de bluff ont donc réussi. Tandis que le débat s'enlise à Genève et que le Führer, se refusant à tout compromis sur la Rhénanie, propose le 1er avril un «plan de paix» prévoyant un pacte de non-agression pour vingt-cinq ans et le retour de son pays à la SDN, des renforts importants sont envoyés dans la zone remilitarisée où l'on commence bientôt à construire des aérodromes, en attendant qu'une puissante ligne de défense, la ligne Siegfried, soit édifiée le long de la frontière, entre la mer du Nord et la Suisse. Elle est destinée à empêcher les Français de secourir, le cas échéant, leurs alliés d'Europe centrale et orientale. Le seul point sur lequel la France obtient une compensation est celui de la garantie par les Britanniques de sa frontière orientale et de celle de la Belgique, accordée par Londres le 19 mars. Le «drame rhénan» s'achève. Locarno a vécu. Hitler a triomphé sur toute la ligne.

Les retombées de la guerre civile espagnole

L'équipe gouvernementale qui se constitue au lendemain de la victoire du Front populaire, avec Léon Blum comme président du Conseil et le radical Yvon Delbos aux Affaires étrangères, pratique, pendant les semaines qui suivent son arrivée au pouvoir, une politique qui tranche peu avec celle du précédent gouvernement. Complètement absorbé par les problèmes intérieurs, le cabinet Blum se contente de rechercher un terrain d'entente avec les dictatures et d'afficher — par exemple lors du débat du 2 juin à la Chambre — ses préférences pour la «sécurité collective» et le «désarmement».

Du côté de l'Italie, le problème qui se pose est d'empêcher que ce pays, dont le régime n'inspire aucune sympathie aux nouveaux dirigeants politiques français, n'accentue sa dérive vers l'Allemagne. L'application des sanctions économiques, sélective mais néanmoins effective de la part des démocraties alors que l'Allemagne, nous l'avons vu, a fourni à l'Italie divers produits stratégiques, a fortement incliné le Duce à rééquilibrer ses choix de politique étrangère. Jusqu'au milieu de mai 1936, il semble pourtant que ses préférences, comme il le déclare au comte Coudenhove-Kalergi, aillent encore à «*une politique de franche collaboration avec la France*». L'annonce de la composition du gouvernement Blum, composé estime Mussolini d'hommes qui sont ses adversaires déclarés, et la formidable vague de grèves avec occupation des locaux qui accompagne l'avènement de la nouvelle équipe achèvent de le convaincre de l'impossibilité d'une alliance avec la République voisine. Dès le 5 juin, l'ambassadeur de Chambrun note que «*les perspectives d'une combinaison italo-allemande paraissent se préciser*».

A Paris, on a conscience du danger, mais l'on hésite en même temps — ne serait-ce que pour préserver la fragile cohésion du Front populaire — à donner quitus au Duce et à passer l'éponge sur l'agression en Afrique orientale. De là un choix ambigu qui consiste à suivre les Britanniques, et à voter avec eux la levée des sanctions contre l'Italie, lors du débat du 4 juillet à la SDN — Mussolini menaçant de quitter cette organisation si satisfaction ne lui était pas donnée sur ce point —, tout en différant la reconnaissance de la conquête de l'Ethiopie. Blum ayant obtenu d'Yvan Delbos la mise à la retraite de Charles de Chambrun, pour lequel le chef du gouvernement avait peu de sympathie, on refuse d'envoyer à Rome son successeur désigné, le comte de Saint-Quentin, qui devait être accrédité auprès du «roi d'Italie et empereur d'Ethiopie», et l'on se contente de maintenir au Palais Farnèse un simple «chargé d'affaires», le conseiller d'ambassade Jules Blondel. Cette situation provisoire va durer deux ans et susciter une rancœur profonde de la part de Mussolini.

Avec l'Allemagne, de timides tentatives de rapprochement sont entreprises par l'équipe Blum/Delbos au cours des premiers mois d'exercice du pouvoir en dépit de l'antinazisme foncier affiché par les dirigeants du Front populaire. La France, qui avait déjà participé aux épreuves d'hiver de Garmisch-Partenkirchen — antérieures au coup de force du 7 mars — va ainsi accepter d'envoyer ses athlètes à Berlin où ont lieu, en août 1936, les Jeux de la XIe Olympiade : ceci malgré la campagne en faveur du boycott menée par diverses organisations antifascistes et spécialement par le parti communiste. On sait que l'Allemagne hitlérienne y obtient un triomphe à la fois médiatique et sportif, remportant 38 médailles d'or contre 24 aux Etats-Unis... et 7 à la France! Celle-ci ne recueillera aucun avantage politique de la bonne volonté manifestée à l'égard du Reich. Léon Blum souhaiterait en effet que soit négocié un «*règlement général de la paix*», autrement dit un nouvel accord remplaçant le pacte de Locarno et par lequel l'Allemagne, qui serait invitée à parapher cet acte diplomatique, se porterait garante du maintien du statu quo en Europe de l'Ouest. Or Hitler refuse catégoriquement de s'engager dans cette voie.

Reste donc la négociation directe entre les deux principales puissances continentales. Le 28 août 1936, le président du Conseil français reçoit à Paris le ministre allemand de l'Economie, le Dr Schacht, et il évoque avec lui la possibilité d'une restitution des anciennes colonies allemandes, ainsi que l'aménagement en faveur de l'Allemagne d'une plus grande facilité d'accès aux sources mondiales de matières premières. En échange, il attend du Reich qu'il accepte le principe d'un «règlement général» et se déclare hostile à la formule de l'accord bilatéral (du type germano-polonais). Schacht paraît favorable à une négociation à trois, incluant les Britanniques, mais il précise que ses vœux n'engagent pas l'«*homme de génie*» qui préside aux destinées de l'Allemagne : «*Je dois,* déclare-t-il, *rapporter notre entretien et m'assurer que le chancelier approuve.*» Le chancelier dira non.

A l'automne, Schacht se voit plus ou moins mis sur la touche au profit de Goering, à qui sont attribués des pouvoirs de «dictateur économique», et un point final est mis aux conversations franco-allemandes. Lorsque le Dr Schacht — qui n'aurait été autorisé par Hitler à prendre contact avec Blum que dans le but de sonder les intentions françaises — revient à Paris en mai 1937 à l'occasion de l'Exposition universelle, il se garde bien de renouer le fil de la négociation.

Dans l'intervalle, les événements d'Espagne ont commencé à fortement peser sur les rapports entre les divers acteurs du jeu diplomatique européen. Depuis le 17 juillet, l'Espagne est devenue en effet le théâtre d'une guerre civile opposant le gouvernement de *Frente popular*, issu des élections de février, et les troupes nationalistes des généraux Sanjurjo et Franco. Après la mort du premier, tué dans un accident d'avion, c'est Franco qui a pris la tête de la véritable «croisade» engagée contre les défenseurs de la République par les forces conjuguées du conservatisme et de la contestation fascisante : clergé catholique, armée, grands propriétaires, Phalange, etc. Circonscrit dans un premier temps au Maroc espagnol, le *pronunciamiento* n'a pas tardé à gagner toute une partie de la péninsule. A la fin de 1936, l'Espagne se trouvera ainsi coupée en deux et livrée à une guerre fratricide d'une atrocité extrême.

Les deux camps ont immédiatement recherché une aide extérieure, chacun en fonction de ses affinités idéologiques. Les nationalistes se sont tournés vers l'Allemagne et surtout vers l'Italie mussolinienne, avec laquelle ils étaient en relations suivies depuis plusieurs années. Le gouvernement républicain s'est adressé à la France et à l'URSS pour obtenir un appui politique et militaire.

En France, le début de la sécession coïncide avec les premières semaines du gouvernement Blum. Tout naturellement, la solidarité s'apprête à jouer entre les deux gouvernements issus d'une libre consultation électorale qui a donné le pouvoir aux fronts populaires et de fait, dès le 24 juillet, une petite livraison d'armes est effectuée en direction de l'Espagne (70 avions seront fournis avant le 8 août). Mais Léon Blum se trouve très vite en butte aux manœuvres conjuguées de diplomates espagnols passés à la dissidence, des responsables du Foreign Office qui penchent pour les nationalistes — dont la victoire assurerait mieux la défense des intérêts britanniques dans la péninsule ibérique — et incitent le gouvernement français à demeurer passif, de certains dirigeants radicaux (dont Herriot) qui menacent de retirer leur soutien à son cabinet, enfin de la droite, à peu près unanime à dénoncer les «fauteurs de guerre». Une formidable campagne de presse se déchaîne contre le leader de la SFIO, montant en épingle (photos truquées à l'appui) des massacres d'ecclésiastiques ou des profanations de tombes de religieuses, appelant à la résistance contre le «bolchevisme» et agitant plus ou moins explicitement la menace de la guerre civile.

C'est pour empêcher celle-ci, et tout au moins pour éviter l'éclatement de sa propre majorité, que le chef du gouvernement français prend l'initiative, le 1er août 1936, de proposer aux autres puissances européennes l'«adoption rapide et la mise en pratique immédiate d'un accord visant à la non-intervention en Espagne». Blum a pris cette décision la mort dans l'âme, comme il l'explique aux militants et aux sympathisants du parti, réunis en septembre à Luna Park, près de la Porte Maillot.

> «*Quand je lisais comme vous dans les dépêches le récit de la prise d'Irun et de l'agonie des derniers miliciens, croyez-vous par hasard que mon cœur n'était pas moins déchiré que le vôtre? Et est-ce que vous croyez, d'autre part, que j'ai été subitement destitué de toute intelligence, de toute faculté de réflexion et de prévision, de tout don de peser*

dans leurs rapports et dans leurs conséquences les événements auxquels j'assiste?... Une fois la concurrence des armements installée sur le sol espagnol, quelles peuvent en être les conséquences pour l'Europe entière, dans la situation d'aujourd'hui?»

Volonté de paix donc, de la part du leader de la coalition au pouvoir, mais également souci de ne pas heurter de front les plus tièdes des soutiens du Front populaire : le parti radical dans sa très grande majorité et aussi nombre de socialistes modérés, qui ne partagent ni le maximalisme du PC, ni même l'ardeur antifasciste de l'aile gauche du parti, représentée par des hommes comme Marceau-Pivert et Zyromski. De là découle le choix de la «non-intervention», décidée à la fin du mois d'août et à laquelle s'associent 26 pays européens, dont l'Allemagne, l'Italie et l'URSS.

Pour mettre en œuvre ce qui devait être un simple embargo sur divers produits stratégiques destinés à l'Espagne, un Comité est constitué à Londres le 9 septembre, avec pour charge de dresser la liste des marchandises prohibées et de contrôler l'application de l'embargo. Or, il est rapidement évident que les mesures prises sont d'une efficacité nulle. L'installation d'observateurs postés aux frontières de l'Espagne et dans les ports n'est effective que du côté de la France et complètement inexistante le long des frontières portugaises. La commission n'instaure pas de contrôle aérien, exclut le contrôle maritime autour des îles Canaries et confie aux flottes allemande et italienne la mission de veiller au blocus naval dans la plus grande partie de la zone méditerranéenne.

En novembre 1937, un plan franco-britannique de retrait des volontaires étrangers est approuvé par l'organisme londonien, mais personne ne se soucie de le faire appliquer. Comme le fait remarquer Guy Hermet, le Comité de non-intervention n'aura obtenu en tout et pour tout que deux résultats tangibles. «*D'une part, il aura contribué de façon décisive, en 1937, à l'isolement et à la défaite des forces républicaines et basques coupées de tout approvisionnement dans les provinces de la zone atlantique. D'autre part, il aura servi le gouvernement de Burgos, en renforçant sa position diplomatique par la reconnaissance internationale de son statut de belligérant*» (*La Guerre d'Espagne*, Paris, Seuil, 1989, p. 209).

Dans ces conditions, les entorses à la non-intervention vont se multiplier, et pas seulement dans le camp des Etats fascistes, depuis le début acquis à l'idée qu'il y avait là un utile moyen de duper leurs adversaires. En deux ans et demi l'Italie et l'Allemagne fourniront aux nationalistes, en plus d'importantes avances financières (respectivement 766 et 225 millions de dollars), environ 85 000 hommes (75 000 Italiens et les 10 000 soldats allemands de la Légion Condor), 1 200 avions, dont certains très modernes, 2 000 canons, 10 000 mitrailleuses, 250 000 fusils, des milliers de véhicules et de blindés légers, ainsi que l'appui de l'aviation italienne et celui de la marine (90 navires de guerre dont de nombreux sous-marins qui coulent les navires neutres lorsqu'ils tentent de ravitailler les républicains). L'URSS, qui s'est fait remettre en dépôt le stock d'or de la Banque d'Espagne détenu par le gouvernement Giral, acheminera vers les ports républicains, en dépit des difficultés croissantes dues au barrage érigé par le Comité de Londres et aux sous-marins italiens, un millier d'avions (les «*Chatos*» républicains), autant de chars (des T 26), 30 000 mitrailleuses, des centaines de milliers de fusils. En revanche, il n'y aura pas plus de 2 000 «conseillers» soviétiques (pilotes, conducteurs de blindés, etc.).

Quant à la France, après avoir scrupuleusement observé pendant quelques semaines les règles de non-ingérence qu'elle avait été la première à proposer, elle ne tarde pas non plus à apporter son soutien au gouvernement légal.

Dès l'automne 1936, au moment de la première offensive nationaliste sur Madrid, Blum charge une petite équipe officieuse (avec Vincent Auriol, maire socialiste de Toulouse et ministre des Finances, Jean Moulin, etc.) de promouvoir une «non-intervention assouplie». Des organes se créent, avec l'acquiescement tacite du gouvernement, pour les achats et les transports («France-Navigation»). Des bureaux de recrutement pour les volontaires des «brigades internationales» — dont les effectifs sont composés pour un quart de Français — s'installent à Paris et dans d'autres villes de l'Hexagone. Des armes, des munitions, des avions (environ 320) sont acheminés clandestinement vers l'Espagne, quand ils ne sont pas détruits ou rendus inutilisables par les saboteurs du CSAR, auxquels les services italiens fournissent de leur côté des subsides et des armes. Toulouse devient ainsi la plaque tournante d'une guerre contre le fascisme qui n'ose pas dire son nom et qui cesse d'ailleurs une fois renversé le premier cabinet Léon Blum.

De retour aux affaires pendant un temps très bref, au printemps 1938, le leader socialiste aurait été prêt, semble-t-il, à envoyer un corps expéditionnaire en Catalogne, tandis que son ministre des Affaires étrangères, Paul-Boncour, parlait d'occuper le Maroc espagnol et Minorque. Mais le projet n'a pas dépassé le stade des intentions, le second gouvernement Blum étant renversé par le Sénat moins d'un mois après avoir été constitué. Après quoi, l'on se contentera d'offrir un refuge précaire aux républicains, entrés en France par centaines de milliers et internés comme des prisonniers de guerre dans les camps de Saint-Cyprien, du Vernet, d'Argelès, de Gurs, etc. Il est vrai qu'à cette date le gouvernement français, qui s'est félicité de voir le *caudillo* proclamer à la veille de Munich sa neutralité dans une guerre européenne, a rétabli ses relations diplomatiques avec Madrid et envoyé le maréchal Pétain comme ambassadeur auprès de Franco. On prête au lieutenant-colonel Morel, attaché militaire français auprès du gouvernement républicain réfugié à Barcelone, cette boutade : «*Un roi de France ferait la guerre.*» Pas la France républicaine, engagée dans le processus qui allait la conduire à la démission de 1940.

Le bilan de la guerre civile espagnole est donc très lourd pour la France. Outre qu'elle a pendant près de trois ans nourri la guerre civile verbale à laquelle se livrent depuis le début de la décennie les factions extrémistes de droite et de gauche, elle a permis aux deux Etats totalitaires et bellicistes qui proclament l'inéluctabilité et l'affrontement armé avec les démocraties d'entraîner leurs unités d'élite et de tester des armements nouveaux et de nouvelles techniques militaires (en particulier l'emploi de l'aviation d'assaut en appui des offensives de blindés) qui feront la décision contre la Pologne en septembre 1939, puis contre la France en mai 1940. Elle a eu pour effet, après la déroute finale des républicains, d'installer au sud des Pyrénées un régime qui, sans être spécifiquement «fasciste» (il est essentiellement traditionaliste et réactionnaire), ne cache pas ses sympathies pour Rome et pour Berlin, et dont le chef tout-puissant va d'ailleurs signer un traité d'amitié avec l'Allemagne le 31 mars 1939.

Elle a surtout définitivement orienté la diplomatie fasciste vers une politique de prépondérance en Méditerranée et détourné Mussolini de ses anciennes visées danubiennes, ce qui ne peut avoir pour résultat que d'incliner le Duce à se rapprocher de l'Allemagne et à s'opposer de plus en plus ouvertement à la France et à la Grande-Bretagne. Celle-ci pourra bien, en janvier 1937, conclure avec l'Italie un «gentlemen's agreement» par lequel elle reconnaît la souveraineté de cet Etat sur l'Ethiopie et s'engage à n'entraver la circulation des navires ni en Méditerranée, ni dans le canal de Suez, en échange de quoi Rome promet de respecter le statu quo en Méditerranée (notamment à Malte et à Gibraltar) et à évacuer les Baléares après la fin de la guerre d'Espagne, rien n'empêchera désormais le maître de la «Troisième Rome» de lier son sort à celui du régime nazi. Après la reconnaissance par cette puissance de l'Ethiopie italienne, en juillet 1936, deux événements ont accéléré le cours du rapprochement entre les deux dictatures. Tout d'abord, la visite de Hans Frank à Rome en septembre de la même année. Rencontrant Ciano et Mussolini, ce ministre sans portefeuille du gouvernement nazi a jeté avec eux les bases d'un véritable partage de l'Europe, Hitler reconnaissant les aspirations hégémoniques de l'Italie en Méditerranée en échange du désengagement italien dans la zone danubienne. Ensuite, le voyage de Ciano à Berlin en octobre et sa rencontre avec le Führer. Il n'a pas été signé d'alliance formelle entre les deux pays, mais ceux-ci ont constaté l'identité de leurs vues sur la plupart des problèmes européens. Ce nouveau cours de la politique italienne, Mussolini l'a exposé dans un discours prononcé à Milan le 1er novembre 1936, définissant l'entente italo-allemande comme un «*axe*» autour duquel pouvaient «*s'unir tous les Etats européens animés d'une volonté de collaboration et de paix*».

La proclamation de l'«Axe Rome-Berlin» marque pour la France la ruine des tentatives qui avaient été faites depuis 1932 pour établir un *modus vivendi* avec l'Italie, puis pour empêcher cette puissance de lier son destin à celui de l'Allemagne nationale-socialiste. Prise entre les nécessités de la *Realpolitik*, les impératifs moraux que dictent à ses responsables diplomatiques le respect du droit international, l'antifascisme ou le philofascisme de principe de certains de ses dirigeants et le souci constant de la majorité d'entre eux de ne pas se démarquer du Royaume-Uni, la République n'a pas su opter pour une ligne claire et continue. Du coup, elle a perdu l'occasion d'arrimer solidement et durablement sa voisine du Sud-

Est au «front» anti-hitlérien qui s'était esquissé au moment de Stresa, et ceci sans parvenir pour autant à obtenir quoi que ce soit de tangible du côté de l'Angleterre, ou à empêcher que le droit international, le respect de la démocratie (en Espagne) et l'indépendance des peuples (en Ethiopie) ne soient foulés aux pieds par les dictateurs.

A la fin de 1937, les chances de voir l'Italie modifier sa politique à l'égard de la France et renoncer au mirage de l'alliance allemande sont devenues très faibles. Pendant toute l'année 1937, les échanges de visites se sont multipliés entre Rome et Berlin et, à l'automne, c'est le Duce lui-même qui se rend dans la capitale allemande. Il est absolument fasciné par la puissance industrielle du Reich, par l'ordre quasi militaire qui y règne, par les immenses parades qui sont organisées en son honneur et, le 28 septembre, au stade olympique où ont triomphé l'année précédente les athlètes allemands et italiens, il lance devant 800 000 personnes la fameuse formule: «*Quand le fascisme a un ami, il marche avec cet ami, jusqu'au bout.*» Six semaines plus tard, l'Italie donne son adhésion au pacte anti-Komintern qui unissait déjà l'Allemagne et le Japon. Les camps sont désormais constitués dans la perspective du grand affrontement qui s'annonce.

La France et le monde extérieur à la veille des crises de 1938-1939

Quelle est, au moment où elle va devoir faire face à de graves événements diplomatiques et militaires, la position internationale de la France dans le domaine matériel et psychologique? Que reste-t-il de son impérialisme économique et financier, déjà passablement érodé par la guerre, après la tourmente de la crise? Comment perçoit-elle son déclin, si déclin et si perception de celui-ci il y a? De quel œil sa population voit-elle le monde extérieur, les autres puissances, les peuples qui entourent l'Hexagone et dont nombre de représentants vivent à son contact? A ces questions, qui dessinent en pointillé certaines des «contraintes» avec lesquelles ont dû compter les responsables de la politique extérieure française, Jean-Baptiste Duroselle a donné des réponses circonstanciées et détaillées dans l'ouvrage qu'il a consacré à cette dernière et dans lequel il met en relief les causes profondes de sa «décadence» (*op. cit.*, chapitres VI et VII). Nous le suivons ici dans ses principales conclusions.

La première de ces contraintes est d'ordre monétaire. La France, nous l'avons vu, a été la dernière des grandes puissances industrielles à être touchée par la crise, et elle l'a été moins profondément que ses partenaires. Parmi les causes de cette résistance hexagonale aux effets de la «grande dépression», l'une des plus fréquemment évoquées par les gouvernements de l'époque, et par nombre d'experts, était la bonne santé du «franc-Poincaré». Lorsque la France fut frappée à son tour par la crise, dans le courant de l'année 1932, et surtout, après une brève reprise, à partir de l'été 1933, rares furent ceux qui prirent conscience des effets négatifs que comportait l'attachement excessif au dogme de la «monnaie forte». Là où les Britanniques, longtemps inconditionnels du maintien de l'étalon or, avaient choisi en septembre 1931 de traiter le mal par un remède extérieur — en l'occurrence la dévaluation de la livre —, imités en janvier 1934 par les Américains, les responsables politiques français n'ont vu d'autre thérapeutique possible que celle de la «déflation». On se rend bien compte que les prix français sont trop élevés, mais l'on ne conçoit pour les abaisser que des mesures intérieures sans réelle efficacité.

La première personnalité politique à avoir compris qu'il ne pourrait y avoir de reprise économique sans dévaluation fut Paul Reynaud, et encore sa conversion fut-elle relativement tardive. C'est en juin 1934 que, dans un discours prononcé à la Chambre, il stigmatisa l'absurdité de la politique des pays du «bloc-or» (France, Suisse, Belgique, Pays-Bas, Italie) en regard des 35 Etats qui avaient choisi de dévaluer pour relancer leur commerce extérieur et leur production. La réaction fut à peu près unanime, des experts financiers aux gourous de la science économique, des représentants de la classe politique à ceux du grand patronat (les C.-J. Gignoux, Fougère, Citroën, Peyerimhoff, Lambert-Ribot, etc.), des dirigeants des chambres de commerce au conseil de régence de la Banque de France, de *L'Action française* au *Figaro* et au *Temps*, pour condamner le «*dévaluateur*», considéré comme un «*esprit faux*», un «*défaitiste*», voire comme un agent de l'étranger.

Il faudra attendre le milieu de 1935 pour que, face au bloc des irréductibles qui, avec l'appui de la majorité des milieux d'affaires, soutiennent Laval et sa politique de déflation renforcée, les idées de Paul Reynaud trouvent un écho auprès d'hommes politiques comme Léon Blum et Marcel Déat, de Raymond Patenôtre, homme d'affaires et homme de presse au demeurant très proche de Laval, et de quelques hauts fonctionnaires : Wilfrid Baumgartner, directeur du Mouvement général des fonds, Emmanuel Mönick, attaché financier à Londres et observateur averti de la dévaluation anglaise, et Jacques Rueff. Sans réussir toutefois à entamer les positions hégémoniques des défenseurs du «bloc-or». Ni le constat de la disparité entre les prix français et les prix britanniques (les premiers étant supérieurs de plus de 20 % aux seconds en août 1935), ni l'exemple de la Belgique, dont le nouveau gouvernement, dirigé par Paul Van Zeeland, va dévaluer en mars de la même année, ne modifieront le cap fixé par l'équipe au pouvoir.

C'est au gouvernement Blum que devait échoir la responsabilité de procéder à une première dévaluation du franc. La loi du 1er octobre 1936 mettait fin au «franc-Poincaré» et, nous l'avons vu, donnait de l'unité monétaire française une nouvelle définition, comprise entre 49 et 43 milligrammes d'or (au lieu de 65 mg). Opérée à chaud, ce que Paul Reynaud avait toujours déconseillé, la dévaluation arrivait sans doute trop tard pour relancer durablement l'économie française. Elle ne lui en a pas moins donné un coup de fouet qui a permis à la production industrielle de croître de 12 points au cours du dernier trimestre 1936. La situation s'est ensuite dégradée, conséquence de l'application brutale de la loi des 40 heures, du déficit de la balance des paiements, de la reprise de l'inflation et des sorties de capitaux. Les deux nouvelles dévaluations de juin 1937 et mai 1938, qui amputent l'une et l'autre le franc de 35 % de sa valeur, n'entraîneront que des reprises partielles et de courte durée. «*Ce n'est plus,* écrit Alfred Sauvy, *le remède spécifique vivifiant, mais la piqûre stimulante qui procure quelque temps une vigueur artificielle*» (*Histoire économique de la France entre les deux guerres*, Paris, Fayard, 4 vol. II, p. 264). Administré à doses répétées pour faire tomber la fièvre et non pour combattre les racines profondes du mal, le «remède» devait à la longue révéler son inefficacité et desservir auprès de ses partenaires l'image de la France. «*L'effritement continu et progressif du franc* — peut-on lire en janvier dans le *Financial Times — est interprété à l'étranger comme l'indice d'un déclin de plus en plus marqué de la puissance française.*»

La question des échanges commerciaux et des balances extérieures ayant déjà été évoquée dans ce livre (cf. chapitre I), nous n'y reviendrons que pour en souligner les implications sur la politique étrangère de la France. Rappelons seulement que, de 1931 à 1937, on assiste à la fois à une rétraction globale du commerce extérieur de notre pays et à la persistance d'un déficit qui a tendance à se creuser en fin de période, le recul des revenus invisibles entraînant en même temps celui de la balance des paiements courants. Ceci apparaît clairement dans les deux tableaux ci-dessous :

Commerce général
(réexportations comprises) *

Années	*Importations*	*Exportations*	*Total*	*Déficit*
1931	42 601	30 878	73 479	11 723
1932	30 235	20 035	50 270	10 200
1933	28 794	18 776	47 570	10 018
1934	23 397	18 126	41 523	5 271
1935	21 075	15 732	36 807	5 343
1936	25 788	15 745	41 533	10 043
1937	43 961	24 490	68 451	19 471
1938	46 336	31 210	77 546	15 126
1939**	32 539	23 832	56 371	8 707

* Valeur en millions de francs-Poincaré.
** Pour les 9 premiers mois de l'année.

Balance des paiements courants
(en millions de francs-Poincaré)

1931	– 3 012	1935	– 700
1932	– 4 815	1936	– 2 803
1933	– 2 950	1937	– 3 995
1934	– 1 250	1938	– 120

Les médiocres résultats obtenus par le commerce extérieur français ne datent pas des années 30. Ils étaient déjà perceptibles avant 1914 et traduisent, de manière récurrente, l'esprit protectionniste et malthusien des habitants de l'Hexagone. La crise n'y changera rien, bien au contraire, et il est significatif que les seuls échanges qui se soient maintenus pendant la période sont ceux que la métropole entretenait avec ses colonies. A la différence de leurs homologues allemands, britanniques et américains, les responsables de la politique étrangère française se soucient en général assez peu des échanges internationaux qui, pour eux, relèvent quasi exclusivement des initiatives privées. L'idée qu'il peut y avoir un rapport étroit entre la prospérité du commerce extérieur et la puissance est rarement exprimée, du moins jusqu'à l'automne 1938. Après Munich, il semble bien en effet que l'on ait pris conscience du lien existant entre ces deux phénomènes, ne serait-ce que par référence aux positions conquises par l'Allemagne en Europe centrale sur les deux terrains du commerce et de l'influence politique. Trop tard pour que les timides initiatives effectuées à partir de cette date puissent modifier de manière significative le rapport des forces dans cette région.

Si le déficit de la balance commerciale cesse dans l'entre-deux-guerres d'être compensé par l'apport des «invisibles», c'est dans une large mesure parce que les revenus des capitaux placés à l'étranger ont fortement chuté, passant de 1,1 milliard de francs-or en 1929 à 410 millions en 1938, contre 1 775 millions en 1913, correspondant à une masse investie hors de l'Hexagone de 45 milliards de francs-or (dont 4 dans les colonies).

Cette chute traduit la forte rétraction du portefeuille français de valeurs étrangères provoquée par la guerre et par ses séquelles immédiates. Sur ce point nous ne disposons pas de chiffres précis mais d'évaluations qui diffèrent beaucoup d'un auteur à l'autre, tout comme celles qui ont trait aux investissements des années 1920 à 1930. Sans entrer dans le détail, disons que les pertes subies par les porteurs français se situeraient dans une fourchette comprise entre 40 % du stock de 1914 (selon les travaux des Américains Moulton et Lewis) et 65 % d'après Colson. René Girault retient pour sa part un pourcentage intermédiaire de 58 % qui correspond à une perte de 26,5 milliards et qui est sans doute assez proche de la réalité (in *Histoire économique et sociale de la France*, sous la direction de F. Braudel et E. Labrousse, tome IV, vol. 2). Les porteurs français conserveraient donc 19 milliards de francs-or au lendemain de la guerre.

Après 1920, les investissements à l'étranger vont reprendre sans que l'on puisse, répétons-le, en fixer très précisément le montant. Là aussi la fourchette est très large, entre les 40 milliards de francs-or en 1940 avancés par Jacques Marseille, qui a établi ses calculs à partir de l'enquête effectuée en 1943 par le gouvernement de Vichy (cf. *Revue historique*, oct.-déc. 1974, pp. 409-432), et les 13,3 milliards de francs-or en 1933 selon l'historienne tchécoslovaque Alice Teichova (*An Economic Background to Munich*, Cambridge, 1974). Ce qui est probable, c'est que le portefeuille de valeurs étrangères demeure en fin de période inférieur de plus de 50 % à ce qu'il était en 1914. Sur la base des estimations faites par René Girault pour 1939, il ne représenterait plus que 16 % du portefeuille britannique (47 % en 1914) et 7 % de l'ensemble des investissements extérieurs dans le monde (19,7 % en 1914).

Si l'on regarde dans quelles directions se sont effectués les placements, on constate qu'ils se concentrent dans deux secteurs principaux : l'Empire qui, selon Jacques Marseille, draine désormais environ 45 % des sommes investies, et l'Europe centrale et balkanique. Jusqu'au milieu des années 30, les capitalistes ont profité dans cette dernière zone de l'effacement de leurs concurrents allemands et de la disparition de l'Empire austro-hongrois. La pénétration s'est opérée principalement pour des mobiles d'ordre économique. Elle a certes favorisé le développement de l'influence française dans les pays bénéficiaires des traités et qui constituent le système d'alliances de revers mis en place par la France au cours de la décennie 1920. Mais cela ne suffit pas à fonder dans la région un authentique impérialisme économico-politique reliant les intérêts privés aux choix de la politique étrangère hexagonale. La concurrence des investissements britanniques et le souci qu'ont les Etats est-européens de préserver leur indépendance font obstacle à tout projet en ce sens.

Simple support économique de l'influence diplomatique exercée par Paris sur les pays «satisfaits», les investissements français sont surtout importants en Pologne — où la France a conservé une bonne partie des positions qu'elle détenait avant la guerre, lorsque ce pays faisait partie de l'Empire des tsars — et en Tchécoslovaquie. En Pologne, on évalue à 15 milliards de francs courants les sommes investies en 1938 dans les secteurs bancaire et industriel. A cette date, les entreprises françaises produisent 6,5 millions de tonnes de houille, 400 000 tonnes d'acier, 75 000 tonnes de zinc, 15 000 tonnes de fils peignés, etc. Elles sont présentes dans les mines et les aciéries de Haute-Silésie, dans les régions pétrolifères de Boryslav et de Polanka, dans les industries électriques et chimiques, dans la production de matériel de guerre, au demeurant financée en partie par des prêts de l'Etat français (2 milliards de francs au titre de l'accord de Rambouillet, signé en septembre 1936). En Tchécoslovaquie, les capitaux français ne viennent qu'en seconde position après ceux de la Grande-Bretagne, mais ils sont concentrés dans les deux secteurs clés de la banque et de l'industrie mécanique. Le groupe Schneider-Le Creusot s'est en effet constitué un formidable bastion en faisant l'acquisition au lendemain de la guerre de 73 % du capital des usines d'armement Skoda. Cette part a été réduite à 47 %

en 1937, à la suite d'une augmentation de capital, mais elle reste considérable. D'autant plus qu'il s'y ajoute une participation importante dans la Compagnie minière et métallurgique et dans les mines et aciéries de la région de Teschen : le tout étant géré par un holding associant Schneider à la banque de l'Union parisienne, l'Union européenne industrielle et financière, laquelle finance des opérations en Tchécoslovaquie, en Pologne et en Autriche.

La France détient également des avoirs considérables en Yougoslavie, où le capital français, investi principalement dans les mines, vient en première position, et en Roumanie. Dans ce dernier pays, il est surtout représenté dans la banque (Paribas, BUP), dans la métallurgie, les industries d'armement, le textile et le pétrole (Omnium français des pétroles et groupe Desmarais). La France contrôle d'autre part plus du quart de la dette extérieure roumaine en 1937.

Après Munich s'amorce un mouvement général de repli des investissements français. Schneider vend ses actions de Skoda. L'Union parisienne cède sa filiale viennoise à la Dresdner Bank. La courbe du désinvestissement suit celle du désengagement commercial dans la région, et bien sûr celle du repliement politique, l'Allemagne substituant dans tous les domaines son influence à celle de sa principale rivale continentale.

Si l'implantation du capital français est faible au Moyen-Orient et en recul spectaculaire en Amérique latine (1,45 milliard de francs-or en 1939, soit 20 % des placements de 1914), elle connaît au contraire un développement sans précédent dans les territoires d'outre-mer. Là encore, les évaluations faites par les historiens économistes sont loin d'être concordantes. Jacques Marseille parle de 10 à 15 milliards de francs-or investis dans l'Empire en 1939, soit entre 40 et 50 % de l'investissement extérieur total, et les évaluations qu'il propose pour

1940 font état de chiffres encore plus élevés. Maurice Lévy-Leboyer estime que sur 190 milliards de francs courants placés hors de l'Hexagone à la veille de la guerre, 48 % sont investis aux colonies (*La Position internationale de la France, aspects économiques et financiers*, Paris, EHESS, 1977). Alice Teichova évoque, en valeur absolue, un montant plus modeste, mais, dans tous les cas, on tourne autour d'une proportion de 40 à 50 % par rapport à l'ensemble des placements extérieurs.

Il y a donc eu durant l'entre-deux-guerres, et plus particulièrement dans le courant de la décennie 1930, un formidable transfert des placements français en faveur de l'investissement colonial, dont les principaux bénéficiaires ont été l'Indochine (1,2 milliard de francs-or au début des années 30) et le Maroc (4,5 milliards à la même date). Il s'est accompagné d'un accroissement en valeur relative de la part de l'Empire dans le commerce extérieur de la France : conséquence de la crise, de la rétraction des échanges internationaux et des mesures protectionnistes adoptées par les différents Etats.

Part de l'Empire dans le commerce extérieur français
(en pourcentage du total)

Années	*Importations*	*Exportations*
1913	9,4 %	13,0 %
1928	12,7 %	17,3 %
1938	26,9 %	27,2 %

Source : M. Tacel, *La France et le monde au XXe siècle*, Paris, Masson, 1989, p. 132.

La crise tend à renforcer le poids économique des territoires d'outre-mer au moment où, avec la détérioration du climat international et la montée en puissance de l'Allemagne, croît aux yeux de l'opinion l'importance du rôle politique et stratégique de l'Empire. Le succès de l'Exposition coloniale de 1931 — 7 millions de visiteurs en six mois — témoigne de cet engouement qui coïncide avec une inquiétude croissante quant à la possibilité pour la France d'assurer seule sa sécurité. Dès 1931, Tardieu développe le thème du «salut par l'Empire». Il est largement mythique si l'on se réfère aux résultats enregistrés par le commerce d'outre-mer durant les années de la grande dépression. En effet, s'il est vrai que les échanges avec les colonies ont augmenté en valeur relative dans des proportions considérables, il est loin d'en être de même en valeur absolue, et surtout, dans le couple que forment la métropole et ses possessions extra-européennes, il semble bien que les grandes bénéficiaires en aient été les secondes. Les exportations de la France vers les colonies sont en 1938 de 35 % inférieures à celles de 1929, tandis que les exportations d'outre-mer vers l'Hexagone augmentent de 30 % pendant la même période. Autrement dit, l'«autre France» tend commercialement à devenir un fardeau plutôt qu'un débouché permettant à la production métropolitaine de pallier les effets de la rétraction des échanges internationaux.

Rares sont cependant les Français, y compris dans les milieux économiques, qui ont une conscience claire de ces réalités. Forgée par soixante années de culture scolaire exaltant l'épopée coloniale française et la grandeur de l'Empire, nourrie par l'action de propagande des comités et des ligues coloniales (38 à Paris en 1929), par les innombrables enquêtes et reportages parus dans la grande presse, par le discours triomphaliste des organes coloniaux (71 à Paris et 5 en province en 1930), l'opinion hexagonale est majoritairement persuadée que les colonies concourent d'une manière décisive à la puissance de la mère patrie. Elles constituent pour celle-ci un facteur de force en lui fournissant des soldats, des bases, des matières premières stratégiques, des débouchés pour ses jeunes, voire un espace de repli dans le cas d'une guerre à l'issue malheureuse. Pour la plus grande partie des personnes interrogées par les premiers enquêteurs de l'IFOP, en 1938 et 1939, elles *sont* la France et, à l'exception d'une poignée de «renonciateurs» (Jean Piot, Adrien Marquet, Anatole de Monzie, Pierre-Etienne Flandin), on se refuse à envisager de restituer à l'Allemagne ses colonies (67 % de non contre 28 % de oui et 2 % de sans avis en décembre 1938) et plus encore de satisfaire les revendications italiennes sur la Tunisie et Djibouti (89 % de non, 6 % de oui, 5 % qui «*ne savent pas*» en février 1939). Il est vrai qu'à la question : «*Etes-vous décidés à vous battre plutôt que de céder la moindre partie de nos possessions coloniales?*», 40 % seulement des personnes interrogées répondent par l'affirmative, contre 44 % qui disent non et 16 % qui «*ne savent pas*».

On conçoit que, dans ces conditions, les formes d'opposition à la présence coloniale française dans les territoires d'outre-mer trouvent peu d'écho, lorsqu'elles sont connues — et elles sont très mal connues sauf lorsqu'elles dégénèrent en révolte et en guerre ouverte, comme dans le djebel Druze au Liban — de la population métropolitaine. Pourtant, les années 30 voient se développer en Afrique du Nord et en Indochine des mouvements d'émancipation qui avaient commencé à se manifester au cours de la décennie précédente : le Néo-Destour d'Habib Bourguiba en Tunisie, l'Association des *Oulémas*, fondée en 1931, et l'Etoile nord-africaine de Messali Hadj, qui se transformera en 1937 en Parti populaire algérien, le Comité d'Action marocaine d'Allal el-Fassi, le Parti national vietnamien (VNQDD) et le parti communiste indochinois, fondé à Hong Kong en 1930 par Nguyên Ai Quôc (le futur Hô Chi Minh).

A côté de ces organisations qui militent en faveur de l'indépendance de leur pays et sont l'expression d'un véritable nationalisme indigène, nombreux sont ceux qui, dans les territoires dominés par la France, réclament seulement une autonomie plus grande ou l'intégration progressive des indigènes dans le corps électoral français. Tel est le cas notamment de la Ligue pour l'Accession des Indigènes aux Droits du Citoyen français à Madagascar, et surtout celui de la Fédération des élus musulmans dont les membres, rassemblés autour du Dr Ben Djelloul et de Farhât Abbas, pharmacien à Sétif, répudient l'idée de «nation algérienne» et revendiquent une citoyenneté française à part entière. Jusqu'au gouvernement Blum, qui ébauchera en 1936 une timide politique de libéralisation dans les territoires d'outre-mer, le gouvernement français et l'immense majorité des colons restent sourds à ces revendications, réprimant les manifestations les plus virulentes du nationalisme indigène (en Indochine en 1930, en Algérie avec les mesures d'exception adoptées en 1935), ignorant les plus modérées et provoquant par réaction leur radicalisation. Pour beaucoup de Français des années 30, l'image de la «plus grande France» nourrit une illusion de puissance qui sert de palliatif au sentiment diffus de la décadence. Le réveil n'en sera que plus douloureux.

Le rapport qu'entretiennent les habitants de l'Hexagone avec le monde extérieur passe enfin par les déplacements de populations et par les contacts qu'ils suscitent. Dans le sens France-reste du monde, ils ne concernent en dehors des circonstances exceptionnelles (guerre, occupation, captivité, expéditions «coloniales») qu'une minorité de personnes: quelques dizaines de milliers de marins et de pêcheurs, pour de brèves escales en terre étrangère, quelques milliers de fonctionnaires, de missionnaires et de religieuses, très peu d'agents commerciaux et de techniciens, de très faibles contingents d'enseignants et d'étudiants, enfin, en dépit des progrès enregistrés depuis le début du siècle par les «voyages organisés» (notamment pour le pèlerinage à Rome, alors en plein déclin, tout comme la pratique du «voyage de noces» en Italie), les minces légions de touristes qui, pour la plupart, appartiennent aux diverses couches de la bourgeoisie. Il en résulte une méconnaissance du monde extérieur, que ne compense pas l'intérêt manifesté dans certaines catégories sociales (principalement les classes moyennes) pour les grands reportages de presse et pour les «documentaires» cinématographiques portant sur tel ou tel pays étranger, et une prolifération des stéréotypes qui alimentent la xénophobie latente de la population.

En sens inverse, les besoins de la France en main-d'œuvre industrielle et agricole et les effets de la chasse aux adversaires de la dictature, en Italie d'abord pendant les années 20, puis en Allemagne et en Espagne au cours de la décennie suivante, ont fortement gonflé depuis la guerre les flux de l'immigration étrangère. Nous avons vu dans le volume précédent [1] que celle-ci avait atteint son amplitude maxima au début des années 30, avec un effectif de près de 2 900 000 personnes recensées en 1931, soit, si l'on s'en tient à ce chiffre officiel sans doute un peu inférieur à la réalité, plus de 7 % de la population totale de la France.

La crise économique a eu tôt fait de réduire les flux, faisant tomber le nombre annuel moyen des entrées à un peu plus de 17 000 par an, au lieu de 123 000 au cours de la décennie précédente. Dans l'autre sens, les renvois et les «rapatriements» s'accélèrent, si bien que, lors du dénombrement de 1936, on ne recense plus que 2 413 000 étrangers, soit 5,9 % de la population. Il est vrai que dans l'intervalle, le nombre des naturalisés a fortement augmenté, passant de 361 000 en 1931 à 517 000 cinq ans plus tard, mais ceci n'explique que partiellement le phé-

---

[1] Cf. S. Berstein & P. Milza, *Histoire de la France au XXe siècle*, tome I, *1900-1930*, Paris, Perrin, coll. tempus, 2009, pp. 392 sq.

nomène. Dans certaines régions d'immigration récente, celui-ci est particulièrement spectaculaire : par exemple dans les houillères du Nord et du Pas-de-Calais où le nombre des étrangers recule de 24 % entre 1930 et 1933, et en Lorraine où l'on compte 75 000 manœuvres de moins en cinq ans, dont 23 000 Italiens. L'arrivée massive de réfugiés juifs venus d'Allemagne après l'adoption des lois de Nuremberg, puis des pays annexés par le Reich, ainsi que celle des républicains espagnols (environ 500 000 dont 325 000 seront encore présents dans l'Hexagone au moment de la déclaration de guerre) vont faire remonter très sensiblement l'effectif de la population étrangère après 1936, sans que l'on puisse la chiffrer de manière précise, faute de documents statistiques.

Globalement, la répartition par nationalités (si l'on excepte les Espagnols à la fin de la période) et la répartition géographique des colonies étrangères changent un peu au cours de la décennie qui précède la guerre, de même que la nature de ces colonies analysée en termes de catégories socioprofessionnelles. Ce sont majoritairement, même parmi les migrants politiques, des ouvriers et des manœuvres qui en constituent les gros bataillons. Ce qui change en revanche, et de manière parfois radicale, ce sont les rapports entre les étrangers et les populations du cru, conséquence directe de la crise et des tensions qui en résultent sur le marché du travail, qu'il s'agisse des emplois non qualifiés de l'industrie ou de ceux du secteur tertiaire (par exemple l'hôtellerie et la restauration), voire de certaines professions libérales (avocats, médecins, dentistes), dont les organisations professionnelles réclament à grands cris que des mesures soient prises contre «*la marée qui vient de l'Est*» (*L'Echo de Paris*, avril 1934).

La France se voit ainsi touchée, dès le début des années 30, par une vague de xénophobie qui affecte toutes les catégories sociales et toutes les familles politiques. La gauche résiste un peu plus longtemps que la droite, du moins si l'on ne considère que les états-majors et les militants les plus conscients des organisations qui la composent. Elle ne peut guère cependant prendre à rebrousse-poil une opinion populaire qui — rejeu d'un phénomène qui avait caractérisé les deux dernières décennies du XIXe siècle — impute aux étrangers la responsabilité des malheurs du temps : chômage, crise du logement, aggravation de la délinquance, introduction et diffusion de maladies nouvelles, etc., et qui fait grief à nombre d'entre eux — en particulier aux Polonais — de refuser l'assimilation. Mêlant revendications économiques et fièvre chauvine, la base ouvrière exige des gouvernements en place qu'ils réservent aux «nationaux» le travail «national», et sa requête n'est pas sans écho. On voit ainsi des hommes comme Herriot ou comme Pierre Mendès France réclamer un contingentement de la main-d'œuvre étrangère, tandis que la CGT considère que «le principe de fraternité ouvrière doit fléchir au profit des travailleurs nationaux» et que le socialiste Fernand Laurent déclare à la Chambre en novembre 1934 : «*Paradoxe irritant en France, à l'heure actuelle : 500 000 chômeurs et deux millions d'ouvriers étrangers*» (cf. sur cette question R. Schor, *L'opinion française et les étrangers, 1919-1939*, Paris, Publications de la Sorbonne, 1985, et O. Milza, *Les Français devant l'immigration*, Bruxelles, Complexe, 1988).

Si une bonne partie des catholiques, pour des raisons qui tiennent à leur engagement religieux, et une fraction tout aussi importante du patronat, pour des mobiles directement reliés à la pénurie persistante de main-d'œuvre dans certains secteurs (les chômeurs ne prenant pas automatiquement les postes de travail laissés vacants par les «rapatriés»), se rangent en général dans le camp de ceux qui pensent que l'immigration est un mal nécessaire et qu'il faut favoriser l'assimilation des étrangers, la droite dans son ensemble, et son aile extrémiste et ultra-nationaliste en particulier, se livrent à tous les niveaux et par tous les moyens (débats parlementaires, discours de presse, ouvrages de toute nature consacrés à la question, etc.) à la plus délirante des campagnes xénophobes. De *L'Echo de Paris* à *L'Ami du Peuple*, du *Figaro* à *L'Action française*, de *Gringoire* à *La Liberté*, on fustige les «envahisseurs» et les «métèques», «poids mort» pour l'économie française et menace pour la cohésion et pour la sécurité intérieure et extérieure de la France. Le ton est parfois tellement violent, les éléments qui constituent les divers stéréotypes nationaux connotés avec une agressivité telle, les différences avec le «modèle» hexagonal soulignées de manière si insistante, que l'on peut sans exagération qualifier de «raciste» une partie importante de ces écrits. Les Juifs en sont les cibles principales. L'antisémitisme, qui avait connu un net recul depuis la guerre, se trouve en effet réactivé par l'arrivée massive de réfugiés venus d'Allemagne et d'Europe centrale, et prend l'allure, dans certains secteurs de l'opinion, d'une véritable hystérie collective. Sans doute, si l'on s'en tient aux années 30, la violence xénophobe est-elle plus verbale qu'elle ne l'était à la fin du siècle précédent, lors des «collisions» de Marseille (en 1881) ou d'Aigues-Mortes (en 1893) : elle n'en est pas moins porteuse de haines et d'une volonté d'exclusion qui vont avoir tout loisir pour s'exprimer après le 10 juillet 1940. Elle ne se limite d'ailleurs pas toujours aux dérapages du verbe, y compris à l'égard des travailleurs étrangers qui sont jugés les plus proches et les plus aisément assimilables. En mai et juin 1931, des heurts ont lieu dans le Nord entre travailleurs autochtones (qui manifestent en reprenant à leur compte le vieux slogan de l'extrême droite : «*La France aux Français!*») et ouvriers belges. A Roubaix, des travailleurs étrangers sont poursuivis, lapidés, frappés à coups de gourdin, jetés dans le canal.

En attendant les mesures discriminatoires qui seront adoptées par Vichy, les pouvoirs publics, qui s'étaient montrés plutôt favorables à l'immigration pendant les années de la prospérité, s'engagent dès le début de la crise dans une politique de restriction des flux et de protection du travail national. Les contrôles aux frontières sont renforcés. Les expulsions se multiplient, parfois pour des motifs bénins. Les étrangers sont encouragés à regagner leur pays d'origine. Adoptée sans la moindre opposition, la loi du 10 août 1932 prévoit un contingentement souple de la main-d'œuvre étrangère. Elle est d'abord appliquée avec un relatif laxisme mais, entre l'automne 1934 et le printemps 1936, 553 décrets vont en étendre l'application à de très larges secteurs de l'activité économique. En février 1935, un décret ministériel inspiré par Edouard Herriot subordonne la délivrance d'une carte d'identité à l'obtention d'un contrat de travail, limite la possibilité des regroupements familiaux et restreint la liberté de circulation des étrangers. Une loi votée en 1933 et aggravée deux ans plus tard impose la naturalisation et la possession de diplômes français pour les médecins.

L'avènement, au printemps 1936, du premier gouvernement Léon Blum ne change pas grand-chose aux textes en vigueur. Mais ceux-ci sont appliqués de façon beaucoup moins rigoureuse. Les expulsions se raréfient. Les contrôles se font moins sourcilleux. La délivrance des papiers et les regroupements familiaux sont facilités. Les ouvriers étrangers participent d'ailleurs avec enthousiasme au puissant mouvement revendicatif de juin 1936 et font une entrée massive dans les syndicats. Pour eux, comme pour les travailleurs français, le Front populaire constitue donc une «embellie» entre deux périodes de difficultés et de morosité. Dès la fin de 1937 cependant, les choses se gâtent. L'alourdissement du climat international et le trouble provoqué dans l'opinion par une série d'attentats commis par des allogènes redonnent vie au vieux fantasme de la conspiration de l'étranger. Sont accusés pêle-mêle de comploter contre la nation française et de faire le lit de la révolution et de la guerre, les Juifs, les Allemands, les antifascistes italiens, les réfugiés espagnols, tous les exilés d'Europe centrale et orientale considérés — avec les «Nègres» et les Nord-Africains — comme la «lie de la terre» par nombre de chroniqueurs de la droite nationaliste et ultra-conservatrice. Sans en partager tous les débordements, l'opinion publique suit majoritairement la pente et avec elle les détenteurs du pouvoir. En mai et novembre 1938, une série de décrets durcit les conditions de résidence et d'obtention des papiers pour les étrangers, enlève le droit de vote aux naturalisés les plus récents et crée des camps d'internement pour les récalcitrants. Les expulsions se multiplient tandis que la psychose de l'«ennemi intérieur» nourrit les rumeurs les plus folles et finit par susciter des incidents entre populations immigrées et autochtones : dans le Midi à l'encontre de commerçants italiens, à Biarritz où des Vénézuéliens censés avoir arboré des insignes nazis sont molestés, en Alsace où l'on accuse les Juifs de pousser à la guerre, etc. Des syndicalistes, des militants et des intellectuels de gauche, des écrivains catholiques et des membres de la hiérarchie comme Mgr Maurin et Mgr Verdier, protestent contre les mesures discriminatoires adoptées par le gouvernement Daladier et tentent de calmer les esprits, à contre-courant d'un sentiment public majoritaire qui, à l'approche de la guerre, perd toute mesure dans son appréciation du «péril étranger».

Tout ce que nous savons de l'histoire de l'immigration étrangère en France, à travers les travaux de Gérard Noiriel, d'Yves Lequin, d'Emile Témime, de Janine Ponty, de Pierre Milza, etc., indique que cette illusion coïncide avec une période de forte assimilation des éléments allogènes, marquée par l'échec des «écoles italiennes», par le recul du particularisme religieux polonais et transalpin, par la force d'attraction d'un modèle culturel et idéologique véhiculé par l'école républicaine et dont l'influence s'étend de la génération scolarisée en France à celles des parents et des grands-parents (voir ce qu'en dit Cavanna dans *Les Ritals*), et aussi par l'intégration des migrants dans les organisations politiques et syndicales, à commencer par la CGTU (celle-ci compte déjà 17 000 militants étrangers, dont 12 000 Italiens et 2 500 Polonais en 1930), la CGT réunifiée en 1935 (100 000 mineurs polonais au moins la rejoignent l'année suivante) et le parti communiste.

Il reste que la présence en France de fortes colonies de migrants politisés, qu'il s'agisse d'exilés politiques ou d'éléments convertis par ces derniers aux nécessités de l'action militante, constitue une donnée dont la pesée s'exerce à la fois sur l'idée que se font les populations autochtones de l'étranger et du «danger» dont il est censé être porteur, et sur les rapports que le pays d'accueil entretient avec ses voisins. La radicalisation de l'émigration antifasciste italienne dans les années 30, l'action qu'elle mène auprès des immigrés du travail pour les gagner à sa cause et pour contrer la propagande mussolinienne (via les *fasci* implantés en France et les organisations reliées à ces derniers ou dépendant des consulats), le rôle qu'elle a joué pendant la guerre d'Espagne pour constituer, en France, des organisations combattantes dont le mot d'ordre, lancé par Carlo Rosselli, était «*aujourd'hui en Espagne, demain en Italie*», tout cela a pesé dans les relations entre les deux nations latines, de même qu'ont pesé les initiatives fascistes visant à noyauter les colonies transalpines et à sponsoriser les attentats de la Cagoule. Il en est de même, quoique à un degré moindre, car il s'agit d'une émigration dont les effectifs sont beaucoup plus réduits et qui ne dispose pas comme le «fuoruscitisme» italien d'une base de masse implantée de longue date, de l'émigration politique antinazie. Formant une élite intellectuelle ayant peu de contact avec les masses, elle a surtout concouru à renforcer auprès des écrivains et des hommes politiques français (un Giraudoux, un Barbusse, un Blum, un Paul-Boncour) le sentiment d'hostilité à la dictature hitlérienne. Pas plus que l'émigration politique italienne, elle n'est, comme l'affirment la presse de droite et les dirigeants fascistes et nazis, à l'origine d'une campagne «belliciste» contre le fascisme. Les gouvernements modérés de 1934-1935, et surtout celui de Daladier à partir d'avril 1938, ont d'ailleurs veillé de près à ce que les exilés observent une totale réserve.

Les dérobades de 1938

L'année 1937 est marquée par un apaisement relatif du climat international. C'est pourtant le moment où Hitler prépare l'exécution de ses grands desseins conquérants. Le 5 novembre, il annonce à ses plus proches collaborateurs que le temps est venu de réunir au Reich les communautés allemandes d'Europe centrale et orientale et de créer la «Grande Allemagne», prélude à la conquête du *Lebensraum* et à la réalisation d'une hégémonie continentale opérée au bénéfice de la «race des seigneurs». Puis, il remplace à la tête de l'*Auswärtiges Amt* (les Affaires étrangères) von Neurath par le docile Ribbentrop et, après avoir éliminé le ministre de la Guerre, von Blomberg, et le chef d'état-major, von Fritsch, jugés trop timorés et trop imbus des principes monarchistes et réactionnaires qui sont ceux de leur caste, il prend lui-même le commandement de la Wehrmacht avec, sous ses ordres, le général Keitel, simple exécutant. Si l'on veut bien se souvenir que Funk remplace le Dr Schacht au ministère de l'Economie, préalablement réorganisé par

Goering, on perçoit que, dès le début de 1938, les instruments de la politique hitlérienne d'agression sont en place.

L'Autriche est la première à en expérimenter l'efficacité. Depuis l'échec du putsch de juillet 1934, l'idée d'*Anschluss* a gagné du terrain dans les deux pays germanophones et Hitler est bien décidé à exploiter une situation qui lui est devenue favorable. Le rapprochement avec l'Italie et le véritable partage d'influence sur lequel les deux dictateurs se sont mis d'accord font que le Führer n'a plus grand-chose à craindre du côte du Brenner. En France, où la majorité de «Front populaire» ne cesse de s'éroder depuis la chute du premier cabinet Blum, le second gouvernement Chautemps, faible et sans le moindre prestige, paraît bien incapable de prendre la moindre décision. Seul Yvon Delbos, ministre des Affaires étrangères, songe un instant, à la mi-février, à susciter de concert avec Londres une intervention diplomatique énergique contre toute action «*tendant à mettre en cause le statu quo territorial de l'Europe centrale*». Mais sa présence au Quai d'Orsay paraît bien précaire — Chautemps démissionnera le 10 mars —, et surtout le gouvernement britannique fait la sourde oreille. Eden, l'un des rares membres du cabinet à préconiser une politique de fermeté envers les Etats de l'Axe, doit, au moment où va s'engager l'épreuve de force contre Vienne, céder la place à lord Halifax, l'un des quatre ténors de l'*appeasement* avec Chamberlain, Samuel Hoare et John Simon. Qui pourrait dans ces conditions s'opposer à l'*Anschluss*?

On sait que l'opération a été rondement menée par l'Allemagne et n'a donné lieu à aucune résistance de la part des Autrichiens. Après avoir convoqué dans la résidence de Berchtesgaden le chancelier Schuschnigg, et avoir obtenu de lui, sous la menace d'une intervention armée, la désignation comme ministre de l'Intérieur du nazi Seyss-Inquart, Hitler a entamé des préparatifs visant à la fois à déstabiliser de l'intérieur le régime de Vienne et à profiter des troubles ainsi suscités par les nazis pour envahir l'Autriche. Pour déjouer ses plans et prendre les Allemands de vitesse, Schuschnigg a tenté d'organiser un référendum sur l'indépendance de son pays, de manière à démontrer que celui-ci était majoritairement hostile à l'*Anschluss*. C'est pour éviter qu'ait lieu cette consultation, qui avait été fixée au 13 mars et dont il redoutait le résultat, que le Führer a décidé de prendre les devants et de lancer ses troupes sur le petit Etat danubien. Auparavant il a obtenu, sous la pression conjuguée de Goering et des nazis autrichiens, que Schuschnigg renonce au référendum, puis qu'il démissionne et soit remplacé par Seyss-Inquart, et pour donner à son action un semblant de légitimité il a fait fabriquer par ses services un télégramme signé du nouveau chancelier et demandant «*l'aide du Führer*».

Les 12 et 13 mars, les armées hitlériennes ont envahi l'Autriche sans rencontrer de résistance, et aussitôt a été proclamée la création de l'*Ostmark* comme partie intégrante du Reich. Un mois plus tard, il y aura 99,7 % de oui pour approuver l'annexion de l'Autriche et, lorsque le Führer se rendra dans sa patrie d'origine — où des pogroms contre les Juifs ont éclaté avant même l'arrivée des SA et des SS —, il y sera accueilli triomphalement, y compris, nous dit Charles Bloch, «*par des hommes qui la veille encore s'étaient préparés à voter pour Schuschnigg*» (*Le IIIe Reich et le monde, op. cit.*, p. 273).

En cette affaire, les réactions des démocraties ont été nulles. Pouvait-il en être autrement dès lors qu'à Londres, et même à Paris (des entretiens de responsables allemands avec Chautemps, Flandin et Bonnet le laissent penser), on avait pratiquement consenti à l'annexion avant même que la Wehrmacht ne franchisse la frontière de l'Autriche? La seule tentative sérieuse pour modifier le cours de la politique britannique, Delbos l'a faite auprès d'Eden en février, mais le 12 mars Eden a cédé la placé à Halifax et la France n'a plus de gouvernement. Dans ces conditions, il n'y a plus qu'à se résigner. Le Premier ministre britannique s'étant contenté le 14 mars de condamner devant les Communes l'annexion de l'Autriche, en précisant que le Royaume-Uni n'avait aucune obligation envers ce pays, Delbos découragé, et qui n'est resté au Quai d'Orsay que pour exécuter les affaires courantes, n'a plus qu'à tirer la leçon de la dérobade anglo-française en câblant aux principaux postes : «*La situation à laquelle nous devons désormais faire face est assurément grave; elle ne justifie cependant aucune panique.*» Nous n'étions pas engagés vis-à-vis de l'Autriche. «*La situation serait toute différente,* ajoute-t-il, *le jour où l'expansion allemande s'attaquerait à l'indépendance ou à l'existence des Etats auxquels nous lient des engagements spéciaux.*» L'étape suivante du programme hitlérien étant d'intégrer au Reich les Sudètes de Tchécoslovaquie, l'occasion va être fournie à la France de démontrer que ce propos ne constitue pas seulement un vœu pieux, émis par le ministre fatigué d'un cabinet démissionnaire.

On sait quels sont, en 1938, les enjeux de cette «*question des Sudètes*», évoquée par Hitler lors de son entretien avec lord Halifax, en novembre 1937, et qui va essentiellement servir de levier au dictateur nazi pour éliminer en un an la Tchécoslovaquie, état de rang modeste mais doté d'une économie moderne, d'une force militaire non négligeable et d'un poids géostratégique important. Elle constitue en effet la plus sûre et la plus efficace des alliances de revers de la France, dispose d'abondantes ressources pouvant servir la politique d'autarcie adoptée par l'Allemagne et forme en Europe centrale, depuis que l'Allemagne a réalisé l'*Anschluss*, une sorte de bastion avancé que flanque sur trois côtés le territoire du Reich. Constituée en 1919 dans une perspective qui visait à la fois à satisfaire certaines nationalités (en particulier les Tchèques), tout en créant un Etat économiquement viable et militairement défendable, la Tchécoslovaquie avait intégré dans ses frontières une minorité de culture «allemande», comportant un peu plus de 3 millions de personnes et répartie sur les franges montagneuses de la Bohême, dans des régions vitales pour le nouvel Etat, en ce sens qu'elles barrent l'accès au plateau de Bohême, véritable cœur de la Tchécoslovaquie, et possèdent des mines et des industries en plein essor. En 1919, les Sudètes avaient réclamé un statut d'autonomie administrative qui leur avait été refusé par Benès et Masaryck, l'un et l'autre partisans d'une rigoureuse centralisation.

Bien que depuis 1920 le démembrement des grands domaines «allemands» ait favorisé la slavisation du pays, les Sudètes étaient restés très attachés à leur originalité ethnique et linguistique. Pourtant, jusqu'à l'avènement du national-socialisme, leurs revendications étaient demeurées très modérées. C'est à partir de 1933 que le parti pro-nazi de Konrad Henlein commence à se manifester et trouve bientôt une large audience auprès de populations qui ont été fortement touchées par la crise. Il faut néanmoins attendre avril 1938 pour que, lors du congrès de Karlovy-Vary, le leader du «Parti allemand des Sudètes» pose devant l'Europe le problème de cette minorité en exigeant un statut d'autonomie — qui aurait incliné la Tchécoslovaquie dans la voie de la fédéralisation, ce que ses dirigeants refusaient catégoriquement — et en proclamant l'appartenance de son peuple «*à la nation allemande et à la philosophie allemande*».

Le refus du gouvernement de Prague de laisser porter atteinte au statut politique de la Tchécoslovaquie et à son intégrité territoriale ne pouvait, compte tenu de la résolution du Führer qui poussait Henlein à l'intransigeance et avait décidé de faire de la question des Sudètes le fer de lance de son action contre le pivot du système français en Europe centrale, manquer de déclencher une grave crise internationale. La Tchécoslovaquie en effet était liée à la France et à l'URSS par des traités signés respectivement en 1925 et 1935 et qui obligeaient ces puissances à soutenir militairement l'Etat tchécoslovaque en cas d'attaque par un pays tiers. Tout dépendait en fait de la France car la mise en œuvre du second traité était subordonnée à l'application du premier.

Au moment où, après le congrès de Karlovy-Vary, s'engage le processus qui va conduire à Munich, la politique étrangère de la France se trouve dominée par deux personnalités très différentes : le président du Conseil, Edouard Daladier, et le ministre des Affaires étrangères, Georges Bonnet. L'un et l'autre sont des rescapés du premier conflit mondial et ils ont la guerre en horreur. L'un et l'autre jugent que la France a peu de chances de l'emporter dans un conflit contre l'Allemagne si le Royaume-Uni refuse de s'engager à ses côtés. Mais tandis que le premier manifeste, au moins dans son discours, une volonté apparemment sans faille de respecter les engagements pris par son pays, quelle que soit l'attitude du gouvernement de Londres, le second estime que dans l'affaire des Sudètes, le réalisme et l'intérêt national — conçu de manière étroite et à court terme — doivent l'emporter sur la morale internationale. Ce qui implique à ses yeux que la France aligne sa position sur celle de l'Angleterre et qu'elle renonce à vouloir empêcher Hitler d'annexer les Sudètes.

Une première alerte a lieu en mai 1938, peu de temps après le congrès de Karlovy-Vary. A la suite de rumeurs — qui se révéleront fausses — de concentrations de troupes allemandes sur sa frontière, le gouvernement de Prague mobilise une classe de réservistes et des techniciens (au total 170 000 hommes) et fait appel à ses alliés. A cette date, l'URSS est prête, semble-t-il, à honorer ses engagements. Rencontrant Bonnet à Genève, Litvinov ne vient-il pas de déclarer à son homologue français que son pays était prêt à secourir la Tchécoslovaquie, si la France en faisait autant et à condition d'être autorisée à faire passer ses troupes par la Pologne et la Roumanie, qui d'ailleurs refuseront l'une et l'autre? Quelques jours plus tard, devant les ambassadeurs allemand, britannique et soviétique à Paris, Daladier indique à ses interlocuteurs que si le Reich attaque la Tchécoslovaquie, la France respectera ses obligations envers son alliée. Même à Londres, on fait savoir aux dirigeants allemands qu'en cas de conflit armé, l'Angleterre ne serait pas neutre. S'achemine-t-on vers une épreuve de force?

En fait, la position anglaise, dont dépend celle du gouvernement français, qui se sait incapable d'affronter seul une guerre avec Hitler (Daladier, qui a été dans les précédents gouvernements ministre de la Guerre, le sait mieux que quiconque), est des plus ambiguës. D'un côté Londres marque aux dirigeants allemands les limites de sa passivité. De l'autre, l'ambassadeur anglais à Paris précise, dans une note remise le 22 mai à Bonnet, que son pays ne fera pas la guerre pour la Tchécoslovaquie : «*Le gouvernement britannique* — est-il expliqué dans ce document — *a donné les avertissements les plus sérieux à Berlin... Mais il serait tout à fait dangereux que le gouvernement français exagérât la portée de ces avertissements.*» Autrement dit, on interviendra en cas d'agression non provoquée contre la France, pas si c'est cette puissance qui décide de faire la guerre pour honorer ses propres engagements. Ce qui revient à accepter à l'avance la mutilation du territoire tchécoslovaque, baptisée pour la circonstance «*concessions suffisantes au chancelier Hitler*». Le président Benès ne peut avoir aucune illusion à ce sujet. Lorsque son représentant à Paris, Osuky, rencontrera Georges Bonnet en juillet, celui-ci le lui déclarera clairement, comme en témoigne une note rédigée par le chef de la diplomatie française au lendemain de cet entretien :

> «*Il s'agissait* — écrit Bonnet — *de marquer clairement à M. Osuky, une fois encore,* la position française... *Le gouvernement tchécoslovaque doit connaître nettement notre position : la France ne ferait pas la guerre pour l'affaire des Sudètes. Certes, publiquement nous affirmerons notre solidarité comme le désire le gouvernement tchécoslovaque, mais cette affirmation de solidarité doit permettre au gouvernement tchécoslovaque d'obtenir une solution pacifique et honorable. En* aucun cas *le gouvernement tchécoslovaque ne doit croire que si la guerre éclate nous serons à ses côtés.*»

Le gouvernement français pratique donc le double langage. Officiellement, il se déclare prêt à honorer sa signature internationale, et ceci dans le but exclusif de permettre à Benès de sauver ce qui peut encore être sauvé. Dans la coulisse, il fait savoir au même Benès qu'il n'a nullement l'intention de recourir aux armes pour empêcher Hitler d'annexer les Sudètes. Partition à deux voix dans laquelle Daladier joue sur le registre de l'intransigeance et du respect de la parole donnée, tandis que Bonnet en indique les étroites limites. Le Royaume-Uni ayant fixé ses propres marques, il ne reste plus aux dirigeants français — une fois passée la fausse alerte de mai — qu'à suivre les conseils de Londres et accepter qu'une mission de conciliation soit envoyée en Tchécoslovaquie, dirigée par lord Runciman. C'est un repli en bonne et due forme que la presse française transforme en victoire diplomatique. Hitler, qui n'a jamais eu à cette date l'intention d'envahir les Sudètes, aurait reculé face à la détermination franco-tchécoslovaque et à une prise de position britannique proche des thèses françaises. Hitler laisse dire, mais en même temps il ordonne à la

Wehrmacht de se tenir prête pour le 1er octobre à attaquer la Tchécoslovaquie.

Le second acte va se jouer à la fin de l'été. A Prague d'abord où, sur instruction de Chamberlain, Runciman et la délégation britannique exercent une forte pression sur Benès pour qu'il cède aux exigences allemandes. Ce que fait le président tchèque, en acceptant sept des huit «*concessions*» formulées en avril par Henlein. Trop tard : déjà le chef du parti des Sudètes, devenu le poisson pilote du Führer, a fait monter les enchères tandis que ses militants provoquent de violents incidents avec la police tchèque. Le 12 septembre, dans le discours très violent qu'il prononce à Nuremberg, à l'occasion du congrès du NSDAP, le maître du IIIe Reich jette le masque, promettant de donner son plein appui à Henlein. Trois jours plus tard, ce dernier demande officiellement le rattachement du pays des Sudètes à l'Allemagne.

La position de la France est des plus incertaines. Officiellement, Georges Bonnet fait de nouveau savoir à Benès que si le gouvernement de Prague fait aux populations des Sudètes les «*concessions nécessaires*», Paris honorera ses engagements. Mais le gouvernement et les chefs militaires français sont divisés, et Daladier sait que les Britanniques vont le contraindre à transiger. La rencontre de Londres, le 18 septembre, entre responsables français et anglais, incline effectivement dans ce sens et prépare les voies d'un compromis avec Hitler, le Conseil des ministres du 19 entérinant les décisions prises sous la pression des «pacifistes» du gouvernement (Bonnet, Marchandeau, le ministre de l'Air, Guy La Chambre, Pomaret, de Monzie). Quatre jours plus tôt, le chancelier du Reich a reçu Chamberlain à Berchtesgaden et lui a fait part de ses exigences, jouant de la carotte et du bâton, affirmant qu'après l'annexion de l'Autriche, celle du *Sudetenland* constituait son ultime revendication territoriale et plaçant celle-ci sous le signe de la pacification européenne et du «*droit des peuples à disposer d'eux-mêmes*»!

Estimant justifiées les demandes du Führer, mais déclarant qu'il devait en référer à son gouvernement et à ses partenaires français, Chamberlain a pris date avec Hitler pour un second tête-à-tête, qui aura lieu à Godesberg une semaine plus tard. Dans l'intervalle, nous l'avons vu, il réussira à convaincre ses collègues, ainsi que Daladier. Si bien que le gouvernement de Prague est sommé d'accepter une modification de ses frontières dans le sens de l'annexion à l'Allemagne des territoires comportant au moins 50 % de germanophones, en contrepartie de quoi on lui promet une garantie internationale à laquelle se trouvent associées la France et la Grande-Bretagne.

Le 21 septembre, Londres et Paris adressent en ce sens un ultimatum aux Tchèques, dont nous savons aujourd'hui qu'il a été demandé non par le président Benès comme on l'a dit parfois, le but étant de faire avaliser la capitulation par l'opinion publique tchèque, mais par le président du Conseil Hodza pour obtenir précisément de Benès qu'il renonce à la guerre (cf. J.-B. Duroselle, *La Décadence, op. cit.*, pp. 349-350). Toujours est-il que Prague finit par céder. Or le 22 septembre, lors de son second entretien avec Hitler, Chamberlain constate que le chancelier a durci ses positions. Il exige désormais non seulement que la question des Sudètes soit réglée avant le 1er octobre, mais encore que soient satisfaites les revendications hongroises sur la Slovaquie méridionale, et celles de la Pologne à propos de Teschen.

La guerre paraît alors inévitable. Avec l'accord de Londres et de Paris, le gouvernement tchécoslovaque décrète la mobilisation générale, tandis que la France, l'Allemagne, l'Italie et l'URSS rappellent leurs réservistes et que la Grande-Bretagne met sa flotte en état d'alerte. Pourtant, lorsque Daladier et Bonnet rencontrent leurs homologues anglais à Londres, les 25 et 26 septembre, le président du Conseil ne parvient pas à convaincre ses interlocuteurs de la nécessité dans laquelle se trouve la France de faire face à ses «devoirs», et à l'issue du Conseil des ministres du 27, il paraît lui-même fortement ébranlé, sinon totalement converti par Bonnet des bienfaits de la non-intervention. Il a en effet pu constater un début d'exode des Parisiens et ne prête pas foi aux informations qui lui arrivent de plusieurs sources — en particulier du chef de l'opposition civile à Hitler, le Dr Goerdeler, ancien bourgmestre de Leipzig — selon lesquelles un échec du Führer à propos des Sudètes donnerait le signal de la rébellion contre le régime. Ce qui est sans doute exagéré mais correspond néanmoins à un certain flottement dans l'opinion publique auquel l'historien Charles Bloch attache une réelle importance. C'est au moment de Munich, écrit-il, que «*le régime a connu son plus grave danger intérieur*».

C'est de toute façon Hitler qui prend les devants. Le 26 septembre au soir, il annonce dans un discours incendiaire que tout doit être réglé avant le 1er octobre. Les démocraties n'ont donc que quelques jours pour «*sauver la paix*» comme le demande instamment Bonnet, ou pour s'engager dans l'épreuve de force comme serait prêt à le faire Daladier, si les Britanniques voulaient bien donner aux Français l'assurance qu'ils ne seraient pas seuls à affronter les armées du Reich. Or Chamberlain fait savoir au gouvernement de Paris qu'en cas de guerre la participation anglaise sur terre se limiterait à deux divisions. Il reste les Soviétiques, qui ne cessent d'affirmer qu'ils honoreront leurs engagements si la France en fait autant, conformément au pacte de 1935, mais qui exigent pour le faire le libre passage pour leurs troupes de la part de la Pologne, ou à la rigueur de la Roumanie. Ce que Varsovie et Bucarest continuent obstinément de refuser.

A la dernière minute, c'est Chamberlain qui va trouver

la formule permettant aux démocraties de donner un semblant de légitimité internationale à leur dérobade. Peut-être encouragé par Roosevelt, il suggère de réunir une conférence à quatre en territoire allemand. Mussolini, qui n'est pas pressé de voir son pays entraîné dans une guerre pour laquelle il n'est pas prêt, fait accepter cette proposition par Hitler et, le 29 septembre, les deux dictateurs rencontrent à Munich Daladier et Chamberlain, en l'absence des représentants de l'URSS et de la Tchécoslovaquie. La «conférence» ne dure que quelques heures, dans la nuit du 29 au 30 septembre. Les démocraties cèdent sur toute la ligne. L'Allemagne obtient, sans avoir tiré un coup de fusil, l'ensemble des territoires revendiqués, acceptant tout au plus d'échelonner leurs occupations sur dix jours et d'autoriser les Tchèques à emporter une partie de leurs biens.

Les conséquences de Munich sont catastrophiques pour la France. Si Daladier est accueilli triomphalement à son retour à Paris et ovationné à la Chambre le 2 octobre, si sa déclaration de politique étrangère est approuvée par 515 voix contre 75 (les 73 communistes, un socialiste et le modéré Henri de Kérillis), ce qui se passe en Europe centrale au lendemain de la capitulation franco-anglaise a tôt fait de réveiller les angoisses et de montrer à quel point on s'est trompé en jugeant que l'on pouvait mettre un frein aux ambitions hégémoniques du Führer. Très vite en effet s'amorce le démembrement de la Tchécoslovaquie. Les Polonais occupent la région de Teschen, les Hongrois le sud de la Slovaquie. L'URSS, qui a été écartée du règlement du conflit, redoute que Daladier et Chamberlain aient incité Hitler à orienter ses ambitions vers l'Est, et ne cache pas son mécontentement.

Mais surtout, la France s'est discréditée aux yeux de ses alliés d'Europe centrale et orientale. Hitler ne peut que se sentir encouragé dans la politique d'agression par la reculade des anciens vainqueurs de la guerre. Mussolini également, dont la politique extérieure se tourne désormais nettement contre la France. Le 30 novembre 1938, les députés italiens accueillent Ciano à la Chambre aux cris de «*Tunisie, Djibouti, Corse!*», et le lendemain de cette manifestation inspirée en haut lieu, la presse fasciste ajoute à ces revendications les noms de Nice et de la Savoie. Le jour même, Mussolini reprend textuellement ce programme expansionniste devant les hiérarques du Grand Conseil, et le 17 décembre il déclare caducs les accords franco-italiens de janvier 1935.

Les retombées internes de cette situation sont d'ailleurs contradictoires. Le clivage qui s'est opéré dans l'opinion entre «munichois» et «antimunichois» ne saurait être mesuré en simples termes de discours de presse et d'engagement de la classe politique. Les premiers sondages d'opinion réalisés en France sont à cet égard significatifs d'un retournement du sentiment public qui va s'opérer à la charnière des années 1938 et 1939. A la question, posée au lendemain de Munich, qui demande aux personnes interrogées si elles sont pour ou contre les accords, la réponse est positive à 57 %, négative à 37 %. En revanche, lorsque l'on demande un peu plus tard aux Français «*Pensez-vous que la France et l'Angleterre doivent désormais résister à toute nouvelle exigence de Hitler?*», 70 % répondent oui, 17 % seulement non.

Fin 1938, le Führer a encore besoin d'un peu de temps pour parachever les préparatifs d'une guerre qu'il est de toute manière décidé à livrer. Compte tenu de ce que nous savons de ses intentions grâce aux archives allemandes et aux travaux des historiens qui les ont systématiquement dépouillées et analysées, on comprend mal qu'il y ait aujourd'hui encore des auteurs pour affirmer qu'il existait à cette date des possibilités réelles d'entente avec les dirigeants du Reich et qui font porter sur la «*presse antimunichoise française*» la responsabilité de l'échec du «*rapprochement franco-allemand*» (il en est ainsi notamment de Max Tacel, dans *La France et le monde au XXe siècle, op. cit.*, p. 166). S'étonner que cette presse pût dénier toute valeur à l'accord signé le 6 décembre à Paris par Bonnet et Ribbentrop «*en récusant la sincérité des Allemands*» et qu'elle pût répandre «*dans une large partie de l'opinion l'idée que ce document ne pouvait en rien modifier la nature des relations franco-allemandes qui resteraient mauvaises en raison de la perversion de l'Allemagne par le national-socialisme*» laisse songeur, lorsque l'on sait le cas que le chancelier du Reich faisait de la parole donnée et des engagements internationaux de son pays. J.-B. Duroselle n'accorde personnellement aucun effet à ce texte (*La Décadence, op. cit.*, p. 389), faisant remarquer que dix jours seulement après la déclaration anglo-allemande du 30 septembre 1938 (signée au lendemain de Munich et qui posait le principe d'une concertation entre les deux pays en cas de difficultés internationales), Hitler attaquait très violemment l'Angleterre dans son discours de Sarrebruck.

Il n'en reste pas moins que pour les hommes qui ont à charge de conduire la politique étrangère de la France, l'accord du 6 décembre marque le point d'aboutissement d'un dégel dans les relations avec l'Allemagne auquel ils ont œuvré, ne serait-ce que pour se tenir sur la même «ligne» que l'Angleterre. La négociation engagée au lendemain de Munich aurait dû se conclure, début novembre, par la venue à Paris du ministre allemand des Affaires étrangères, mais les remous suscités par l'assassinat du diplomate von Rath, en poste dans la capitale française, et par les représailles antijuives en Allemagne (la «nuit de cristal»), ont reculé d'un mois le voyage de Ribbentrop. L'accord paraphé à cette occasion stipulait que les deux pays, convaincus que des relations pacifiques entre eux constituaient «*l'un des éléments essentiels de la consolidation de la situation en Europe*», reconnaissaient solennellement leur frontière comme définitive et s'engageaient à se consulter en cas de difficultés internationales. Par la suite, les Allemands prétendront toujours que, le 6 décembre, la France avait reconnu par la voix de Bonnet qu'elle se désintéressait de l'Europe de l'Est, ce que rien dans les documents ne permet d'affirmer. Peut-être, comme Pierre Laval en 1935, le ministre français a-t-il volontairement laissé la question dans le flou, de manière à obtenir de son interlocuteur les assurances souhaitées du côté des frontières orientales de la France. Son erreur, semble-t-il, n'est pas d'avoir laissé croire aux Allemands que la France leur laissait le champ libre à l'Est, mais d'avoir lui-même accordé quelque crédit à la parole, si souvent démentie par les faits, du maître du Reich.

Vers la guerre

Les événements de mars 1939 vont brusquement dessiller les yeux des dirigeants occidentaux, de ceux du moins qui ne sont pas complètement paralysés par le syndrome munichois et qui estiment qu'après la liquidation de la Tchécoslovaquie un coup d'arrêt doit enfin être porté à l'expansionnisme hitlérien.

Après l'annexion des Sudètes, Hitler a mis à profit l'engourdissement des démocraties et l'affaiblissement de la Tchécoslovaquie pour faire avancer ses pions dans la région en poussant le mouvement autonomiste slovaque de Mgr Tiso à s'opposer au pouvoir central et à constituer, en octobre 1938, un gouvernement autonome. Quelques jours plus tard, c'est la Ruthénie subcarpatique qui obtient son autonomie et, le 30 novembre, Benès démissionne, cédant la place à Emile Hacha. Le 10 mars, ce dernier tente de mettre fin à la décomposition de son Etat et décide pour cela de renvoyer le gouvernement slovaque de Mgr Tiso, lequel se rend aussitôt à Berlin où il reçoit l'appui total du gouvernement nazi. Le 14 mars, la Slovaquie proclame son indépendance.

Le 15 mars, Hacha est convoqué à Berlin et sommé par Hitler de placer la «Bohême-Moravie» sous le protectorat de l'Allemagne, à défaut de quoi Prague sera rasé par les bombardiers de la Luftwaffe. Complètement isolé, Hacha ne peut que céder à cet ultimatum et l'armée allemande pénètre aussitôt dans ce qu'il subsiste de la Tchécoslovaquie. C'est le dernier acte du naufrage de ce petit Etat démocratique que les vainqueurs de la guerre avaient porté vingt ans plus tôt sur les fonts baptismaux du nouvel ordre international et dont la France avait fait la pièce maîtresse de son système d'alliances de revers avant de l'abandonner au délire conquérant du Führer. A côté de la Slovaquie théoriquement indépendante, en fait satellisée par l'Allemagne, et tandis que la Hongrie annexe la Ruthénie subcarpatique, Hitler crée un «protectorat de Bohême-Moravie», complètement inféodé au Reich. A Paris comme à Londres on se borne à condamner l'agression hitlérienne comme contraire à l'esprit des accords de Munich, de même que l'on reste absolument passif devant l'annexion de Memel, cédée à l'Allemagne par la Lituanie le 22 mars, et par la transformation de l'Albanie en protectorat italien le 8 avril.

Pourtant, tandis que Rome et Berlin accentuent un rapprochement qui va aboutir, le 22 mars 1939, à la signature du «pacte d'acier», c'est bien à un changement radical de la politique pratiquée par les deux grandes démocraties occidentales auquel on assiste au lendemain du «coup de Prague». A cette date, Hitler a commencé à poser à haute voix la «question de Dantzig», prélude à l'élimination de la Pologne qu'il a programmée dès 1937. Jusque-là, les relations avec ce pays étaient restées relativement cordiales. Au tout début de 1939, le colonel

Beck s'était même rendu en Allemagne et avait été accueilli avec les plus grands égards à Berchtesgaden. Hitler avait bien posé devant son hôte le «problème de Dantzig», mais c'était pour promettre de ne pas le résoudre par la force.

Une fois réglé le compte de la Tchécoslovaquie, plus rien n'oblige le Führer à ménager sa voisine de l'Est. Aussi, dans les derniers jours de mars, réclame-t-il avec véhémence la cession de Dantzig, déjà contrôlée par les éléments nazis que dirige le gauleiter Forster. Hitler demande également la cession d'une route et d'une voie ferrée reliant la ville au territoire du Reich et à la Prusse orientale. Beck refuse net et se déclare prêt à faire la guerre plutôt que d'accéder à ces revendications derrière lesquelles apparaît clairement la volonté du Führer de déclencher la guerre contre son pays et de faire progresser à ses dépens le *Lebensraum* allemand.

C'est bien ce que l'on comprend également à Londres et à Paris, Chamberlain lui-même finissant par admettre que le Führer poursuit un tout autre but que l'application pure et simple du principe des nationalités et que la politique d'*appeasement* ne peut être poursuivie. Le 17 mars, il met les choses au point, dans un discours énergique prononcé à Birmingham. Le tournant est nettement marqué et ne peut que réjouir Daladier qui, lui aussi, paraît désormais décidé à porter un coup d'arrêt aux entreprises hitlériennes. Certes, dans les deux pays, une fraction importante de l'opinion publique reste attachée au «pacifisme», par volonté sincère d'empêcher la guerre ou — c'est le cas notamment à l'extrême droite — par calçul politique. Mais, de nombreux signes le révèlent (l'accueil enthousiaste fait à Daladier lors de son voyage en Afrique du Nord en décembre 1938, la commémoration du 14 juillet 1939, les sondages d'opinion, certaines productions cinématographiques exaltant l'épopée coloniale et l'armée françaises comme *Trois de Saint-Cyr, La*

Bandera, Alerte en Méditerranée, etc.), les populations tendent de plus en plus à considérer que la guerre est inévitable et qu'il y a lieu dès lors de s'y préparer.

A partir d'avril 1939, conscient de la nécessité de gagner du temps, Chamberlain va mener habilement un double jeu : d'une part en rusant avec l'Allemagne, en lui faisant miroiter par exemple l'éventualité d'une collaboration économique, d'autre part en poussant les chaudières du réarmement, en offrant aux Etats européens menacés par Hitler le soutien du Royaume-Uni, et en essayant d'attirer l'Italie dans le camp des adversaires du IIIe Reich, ce qui passe, estime-t-on à Londres, par un minimum de concessions françaises aux revendications méditerranéennes et africaines du Duce.

La France, dont les dirigeants considèrent qu'un accord intime avec Londres constitue sans doute le moyen le plus sûr d'assurer sa propre sécurité — dans un colloque sur «les relations franco-britanniques, 1935-1939», publié en 1975 par le CNRS, François Bédarida a justement mis l'accent sur le rôle essentiel de la «gouvernante anglaise» —, incline dans le même sens. Les deux pays offrent donc aux Etats les plus menacés par les ambitions allemandes et italiennes leur «garantie», c'est-à-dire la promesse de leur venir en aide en cas d'agression. Des négociations avec Varsovie en vue d'une alliance militaire anglo-polonaise s'ouvrent ainsi en avril 1939 et aboutiront en août à la signature d'un traité. La Roumanie, la Grèce, la Turquie donnent également leur accord, mais la Belgique et les Pays-Bas, qui craignent des représailles allemandes, refusent la garantie franco-anglaise. Sur ce point, la France aligne donc sans réserve sa position sur celle de la Grande-Bretagne. En revanche, si les partisans d'un rapprochement avec l'Italie ne manquent pas au sein du gouvernement français (Bonnet, de Monzie, Marchandeau, Chautemps) et si Daladier se déclare lui-même prêt à répondre à certaines avances du cabinet de Rome, sa volonté de ne pas se démarquer des Britanniques ne va pas jusqu'à accepter de satisfaire — sauf sur des points de détail — les revendications mussoliniennes.

Entre les deux blocs qui se forment au printemps 1939, tout paraît devoir incliner Staline du côté des démocraties. Le projet de conquête d'un «espace vital» à l'Est formulé par Hitler dans *Mein Kampf* et les professions de foi violemment antisoviétiques quotidiennement proférées par les dirigeants nazis indiquent clairement quelles sont à moyen terme les intentions allemandes. Pourtant, depuis Munich, le maître de l'URSS se méfie des Franco-Britanniques dont il a interprété — à tort, nous le savons — le comportement dans le règlement de la crise tchécoslovaque comme l'indice d'un double jeu destiné à laisser à Hitler les mains libres vers l'Est pour prix du maintien du statu quo à l'Ouest, voire d'une entente concertée entre les Etats capitalistes et les dictatures dont l'Union soviétique ferait les frais.

Néanmoins, la mise en tutelle de la «Bohême-Moravie», puis les menaces directes sur Dantzig et l'annexion de Memel, avaient eu sur la diplomatie du Kremlin les mêmes effets que sur celles de Londres et de Paris. Si bien que, dès avril 1939, des négociations s'étaient engagées entre les trois pays, fortement freinées par la façon dont les Britanniques concevaient la mise en place d'un front commun contre les ambitions hitlériennes. Londres préfère en effet trois garanties unilatérales limitées à la Pologne et, si elle accepte peu à peu de modifier sa position, c'est à petits pas et sous la pression insistante du gouvernement français qui, des trois partenaires, est le seul à souhaiter une conclusion rapide du projet. L'examen des archives, effectué de manière exhaustive par J.-B. Duroselle, ne laisse planer aucun doute sur ce point et s'inscrit en faux contre les allégations de l'historien britannique A.J.P. Taylor (*Les Origines de la Seconde Guerre mondiale*, trad. fse, Paris, Presses de la

Cité, 1961), pour lequel les retards apportés à la conclusion de l'accord sont imputables aux seuls Occidentaux et ne fait à cet égard aucune différence entre la position de Londres et celle de Paris. Daladier aussi bien que les militaires et, pour une fois, Bonnet et Léger, sont d'accord sur la nécessité de conclure vite. Chamberlain et Halifax, eux, sont beaucoup moins pressés.

Plusieurs questions motivent les hésitations des uns et des autres. Sur le fond tout d'abord. Le principe d'une alliance avec la Russie «bolchevique» se heurte dans les pays occidentaux à de fortes réticences des milieux conservateurs et, en Angleterre, celles-ci pèsent lourdement sur les dirigeants du moment. Du côté du Kremlin, la méfiance on l'a vu n'est pas moins grande. Le peu d'enthousiasme manifesté par les Britanniques est interprété par Staline comme le signe d'une duplicité à laquelle il convient de répondre en tenant deux fers au feu, c'est-à-dire en ne négligeant pas la possibilité d'une entente avec l'Allemagne. Le remplacement de Litvinov, dont les sympathies pour les démocraties étaient connues, par le docile et impénétrable Molotov, au début du mois de mai, paraît indiquer à cet égard un changement de la politique soviétique.

Les conversations achoppent d'autre part sur un certain nombre de points techniques qui ne sont éliminés que partiellement et avec lenteur. L'URSS veut un traité d'assistance «plurilatérale» comportant un engagement militaire comme préalable à tout accord politique, ce que les Français et surtout les Britanniques ne sont guère enclins à accepter. Elle exige que la garantie accordée aux quatre pays signataires d'un accord avec Londres soit étendue aux Etats baltes et à la Finlande. Surtout, le problème du passage des troupes soviétiques sur le territoire de la Pologne et de la Roumanie demeure sans solution lorsque, le 24 juillet, le gouvernement soviétique accepte finalement que des conversations s'engagent à

Moscou sans attendre la conclusion d'un accord politique.

Les divergences dans la façon dont on conçoit, à Londres et à Paris, le rapprochement avec l'URSS, apparaissent plus nettement encore au moment où la délégation militaire franco-britannique débarque à Leningrad, le 10 août 1939. Les négociations s'engagent deux jours plus tard à Moscou et le maréchal Vorochilov, qui dirige la délégation soviétique, a tôt fait de comprendre que les Britanniques ont pour consigne de «*conduire les négociations avec une grande lenteur*». Il faut dire que si le chef de la délégation française, le général Doumenc, a reçu de son gouvernement un ordre de mission lui donnant «*qualité pour traiter toute question militaire*», son homologue britannique, l'amiral Drax-Plumkett, n'est pour sa part en possession d'aucune délégation précise.

La question qui fait achopper la discussion est toujours celle du passage éventuel des troupes soviétiques sur le territoire polonais. A la veille de l'agression nazie, les dirigeants de Varsovie n'ont pas bougé d'un pouce sur ce point. Ils sont convaincus en effet qu'une fois l'armée Rouge installée, ils ne pourront obtenir son retrait. Ont-ils fini à l'ultime moment par accepter, sous la pression de Daladier qui les menace de dénoncer l'alliance franco-polonaise? Il ne semble pas, mais peu importe. Le 21 août, le général Doumenc reçoit de Paris un télégramme lui enjoignant de «*signer au mieux dans l'intérêt commun*», ce qui signifie que la France accepte d'entrée de jeu le passage des troupes russes en Pologne, que ce pays l'accepte ou non. Trop tard : le 23 août, von Ribbentrop arrive à son tour à Moscou pour signer un pacte de non-agression avec l'URSS.

On sait que le pacte germano-soviétique, assorti d'un «protocole secret» (il ne sera révélé qu'en 1946) qui constituait un véritable plan de partage de l'Est européen, était le point d'aboutissement de négociations entamées en mars-avril à l'initiative des Russes, d'abord par le biais d'échanges commerciaux, relancées par les Allemands fin mai, et finalement accélérées par Hitler lui-même dans les derniers jours de juillet, une fois connue de Berlin la décision franco-britannique de négocier avec l'URSS une convention militaire. Il n'est pas dans notre propos d'examiner ici les mobiles des deux protagonistes, pas plus que le détail des pourparlers qui devaient aboutir au coup de tonnerre du 23 août. Celui-ci fut surtout douloureusement ressenti par la France, dont le principal dirigeant avait cru jusqu'au dernier moment qu'une alliance entre les trois adversaires potentiels du nazisme était imminente. Désormais les choses sont claires pour la majorité des Français : l'URSS a choisi son camp, elle a donné le feu vert à Hitler pour attaquer la Pologne, et cette fois les démocraties ne reculeront pas. Sauf pour une frange de «pacificateurs» impénitents, dont l'archétype est Georges Bonnet, personne ne croit sérieusement à l'éventualité d'un nouveau Munich.

Dans les jours qui suivent la signature du pacte germano-soviétique, Hitler multiplie les démarches diplomatiques dans le but d'obtenir de la France et de l'Angleterre qu'elles se tiennent à l'écart du conflit germano-polonais. A l'ambassadeur Coulondre, qu'il reçoit à Berlin le 25 août, le Führer explique que son pays a définitivement renoncé à l'Alsace-Lorraine et qu'il lui est «extrêmement pénible» de devoir combattre la France à cause de la Pologne. A Daladier, il fait dire par le même Coulondre que l'appui français à la Pologne a poussé ce pays à déclencher une «terreur intolérable» contre les Allemands qui vivent sur son sol. Que ferait la France, ajoute-t-il, si Marseille, telle Dantzig, lui était retirée et si son territoire était coupé en deux par un couloir? Il n'est pas possible, pour une nation d'honneur, de voir maltraiter deux millions de ses fils à proximité de son territoire. Daladier avait la veille envoyé une lettre pathétique à Hitler, affirmant que le sort de la paix était encore entre ses mains et l'adjurant de joindre ses efforts aux siens pour résoudre la crise «*dans l'honneur et dans la dignité*» : «*Vous avez été, comme moi-même, un combattant de la dernière guerre (...). Si le sang français et le sang allemand coulent de nouveau, comme il y a vingt-cinq ans, chacun des deux peuples luttera avec la confiance dans sa victoire, mais la victoire la plus certaine sera celle de la destruction et de la barbarie.*»

En fait, les manœuvres de la diplomatie allemande n'ont d'autre but que de masquer, pendant quelque temps encore, l'entreprise conquérante qui se prépare et à laquelle Hitler n'a nullement l'intention de surseoir. Personne n'en est dupe. Ni les Britanniques qui, sans chercher à déclencher un nouveau processus munichois — aux Communes Chamberlain est tout à fait clair sur ce point —, multiplient les initiatives pour tenter d'établir un dialogue de dernière minute entre Varsovie et Berlin. Ni les Français, dont l'action diplomatique paraît, à partir du 25 août, frappée de paralysie. Il est vrai que, plus que jamais, le gouvernement se trouve divisé entre les partisans d'une attitude ferme (Daladier, Mandel, J. Zay, Reynaud, Campinchi) et ceux qui, comme Bonnet, Marchandeau, de Monzie et Guy La Chambre souhaiteraient dénoncer l'alliance polonaise, ou du moins obtenir de Varsovie que des «concessions» soient faites à Hitler à propos de Dantzig. Un clivage semblable oppose le 31 août ceux qui approuvent et ceux qui rejettent le projet de conférence proposé par Mussolini dans le but d'examiner l'ensemble des problèmes liés à la révision du traité de Versailles. Contrairement à ce qu'affirment aujourd'hui certains historiens, émules attardés d'A.J.P. Taylor, et curieusement enclins à vouloir à tout prix faire porter à l'«opinion antimunichoise» la responsabilité du déclenchement de la guerre (ce sera la thèse défendue au procès de Riom par les hommes de Vichy),

Chamberlain et Halifax ne s'étaient pas ralliés à ce projet que le second considérait comme une manœuvre «dangereuse» du Duce. A cette date, c'est plutôt du côté de la France que l'on rencontre, encore qu'ils soient devenus minoritaires, les *appeasers* les plus déterminés.

Lorsque le 1er septembre l'armée allemande pénètre en Pologne, le Conseil des ministres décide la mobilisation générale et convoque le Parlement pour le lendemain. A la Chambre, dans l'après-midi du 2, il n'y aura pas de véritable débat sur le fond, comme l'avaient demandé les députés Déat, Frot, Bergery, Scapini et Tixier-Vignancour. On se contente, après avoir entendu un discours du président du Conseil, de voter à la demande du gouvernement et avec une unanimité de façade un crédit militaire de 70 milliards pour «*faire face aux obligations de la situation internationale*». Il en est de même au Sénat, où Laval est seul à émettre des réserves. Bien que le projet de loi ne mentionne pas le mot «guerre», tout le monde a compris que le vote donne mandat à Daladier d'engager les hostilités contre l'Allemagne. Bonnet pour sa part souhaiterait obtenir un délai de la Grande-Bretagne avant qu'un ultimatum soit adressé au Führer : le temps demandé par Ciano pour organiser la conférence projetée par Mussolini. Mais le gouvernement britannique, qui estime maintenant, sous la pression du Parlement et de l'opinion publique, que la France traîne les pieds, fait savoir à Daladier qu'il n'est plus question pour lui de temporiser.

Si bien que, dans la nuit du 2 au 3 septembre, l'ambassadeur d'Italie à Paris, Guariglia, est avisé que la France exige en préalable à la conférence un retrait «au moins symbolique» des troupes allemandes engagées contre la Pologne, ce que le Führer ne saurait évidemment accepter. Ciano retire donc son projet, ce qui amène Bonnet à arrêter ses ultimes et vaines tentatives de conciliation et à accepter finalement que soit adressé à l'Allemagne un ultimatum identique à celui qui avait été lancé 5 heures plus tôt par le cabinet de Londres et qui exigeait le retrait des troupes allemandes du territoire polonais avant 17 heures. Hitler en ayant rejeté les termes par l'intermédiaire de Ribbentrop, qui reçoit à la chancellerie l'ambassadeur Coulondre, la France et le Royaume-Uni se trouvent le 3 septembre en fin d'après-midi en guerre avec le Reich.

VI

Le choc de la Seconde Guerre mondiale (1939-1945)

Une guerre à reculons

En déclarant la guerre à l'Allemagne le 3 septembre 1939, le gouvernement français paraît entraîné dans un engrenage qu'il a lui-même monté et auquel il semble ne plus pouvoir échapper. Sans doute est-il convenu qu'il fallait à tout prix arrêter Hitler après l'annexion de l'Autriche, celle des Sudètes, puis le démembrement de la Tchécoslovaquie en mars 1939, et c'est pourquoi il s'est engagé à venir en aide à la Pologne si, comme il était probable, celle-ci était attaquée par l'Allemagne nazie. Etait-il d'autre moyen de parvenir à intimider le dictateur que de le menacer d'un affrontement direct avec les grandes puissances européennes? Mais, dans l'esprit des dirigeants français, cet engagement devait être dissuasif et permettre précisément d'éviter le conflit dont on menaçait l'adversaire. Le gouvernement n'ignore pas en effet que, si sa propre détermination s'est renforcée, la population française, encore traumatisée par le souvenir de

1914, refuse viscéralement une nouvelle guerre (voir chapitre IV).

Dans ces conditions, l'invasion de la Pologne par Hitler le 1er septembre 1939 enferme la France dans le piège. Renoncer à tenir ses engagements, c'est implicitement admettre qu'Hitler peut dominer l'Europe à sa guise. Remplir ses obligations, c'est entrer en guerre. C'est à ce second terme de l'alternative que se résoud le gouvernement Daladier après avoir vainement tenté dans les derniers jours d'août et au début du mois de septembre, d'inciter Hitler à accepter une conférence internationale. Mais le pas franchi, le 3 septembre, le président du Conseil n'ose même pas employer le terme de guerre pour décrire la réalité nouvelle qui s'impose aux Français. La note officielle adressée à l'Allemagne annonce que «la France assumera ses obligations envers la Pologne» et le président du Conseil demande au Parlement, non de ratifier la déclaration de guerre, mais de voter les crédits nécessaires «pour faire face aux obligations de la situation internationale» (Yves Durand, *La France dans la Seconde Guerre mondiale*, Paris, A. Colin, 1989, collections «Cursus»).

Toutefois, si la guerre est déclarée, les opérations ne sont nullement engagées. Venues «au secours de la Pologne», les armées françaises ne quittent pas le territoire national et laissent les troupes du IIIe Reich écraser en trois semaines l'alliée à laquelle on avait promis protection. Une brève incursion en Sarre, qui ne rencontre guère de résistance, est suivie d'une évacuation plus rapide encore. C'est que la stratégie mise en place par l'état-major français et correspondant d'ailleurs à l'état d'esprit de l'opinion publique est tout entière inspirée du souvenir de la Première Guerre mondiale. Nul ne veut revoir les sanglantes et vaines offensives de 1914, avec les risques politiques qu'elles comportent (mutineries ou révolution). Et c'est pourquoi les plans français se placent dans l'hypothèse d'une guerre longue permise par une stratégie défensive qui contiendrait l'ennemi dans un premier temps. Plutôt que les boueuses et inconfortables tranchées de 1914-1918, on a donc envisagé un ensemble de fortifications de béton, soigneusement aménagées pour offrir une résistance imparable aux offensives ennemies, la ligne Maginot. Cette ligne court de la frontière suisse à la forêt des Ardennes, mais s'arrête à ce niveau, l'état-major français ayant décrété les Ardennes «infranchissables aux chars». Plus au nord, face à la frontière belge, il n'a pas été jugé opportun de prolonger les fortifications, ce pays étant, sinon allié (il s'est déclaré neutre en 1936), du moins ami. Mais le souvenir de 1914 et de l'invasion par la Belgique reste présent aux esprits des militaires. Si l'ennemi tente un mouvement de débordement de la ligne Maginot par le nord, le gros des troupes françaises se portera en Belgique (Plan Dyle), voire aux Pays-Bas (Plan Breda). Toutes les précautions étant ainsi prises pour faire échec aux offensives allemandes et contenir l'ennemi, la France compte sur le temps pour que l'adversaire s'use dans de vaines et sanglantes attaques, pendant que le potentiel des Alliés se renforcera grâce à l'appui des immenses empires anglais et français et, espère-t-on, grâce à l'aide des Etats-Unis comme durant la Première Guerre mondiale. Aussi la France en guerre depuis le 3 septembre 1939 ne combat-elle pas jusqu'en mai 1940. A cette période de conflit sans opérations, les Français ont donné le nom de «drôle de guerre».

Toutefois, cette «drôle de guerre», si elle évite les morts et les blessés, a des effets moraux et politiques négatifs sur la France. En premier lieu, elle démobilise l'opinion qui parvient difficilement à prendre au sérieux une guerre qu'elle ne souhaite pas, et qui entend poursuivre une vie normale en attendant que la paix soit rétablie puisque aucun acte irrémédiable n'a encore été commis. Aussi reste-t-elle indifférente aux efforts faits pour la galvaniser, affiches de propagande ou distribution de masques à gaz. En revanche, elle admet très mal les mesures de précaution prises par le gouvernement : exercices d'alerte, suppression des bals et distractions publiques, jours sans viande, puis, début 1940, rationnement de certains produits (huile, café, charbon...) débouchant en mars 1940 sur des cartes de rationnement généralisé. Au front également, l'attente engendre la démoralisation. La distribution de ballons de football ou de vin chaud, la plantation de rosiers sur la ligne Maginot, les tournées au front d'artistes de music-hall parviennent mal à tromper les effets démobilisateurs de l'inaction et de l'ennui. (Pour la vie quotidienne jusqu'en mai 1940, Philippe Richer, *La drôle de guerre des Français, 2 septembre 1939-10 mai 1940*, Paris, Olivier Orban, 1990).

Dans le monde politique, l'absence de combat interdit tout réflexe d'union sacrée comme en 1914 et va avoir pour effet de stimuler un courant pacifiste dont on a vu les profondes racines dans l'opinion publique. Un pacifisme qui recrute dans toutes les tendances politiques. Il est puissant à gauche chez les syndicalistes de la CGT rassemblés derrière l'un des secrétaires de celle-ci, René Belin, ou dans certains syndicats comme celui des instituteurs dirigé par André Delmas. Au parti socialiste, le secrétaire général, Paul Faure, conduit une forte minorité qui entend sauvegarder la paix à tout prix et qui attaque violemment Léon Blum, suspect à ses yeux de «bellicisme». Le pacifisme trouve nombre d'appuis dans les milieux de droite, par exemple parmi les dirigeants de l'*Union nationale des combattants*, d'opinion généralement modérée, qui, au nom de l'expérience des tranchées, refusent un nouveau conflit, mais aussi dans les milieux convertis au fascisme, par exemple chez les rédacteurs de l'hebdomadaire *Je suis partout*, ou encore dans une partie des milieux d'affaires. En septembre 1939, le pacifisme reçoit l'appui inattendu du parti communiste. Chef de file du combat antifasciste jusque-là, pris à contre-pied par la signature le 23 août 1939 du pacte germano-soviétique, le parti communiste est touché par une crise très grave qui se manifeste par un grand nombre de démissions d'élus et de militants. S'alignant difficilement sur la nouvelle situation, le parti communiste présente désormais la guerre comme un conflit entre puissances impérialistes qui ne concerne pas les prolétaires et il préconise la signature de la paix. Son secrétaire général, Maurice Thorez, déserte son unité et gagne Moscou. Le 17 septembre 1939, après l'entrée des troupes soviétiques en Pologne, le parti communiste est dissous. Fin septembre, après une lettre des parlementaires du groupe «ouvrier et paysan» (c'est le nouveau nom du groupe communiste) au président de la Chambre des députés, Edouard Herriot, recommandant d'accepter les offres de paix du chancelier Hitler (qui n'ont pas encore été formulées), de nombreux parlementaires communistes sont arrêtés pour intelligence avec l'ennemi (ils seront déchus de leur mandat, jugés et emprisonnés en 1940). Les autres gagnent la clandestinité. Si la répression contre les communistes répond à une ancienne aspiration qui s'était manifestée dès 1936 (Jean-Jacques Becker et Serge Berstein, *Histoire de l'anticommunisme en France*, tome I, 1917-1940, Paris, Olivier Orban, 1987), le pacifisme n'est pas pour autant proscrit, comme il l'avait été durant la Première Guerre mondiale. Dix jours après la déclaration de guerre circule dans Paris un tract «Paix immédiate» signé par une quarantaine de personnalités de gauche dont l'anarchiste Louis Lecoin, le philosophe Alain, les écrivains Jean Giono et Victor Margueritte, des syndicalistes, etc. Au Parlement, un groupe d'une quarantaine de députés et de sénateurs, autour de Pierre Laval et de Pierre-Etienne Flandin, mène une active propagande en faveur de la paix. Au gouvernement même, il existe un courant pacifiste dont les figures de proue sont le ministre des Affaires étrangères, Georges Bonnet, et celui des Travaux publics, Anatole de Monzie.

L'importance et la diversité des troupes pacifistes démontre à l'évidence que l'entrée en guerre n'a nullement mis fin aux débats sur la fermeté ou les concessions qui déchirent la société politique française depuis les années trente. Cette évidente absence d'union sacrée et d'unanimité nationale va avoir pour conséquence la poursuite des luttes politiques au lendemain de la déclaration de guerre.

En septembre 1939, Edouard Daladier est encore l'homme fort de la République qui, après avoir sauvé la paix en 1938, apparaît susceptible de conduire le pays dans le conflit qui lui a été imposé. Mais la stratégie de la «drôle de guerre» et le climat qui en résulte vont rapidement effriter sa position. Les critiques fusent de toutes parts contre la passivité de l'armée française, et Daladier est en butte à la fois à l'opposition des pacifistes qui ne lui pardonnent pas d'avoir déclaré la guerre et à celle des partisans d'une guerre active qui souhaiteraient lui voir déclencher rapidement une offensive décisive. Certains appellent de leurs vœux une aide de la France à la Finlande attaquée par l'URSS. Le 19 mars 1940, Daladier se retire à la suite du vote d'un ordre du jour «de confiance», adopté par 239 suffrages contre un, mais avec 300 abstentions! Il est remplacé à la présidence du Conseil par Paul Reynaud, partisan d'une guerre plus effective, mais il conserve le ministère de la Guerre. Le gouvernement Reynaud est dépourvu de toute autorité, n'ayant reçu la confiance de la Chambre qu'à une voix de majorité (encore n'est-on pas très sûr de la régularité du scrutin, Edouard Herriot ayant fait traîner en longueur le dépouillement, afin de permettre quelques corrections de vote). De surcroît, compte tenu des exclusives lancées par la droite contre Blum, il ne peut constituer un gouvernement d'union nationale. Enfin, il se heurte aux manœuvres de ses adversaires politiques (en particulier des radicaux, qui intriguent pour ramener au pouvoir leur président Daladier). Lorsqu'en mai 1940, il décide de relever de son commandement le généralissime Gamelin qui oppose à ses décisions une résistance passive, Daladier couvre ce dernier et présente sa démission qui prive virtuellement le gouvernement de toute majorité. Le 9 mai 1940, Paul Reynaud donne sa démission au président Albert Lebrun. Le lendemain matin, il la reprend précipitamment à l'annonce de l'attaque allemande à l'ouest. Engagée à contrecœur dans une guerre qu'elle n'a pas voulue, la France va boire jusqu'à la lie la coupe amère de la défaite (pour la vie politique durant la «drôle de guerre», voir Guy Rossi-Landi, *La drôle de guerre, la vie politique en France, 2 septembre 1939-10 mai 1940*, Paris, Armand Colin, 1971).

La débâcle

Le 10 mai 1940, les troupes du Reich attaquent en Belgique et aux Pays-Bas. Selon les plans Dyle et Breda, les armées franco-anglaises du nord font alors mouvement pour arrêter l'invasion. Pendant que se déroule cette manœuvre, les *panzerdivisionen* du général Guderian, déjouant les prévisions des stratèges français, traversent la forêt des Ardennes et, le 13 mai, surgissent brusquement à la charnière du dispositif français, isolant les troupes engagées au nord de la ligne Maginot. La Meuse est franchie en trois points à Sedan, Givet et Dinant. Par la brèche ainsi ouverte s'engouffrent les troupes motorisées allemandes qui opèrent un gigantesque mouvement tournant en direction de l'estuaire de la Somme. Le 20 mai, elles occupent Abbeville. Entre la

LA CAMPAGNE DE FRANCE

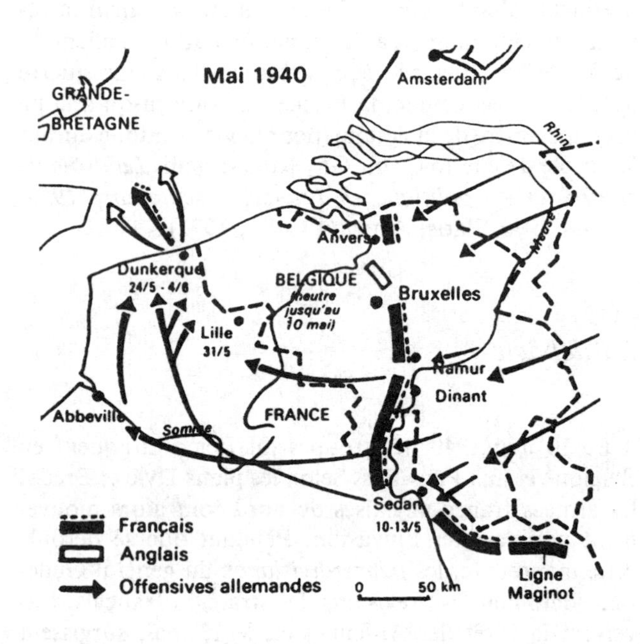

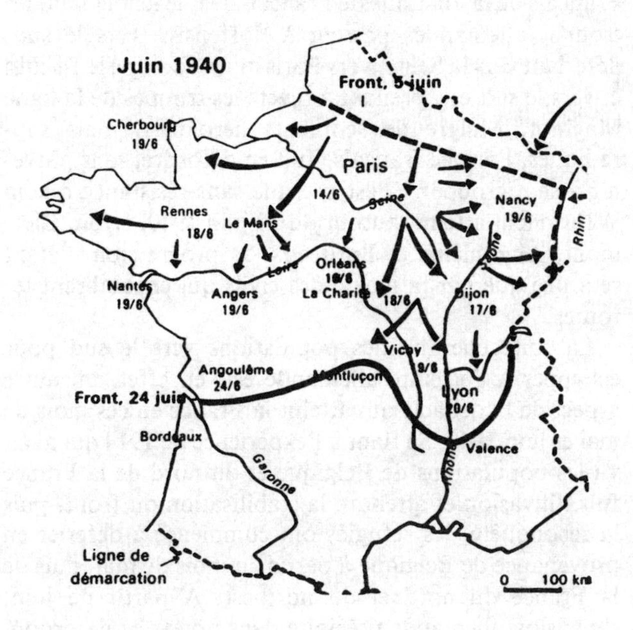
Juin 1940
Front, 5 juin
Cherbourg
19/6
Paris
14/6
Seine
Nancy
19/6
Rennes
18/6
Le Mans
Rhin
Saône
Loire
Orléans
16/6
Nantes
19/6
Angers
19/6
La Charité
18/6
Dijon
17/6
Vichy
Angoulême
24/6
Montluçon
Front, 24 juin
Lyon
20/6
Bordeaux
Valence
Garonne
Rhône
Ligne de
démarcation
0 100 km

Somme et la frontière des Pays-Bas, les troupes franco-anglaises sont prises dans une gigantesque nasse, que les Allemands résorbent peu à peu. Sous le feu des canons allemands et sous les bombardements, la flotte britannique parvient à embarquer pour l'Angleterre les 200 000 hommes du corps expéditionnaire anglais et 130 000 Français, dans la hâte et l'improvisation. Le 4 juin, la prise de Dunkerque signifie pratiquement la perte par les Français de la «bataille de France». Dès le lendemain, les troupes allemandes passent à l'offensive vers le sud, déferlant vers la Seine, vers Paris qui est occupé le 14 juin et vers le sud-est, prenant à revers les troupes de la ligne Maginot. Malgré des combats héroïques, mais sporadiques, l'armée française fuit en désordre, sans parvenir à se regrouper. C'est presque sans résistance que la Wehrmacht atteint, autour du 20 juin 1940, Lyon, Clermont, Angoulême et Bordeaux, sa progression n'étant retardée que par la masse des civils qui encombrent les routes.

La fuite éperdue des populations vers le sud pour échapper à l'étreinte allemande est, en effet, un autre aspect de la débâcle qui atteint la France en ces mois de mai et juin 1940. Se fiant à l'expérience de 1914 qui avait vu les populations de Belgique et du nord de la France fuir l'invasion et attendre la stabilisation du front, puis la reconquête, les réfugiés ont commencé à déferler en provenance de Belgique à partir du mois de mai, puis de la France du nord et du nord-est. A partir de juin, l'invasion allemande précipite dans un exode désordonné, accru par la désorganisation des chemins de fer et l'encombrement des routes par les convois militaires en retraite, les populations du nord de la Loire. Opéré dans le plus grand désordre, dans la panique des raids de l'aviation allemande, puis italienne après le 10 juin 1940, au milieu des rumeurs incontrôlables et des fausses nouvelles qui se répandent, «l'exode» donne une image lamentable, mais exacte, de l'effondrement français de 1940. Fin juin, environ six millions de Français sont sur les routes, couchant dans des abris précaires, se nourrissant au hasard des possibilités, vagabonds désorientés victimes de la plus lourde défaite que la France ait connue dans son histoire (Jean Vidalenc, *L'Exode de mai-juin 1940*, Paris, PUF, 1957).

Les raisons de cette écrasante défaite ont fait l'objet, sur le moment et par la suite, de polémiques politiques. Dans ses messages de juin 1940, le maréchal Pétain en faisait retomber la responsabilité sur «l'esprit de jouissance» qui aurait atteint la France et dont, implicitement, il rend la gauche responsable puisqu'elle aurait encouragé les ouvriers à revendiquer plus qu'à servir. Plus précisément, les hommes de Vichy accuseront le gouvernement de Front populaire, coupable à leurs yeux de n'avoir pas réprimé avec assez d'énergie les grèves des années 1936-1938 et d'avoir institué la loi des 40 heures et les congés payés. Le résultat aurait été l'impréparation de la France à la guerre, l'infériorité en hommes, en armes, en matériel des troupes alliées par rapport aux Allemands. Cette argumentation n'est plus guère retenue aujourd'hui par les historiens. D'abord parce que, comme on l'a vu au chapitre IV, le gouvernement du Front populaire a consenti un effort exceptionnel en matière d'augmentation des crédits militaires, effort tranchant avec les compressions consenties en raison de la politique de déflation par les gouvernements des années 1934-1936 (Robert Frankenstein, *Le Prix du réarmement français (1935-1939)*, Paris, Publications de la Sorbonne, 1982). Ensuite parce que toutes les études comparatives faites sur les forces en présence en 1939-1940 montrent que la prétendue infériorité française est un leurre surtout si on ajoute les forces de l'Angleterre.

Forces en présence en 1939-1940
(septembre 1939)

Forces allemandes		*Forces alliées*
Hommes mobilisés	3 000 000	5 700 000 Français 1 500 000 Anglais
Hommes aux armées	2 600 000	2 800 000 Français
Nombre de divisions	103	110
Pièces d'artillerie	15 006	16 850
Chars d'assaut	2 977	2 946
Bombardiers	1 620	346 fr. + 497 angl.
Chasseurs	900	560 fr. + 605 angl.

(mai 1940)

Forces allemandes		*Forces alliées*
Divisons en ligne	114	94 fr. + 10 angl.
dont blindées	10	3
Chars d'assaut	2 800	3 000
Bombardiers	1 562	242 fr. + angl.
Chasseurs	1 016	777 fr. + angl.
Stukas	340	416 avions angl.

D'après Henri Michel, *La Défaite de la France*, PUF, 1980.

L'infériorité numérique globale ne saurait donc être retenue. Les historiens sont aujourd'hui d'accord pour considérer que la cause essentielle de la défaite réside dans l'infériorité stratégique de l'état-major français. Celui-ci a choisi une guerre uniquement défensive fondée sur le postulat que l'ennemi ne pourrait percer les défenses françaises. Or la stratégie allemande est tout entière fondée sur l'idée de rupture du front. Pour cela, elle privilégie l'instrument de la rupture, le couple chars-aviation, constitué en unités autonomes, en force de frappe concentrée en un point du front et ouvrant la brèche par laquelle s'engouffrera l'infanterie motorisée. C'est cette stratégie, jointe à l'erreur d'appréciation sur les défenses naturelles constituées par les Ardennes, qui prend à contre-pied des généraux français qui ont conçu une guerre statique et qui se montrent incapables de réagir au déroulement d'opérations différentes de celles qu'ils ont prévues (Jean-Pierre Azéma, *1940, L'Année terrible*, Paris, Seuil, 1990).

Mais les généraux, vaincus, maîtres du pouvoir au moment de la défaite vont, bien entendu, se laver de toute responsabilité dans celle-ci et faire payer au régime républicain le prix de leur impéritie.

La mort de la IIIe République : suicide ou assassinat ?

La débâcle militaire de la France va aussi revêtir les traits d'une débâcle politique. Paul Reynaud, débordé par la défaite et l'incapacité des militaires à redresser la situation, a relevé de ses fonctions le généralissime Gamelin pour le remplacer le 19 mai par le général Weygand. Le 18 mai, il a remanié son gouvernement pour se débarrasser d'Edouard Daladier et prendre lui-même la responsabilité de la Défense nationale. Mais, dès ce moment, le problème clé qui se pose est celui de savoir quelles conséquences tirer de la défaite militaire. Ce sera le grand débat qui agite un gouvernement jeté par la défaite sur les routes de l'exode, contraint de fuir Paris menacé pour gagner la Loire et, de là, de se réfugier à Bordeaux sous la menace de l'avance allemande. Deux thèses s'affrontent au sein du gouvernement. La première est celle de la résistance à Hitler. Soutenue par le président du Conseil, Paul Reynaud, le ministre de l'Intérieur, Georges Mandel, le ministre de la Marine, César Campinchi, le nouveau sous-secrétaire d'Etat à la Guerre nommé le 5 juin 1940, le général de Gaulle, elle propose que les militaires signent une capitulation qui mettrait fin à un combat désormais perdu en métropole, mais que les pouvoirs publics, chef de l'Etat, gouvernement, Parlement passent en Afrique du Nord, pour continuer la guerre dans l'Empire, avec l'appui des Britanniques. C'est précisément contre cette solution que s'élèvent les partisans de la thèse adverse, qui réunit les militaires et les pacifistes du gouvernement Reynaud. Le chef de file des premiers est le maréchal Pétain, devenu vice-président du Conseil le 18 mai 1940 et qui reçoit l'appui complet de Weygand, nouveau généralissime. Nommé lorsque la défaite est consommée, celui-ci n'entend pas en porter la responsabilité. Il est d'accord avec Pétain pour en faire retomber le poids sur le pouvoir politique selon la thématique que nous avons évoquée. Pour eux, le gouvernement, étant responsable de la débâcle, doit en payer le prix en signant un armistice, acte politique par lequel il s'engage à cesser toute opération militaire. Pétain et Weygand sont soutenus par les ministres pacifistes Paul Baudouin, Yves Bouthillier, Camille Chautemps qui se rallient à une solution permettant de mettre fin à la guerre. Les efforts de Paul Reynaud pour empêcher cette solution de triompher en alléguant que les engagements signés avec l'Angleterre interdisent toute paix séparée, puis en envoyant le général de Gaulle à Londres auprès du Premier ministre britannique Churchill afin de trouver le moyen de maintenir la France dans la guerre se montrent vains. Le 16 juin 1940, considérant que la majorité de ses ministres est acquise à l'armistice (bien qu'aucun vote n'ait eu lieu), Paul Reynaud donne sa démission, en conseillant au président Lebrun de le remplacer par le maréchal Pétain. Celui-ci, nommé président du Conseil, sort aussitôt de sa poche la liste de ses ministres et, dans la nuit, s'adresse à l'Allemagne pour demander l'armistice. Mais sans attendre la réponse, il se met à la merci de l'ennemi en prononçant le 17 juin un discours radiodiffusé aux Français : «*C'est le cœur serré que je vous dis aujourd'hui qu'il faut cesser le combat!*» Quant au départ des pouvoirs publics en Afrique du Nord, il va être abandonné lorsque Philippe Pétain décide de rester en France «pour protéger les Français» et qu'une manœuvre d'intimidation, ourdie par Pierre Laval, Adrien Marquet, député-maire de Bordeaux, et un groupe de pacifistes qu'on dénommera ironiquement la «Commune de Bordeaux» et au sein duquel on trouve Georges Bonnet, dissuade le président Albert Lebrun de quitter la métropole. Seuls quelques parlementaires (parmi eux Edouard Daladier, Georges Mandel, Pierre Mendès France, Jean Zay) décidés à poursuivre le combat gagnent le Maroc à bord du paquebot *Massilia*. Ils y seront arrêtés sur l'ordre du gouvernement Pétain et détenus jusqu'en juillet 1940.

Le 22 juin, l'Allemagne fait connaître ses conditions d'armistice qui sont draconiennes : l'armée française est réduite à 100 000 hommes et les soldats qui ont déposé les armes sont considérés comme prisonniers jusqu'à la paix; toute fabrication de matériel de guerre est interdite et le matériel existant livré à l'Allemagne; les navires français devront être désarmés sous contrôle allemand dans leurs ports de temps de paix; le territoire français est occupé au nord et à l'ouest d'une ligne de démarcation (voir carte) et la France s'engage à payer les frais d'occupation. Après la signature d'un armistice avec l'Italie le 24 juin (celle-ci qui a déclaré la guerre à la France le 10 juin pourra occuper la ville de Menton et une partie du Queyras), l'armistice avec l'Allemagne, signé le 22 juin dans la clairière de Rethondes qui avait vu la signature de l'armistice par les Allemands le 11 novembre 1918, entre en application le 25 juin.

Mais les hommes qui détiennent désormais le pouvoir n'entendent pas que cet effondrement inattendu soit sans conséquences politiques. Nostalgiques de l'Ancien Régime, comme le juriste Raphaël Alibert, nommé sous-secrétaire d'Etat à la présidence du Conseil, déçus du parlementarisme qu'ils accusent d'avoir entravé leur action comme l'ancien président du Conseil Pierre Laval, naturellement hostiles à la République par leurs idées ou leur milieu comme Philippe Pétain lui-même, ils jugent le moment venu de régler son compte à la IIIe République. La décision arrachée à Bordeaux de renoncer au départ en Afrique du Nord a mis les pouvoirs publics à leur merci. Réfugiés à partir du 1er juillet à Vichy, situé en zone non occupée et qui, grâce à son équipement hôtelier, permet d'abriter un embryon d'organes gouvernementaux, les nouveaux hommes forts qui prospèrent dans la défaite militaire obtiennent du président de la République, Albert Lebrun, la convocation des deux Chambres en Assemblée nationale. Jouant habilement de la séduction et de la menace sur des parlementaires désemparés et officiellement désignés comme boucs émissaires, Laval (vice-président du Conseil depuis le 22 juin) fait voter par l'Assemblée nationale le 10 juillet 1940 un texte dont l'article unique remet le sort de la France et celui du régime entre les seules mains de Philippe Pétain : «*L'Assemblée nationale donne tous pouvoirs au gouvernement de la République sous l'autorité et la signature du maréchal Pétain, à l'effet de promulguer par un ou plusieurs actes une nouvelle Constitution de l'Etat français. Cette Constitution devra garantir les droits du travail, de la famille et de la patrie. Elle sera ratifiée par la nation et appliquée par les Assemblées qu'elle aura créées.*» Sur 666 votants, 569 parlementaires se prononcent en faveur du texte. Seuls 80 députés et sénateurs se prononcent contre un texte en quoi ils voient la mort légale de la IIIe République, 17 s'abstenant volontairement (dont les présidents des deux assemblées, Jules Jeanneney et Edouard Herriot, hostiles au texte, mais neutralisés par d'apparentes concessions de Laval). La défaite débouche sur la mort de la IIIe République, assassinat sciemment voulu par les hommes de Vichy, mais ratifié par des parlementaires désemparés qui, sous le coup du traumatisme qu'ils viennent de subir, font confiance au «vainqueur de Verdun». Dès le lendemain, certains regretteront leur vote, prenant tout à coup conscience qu'ils viennent d'ouvrir la voie à une dictature antirépublicaine (sur le vote du 10 juillet 1940, voir Jules Jeanneney, *Journal politique*, édité par Jean-Noël Jeanneney, Paris, A. Colin, 1972. Egalement Emmanuel Berl, *La Fin de la IIIe République*, Paris, Gallimard, 1968).

Le régime de Vichy et la Révolution nationale

Le vote de l'Assemblée nationale n'impliquait pas par lui-même la fin du régime, puisque les pleins pouvoirs, y compris le pouvoir constitutionnel, étaient confiés au *gouvernement de la République*. Toutefois, il rendait cette mort possible puisque la désignation nominale de Philippe Pétain dans l'article faisait de lui la seule autorité légale du pays. Or, dès le 11 juillet, en faisant paraître les quatre premiers actes constitutionnels, Pétain révèle ses intentions et celles-ci signifient la condamnation à mort du régime républicain que les réformateurs des années trente entendaient transformer, mais non radicalement supprimer. La République disparaît jusque dans les termes puisque le nouveau régime prend le nom d'«Etat français». Elle disparaît plus encore dans l'esprit puisque les Actes constitutionnels mettent en place une forme de dictature personnelle. Pétain qui s'autoproclame «chef de l'Etat français» (le président Lebrun quitte Vichy sur la pointe des pieds) s'attribue les pouvoirs exécutif et législatif, nomme à tous les emplois, négocie les traités, commande la force armée et peut même exercer la justice politique par l'intermédiaire d'une Cour suprême de justice. Sans être supprimés (ils ne le seront qu'en juillet 1942), le Sénat et la Chambre des députés sont ajournés *sine die*. Enfin, le caractère monarchique du régime se trouve encore accentué par la restauration du delphinat, au profit de Pierre Laval, nommé successeur désigné du Maréchal.

Monarchie, le mot a été prononcé. De fait, le pouvoir de Philippe Pétain chef de l'Etat ne peut se réclamer d'aucune légitimité juridique. Il n'a pas été désigné par le suffrage universel, ni, comme chef de l'Etat tout au moins, par le président de la République ou par la représentation nationale. Il se réclamera d'un pouvoir charismatique, tout à fait incontestable d'ailleurs, du moins en 1940, car il est évident que la très grande majorité des Français lui font confiance pour les protéger de l'ennemi et conduire la patrie dans les voies les plus favorables pour elle. Le véritable culte qui s'élabore autour du Maréchal dont tous les foyers affichent le portrait, dont on vend des bustes, des médailles, des recueils de discours, le tout étant considéré comme autant de reliques par un peuple que la défaite a ramené vers les voies d'une pratique religieuse quelque peu saint-sulpicienne, atteste de la vigueur des liens directs qui se sont établis entre le «guide» et la majorité de la communauté nationale. A cet appui des Français s'ajoute la reconnaissance de la communauté internationale : 32 pays dont l'URSS, les Etats-Unis et le Vatican entretiennent avec le nouveau régime des relations diplomatiques et lui envoient des ambassadeurs.

Cette dictature, en ajournant les Chambres, prive le gouvernement de Vichy de tout appui auprès d'une représentation nationale, ce qui, depuis la révolution française, ne s'était jamais produit. Dès l'automne 1940, certains responsables du nouveau régime mettent en évidence l'inconvénient d'une telle pratique et le risque de coupure entre le pouvoir et la nation qu'il recèle. Mais il est vrai que la représentation nationale apparaît comme une notion étrangère à une partie des hommes de Vichy pour qui elle suggère le retour à un parlementarisme honni, et qui n'imaginent d'autres formes de pouvoir que celles marquées au coin de l'autoritarisme. Toutefois, lorsque le vieux parlementaire qu'est Pierre-Etienne Flandin est appelé à remplacer Pierre Laval comme principal inspirateur du régime de Vichy, il obtient la création, par une loi du 24 janvier 1941, du Conseil national, assemblée consultative formée de notables, d'artistes, de savants, d'ecclésiastiques, de dirigeants de coopératives agricoles... Mais le Conseil national ne sera qu'une caricature d'assemblée représentative : tous ses membres sont nommés (certains refuseront d'ailleurs leur nomination ou ne siégeront jamais); de surcroît il ne se réunira qu'en commission sans qu'ait jamais lieu la moindre séance plénière (Michèle Cointet, *Le Conseil national de Vichy (1940-1944), Vie politique et réforme de l'Etat en régime autoritaire*, Paris, Aux amateurs de livres, 1989). Au total, le pouvoir à Vichy repose exclusivement entre les mains d'un vieux maréchal de 84 ans (en 1940), mais qui, en dépit de son âge, est parfaitement lucide et qui gouverne entouré de conseillers privés et de ministres qu'il considère comme de simples commis chargés d'exécuter ses ordres et qu'il choisit de préférence parmi les techniciens plutôt que parmi les politiques.

L'ambition de Pétain est de régénérer la France en provoquant une «Révolution nationale». Sur la signification de celle-ci, il est malaisé d'être précis, tant les discours du Maréchal, à travers lesquels on peut tenter de saisir les principes qui l'animent, paraissent faits d'une série d'aphorismes dont ne se dégagent clairement que la volonté de rupture avec les principes républicains et la société industrielle et un goût prononcé pour l'archaïsme, le passé antérieur à la Révolution française faisant figure d'âge d'or. Mais ces quelques généralités étant admises, la révolution nationale apparaît comme un pot-pourri d'idées diverses qui se juxtaposent sans former un tout cohérent. L'essentiel est sans doute dans la volonté ardente des Français de redresser le pays après le choc subi du fait de la défaite, de mettre fin à la décadence qui, selon le discours officiel, aurait caractérisé la République dans les années trente. Or, à certains égards, la défaite a levé les obstacles qui s'opposaient aux réformes : le personnel politique est discrédité, les assemblées sont ajournées, les partisans de la République réduits au silence. Tout est possible désormais à un pouvoir qui a les mains totalement libres. Dès lors, Vichy devient une auberge espagnole où se précipitent pêle-mêle théoriciens fumeux, auteurs de réformes en mal de réalisations concrètes, nostalgiques de l'Ancien Régime, vaincus du suffrage universel, hommes politiques en déshérence, marginaux exclus des groupes dirigeants de la société et avides d'y accéder. Dans cette cour des miracles de l'utopie politique, gauche et droite se côtoient, les non-conformistes des années trente sont au coude à coude avec les technocrates qui considèrent leur heure venue ou avec les spiritualistes qui communient aux discours du Maréchal... «*Toutes les droites et quelques gauches peuplent les cercles dirigeants de Vichy*» écrit Denis Peschanski (dans son remarquable ouvrage éditant les archives de guerre d'Angelo Tasca, *Vichy 1940-1944*, Editions du CNRS-Feltrinelli, 1986). Constatons-le en effet : le centre de gravité du régime de Vichy est à droite. D'abord avec Pétain lui-même. Il professe une conception de l'Etat inspirée des principes du christianisme, marque sa volonté de remettre en honneur la famille et l'enfant, de redonner au travail (qu'il conçoit comme fondé sur l'agriculture familiale ou l'artisanat) toute sa valeur en le protégeant des déviations matérialistes que constituent le capitalisme et le socialisme. Pour lui, l'organisation professionnelle doit être fondée sur le corporatisme, c'est-à-dire sur la profession (patrons et ouvriers réunis dans la même corporation) s'organisant elle-même. On est donc en présence d'une conception du pouvoir passéiste et paternaliste qui n'est pas sans rapport avec les vues traditionalistes du nationalisme français. Si on peut trouver certains points communs avec la pensée de Maurras, théoricien du nationalisme intégral, les vues de Pétain s'en éloignent en ce qui concerne l'organisation administrative du pays : le Maréchal, aux antipodes de la décentralisation prônée par les partisans de l'Action française, entend soumettre le pays à un centralisme autoritaire et son régime sera l'âge d'or de l'administration, d'autant plus puissante qu'elle ne trouve plus face à elle l'autorité des élus de la nation. Il n'en reste pas moins que l'influence des maurrassiens est grande à Vichy, au point qu'on a pu longtemps la croire dominante. Si Maurras lui-même n'est pas présent, il soutient fidèlement le régime dans *l'Action française* et ses fidèles peuplent les allées du pouvoir dans les premiers mois de l'Etat français : écrivains comme Henri Massis ou René Gillouin, hauts fonctionnaires tel Henri du Moulin de Labarthète, chef du cabinet civil du Maréchal, ministres à l'image de Raphaël Alibert, Xavier Vallat, Jacques Chevalier ou Caziot. Tout naturellement, la droite traditionaliste (mais non monarchiste) lui fait pendant, représentée par exemple par un Philippe Henriot qu'on retrouvera en 1944 dans l'aile extrémiste du régime. Voici encore les représentants de la droite populiste et nationaliste du colonel de La Rocque (auquel le régime emprunte sa devise «*Travail-Famille-Patrie*») avec Charles Vallin ou Jean-Louis Tixier-Vignancour, sinon La Rocque lui-même, vite déçu par le régime. Mais il ne conviendrait pas d'oublier cette droite libérale, longtemps l'une des assises de la République parlementaire avec Joseph Barthélemy, grand juriste qui jettera son libéralisme aux orties pour le prix d'un maroquin et se fera le zélateur d'un autoritarisme foulant aux pieds les principes généraux d'un droit qu'il a si longtemps enseigné (voir sur ce point son action au Conseil national, décrite par Michèle Cointet, *op. cit.*). De la même famille politique, Lucien Romier ou Henri Moysset tenteront de ramener Vichy vers les règles et les institutions de la République parlementaire.

Si la droite est fort présente, la gauche n'est pas absente. Elle est représentée par l'ancien radical Gaston Bergery rallié au Maréchal dont il rédige les discours avant d'être son ambassadeur, ou par René Belin, ancien secrétaire de la CGT et leader d'un syndicalisme anticommuniste. On y trouve aussi quelques socialistes que leur pacifisme conduit à appuyer le régime qui a signé l'armistice et entend laisser la France en dehors du conflit, comme Charles Spinasse, ancien ministre de Léon Blum, ou Paul Faure, ancien secrétaire général de la SFIO. On pourrait y ajouter un René Chateau issu du socialisme indépendant, et bien d'autres. Eux aussi espèrent, à la faveur de la Révolution nationale, développer leur idéal d'organisation de la société en faisant abstraction de cette lutte des classes devenue le noyau dur d'un marxisme qui profite surtout aux communistes.

Droite et gauche ne constituent que deux éléments dans un panorama beaucoup plus large. Le vide à remplir du régime a attiré une partie des courants novateurs des années trente, en particulier ces technocrates qui entendent restaurer la vie politique en confiant le pouvoir aux compétences. A la recherche d'équipes nouvelles, l'amiral Darlan leur donne sur le pouvoir une influence déterminante, faisant d'eux des ministres comme Pierre Pucheu, leur confiant des postes importants, au point qu'avec l'influence d'un Barnaud (de la banque Worms), d'un Lehideux, ancien membre de la direction de Renault, on peut dénoncer à Pétain en 1941 un complot de ces technocrates, celui du «Mouvement synarchique d'Empire», groupe dont la cohésion est largement mythique, mais l'importance politique réelle. Il conviendrait d'ailleurs d'y ajouter d'anciens hauts fonctionnaires eux aussi gagnés au projet technocratique comme Bouthillier ou Bichelonne.

Mais le tableau ne serait pas complet si l'on n'y ajoutait la présence des «spiritualistes» séduits par le discours antimatérialiste de Pétain qui, des hommes de L'*Ordre nouveau* (comme Robert Aron) ou des catholiques d'*Esprit*, en fait, aux origines du régime, des fidèles du Maréchal, prêts à fournir des cadres à la Révolution nationale, par exemple à l'école des Cadres d'Uriage, avant de rompre avec le pétainisme et de verser dans une authentique résistance.

Enfin, on ne pourrait caractériser le régime sans évoquer la place éminente qu'y tiennent les militaires, les généraux vaincus de 1940 et les amiraux qui peuplent les allées du pouvoir à partir de 1941. Jusqu'à cette date, l'influence de Weygand est fondamentale avant son éloignement en Afrique du Nord, puis sa révocation à l'automne 1941. Depuis le printemps 1941, elle est remplacée par celle de l'amiral Darlan entraînant avec lui la hiérarchie de la Marine dont il peuple ministères et haute administration au point que le cardinal Gerlier s'inquiétait avec humour de savoir s'il resterait encore un amiral pour le remplacer dans son archevêché!

Bien entendu toutes ces influences ne coexistent pas. Les débuts du régime sont l'âge d'or de la droite extrême, des spiritualistes et de la gauche pacifiste et anticommuniste (dans une position secondaire). Avec l'amiral Darlan dans les années 1941-1942, commence le temps des technocrates et des amiraux. 1942-1943 voit l'offensive des libéraux pour ramener le régime sur la base des traditions d'une démocratie libérale à l'exécutif un peu renforcé. Mais, dès 1943, les tendances autoritaires du régime, qui ont existé dès l'origine, se renforcent considérablement et cette radicalisation laisse la voie libre aux éléments extrémistes, voire à un Etat milicien dont les historiens s'interrogent sur la nature propre. Toutefois, si les tendances dominantes ont varié, si projets et discours sont pluriels, la pratique de Vichy est d'emblée en rupture avec les principes de la démocratie libérale et dessine les contours d'un régime indiscutablement autoritaire.

La Révolution nationale en pratique : l'exclusion

Régime de réaction, la Révolution nationale entend d'abord prendre le contre-pied des valeurs et des pratiques qui avaient été celles de la IIIe République. Rejetant la tradition qui faisait de la France une terre d'asile pour les étrangers en difficulté politique et économique, elle va s'appliquer à mettre en pratique le mot d'ordre lancé par la droite nationaliste et extrémiste des années trente : «*La France aux Français*.» Les conséquences de ce nationalisme étroit sont multiples : internement des étrangers dans les camps de concentration et remise aux Allemands des immigrés antinazis, révision des naturalisations prononcées depuis 1927 (date d'une loi facilitant les procédures d'acquisition de la nationalité française) qui aboutit à la dénaturalisation de 15 000 Français ainsi rendus apatrides (voir Bernard Laguerre : «Les dénaturalisés de Vichy», *Vingtième siècle, Revue d'Histoire*, n° 20, octobre-décembre 1988), et surtout politique antisémite appliquée systématiquement et avec ardeur. Devançant les désirs des Allemands, Vichy promulgue en octobre 1940, puis en juin 1941, deux «statuts» des Juifs qui s'expliquent à la fois par l'antisémitisme de certains dirigeants de Vichy (soutenus par le Maréchal) et par le désir du gouvernement de préserver la souveraineté française en prenant lui-même des mesures sans se les laisser imposer par les Allemands. Mais ces statuts s'inspirent bien entendu (et pour la raison qui vient d'être indiquée) des réglementations allemandes en la matière. Bien que l'antisémitisme français se veuille national et non racial, c'est un critère racial qui est retenu pour la définition des Juifs (ceux qui ont plus de deux grands-parents juifs et pratiquent la religion juive, ceux qui ont trois grands-parents juifs ou encore ceux qui ont deux grands-parents juifs et sont mariés à une personne ayant elle-même deux grands-parents juifs). Ceux qui tombent sous le coup de cette définition sont exclus de toute fonction leur permettant d'exercer autorité et influence (fonctions électives, fonction publique, cinéma, théâtre, radio, enseignement) et voient leur accès à l'université et aux professions libérales limité par un *numerus clausus*. Enfin une loi de juillet 1941 prévoit «l'aryanisation» des entreprises juives, les propriétaires se trouvant spoliés et des «administrateurs provisoires» étant chargés de les gérer (ce qui constituera une source de fructueux profits). Un recensement des Juifs est ordonné et, en 1942, on décide d'apposer la mention «Juif» sur la carte d'identité, toutes mesures qui faciliteront plus tard leur arrestation et leur déportation. Pour appliquer cette législation discriminatoire est créé, en mars 1941, un «Commissariat aux Questions juives». A sa tête est placé un homme d'extrême droite, professionnel de l'antisémitisme, Xavier Vallat. Jugé trop peu docile par les Allemands, il sera remplacé en mars 1942 par Darquier de Pellepoix, antisémite frénétique qui s'appuiera sur les Allemands pour imposer à Vichy une radicalisation de la politique antisémite (voir sur l'antisémitisme de Vichy la mise au point historique du Centre de documentation juive contemporaine, *La France et la question juive*, Paris, Sylvie Messinger, 1981).

Si les Juifs sont les premières victimes de la politique discriminatoire de Vichy (en raison du développement dramatique que constituera leur déportation), les autres groupes constituant ce que Maurras appelait «l'Anti-France» ne sont pas épargnés. Des «quatre Etats confédérés» dénoncés par le champion du nationalisme intégral, seuls les protestants ne font pas l'objet de mesures discriminatoires. En revanche, à côté des étrangers (les «métèques» de Maurras) et des Juifs, les francs-maçons sont également visés. Considérée comme étrangère à la tradition nationale, la franc-maçonnerie est dissoute dès le 13 août 1940. Des déclarations de non-appartenance à la franc-maçonnerie sont exigées des fonctionnaires et une propagande officielle antimaçonnique se déchaîne, orchestrée par des hommes comme Henry Coston, animateur du Comité d'action antimaçonnique, ou Bernard Faÿ, administrateur de la Bibliothèque nationale qui recense et publie au *Journal officiel* les noms des ex-dignitaires de la franc-maçonnerie (Dominique Rossignol, *Vichy et les francs-maçons, La Liquidation des sociétés secrètes 1940-1944*, Paris, J.-C. Lattès, 1981).

L'exclusion est aussi politique. La vindicte du régime s'abat sur les responsables de l'ordre ancien qu'on entend supplanter. Les instituteurs laïcs, jugés coupables de la décadence nationale, sont désormais suspects. L'administration est épurée et de nombreux préfets ou fonctionnaires, considérés comme favorables à la République, sont révoqués et remplacés par des hommes jugés plus sûrs. Les Conseils municipaux des grandes villes sont dissous, ce qui permet de révoquer nombre de maires républicains. Ils sont remplacés par des Délégations spéciales à la tête desquelles on place des techniciens ou des notables en principe «apolitiques». Mais surtout, la répression s'abat sur les anciens dirigeants de la IIIe République placés en résidence surveillée ou jetés en prison. Tel sera le sort de Léon Blum, Daladier, Reynaud, anciens présidents du Conseil, des anciens ministres Georges Mandel, Jean Zay, Pierre Mendès France (accusé de désertion pour s'être embarqué sur le *Massilia* afin de continuer à combattre!), puis, plus tard, celui d'Edouard Herriot. Le régime et les extrémistes annoncent le prochain châtiment de ces coupables (sans que la nature exacte de leur culpabilité soit clairement précisée).

La Révolution nationale en pratique : L'Ordre nouveau

En même temps qu'il entend balayer l'Ordre ancien marqué par l'esprit républicain, Vichy se préoccupe de mettre en place l'Ordre nouveau qui s'inspirera de celui de la Révolution nationale. Si l'on s'en tient au discours, celui-ci devrait être une mise en pratique des principes du catholicisme dont le régime affirme s'inspirer. On comprend que la hiérarchie catholique ait manifesté un enthousiasme sans mesure devant le nouveau régime, au point que le cardinal Gerlier, archevêque de Lyon, n'hésitait pas à affirmer en 1940 «*Pétain, c'est la France et la France, c'est Pétain!*». Majoritairement, de la hiérarchie au clergé en passant par les fidèles, les catholiques soutiennent le régime. Les cas de Mgr Théas à Montauban ou de Mgr Saliège à Toulouse, dénonçant la persécution des Juifs, demeurent isolés. Toutefois, ces bonnes paroles ne font pas une politique et, en dehors des déclarations d'inspiration catholique, d'honneurs reconnus au clergé dans les cérémonies officielles, les avantages accordés à l'Eglise sont limités : quelques heures de liberté laissées à l'éducation religieuse dans les écoles, l'autorisation d'enseigner rendue aux religieux, quelques subventions accordées aux écoles libres. Dès 1941, Darlan, fort éloigné du discours clérical, freinera les mesures politiques favorables à l'Eglise catholique (Jacques Duquesne, *Les Catholiques français sous l'occupation*, Paris, Grasset, 1986). C'est donc ailleurs que dans un projet de réorganisation cléricale de l'Etat et de la société qu'il faut chercher la pratique de l'Ordre nouveau. Celle-ci réside essentiellement dans un projet d'encadrement de l'homme et de la société dont il conviendra de s'interroger pour savoir s'il est une forme française de mise en œuvre du totalitarisme des régimes fascistes.

Ce projet est d'abord discernable au soin pris à contrôler l'éducation de la jeunesse. Le corps des instituteurs est soigneusement épuré par la révocation des Juifs, des francs-maçons et des républicains. Considérées comme le creuset d'une formation laïque et républicaine, les écoles normales d'instituteurs sont supprimées, les futurs instituteurs étant tenus de passer le baccalauréat dans un lycée avant d'entrer dans des instituts de formation professionnelle. Une fois nommés, le régime attend d'eux qu'ils enseignent à leurs élèves les valeurs du nouveau régime, contenues dans sa doctrine «*Travail-Famille-Patrie*». Mais, plus qu'à l'école primaire, c'est au lycée que le régime fait confiance. Ce qui lui importe c'est en effet de dégager une élite de «chefs» capables de conduire la masse à laquelle on demande seulement l'obéissance. C'est la raison pour laquelle on y rétablit des frais de scolarité dans le second cycle (abolissant la gratuité établie par la République), on y restaure l'obligation du grec et du latin et on y développe des classes élémentaires (alors qu'au même moment on supprime le second cycle des écoles primaires supérieures).

L'accent mis sur la jeunesse, creuset de la future élite dont on entend doter la France, explique la multiplication des initiatives du régime en ce domaine. Résistant aux pressions des extrémistes qui auraient souhaité la création d'une organisation de jeunesse unique, sur le modèle des régimes fascistes, Vichy laisse subsister le pluralisme en la matière. Le scoutisme, les auberges de jeunesse continueront donc à vivre, mais à condition d'adopter les idées et le discours de la Révolution nationale. Toutefois, le régime privilégie des organisations dont les buts et les activités paraissent répondre à ses objectifs. Ainsi en est-il des *Compagnons de France* créés en juillet 1940 par un inspecteur des finances, Henri Dhavernas, avec l'accord du général Weygand et du secrétaire d'Etat à la jeunesse, Ybarnegaray. Leur but est de prendre en charge les garçons de 15 à 20 ans, dont on redoute le désœuvrement, et de les organiser en compagnies rurales, urbaines, itinérantes, théâtrales... Les objectifs sont plus précis pour ce qui concerne les jeunes à partir de 20 ans, désormais dispensés de service militaire, donc d'une période de formation jugée fondamentale par les généraux. En juillet 1940, le général de la Porte du Theil fonde les *Chantiers de jeunesse* destinés dans un premier temps à accueillir les jeunes gens de la classe 1940 en cours de démobilisation. A partir de janvier 1941, ils sont étendus à tous les Français en âge d'accomplir leurs obligations militaires qui doivent y faire un séjour de huit mois. L'objet est double : donner à la jeunesse un embryon de formation militaire et l'endoctriner dans l'esprit de la Révolution nationale (Aline Coutrot, «La politique de la jeunesse», in *Le Gouvernement de Vichy 1940-1942*, Paris, Armand Colin, 1972).

Enfin, au degré supérieur, la formation des élites est complétée par la création d'écoles de Cadres, comme celle d'Uriage, fondée à l'initiative du général Dunoyer de Segonzac et qui, à partir de 1941, a vocation à former les «chefs» de toutes les organisations de jeunesse. Ultérieurement, l'école évoluera vers la Résistance. Mais, à l'origine, elle s'inscrit clairement dans le projet vichyssois de redressement intellectuel et moral et d'encadrement de la population.

Si l'éducation de la jeunesse est une préoccupation fondamentale du régime, l'inspiration moralisatrice et cléricale qui est la sienne le conduit tout naturellement à se poser en défenseur de la famille qui figure d'ailleurs expressément dans la devise du régime. Dans cette optique, l'idéal du régime de Vichy est celui des familles nombreuses et de la femme au foyer. Au service de cet idéal seront prises toute une série de mesures législatives : octroi par l'Etat d'une dot à la future épouse si elle s'engage à ne pas exercer une profession salariée (ce qui soulage d'autant le marché du travail), octroi d'une carte de priorité aux familles nombreuses qui leur permet de passer en tête des queues (privilège précieux à une époque où les magasins sont chichement approvisionnés), droit donné aux chefs de familles nombreuses de faire des heures supplémentaires... Enfin, pour renforcer la cohésion de la cellule familiale, le divorce est rendu beaucoup plus difficile et toute une série de dispositions sont adoptées pour lutter contre l'alcoolisme, facteur de dissociation des ménages.

L'encadrement de la société trouve un point d'application idéal dans l'organisation du travail mise en place par Vichy. Dès l'été 1940, le régime a prononcé la dissolution des grandes confédérations syndicales ouvrières et patronales en quoi il voit les bataillons organisés de la lutte des classes. Son rêve est de substituer à l'affrontement décrit par les marxistes comme le moteur de l'histoire une organisation corporative fondée sur la collaboration des classes et permettant aux professions de gérer de manière autonome leurs propres affaires, ce qui aboutirait au désengagement de l'Etat des tâches économiques qui, aux yeux des gouvernants, ne sont pas de son ressort. En fait, la présence de l'occupant, ses exigences en matière de livraison de produits agricoles et industriels, la pénurie qui en résulte pour les Français vont conduire à faire de l'organisation corporative que Vichy tente de mettre en place un moyen de contrôle et de répartition aux mains de l'Etat. C'est dans le domaine agricole que l'organisation corporative est la plus développée (Isabel Boussard, *Vichy et la corporation paysanne*, Paris, Presses de la Fondation nationale des Sciences politiques, 1980). Rassemblant toutes les organisations existantes, syndicats, coopératives, industries agricoles, elle est dirigée par des syndics départementaux et nationaux dont la plupart sont issus de l'*Union des syndicats agricoles* rassemblant les grands notables conservateurs. Sous l'influence du Premier ministre de l'Agriculture de Vichy, Caziot, la corporation s'efforce de promouvoir la petite exploitation familiale et de mettre en pratique le principe d'autonomie de la profession. Mais ces velléités devront s'effacer devant d'autres réalités. Successeur de Caziot, Jacques Leroy-Ladurie représente la grande agriculture moderniste et, avec lui, ce sont les tendances à la constitution de grandes propriétés aux rendements élevés qui l'emportent. D'autant plus que cette politique correspond aux besoins de l'Etat qui, face à la pénurie alimentaire, appesantit son contrôle sur l'agriculture et voit avec faveur toute mesure susceptible d'accroître la production. Dans le domaine agricole, malgré quelques velléités à l'origine, le corporatisme est donc un leurre. Il l'est bien davantage encore dans le domaine des rapports sociaux et de l'organisation industrielle. L'Œuvre du ministre du Travail, René Belin, la Charte du Travail qui entend définir de nouveaux rapports sociaux affranchis de la lutte des classes ne voit le jour qu'en octobre 1941. C'est que Belin a dû composer avec les partisans du corporatisme et qu'il s'est heurté à l'indifférence de la grande industrie comme du monde ouvrier. Finalement, le document prévoit la création d'un syndicat unique et obligatoire pour chacune des catégories participant à la vie de l'entreprise — dirigeants, cadres, ingénieurs, employés et ouvriers — qui auront à régler entre eux les problèmes des rapports entre patrons et salariés. En fait, la Charte du Travail n'est qu'un texte sans portée pratique (si on met à part la constitution de comités sociaux d'entreprises) dont on ne parlera plus guère après l'élimination du gouvernement de René Belin. Il en va différemment de l'organisation industrielle mise en place par Vichy sous l'empire de la nécessité. C'est par la loi du 16 août 1940 que sont créés les *Comités d'organisation*, un par branche industrielle, chargés d'élaborer les programmes de production, de répartir les matières premières, de fixer les salaires, les horaires et les prix. Au sein de ces comités siègent les représentants de l'Etat et des chefs d'entreprise, systématiquement choisis parmi les entreprises les plus puissantes et les plus concentrées de chaque branche. Ainsi s'établit une étroite coopération entre l'Etat, le grand patronat et les technocrates, préfigurant la politique de modernisation de l'économie française qui prendra son essor à la Libération, mais dont les bases se trouvent posées à Vichy (sur les Comités d'organisation, Henry Rousso, «L'organisation industrielle de Vichy», *Revue d'Histoire de la Seconde Guerre mondiale*, octobre 1979, et Richard F. Kuisel, *Le Capitalisme et l'Etat en France*, Paris, Gallimard, 1984).

Cet encadrement de la société s'accompagne, bien entendu, d'une volonté de réorganisation de l'Etat puisque, comme on l'a vu, nombre des partisans de la réforme de l'Etat dans les années trente se retrouvent à Vichy et tentent d'y faire adopter leurs idées. Chargé par l'Acte du 10 juillet 1940 de préparer une nouvelle Constitution,

Philippe Pétain ne cessera d'y travailler, mais aussi de remanier son œuvre (qui ne verra jamais le jour) en fonction des circonstances ou des influences qui s'exercent sur lui. Parti de conceptions qui tournent le dos aux principes qui dominent la vie politique française depuis 1789 (la souveraineté du peuple, le suffrage universel, la démocratie parlementaire...) pour tracer l'ébauche d'une société organique, hiérarchique et autoritaire fondée sur les communautés naturelles (propositions que Joseph Barthélemy, placé à la tête de la Commission de Constitution du Conseil national, s'efforce de mettre en forme), Pétain sera contraint, sous la pression des événements et sous l'influence des libéraux, Romier et Moysset, de revoir sa copie dans un sens plus conforme aux traditions nationales. La 9e et dernière version du texte constitutionnel, préparée en janvier 1944 mais jamais promulguée, réintroduit le terme de République, rétablit le suffrage universel et l'élection des municipalités et des assemblées et crée une Cour suprême de justice chargée de la fonction juridictionnelle. Reconnaissance par Vichy de l'impossibilité d'imposer à la culture politique des Français un régime correspondant aux vœux des inspirateurs de la Révolution nationale (Michèle Cointet, *le Conseil national de Vichy, op. cit.*). Mais ce texte n'est rien d'autre qu'un exercice de style constitutionnel puisque le régime qu'il prépare ne verra jamais le jour.

En attendant que les pouvoirs publics légaux soient mis en place, il faut gouverner et trouver la courroie de transmission qui permettra de faire pénétrer dans la masse de la population les principes de la Révolution nationale. L'ancien socialiste Marcel Déat, devenu un fasciste bon teint, voit naturellement la solution dans le modèle italien ou allemand et plaide dès 1940 pour un parti unique dont il se verrait volontiers le chef (Antoine Prost, «Le rapport de Déat en faveur d'un parti national unique», *Revue française de Science politique*, octobre

1973, et Jean-Paul Cointet, «Marcel Déat et le parti unique», *Revue d'Histoire de la Seconde Guerre mondiale*, 1973). Ce projet rencontre l'opposition farouche du général Weygand et de la plupart des ministres de Vichy, et Pétain n'y donne pas suite. En revanche, il va trouver une formule de substitution en créant la *Légion des combattants*, rassemblant toutes les associations d'Anciens combattants, organisée sur une base départementale et chargée de répandre dans le pays les principes de la Révolution nationale. Souvent dirigée par des notables locaux, jugés sans indulgence par les extrémistes qui constituent une des ailes du pétainisme, la Légion frappe par son hétérogénéité. Tantôt, elle apparaît somnolente et quasi inexistante, se contentant de parader dans les cérémonies officielles. Tantôt, lorsqu'elle est prise en main par des extrémistes (c'est le cas dans certains départements du Midi), elle entend au contraire faire la loi, dénonçant des notables locaux, interdisant les manifestations qui lui déplaisent, prétendant contrôler la vie culturelle de la nation (voir Jean-Paul Cointet, «La Légion française des combattants», in *Le Gouvernement de Vichy*, *op. cit.*). Les innombrables conflits de compétence surgis entre la Légion et les autorités aboutissent à sa mise en sommeil, ce qui comportera une double conséquence. D'une part, on voit se détacher de la Légion, en décembre 1941, un petit groupe d'activistes conduit par Joseph Darnand qui forme le Service d'ordre légionnaire (SOL), noyau de la future Milice. Cette troupe de choc apparaît comme le fer de lance d'un virtuel fascisme français, organisant conférences ou tournées de propagande, fichant les adversaires, molestant ceux qui sont suspects de sympathie pour la démocratie. D'autre part l'échec de la Légion et le caractère groupusculaire du SOL laissent la voie libre à l'administration qui va être le véritable instrument du pouvoir de Vichy. Le nombre des fonctionnaires croît de 600 000 à près d'un million.

A tous les niveaux (Etat, départements, communes), l'administration s'empare des leviers de commande qu'elle contrôle sans aucun contrepoids puisque les élus sont réduits au silence. L'Etat centralisé exerce une autorité sans partage.

Enfin on ne saurait évoquer les pratiques de l'Ordre nouveau dans sa volonté de régénérer la France en omettant l'importance de la politique culturelle de Vichy. Dans un contexte de pénurie, de censure, d'exclusion, Vichy entend faire passer les thèmes de son idéologie à travers une série de vecteurs culturels et le régime a consacré une part de ses moyens à tenter de faire triompher dans le domaine des arts plastiques, du théâtre, du cinéma, de la radio, du sport même, les principes de retour à la «tradition française» supposés mettre fin à la décadence du goût et aux douteuses tendances «cosmopolites». L'entreprise participait d'ailleurs de la volonté de créer une jeunesse saine et virile capable de porter les principes de la Révolution nationale. Le but est de faire sortir la culture des cénacles ésotériques où l'art moderne l'avait confinée pour la ramener à sa tradition artisanale permettant la rencontre entre l'art et le peuple. C'est le but d'une association comme *Jeune France* qui de novembre 1940 à mars 1942 s'efforce de diffuser en la décentralisant une culture populaire. Pour parvenir à ce résultat l'Etat s'engage plus qu'il ne l'avait jamais fait dans le domaine culturel (mais il prolonge en l'amplifiant une tendance née à l'époque du Front populaire). Dans le cadre de la politique «corporative» déjà évoquée, on a vu naître des comités d'organisation industriels par exemple dans le domaine des industries cinématographiques ou dans celui des entreprises de spectacle qui ont, pour la première fois, organisé des professions où l'individualisme était jusqu'alors la règle. On voit même s'élaborer un ordre des Arts graphiques et plastiques qui, finalement, ne verra jamais le jour, mais qu'une grande partie des intéressés envisage d'un bon œil. D'autre part, l'administration connaît, là comme ailleurs, une extraordinaire croissance de son rôle puisqu'elle constitue le bras séculier d'un régime autoritaire sans contrepoids. A partir de 1940, le tennisman Jean Borotra, nommé commissaire à l'Education générale et au Sport, rédige une Charte du Sport qui fait de l'Etat la clé de voûte de l'organisation sportive, laquelle commence à l'école. Dans le domaine des Beaux-Arts, Louis Hautecœur, directeur des Beaux-Arts, fait de l'Etat le protecteur du patrimoine et le tuteur de l'enseignement artistique.

Il va de soi que cette intervention de l'Etat n'est pas innocente et qu'elle a pour objet de favoriser une propagande par la culture permettant de faire pénétrer par osmose dans l'opinion les thèmes de la Révolution nationale. Sans être tout à fait négatif (mais une partie de ces thèmes trouvait un écho réel dans l'opinion, qu'il s'agisse du retour à l'ordre esthétique ou de l'exaltation de l'artisanat), le résultat est cependant minime. S'il existe un «art-Maréchal» dont parle Laurence Bertrand Dorléac (*Histoire de l'art, Paris 1940-1944, Ordre national, traditions et modernités*, Paris, Publications de la Sorbonne, 1986), sa naïveté et son caractère conformiste ne dépassent pas les limites de l'art officiel traditionnel. Pour le reste, Vichy a, faute de forte cohésion doctrinale ou faute de volonté totalitaire, laissé suffisamment d'espace de liberté aux créateurs pour que l'intérêt du régime pour la culture se solde par un véritable élan culturel sur lequel nous reviendrons (sur l'ensemble de cette question culturelle, voir Jean-Pierre Rioux (sous la direction de), *La Vie culturelle sous Vichy*, Bruxelles, Complexe, 1990, collection «Questions au XXe siècle» et, plus précisément, sur le problème évoqué plus haut, l'article de synthèse d'Henry Rousso «Vichy : politique, idéologie et culture»).

Il reste à examiner la nature du régime dont nous avons

décrit le fonctionnement. Est-on en présence d'un fascisme à la française ou d'un régime autoritaire répressif? Jusqu'en 1942, la réponse généralement donnée admet plutôt la seconde hypothèse. On remarque que le régime n'a ni idéologie officielle et homogène, ni parti unique (l'échec de la *Légion des Combattants* est éclairant), ni pratique totalitaire pour la mettre en œuvre (on vient de relever le pluralisme culturel). Vichy apparaît ainsi plutôt comme un régime réactionnaire, s'efforçant, à la faveur du traumatisme subi par les Français et de l'extrême popularité de son chef, de persuader la population du bien-fondé des principes de redressement qu'il entend appliquer. Le caractère non fasciste du régime de Vichy est mis en évidence par Michèle Cointet dans son ouvrage fort circonstancié *Vichy et le fascisme*, Bruxelles, Complexe, 1987, collection «Questions au XXe siècle». Toutefois, un autre historien de la période, Yves Durand, dans un remarquable travail de synthèse (*La France dans la Seconde Guerre mondiale 1939-1945, op. cit.*) nuance ce point de vue en remarquant que le rejet de la démocratie, la personnalisation du pouvoir, le fondement charismatique de celui-ci, l'unanimisme exigé de l'opinion, le zèle épurateur, l'appareil répressif et policier rapprochent Vichy des Etats fascistes. Mais il note que ces traits s'accentuent avec le temps. Et c'est surtout l'évolution de Vichy à partir de 1941 (et de manière croissante ensuite) qui permet de se poser le problème avec plus de pertinence. Or une bonne partie de cette évolution tient au sort que connaissent les Français à l'époque de Vichy du fait de cette occupation que le régime a voulu ignorer pour se consacrer à la Révolution nationale.

Le poids de l'occupation

Si Vichy entend ignorer la présence des Allemands sur le territoire national, celle-ci s'impose physiquement aux Français. L'occupation allemande s'exerce sur une grande partie du territoire (voir carte p. 332) mais avec des variantes selon les zones concernées. Les deux départements alsaciens et la Moselle, recouvrés en 1919, ont été purement et simplement annexés au Reich en 1940 et celui-ci s'efforce de les germaniser, les considérant comme terres allemandes et incluant les hommes en âge de porter les armes dans la Wehrmacht. Les zones interdites du Nord et du Nord-Est connaissent un statut particulier qui s'explique pour des raisons militaires, économiques et peut-être des raisons politiques floues. Tel est le cas du Nord et du Pas-de-Calais rattachés à l'administration militaire de Bruxelles avec, peut-être (jusqu'en 1943, date où cette situation cessera), l'idée de les faire entrer dans un Etat flamand. L'occupant intègre le potentiel industriel de la région à son économie et s'efforce d'y prélever une main-d'œuvre spécialisée et qualifiée. Le statut de la zone interdite du Nord-Est, délimitée par une ligne Somme - Aisne - Vouziers - Saint-Dizier - Chaumont - Dole, est voisin. Les Allemands y interdisent le retour de 65 000 réfugiés partis durant l'exode et y installent jusqu'en 1941 des colons allemands. A partir de 1941, la situation s'améliore avec la suppression de la ligne précitée et les habitants reçoivent en 1943 le droit de rejoindre leur domicile. En outre, il existe une zone interdite de 15 à 20 km le long des côtes, dont la raison d'être est évidemment militaire. Enfin, au nord et à l'ouest de la ligne de démarcation, la «zone occupée» (avec Paris) est soumise à l'autorité directe du Gouverneur militaire en France.

Dans toutes ces zones, l'autorité de Vichy s'exerce en

principe. L'administration, la police, les responsables français continuent à gérer la vie quotidienne. Les lois de Vichy s'appliquent comme en zone non occupée. Mais l'exercice de cette souveraineté est soumise au bon vouloir des autorités allemandes et le veto de l'occupant s'impose aux décisions de Vichy ou à l'action de ses agents et fonctionnaires. Au contraire, en zone sud, la présence militaire allemande n'est pas visible et Vichy conserve les aspects extérieurs de la souveraineté. Les pressions allemandes ne sont pas moindres, compte tenu des atouts dont dispose l'occupant, mais elles s'exercent sur le gouvernement et non directement sur la population.

Le poids de l'occupation n'est pas seulement militaire, il est aussi économique. Il prend d'abord un aspect financier. En application des clauses de la convention d'armistice qui prévoient que les frais d'entretien des troupes d'occupation seront à la charge de la France, l'Allemagne impose une exorbitante indemnité de guerre. Fixée à 400 millions par jour en 1940 (ce qui correspondrait à l'entretien de 18 millions de soldats), réduite à 300 millions en 1941 lorsque Vichy s'efforce de donner à l'Allemagne des gages de sa bonne volonté, elle est portée à 500 millions après l'invasion par les Allemands de la zone sud en novembre 1942, puis à 700 millions après le débarquement de juin 1944. A ces prélèvements directs s'ajoutent toute une série d'autres ponctions financières, réquisitions d'or, prises de guerre, achats non soldés faits par les Allemands en France, cession forcée de participations d'entreprises françaises en France ou à l'étranger. Au total, on évalue à 700 milliards le total des sommes ainsi prélevées par l'occupant. Le gouvernement de Vichy est, bien entendu, incapable de faire face à ces exigences à partir des revenus (au demeurant en diminution) de l'Etat et il doit faire appel pour satisfaire l'Allemagne à la planche à billets, ce qui a pour résultat

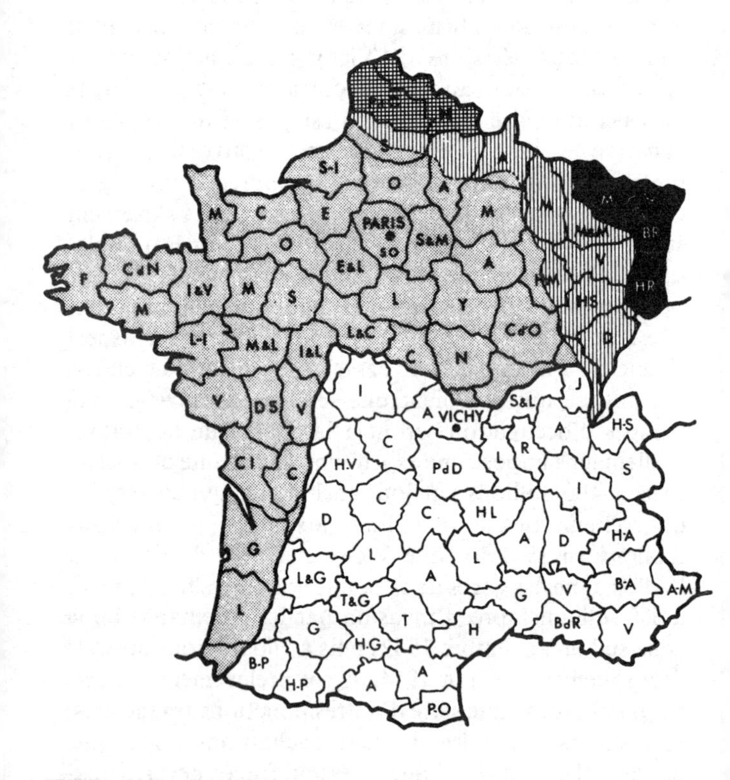

ZONE OCCUPÉE

ZONE NORD rattachée au commandement allemand de Bruxelles

ZONE INTERDITE au retour des réfugiés

ZONE ANNEXÉE (Alsace et Lorraine)

ZONE NON OCCUPÉE (jusqu'en nov. 1942)

d'engendrer une gigantesque inflation qui pèsera sur le destin du pays bien après la guerre.

Les prélèvements allemands ne sont pas uniquement financiers. Ils portent également sur la production. On estime que 12 à 17 % de la production agricole française ont été expédiés en Allemagne, réduisant d'autant les disponibilités alimentaires de la France (mais avec une inégalité, les campagnes stockant des produits devenus rares, pour alimenter le marché noir, alors que l'approvisionnement des villes diminue de 40 % !). Le prélèvement porte enfin sur les produits industriels, charbon, électricité, minerais, produits fabriqués, avec pour effet direct une pénurie de ces mêmes produits qui font désormais l'objet d'un rationnement en France. On prendra la mesure de l'importance de ce véritable pillage de l'industrie française par l'occupant en indiquant que les industries du bâtiment, de l'automobile, de la chaux et du ciment travaillent à 75 % pour l'Allemagne, celles de la peinture et du caoutchouc à 60 %, le textile à 55 %.

Enfin, à ces prélèvements sur l'économie française, il faut ajouter la ponction sur la main-d'œuvre, mise au service de l'économie allemande, au détriment des besoins nationaux. A divers titres (prisonniers de guerre, travailleurs volontaires, déportés du travail après 1942, ouvriers réquisitionnés en France), entre 1 600 000 Français (fin 1941) et 2 600 000 (été 1944) travaillent au service de l'Allemagne. Cette ponction explique la chute de la production industrielle durant les années de guerre. Pour un indice 100 en 1939 la production tombe aux chiffres suivants :

68 en 1941
62 en 1942
56 en 1943
43 en 1944

Or, sur cette production déjà considérablement diminuée, les Allemands prélèvent 34 %, ce qui donne une explication claire de la pénurie régnant dans le pays.

A l'occupation militaire et à la sujétion politique qui s'ensuit, aux prélèvements économiques générateurs de pénurie, s'ajoute enfin la répression exercée par les Allemands, avec l'aide des collaborateurs, mais aussi des autorités de Vichy qui, de plus ou moins bonne grâce, mettent l'administration et la police au service des Allemands. Trois catégories paient à cette répression le tribut le plus lourd, les Juifs, les communistes et les résistants. Entre 200 000 et 250 000 personnes ont été appréhendées; une partie d'entre elles ont été déportées en Allemagne et un grand nombre n'en sont pas revenues. A ces arrestations qui s'opèrent sur une grande échelle à partir de 1942 s'ajoutent, à partir de l'été 1941, les exécutions d'otages qui feront 30 000 victimes. Cet aspect de la répression prend, à mesure que la guerre se développe et que l'action de la Résistance s'amplifie sur le plan militaire, un caractère de plus en plus collectif, les représailles atteignant la population civile. A partir de 1944, cette répression prend un caractère sauvage, exécution de prisonniers pris au hasard dans les prisons de Limoges et de Périgueux pour répondre à des attentats commis contre les chefs de la Gestapo en mars 1944, massacre d'Ascq dans le Nord en avril 1944 après le déraillement d'un train militaire allemand... Le souvenir le plus horrible reste le massacre d'Oradour-sur-Glane en juin 1944 où, pour punir la population du harcèlement dont sont victimes les soldats allemands de la division *Das Reich* en route pour le front de Normandie, les hommes du village sont fusillés et les femmes et les enfants brûlés dans l'église... L'horreur sera portée à son comble par le procès qui aura lieu après la guerre des principaux responsables du massacre lorsqu'on s'aperçoit qu'une partie des coupables sont des Alsaciens enrôlés dans l'armée allemande, dont l'inculpation provoque une très vive émotion en Alsace. L'amnistie prononcée par le Parlement français sera ressentie comme une trahison et une injure à Oradour.

Un élément spécifique de cette répression est la répression raciale. Elle frappe surtout les Juifs (et les Tziganes) et représente l'aspect français de la politique raciale nazie. En zone occupée, elle est mise en œuvre par les Allemands avec l'aide de l'administration de Vichy (les polémiques qui se développent près d'un demi-siècle après les événements sur l'action de certains des responsables de l'administration vichyssoise montrent l'importance du rôle de celle-ci). Mais en zone sud, elle est le fait d'initiatives propres au gouvernement du Maréchal. La première grande rafle des Juifs en zone nord a lieu en mai 1941. Mais c'est à partir de 1942 avec la mise en œuvre par les Allemands de la «solution finale du problème juif» que commence la grande vague d'arrestations et de déportations. Les 16 et 17 juillet 1942 a lieu la «rafle du vel'd'Hiv'»: la police française arrête 13 000 Juifs qui seront parqués au vélodrome d'Hiver avant d'être conduits au camp de Drancy, puis livrés aux Allemands et déportés. En février 1943, c'est le gouvernement de Vichy qui prend l'initiative d'une nouvelle rafle qui n'épargne ni les enfants ni les vieillards. Au total, ce sont quelque 75 000 déportés «raciaux» qui connaîtront les camps allemands, dont la plupart ne reviendront pas, morts de faim ou d'épuisement, assassinés dans les chambres à gaz, leurs corps brûlés dans les fours crématoires...

Comment les Français vivent-ils au quotidien ces conditions difficiles?

La vie quotidienne des Français sous l'occupation

Pour la masse des Français, le poids de l'occupation se traduit d'abord en termes de difficultés quotidiennes et, avant tout, de restrictions. Dans une société encore largement dominée par le problème de la satisfaction des besoins fondamentaux (la nourriture, le chauffage, le vêtement), la pénurie se fait lourdement sentir et obsède les Français, contraints de faire preuve d'ingéniosité pour assurer une vie quotidienne dont la trame est tissée d'une foule de petites difficultés.

Dès l'été 1940, on commence à établir un rationnement général des denrées. Tous les produits alimentaires sont progressivement rationnés, mais aussi les vêtements, les chaussures, le chauffage. En septembre 1940, les Français ont ainsi droit à 350 g de pain par jour et 360 g de viande par semaine, quantités qui seront respectivement ramenées en avril 1941 à 275 g et 250 g (la ration de viande s'amenuisera progressivement jusqu'à descendre à 120 g par semaine en avril 1943). De la même manière, la ration de matières grasses passe de 650 g par mois en août 1941 à 150 g par mois en avril 1944. Chaque Français reçoit des tickets de rationnement qu'il doit échanger contre les produits correspondants... lorsque les magasins sont approvisionnés. Les rations diffèrent d'ailleurs selon les catégories concernées. Des distinctions sont opérées entre les enfants selon leur âge (E pour les moins de 3 ans, J1 de 3 à 5 ans, J2 de 6 à 13 ans...) et entre les adultes selon leur activité (les «travailleurs de force» T ayant droit à des rations plus importantes) ou leur âge (les vieillards de plus de 70 ans classés V recevant des rations moindres). Si les restrictions alimentaires sont les plus quotidiennement subies, le rationnement s'étend aussi aux vêtements, aux chaussures, au papier, au carburant, au caoutchouc, etc. Le moindre objet devient précieux et les Français doivent déployer des trésors de patience et d'ingéniosité pour pouvoir survivre.

Cette pénurie est évidemment inégalement répartie. La pénurie alimentaire touche surtout les villes. A la campagne, l'autoconsommation paysanne s'accroît, mais la pénurie s'y fait lourdement sentir du fait de l'absence de carburant, du manque d'engrais, de l'impossibilité de réparer les machines faute de pièces ou de la mauvaise qualité de la ficelle de papier qui casse dans les moissonneuses-lieuses, faute de sisal. On ne peut suppléer à ce manque de moyens de production par l'utilisation d'une main-d'œuvre qui, elle aussi, se fait rare. En ville, les conditions sont souvent dramatiques. Le rationnement n'offre que des quantités insuffisantes de produits de première nécessité et ceux-ci même manquent le plus souvent. Pour beaucoup de familles, le colis envoyé par les cousins de la campagne est le seul moyen d'améliorer un ordinaire bien frugal. Reste le «marché noir», l'achat en dehors des prix taxés (c'est-à-dire dans des conditions beaucoup plus onéreuses) des produits qui font défaut, les expéditions à la campagne où les fermiers acceptent de vendre (au prix fort) un jambon ou quelques œufs ou le troc (l'échange de sucre ou de cigarettes contre un poulet ou quelques centaines de grammes de beurre). Les Français font aussi l'expérience des *ersatz*, des produits de remplacement avec lesquels il faut faire contre mauvaise fortune bon cœur : les textiles fabriqués avec des cheveux, les chaussures à semelles de bois puisque le caoutchouc et le cuir sont devenus des denrées introuvables. Le bricolage, le système «D» (comme débrouillardise) deviennent des règles essentielles de vie.

Ainsi polarisés sur des problèmes immédiats de vie quotidienne, les Français n'ont pas comme préoccupation fondamentale la vie politique, même s'ils n'ignorent pas celle-ci et attendent avec impatience le retour de la paix. L'opinion publique telle qu'on la perçoit est majoritairement fidèle au Maréchal. Mais il s'agit, comme le note Yves Durand (*La France dans la Seconde Guerre mondiale, op. cit.*), d'un maréchalisme passif, sentimental, qui s'adresse à la personne du chef de l'Etat plus qu'à sa politique. Il est en outre largement fondé sur la croyance que le Maréchal joue double jeu, et s'accompagne d'une vive hostilité à l'Allemagne, et d'une sympathie croissante pour l'Angleterre et les Etats-Unis. Ce maréchalisme, pour être très important, n'en est pas moins érodé au cours de la guerre par les actes évidents de collaboration et par les difficultés de la vie quotidienne, mais celles-ci sont le plus souvent portées au débit de l'entourage ou du gouvernement (Darlan, Laval...). Bien différent est le vichysme des partisans de la Révolution nationale, notables locaux, hiérarchie catholique, cadres des associations d'Anciens combattants, hommes d'affaires des Comités d'organisation. On a là une classe dirigeante qui a adhéré aux objectifs du régime, même si ses rangs vont en se clairsemant à partir de 1942 lorsque le sort de la guerre paraît basculer. Enfin, seule une mince minorité (au plus quelques dizaines de milliers de personnes) adhérera à la collaboration active. Il est vrai qu'en face, le groupe des Résistants (sur lequel nous reviendrons) n'est pas beaucoup plus fourni (tout au moins jusqu'à l'extrême veille de la Libération) et qu'il serait sans doute erroné de penser qu'il dépasse à ce moment 200 000 individus actifs engagés dans la lutte politique ou militaire contre l'occupant. Faut-il pour autant considérer la grande majorité des Français (la presque unanimité devrait-on dire) comme attentiste? Sans doute pas. Obsédés par la solution des innombrables difficultés de la vie quotidienne, sentimentalement attachés à la personne de Pétain, ils attendent avec espoir la victoire des Alliés et la Libération. Leur appréciation envers la Résistance est complexe. Certains applaudissent aux coups qu'elle porte à l'occupant, mais sans que cette approbation, d'ailleurs croissante, les pousse à sauter le pas de l'illégalité pour aller plus loin dans leur soutien. D'autres (chez les notables ou parmi les paysans) jugent sans indulgence l'action des maquis après 1943, voyant en eux des marginaux qui constituent une menace pour les biens et les personnes ou de dangereux révolutionnaires noyautés par les communistes. Méfiants envers les minorités activistes, beaucoup de Français se reconnaissent davantage dans les notables républicains, anciens parlementaires réduits au silence et à l'inactivité par Vichy, souvent sympathisants de la Résistance, mais trop en vue ou trop âgés pour passer à une clandestinité qui ne correspond d'ailleurs pas à leur légalisme prononcé. On a donc une population globalement antiallemande, très hostile à la collaboration, réservée envers la résistance intérieure, de plus en plus attentive à l'action du général de Gaulle, mais faisant avant tout confiance aux Alliés pour la libérer du joug nazi. (Pour l'opinion publique sous Vichy, on consultera M. Baudot, *L'Opinion publique sous l'occupation : l'exemple du département de l'Eure*, Paris, PUF, 1960; Yves Durand, *Le Loiret dans la guerre*, Saint-Etienne, Horvath, 1983; Pierre Laborie, *Résistants, vichyssois et autres : l'évolution de l'opinion et des comportements dans le Lot de 1939 à 1945*, Paris, Editions du CNRS, 1980; Monique Luirard, *La Région stéphanoise dans la guerre et la paix*, Saint-Etienne, Presses universitaires de Saint-Etienne, 1980 et, pour une tentative de synthèse, Pierre Laborie, *L'Opinion française sous Vichy*, Paris, Seuil, 1990).

Ce peuple obsédé par les soucis du quotidien, vaincu et occupé, soumis au risque de la répression et condamné au silence politique, va trouver un exutoire à ses angoisses et à ses incertitudes sur l'avenir dans une pratique culturelle qui, à beaucoup d'égards, fait figure d'activité d'évasion, de compensation, voire de preuve de vitalité et d'existence, dans une situation où le doute règne sur l'avenir de la collectivité et de chacun des individus qui la composent. Car, dans tous les domaines, la «consommation culturelle» de ces années noires est frappante. Le cinéma connaît un véritable âge d'or, passant de 220 millions de spectateurs en 1938 à 304 en 1943 et 420 en 1947. Le théâtre accueille jusqu'à 800 000 spectateurs par mois en 1943. La radio n'a jamais été autant écoutée, même si, faute de fabrication de nouveaux appareils, le nombre des récepteurs augmente peu. Les musées, les galeries, les expositions connaissent une exceptionnelle fréquentation. Le sport est l'objet d'un engouement inédit qui voit tripler le nombre des licenciés dans le sport universitaire ou les sports d'équipe. Sans doute le besoin de distractions, la recherche d'une sociabilité interdite autrement, voire la fréquentation de salles chauffées peuvent-elles constituer des éléments d'explication, mais il serait trop simple de réduire à cet aspect des choses un engouement réel que les créateurs et les responsables ont clairement ressenti et qui donne lieu à un effort des artistes pour gagner les masses et faire sortir les formes d'expression culturelle du cercle étroit où elles étaient confinées (à noter une fois de plus que l'on se trouve ici dans le droit fil des expériences culturelles de l'époque du Front populaire). Ainsi s'expliquent les efforts de décentralisation qui rendent compte de la fécondité de la vie culturelle des villes de province ou des régions, l'essor de ces deux grands vecteurs d'une culture de masse que sont la radio et le cinéma, ou le souci obsessionnel, et que la Libération développera encore, du thème de l'éducation populaire dans le domaine de la lecture publique, du sport ou du théâtre (voir Jean-Pierre Rioux (sous la direction de), *La Vie culturelle sous Vichy, op. cit.*, en particulier l'article de synthèse de Jean-Pierre Rioux : «Ambivalences en rouge et bleu : les pratiques culturelles des Français pendant les années noires»).

On ne peut qu'être frappé par la fécondité créatrice de ces années noires dans le domaine de la culture. Répondant à l'intérêt nouveau et à l'attente du public, de nouvelles tendances artistiques se font jour qui ont pour point commun de s'interroger sur l'homme isolé et fragile face à l'histoire (*«Il n'y a plus que l'homme, en face de sa vie... Ingénu jusqu'à la maladresse»* écrit le peintre Bazaine en 1942) et d'offrir une réponse empruntée à la tradition, rassurante et ordonnée, mais exprimée en termes d'une modernité garante de l'avenir. Voici au théâtre la représentation à la Comédie-Française du *Soulier de satin* de Claudel monté par Jean-Louis Barrault, celle de l'*Antigone* d'Anouilh à l'Atelier en 1944, et Montherlant donne la même année sa *Reine morte*. Un jeune auteur fait des débuts prometteurs bien que peu remarqués: Jean-Paul Sartre fait jouer *Les Mouches*, montées par Charles Dullin en 1943 et, en 1944, *Huis clos*.

Le cinéma produit une série d'œuvres marquantes et révèle de jeunes metteurs en scène comme Robert Bresson, Henri-Georges Clouzot (dont *Le Corbeau* qui pose le problème de la délation sera l'objet d'une polémique) ou Jacques Becker. La période voit la sortie de trois œuvres poétiques qui peuvent apparaître comme caractérisant un cinéma de rêve et d'évasion avec *Les Visiteurs du soir* de Marcel Carné en 1943 (mais faut-il, comme on l'a prétendu, voir un symbole de la volonté de survie nationale dans l'image finale qui fait entendre le cœur battant des deux héros statufiés et la colère impuissante du diable devant cette vitalité inattendue?), *Les Enfants du paradis* du même auteur ou *Goupi-Mains rouges* de Becker en 1943, peinture savoureuse de la société française de la fin des années trente.

Art plus élitiste, la peinture elle-même amorce un retour vers la tradition, mais qui intègre les héritages du fauvisme et du cubisme. Une des manifestations les plus spectaculaires en est l'exposition «Jeune France» organisée en 1941 et réunissant «une vingtaine de jeunes peintres de tradition française» dont Edouard Pignon, Jean Bazaine, André Fougeron, Dubuffet. Voici encore, à la veille de la Libération, la *Messe de l'homme armé*, composition en bleu et rouge de Jean Bazaine où s'exprime la tension entre tradition et modernité et où filtre le message de l'aspiration au retour à l'ordre dans un monde bouleversé et barbare.

La création culturelle exprime ainsi dans un message codé la volonté d'un peuple captif et écrasé de retrouver un avenir dont il ne saurait discerner les traits dans un présent décevant. Preuve s'il en était besoin de l'échec du projet d'Ordre nouveau de la Révolution nationale, dont le tournant décisif se situe en 1941-1942.

La radicalisation du régime de Vichy et l'échec de la Révolution nationale

C'est à partir du printemps 1941 que le régime de Vichy perçoit les premiers signes de la désaffectation des Français. Les conditions de la vie quotidienne avec la multiplication des pénuries sont pour beaucoup dans cette désaffectation. Mais il s'y ajoute les effets de la contrainte politique. L'abolition de la liberté de pensée, la lecture d'une presse aux ordres indisposent. Les arrestations ne touchent encore massivement que les communistes et les gaullistes, mais les internements de Juifs, sans provoquer de protestations massives, conduisent un certain nombre de Français à s'interroger sur le régime. En 1942, 50 000 Français sont emprisonnés et 30 000 internés dans les camps de concentration. En zone sud, la police de Vichy pourchasse communistes, gaullistes, syndicalistes et, bientôt, parlementaires de la IIIe République. Les oppositions entre Français se durcissent et les premiers actes d'une guerre civile larvée sont accomplis. En juillet 1941 des membres du PPF de Doriot assassinent l'ancien ministre de l'Intérieur du Front populaire, le socialiste Marx Dormoy. En août, un attentat est commis à Paris, au cours duquel Laval et Déat sont blessés. Le 21 août, un résistant communiste, le futur colonel Fabien, tue, au métro Barbès, un officier allemand, ouvrant ainsi la phase de la lutte militaire contre l'occupant qui sera désormais marquée par le cycle attentats-répression (cette exécution donne lieu à l'arrestation d'otages qui sont fusillés). Cette radicalisation dresse contre l'occupant une grande partie de l'opinion française qui, désormais, admet de plus en plus mal l'action des journaux et des organisations qui ont une attitude pro-allemande et l'attitude de Vichy à l'égard de l'occupant.

Toute une série d'actions mettent en évidence la fin du consensus que Vichy avait tenté de promouvoir en 1940 et au début de 1941. En mars 1941 ont lieu à Marseille des manifestations en l'honneur du roi Pierre II de Yougoslavie qui vient de chasser le germanophile régent Paul. En mai 1941, les mineurs du Nord et du Pas-de-Calais se mettent en grève pour obtenir hausses de salaires et meilleur ravitaillement, à la grande colère des Allemands qui comptent sur la production des houillères. Les «V», symboles de la victoire alliée, apparaissent sur les murs des grandes villes. Les mouvements de résistance, jusqu'alors embryonnaires, se développent et leurs tracts et la presse clandestine font connaître aux Français leur existence et leurs objectifs. Enfin, après l'attentat du métro Barbès, la résistance communiste, bientôt suivie des autres organisations, passe à l'action directe contre l'ennemi.

Pour tenter d'arrêter cette dégradation et reprendre en main une situation qui lui échappe, le maréchal Pétain ne voit de recours que dans un raidissement politique. Il s'engage ainsi dans un processus de radicalisation qui va couper de plus en plus profondément le régime de l'opinion française. Le tournant est annoncé officiellement par un discours du chef de l'Etat prononcé à Saint-Etienne le 12 août 1941. Devant les oppositions qui se manifestent, «*le vent mauvais qui se lève sur plusieurs régions de France*» (phrase qui vaudra au discours d'entrer dans l'histoire sous le nom de «discours du vent mauvais»), le maréchal décide toute une série de mesures qui accentuent le caractère dictatorial et arbitraire du régime. Les partis politiques sont supprimés, ainsi que l'indemnité parlementaire des députés et sénateurs «ajournés». La police voit ses moyens d'action renforcés et des «commissaires au pouvoir» sont nommés afin de briser les oppositions à la «Révolution nationale». Une justice d'exception, les «Sections spéciales», de sinistre mémoire, est créée auprès des Cours d'appel (et le Garde des Sceaux, le juriste Barthélemy, finit par entériner cette violation des principes dont il s'était fait l'apôtre). Enfin, tous les ministres et hauts fonctionnaires doivent prêter serment de fidélité au Maréchal et cette obligation sera bientôt étendue à d'autres catégories de fonctionnaires. Il est vrai que, dès le mois de juin 1941, l'adoption du second statut des Juifs aggravant considérablement les dispositions discriminatoires du premier statut (en organisant la spoliation des entreprises leur appartenant, l'institution d'un *numerus clausus* à l'université et dans les professions libérales et imposant leur recensement et leur organisation en minorité gérée par une Union générale des Israélites français — UGIF) révélait le durcissement de la politique répressive de Vichy avant que son chef ne l'annonce. Toutefois, Xavier Vallat, commissaire aux Questions juives, refuse d'appliquer en zone sud les mesures décidées par les Allemands en zone nord : port de l'étoile jaune et couvre-feu spécial. Il sera remplacé par Darquier de Pellepoix qui appliquera avec zèle un racisme outrancier et que Vichy laissera agir.

Cette radicalisation du régime va conduire celui-ci à intenter un procès, qu'il veut exemplaire, aux hommes d'Etat de la IIIe République qu'il a fait incarcérer dès 1940. En février 1942, le chef de l'Etat les défère à la Cour spéciale de Riom, sans qu'on comprenne très bien d'ailleurs s'ils sont jugés comme responsables de la guerre ou de la défaite. Le procès de Riom reste dans l'histoire comme un modèle de parodie de justice. Les accusés sont jugés en vertu de textes qui n'existaient pas au moment des faits qui leur sont reprochés, ce qui est une violation du principe juridique fondamental de non-rétroactivité des lois. Certains des accusés sont par ailleurs condamnés par la Cour suprême de justice avant même que ne s'ouvre le procès de Riom. Celui-ci ne tarde d'ailleurs pas à tourner à la confusion du régime et de ses chefs, dont Blum et Daladier font le procès, se transformant d'accusés en accusateurs. En avril 1942, conscients de l'effet désastreux qu'il a sur l'opinion, les Allemands donnent l'ordre de mettre fin au procès.

Abandonnant toute création d'un «Ordre nouveau», le gouvernement de Vichy se transforme donc rapidement en Etat policier, donnant la priorité à la mise en lisière de l'opinion et à la répression. L'ancien communiste Paul Marion, devenu ministre de l'Information, envoie aux journaux des consignes sévères leur indiquant ce qu'il convient de dire ou de taire, leur faisant parvenir des notes d'orientation et allant jusqu'à leur communiquer des schémas d'articles dont le caractère est de plus en plus impératif. Le ministre de l'Intérieur, Pierre Pucheu, accepte, à la demande des Allemands, de promulguer une loi rétroactive réprimant les activités communistes et il va aller jusqu'à choisir des otages qu'il fait juger par des tribunaux d'exception, chargés d'intimider les résistants en faisant des exemples.

Le retour au pouvoir de Pierre Laval en avril 1942 va accentuer les tendances autoritaires et répressives du régime. Le chef du gouvernement a toujours considéré comme une notion fumeuse la Révolution nationale. Partisan d'un régime fort, il professe son mépris des idéologies et n'entend considérer que les réalités. Or celle qui va s'imposer à lui avec le plus de force est celle de la présence allemande et de l'influence dominante du Reich sur les destinées françaises. C'est en fonction de cette donnée que sa priorité sera de mettre l'accent sur une «collaboration» avec le Reich nazi dont il est le promoteur. Mais avec elle, le régime de Vichy, de plus en plus discrédité dans l'opinion par sa politique autoritaire et répressive, perd tout espoir de convaincre les Français et apparaît comme étroitement lié aux nazis. C'est donc entre l'été 1941 et le printemps 1942 que se trouve consacré l'échec de la Révolution nationale. La collaboration domine désormais la vie du régime.

Qu'est-ce que la collaboration?

Le terme de collaboration qui désigne les rapports qui se sont noués entre la France occupée et l'occupant allemand entre 1940 et 1944 revêt des acceptions diverses tenant aussi bien aux domaines considérés qu'aux intentions des uns et des autres (sur l'ensemble de la question, voir Eberhard Jäckel, *La France dans l'Europe de Hitler*, Paris, Fayard, 1968, et Jean-Pierre Azéma, *La Collaboration 1940-1944*, Paris, PUF, 1975).

Le domaine le plus difficile à cerner et le plus ambigu est celui de la collaboration économique. A la volonté allemande de drainer pour ses besoins une partie de la production industrielle française, nombre d'entreprises ont répondu, et des banques ont volontiers accepté de financer les entreprises du Reich. La collaboration économique est donc la participation d'entreprises françaises à l'économie allemande avec, à la clé, d'importants profits. Si, dans certains cas, il est avéré que des patrons sont allés avec zèle au-devant des désirs allemands (c'est le cas des entreprises automobiles de Renault et de Berliet qui, pour cette raison, seront nationalisées à la Libération), d'autres se sont trouvés contraints de prêter leur concours à l'occupant, sous peine de représailles ou encore pour éviter la ruine de l'entreprise, voire pour protéger les travailleurs du chômage et de la réquisition pour le Service du travail obligatoire en Allemagne. Bien souvent, ces motivations sont malaisées à établir avec certitude, ce qui explique le nombre limité des procès en collaboration économique à la Libération.

En revanche, le cas du «collaborationnisme» a le mérite de la clarté. On est ici en présence d'admirateurs du fascisme ou du nazisme, résolus à conduire une collaboration idéologique avec le Reich hitlérien, de manière à établir en France un régime calqué sur celui de Hitler, appuyé sur un parti unique et tourné vers des pratiques totalitaires. Dénonçant la timidité de Vichy dans le domaine idéologique, ils se retrouvent plus volontiers à Paris où ils recherchent les bonnes grâces de l'ambassade d'Allemagne pour parvenir à leurs fins en remplaçant un gouvernement trop peu fasciste à leur gré. A la tête de ce groupe, les dirigeants des partis collaborationnistes dont chacun rêve d'être le «Führer français»: l'ancien socialiste Marcel Déat, fondateur en 1941 du *Rassemblement national populaire* (RNP), l'ex-communiste Jacques Doriot qui a transformé son *Parti populaire français* (PPF) en une formation qui entend être le futur parti unique du fascisme français, Marcel Bucard, leader du *Francisme* créé dans les années trente et stipendié par Mussolini... A ce groupe de politiques, il faudrait ajouter des écrivains qui exaltent le fascisme pour des raisons qui ne sont pas toujours politiques: Robert Brasillach qui voit dans le fascisme un romantisme, ce qui ne l'empêchera pas de dénoncer à la vindicte de l'occupant dans l'hebdomadaire *Je suis partout* les Juifs ou les démocrates (ce qu'il paiera de sa vie à la Libération) ou Drieu La Rochelle qui cherche dans le fascisme un exutoire à son mal de vivre. Tournant autour de ce noyau dur, des journalistes convaincus comme l'ancien député d'extrême droite Philippe Henriot, ou vénaux comme Jean Luchaire, des jeunes gens qui cherchent à faire carrière, des aventuriers, des trafiquants. Tous font assaut de surenchères antidémocratiques, anticommunistes et antisémites. Leurs idées trouvent un large écho dans la presse parisienne, aussi bien dans les journaux d'information comme *Le Matin*, *Paris-Soir*, *Le Petit Parisien* que dans les hebdomadaires tels que *Je suis partout*, *Au Pilori*, *La Gerbe* ou *L'Illustration*... Mais cette audience apparente ne doit pas faire illusion. Le collaborationnisme, selon des évaluations concordantes, ne dépasse pas 40 000 ou 50 000 personnes actives. Même en ajoutant des sympathisants, il semble attesté que moins de 1 % de la population française y a participé, ce qui en fait une tendance ultra-minoritaire dans une population où la sympathie pour la Résistance et les Alliés est incomparablement plus importante.

On ne saurait confondre cette collaboration idéologique avec la collaboration d'Etat que pratique le gouvernement de Vichy. Celle-ci est cependant bien davantage que la simple constatation des inévitables rapports entre l'occupant et les autorités d'un pays occupé. Il s'agit d'une politique délibérée fondée sur un postulat que l'avenir révélera faux : la certitude de la victoire allemande et, par conséquent, la nécessité d'y adapter la politique française afin d'obtenir un traité de paix relativement favorable. Pour y parvenir, il s'agit de se concilier les bonnes grâces de l'occupant en faisant preuve de bonne volonté au moment où le Reich en guerre a besoin de la neutralité bienveillante d'une France qui, aux yeux de Vichy, n'est pas dépourvue de moyens, en particulier du fait de la possession d'une des meilleures flottes du monde basée à Toulon et d'un empire colonial dont l'importance stratégique ne saurait être sous-estimée. Mais, ce faisant, le but de Vichy est de préserver la souveraineté française et nullement de se faire l'auxiliaire du Reich. Il s'agit de défendre les intérêts français dans la future Europe allemande. Le problème, largement révélé par les sources allemandes (voir E. Jäckel, *op. cit.*) est que si Hitler éprouve en effet le plus grand intérêt à la neutralisation de la flotte et de l'empire français afin d'éviter qu'ils ne basculent du côté des Alliés et si, en raison de cet objectif, il est prêt à feindre de collaborer avec Vichy, il n'entend rien lui offrir en échange et se refuse à considérer l'Etat croupion issu de sa victoire militaire de 1940 comme un partenaire égal. Dans ces conditions, son but est de l'exploiter sans contrepartie et il ne manque pas de moyens pour rendre dociles ses interlocuteurs français : les otages que constituent les prisonniers de guerre français en Allemagne que l'on coupe de toute relation avec leurs familles ou avec Vichy en cas de mauvaise volonté des autorités françaises, la ligne de démarcation entre zone occupée et zone «libre» que le Reich peut transformer à son gré en frontière étanche isolant Vichy de la moitié du territoire français, le chantage aux collaborationnistes de Paris qu'on menace de substituer au gouvernement. Dans ces conditions, et malgré les intentions initiales de Vichy, la collaboration est un marché de dupes où Pétain et son gouvernement ne cessent de mener des combats d'arrière-garde, tout en se laissant entraîner par les Allemands toujours plus loin qu'ils ne l'auraient souhaité, jusqu'à la vassalisation complète.

Les mécomptes de la collaboration d'Etat

Quatre grandes phases marquent les étapes de la collaboration d'Etat, rythmant la dégradation de la situation de Vichy face aux Allemands.

La première commence en octobre 1940, à l'initiative de Pierre Laval, alors vice-président du Conseil. En accord avec l'ambassadeur du Reich à Paris, Otto Abetz, Laval rencontre à Montoire le 22 octobre 1940 Hitler et Ribbentrop, le ministre allemand des Affaires étrangères, et leur suggère la mise en place d'une politique de «collaboration» qui pourrait aller jusqu'aux limites de la cobelligérance, la France se chargeant pour sa part de reconquérir les territoires d'Afrique équatoriale passés à la dissidence gaulliste. Il obtient que, le 24 octobre, Hitler reçoive Pétain. L'entrevue Hitler-Pétain a lieu également à Montoire. Les résultats concrets paraissent minces et débouchent sur des négociations envisageant les projets militaires français en Afrique et les demandes allemandes de matières premières et de produits industriels. Mais la France n'obtient ni la diminution des frais d'occupation, ni le retour des prisonniers de guerre. La conséquence la plus importante de l'entrevue de Montoire est l'effet de propagande qu'elle comporte, la photographie de la poignée de mains Hitler-Pétain et le discours du Maréchal : «*j'entre aujourd'hui dans la voie de la collaboration...*» qui fait de celle-ci la politique officielle de Vichy. Cette première phase est brutalement stoppée par la révocation et l'arrestation de Pierre Laval le 13 décembre 1940, dues non à un désaccord de Pétain sur la politique de collaboration mais à l'exaspération du Maréchal devant la pratique personnelle de Pierre Laval qui conduit des négociations sans le tenir au courant. L'éviction de Pierre Laval provoque cependant une quasi-rupture des contacts franco-allemands en raison de la colère de l'ambassadeur Abetz, privé du partenaire avec lequel il avait jeté les bases de la collaboration.

La seconde phase est le fait de l'amiral Darlan qui, après un bref intermède durant lequel l'ancien président du Conseil, Pierre-Etienne Flandin, fait figure d'homme fort du gouvernement, parvient au pouvoir en février 1941. L'amiral fait des efforts considérables pour renouer les contacts interrompus avec le Reich et se montre prêt à aller très loin dans la voie des concessions pour remettre sur pied la politique de collaboration. Il parvient enfin à rencontrer Hitler à Berchtesgaden en avril 1941 et lui fait des promesses considérables qui seront consignées en mai dans les *Protocoles de Paris*. Par ce texte, la France se range pratiquement aux côtés de l'Allemagne dans la guerre qu'elle mène contre l'Angleterre. En Syrie, Darlan met les aérodromes à la disposition du Reich afin qu'il puisse venir en aide aux Irakiens en révolte contre l'Angleterre. En Tunisie, aérodromes et chemins de fer pourront être utilisés par les Allemands pour acheminer renforts et matériel au maréchal Rommel en difficulté en Libye face aux Britanniques. Des sous-marins allemands pourront être basés à Dakar afin d'attaquer convois et navires en route vers l'Angleterre. La collaboration atteint des sommets, équivalant pratiquement à une cobelligérance aux côtés de l'Allemagne. Si Darlan ne paraît pas avoir saisi toute la portée de ses concessions, il n'en va pas de même des nationalistes de Vichy qui, entraînés par le général Weygand, entendent faire échouer les Protocoles de Paris. Ils suggèrent qu'en échange de la ratification, la France exige des contreparties si considérables que Hitler ne pourra que les rejeter : retour de tous les prisonniers, suppression des frais d'occupation, rétablissement de l'autorité intégrale de Vichy sur tout le territoire. L'affaire n'aura pas de suite, les propositions de Vichy apparaissant rapidement dénuées de tout intérêt pour Hitler. Rommel redresse sa situation en Libye; quant à la Syrie, conquise en mai 1941 par les Britanniques accompagnés des gaullistes, elle échappe à l'autorité de Vichy.

Une troisième phase de la collaboration s'ouvre en avril 1942 avec le retour au pouvoir de Pierre Laval imposé par les Allemands. Avec lui, c'en est fini des finasseries que Vichy tente de mettre en œuvre. Laval annonce une claire politique de collaboration fondée sur son vœu de voir édifiée une Europe allemande où la France trouverait sa place. «*Je souhaite la victoire allemande*, déclare-t-il sans ambages en juin 1942, *parce que, sans elle, le bolchevisme, demain, s'installerait partout*.» Les actes ne tardent pas à suivre les paroles. La France accroît nettement ses livraisons de denrées alimentaires et de produits industriels au Reich. La persécution des Juifs prend un tournant décisif, mis en œuvre par Darquier de Pellepoix, avec le début des grandes rafles qui permettent de livrer aux Allemands les Juifs étrangers (et leurs enfants, sur intervention personnelle de Laval qui, par «souci humanitaire», entend ne pas séparer les familles!... et se débarrasser de l'encombrant problème posé par ces enfants privés de leurs parents). Le même zèle se manifeste en ce qui concerne les demandes allemandes de main-d'œuvre française. Pour éviter la réquisition par les autorités allemandes, Laval lance la politique de la «Relève», proposant que, pour trois travailleurs français partant volontairement en Allemagne, un prisonnier de guerre puisse rentrer en France. Ainsi, en conduisant une politique qui ne peut que satisfaire les Allemands mais qu'il présente comme voulue par le gouvernement, Laval estime parvenir à préserver la souveraineté de Vichy. Fiction qui ne résiste que quelques semaines à la réalité, qui est celle de la vassalisation croissante de Vichy à l'Allemagne nazie.

La quatrième et dernière phase commence en novembre 1942. Le débarquement allié en Algérie et au Maroc les 7-8 novembre, le ralliement de l'amiral Darlan (qui se trouve par hasard à Alger) aux Alliés, après quelques jours de résistance armée, entraînant celui des colonies d'Afrique occidentale française, privent Vichy de l'atout que constituait son empire. La réplique allemande va précipiter les choses. Le 11 novembre, les troupes du Reich envahissent la zone sud, et la flotte française, ancrée à Toulon, se saborde pour ne pas tomber entre leurs mains, l'anglophobie traditionnelle des marins français (avivée par le bombardement par les Britanniques de la flotte française de Mers el-Kébir en juillet 1940) ayant fait écarter l'hypothèse d'un ralliement aux Alliés. Vichy ne dispose plus désormais d'aucun atout susceptible d'intéresser les Allemands. Dès lors, la collaboration n'est plus qu'une suite de reculades de Pétain devant les nazis qui ne se donnent même plus la peine de lui permettre de sauver la face. Quant à Laval, il s'acharne contre toute évidence à préserver l'illusion d'une souveraineté française en feignant d'accorder volontairement aux Allemands ce qu'en fait ils exigent. Ainsi Pétain est-il surveillé par un «délégué général diplomatique» du Reich qui agit en proconsul. Les textes de loi ne peuvent être promulgués qu'après accord des Allemands. Un «Service du travail obligatoire», placé sous l'autorité de l'Allemand Sauckel, procède à la réquisition forcée de travailleurs pour l'Allemagne. Pétain et Laval cèdent encore lorsque les Allemands exigent l'entrée au gouvernement des fascistes parisiens Marcel Déat et Philippe Henriot (respectivement ministres du Travail et de l'Information) en 1944. Sous la botte allemande, le régime prend un tournant clairement fasciste. En janvier 1943, le SOL a été transformé en Milice française, fer de lance d'une fascisation de la France par la force, et police supplétive destinée à briser la Résistance en plein développement, afin de créer une France totalitaire, membre de plein droit de l'Europe nazie. En décembre 1943, sous pression allemande, le chef de la Milice, Joseph Darnand, est nommé secrétaire général au maintien de l'ordre avec autorité sur l'ensemble des forces de police. Pendant que Darnand peut ainsi lancer la chasse aux résistants, un véritable «Etat milicien» tente de s'installer en France en 1944. On voit la Milice prendre en main l'administration pénitentiaire, nommer ses hommes comme intendants du maintien de l'ordre, remplaçant les intendants de police, contrôler les Renseignements généraux, créer des tribunaux ou des Cours martiales, voire assassiner purement et simplement des adversaires politiques comme les anciens ministres Georges Mandel et Jean Zay, le président de la Ligue des Droits de l'Homme, Victor Basch, ou le directeur de *La Dépêche de Toulouse*, Maurice Sarraut. Le collaborationnisme tend donc à se substituer à l'Etat vichyssois, paralysé et impuissant (sur la Milice et l'embryon d'Etat milicien, voir Michèle Cointet, *Vichy et le fascisme, op. cit.*, et le remarquable article de Jean-Pierre Azéma, «La Milice», *Vingtième siècle, Revue d'Histoire*, n° 28, octobre-décembre 1990).

Cette évolution vers le fascisme pose cependant un problème historiographique : la Milice est-elle un fascisme qui se serait imposé à un Etat vichyssois, nationaliste et traditionaliste (c'est la thèse de Michèle Cointet) ou bien est-elle l'aboutissement d'une des tendances de la palette vichyssoise, celle des extrémistes de droite poursuivant leur itinéraire jusqu'au bout de sa logique (thèse de Jean-Pierre Azéma). Admettons que la réponse est liée à des interprétations nécessairement subjectives de cette réalité complexe que fut le pétainisme.

Quoi qu'il en soit, le Vichy de 1943-1944 n'est plus qu'un satellite de l'Allemagne et Pétain et Laval des fantoches sans poids politique. Au moment de leur retraite, les Allemands les contraindront à les suivre, en août 1944, mais ils cessent désormais de jouer le moindre rôle. La collaboration connaîtra son dérisoire épilogue en 1944-1945 à Sigmaringen en Bavière où les chefs de file du fascisme français multiplient les intrigues pour accéder au statut si longtemps espéré de «Führer français», Déat et Doriot rivalisant une fois encore dans cette partie aux enjeux fantômes (Henry Rousso, *Pétain et la fin de la collaboration*, *Sigmaringen 1944-1945*, Bruxelles, Complexe, 1984).

La collaboration d'Etat a donc été un échec total. En dépit des affirmations des hommes de Vichy sur le «double jeu» qu'ils auraient joué et sur leur volonté de protéger les Français, la collaboration n'a épargné à la France ni l'exploitation économique, ni la répression politique, ni les souffrances de tous ordres. Proportionnellement à ses ressources et à sa population, la France est le pays occupé qui a fourni à l'Allemagne le plus de denrées alimentaires, de matières premières et de main-d'œuvre. Les persécutions raciales s'y sont développées, sans entraves de la part du gouvernement. Les gages donnés par Vichy n'ont permis ni à celui-ci de conserver la moindre indépendance, ni aux Français d'être mieux traités que les autres peuples d'Europe occidentale occupés par le Reich. Sans doute la France n'a-t-elle pas connu le sort de la Pologne, mais la crainte de la «polonisation» a poussé Vichy à accepter de se faire volontairement l'auxiliaire du Reich, apportant à Hitler une aide considérable, compromettant aux côtés des Allemands le gouvernement de la France, déshonorant celle-ci par sa politique raciale. On comprend que la conséquence de ce comportement ait été le refus d'un certain nombre de Français de se reconnaître dans un Etat tournant ainsi le dos aux valeurs admises par la communauté nationale et leur décision de choisir, contre lui, la Résistance.

Naissance de la Résistance

A l'origine, la Résistance naît du rassemblement des Français qui n'acceptent pas l'armistice de 1940 et choisissent de continuer le combat contre l'Allemagne nazie. Mouvement patriotique spontané, elle naît en ordre dispersé et sans projet politique précis autre que celui de poursuivre la guerre aux côtés des Alliés et de chasser les Allemands de France.

Le premier acte de résistance est celui accompli à Londres le 18 juin 1940 par le général de Gaulle. Sous-secrétaire d'Etat à la Guerre du gouvernement Paul Reynaud, envoyé par celui-ci à Londres auprès de Churchill pour examiner les moyens de poursuivre le combat aux côtés des Britanniques malgré l'effondrement militaire français, il revient le 16 juin à Bordeaux pour apprendre que le gouvernement a démissionné, qu'il n'est plus ministre et que le nouveau président du Conseil, le maréchal Pétain, a demandé l'armistice. Il repart aussitôt pour l'Angleterre et obtient de Churchill de pouvoir lancer à la radio, la BBC, le 18 juin, un appel aux militaires, aux ingénieurs et aux ouvriers des usines d'armement de le rejoindre à Londres pour poursuivre la guerre avec les Britanniques. L'espoir de Churchill et de de Gaulle est d'obtenir le ralliement d'hommes politiques de premier plan décidés à continuer le combat (on pense à Georges Mandel, mais il sera arrêté au Maroc), et surtout celui des gouverneurs des colonies dont on attend qu'ils rangent l'Empire dans le camp allié. Les ralliements espérés ne se produisant pas, Churchill se résigne à reconnaître le général de Gaulle comme «chef des Français libres», c'est-à-dire de ceux qui sont résolus à combattre les Allemands. Toutefois de Gaulle ne possède ni audience (il est inconnu de l'opinion), ni moyens. La plupart des soldats français évacués de Dunkerque refusent de le rejoindre et demandent à être renvoyés en France. Le général apparaît comme une marionnette des Anglais. Ce sont eux qui le font connaître grâce à la BBC, qui le protègent en l'accueillant sur leur territoire, qui lui donnent des moyens de subsistance en finançant ses activités sous forme d'avances remboursables. Aussi les premiers actes de la France libre, contestant la légitimité du gouvernement de Vichy pour avoir trahi le destin de la nation en signant l'armistice, apparaissent-ils dérisoires. Toutefois, la «France libre» se dote d'un embryon de gouvernement, le *Comité national français* (septembre 1941) avec des départements ministériels. Elle enregistre le ralliement à l'été 1940 des colonies d'Afrique équatoriale française: à la suite du Tchad que le gouverneur Félix Eboué range derrière le général de Gaulle, le Cameroun, le Congo et l'Oubangui-Chari (l'actuelle République Centrafricaine) sont gagnés au gaullisme. Grâce au ralliement de petits contingents coloniaux, comme la colonne Leclerc, naît une petite armée que les Britanniques équipent durant l'été et à l'automne 1940 et qui prend le nom de «Forces françaises libres». En juin 1942, dans le cadre des combats qui opposent en Libye les Allemands de Rommel et les Britanniques, les FFL s'illustreront en bloquant l'avance allemande une quinzaine de jours à Bir Hakeim, laissant ainsi aux Britanniques le temps de se réorganiser et de se fortifier. Mais à cette date, le Comité national français n'est pas reconnu par les Alliés comme un gouvernement. Il a peu de contacts avec une Résistance intérieure née en dehors de lui. Il apparaît tout au plus comme un groupe d'auxiliaires de l'armée britannique (Sur la France libre, Henri Michel, *Histoire de la France libre*, Paris, PUF, 1963, et Michèle et Jean-Paul Cointet, *La France à Londres (1940-1943)*, Bruxelles, Complexe, 1990, collection «Questions au XXe siècle»).

Très différente est la résistance intérieure. Dès l'été

1940 se produisent contre les Allemands des actes isolés de résistance, surtout des sabotages. En même temps, on voit naître, non moins spontanément, des tracts ou des graffiti, des papillons ou des affichettes hostiles aux Allemands et à ceux qui les soutiennent. C'est à partir de ces actes que s'organisent les premiers mouvements de résistance, généralement destinés à mener autour d'un journal clandestin une propagande antiallemande. C'est le cas par exemple du *Réseau du Musée de l'Homme* qui sera démantelé par les Allemands au début de 1941. C'est à partir de cette activité de propagande que se forment, au cours de l'année 1941, les premiers grands mouvements de résistance. En zone sud où les Allemands ne sont pas présents, cette Résistance revêt d'emblée un caractère politique. Trois grands mouvements s'y créent, *Combat* fondé par un officier, Henri Frenay, et auquel se rallieront des groupes de résistants démocrates-chrétiens, *Libération* fondé par Emmanuel d'Astier de la Vigerie qui recrutera dans les milieux syndicalistes et socialisants, *Franc-Tireur* dont le chef de file est Jean-Pierre Lévy et dont les dirigeants appartiennent à des milieux de républicains souvent francs-maçons. En mai 1941 s'y ajoute le *Front national* créé par le parti communiste clandestin et qui s'étend sur les deux zones. Au départ, certains de ces mouvements (*Combat* par exemple) ne sont pas hostiles à Vichy et à l'idéologie de la Révolution nationale, ses dirigeants souhaitant insuffler l'esprit de résistance au gouvernement et combattre la collaboration (voir Marie Granet et Henri Michel, *Combat, Histoire d'un mouvement de résistance*, Paris, PUF, 1957). Mais, dès 1942, le retour de Laval au pouvoir fera se dissiper les illusions sur la volonté de Vichy de combattre les Allemands et celui-ci devient un adversaire pour les mouvements de résistance. En zone nord, la présence des Allemands rend l'action de résistance beaucoup plus périlleuse, et l'activité de celle-ci est tout entière tournée contre l'ennemi. La nécessité d'un strict cloisonnement explique la multiplicité des mouvements, le recrutement se faisant de bouche à oreille, et de multiples initiatives parallèles faisant naître des groupes parfois éphémères. Dans ce foisonnement on distinguera les mouvements les plus importants. Outre le *Front national*, déjà évoqué, on peut citer l'*Organisation civile et militaire*, fondée par des militaires et des hauts fonctionnaires, ingénieurs, etc. et fortement marquée à droite, *Libération-Nord* qui, comme son homologue de zone sud, recrute chez des hommes de gauche, socialistes et syndicalistes, *Ceux de la Résistance*, *Ceux de la Libération* auquel adhéreront nombre d'anciens membres du PSF du colonel de La Rocque. On pourrait y ajouter le groupe de *Défense de la France*, fondé par des jeunes gens, souvent militants chrétiens et, à Lyon, le mouvement *Témoignage chrétien*. Bien entendu la coloration politique ou spirituelle de l'encadrement n'implique nullement une homogénéité des participants à la base. Le cloisonnement, les modes de recrutement par connaissance personnelle, aboutissent à la constitution de mouvements où le patriotisme et la volonté d'agir l'emportent sur toute autre considération, quelles que soient par ailleurs les idées politiques ou les ambitions personnelles des chefs. Jusqu'en 1941, l'action essentielle de la Résistance consiste à s'affirmer par des tracts, des journaux ou de la propagande sous diverses formes, à organiser des filières d'évasion ou de passage de la ligne de démarcation au profit des prisonniers de guerre évadés, des Juifs ou des personnes recherchées par l'occupant, à collecter des renseignements pouvant servir aux Alliés en collaborant avec les réseaux de renseignements comme le «Réseau Notre-Dame» de Rémy ou en transmettant par radio leurs informations aux Britanniques ou aux «Français libres». Mais ces résistants sont alors très peu nombreux, dépourvus de moyens, décimés par la répression (voir Henri Michel,

Histoire de la Résistance en France, Paris, PUF, 1962, et H.R. Kedward, *Naissance de la Résistance dans la France de Vichy*, Paris, Champ Vallon, 1989).

Les choses changent en 1941-1942 lorsque commence l'unification de ces éléments épars et que la Résistance se dote d'une doctrine de combat.

Unification d'une force combattante

L'entrée du parti communiste dans la Résistance en juin 1941 va profondément modifier la nature de celle-ci. Prônant la neutralité dans le conflit depuis l'automne 1939, le parti communiste a eu une attitude ambiguë après la défaite de 1940. D'une part, il dénonce le régime de Vichy, régime réactionnaire, d'extrême droite, risquant d'entraîner la France dans la guerre (c'est le sens de l'appel dit «*du 10 juillet 1940*», sans doute postérieur à cette date); d'autre part, il entreprend des démarches auprès des Allemands afin de faire reparaître *L'Humanité* au grand jour. Mais en même temps des communistes participent aux premiers actes de résistance contre l'occupant, sans qu'apparemment leur parti en ait donné l'ordre. Toute ambiguïté se trouve en tout cas levée à partir de juin 1941. L'attaque allemande contre l'URSS jette les communistes dans la Résistance où ils vont très vite jouer un rôle fondamental. Rompus à la vie clandestine depuis 1939, habitués à canaliser politiquement les mécontentements sociaux et les difficultés de la vie quotidienne, ils vont contribuer à dresser l'opinion contre l'occupant et le gouvernement de Vichy. Et surtout, ils vont proposer aux Résistants, jusque-là confinés dans des activités de propagande et de renseignement (avec quelques rares sabotages), une forme de lutte armée contre l'occupant fondée sur la guérilla, le coup de main (attentats, sabotages) suivi de la retraite rapide des petits groupes de combattants qui ne sauraient évidemment affronter l'armée allemande en bataille rangée. Pour conduire cette lutte armée, le Front national se dote d'une organisation paramilitaire, les «Francs-Tireurs et Partisans». A son image, les autres mouvements de résistance constituent à leur tour de petits groupes d'intervention militaire, une «armée de l'ombre» rendant la vie difficile à l'occupant. Les représailles exercées par les Allemands (exécution d'otages, massacres collectifs), pour douloureuses qu'elles soient, aboutissent à creuser le fossé entre Français et Allemands et à accroître l'immoralité de la politique de collaboration.

Cette résistance plus active, plus massive et désormais armée, demeure cependant totalement indépendante de l'action de la France libre à Londres. Pour mettre fin à cette situation qui apparaît aux uns et aux autres comme une source de faiblesse, des contacts sont pris en 1941-1942. Des dirigeants de mouvements de résistance se rendent à Londres pour rencontrer le général de Gaulle. C'est le cas d'Henri Frenay (*Combat*), de Christian Pineau (*Libération-Nord*), d'Emmanuel d'Astier de la Vigerie (*Libération-Sud*). Pour répondre aux préoccupations des chefs de la Résistance qui se méfient d'un homme en qui ils voient un général d'extrême droite, aux sentiments républicains douteux, de Gaulle est conduit à multiplier les professions de foi républicaines et démocratiques, s'engageant en 1942 à «*rendre la parole au peuple*» dès la Libération et se prononçant en faveur de profondes réformes sociales. De son côté, dès janvier 1942, de Gaulle envoie en France l'ancien préfet Jean Moulin avec le titre de délégué général et le charge d'organiser et d'unifier la Résistance. En novembre 1942, Jean Moulin obtient la fusion dans un *Mouvement uni de la Résistance* des trois grands mouvements de zone sud. Plus tardivement, les mouvements de zone nord (à l'exception du Front national) s'unifient à leur tour. L'ensemble de ces mouvements reconnaît l'autorité, au moins morale, du général de Gaulle. En même temps (à l'exception des *Francs-Tireurs* et *Partisans* qui conservent leur autonomie), les groupes paramilitaires des différents mouvements s'unifient au sein de l'*Armée secrète*.

Désormais rassemblées par des liens très lâches, «France libre» et résistance intérieure admettent la suprématie du général de Gaulle qui, en juillet 1942, pour marquer le tournant représenté par cette unification, substitue le nom de «France combattante» à celui de «France libre» qui ne concernait que l'organisation londonienne. Une étape essentielle vient d'être franchie dans ce que le général de Gaulle considère comme sa mission essentielle : constituer, face à Vichy, un véritable contre-pouvoir gouvernemental représentatif.

La Résistance, un contre-pouvoir étatique

La reconnaissance de de Gaulle comme chef des «Français libres» par Churchill ne concernait qu'un groupe de combattants. Pour Churchill, le pouvoir légal en France demeurait celui de Vichy, un pouvoir dont il déplorait la vassalisation au Reich, mais dont il n'entendait pas contester la légitimité. Cette attitude se trouve renforcée par l'entrée en guerre des Etats-Unis en décembre 1941 et le rôle de chef de la coalition antiallemande que joue désormais le président Roosevelt. Pour lui, qui a entretenu longtemps des relations avec Vichy (son ambassadeur l'amiral Leahy est plutôt favorable à Pétain), de Gaulle n'est qu'un «apprenti dictateur» qui s'est autoproclamé et qui n'a aucun titre à prétendre représenter la France. S'il accepte de voir en lui le chef d'un groupe de Français combattants, il lui dénie tout droit à un quelconque statut gouvernemental. Or, c'est précisément sur ce point que les positions du général sont aux antipodes des siennes, puisque son but n'est pas de conduire des Français dans la guerre, mais d'y remettre la France, afin que, le moment venu, elle figure au rang des vainqueurs du Reich. Cette incompatibilité entre les vues du général et celles des Alliés va conduire entre eux à d'innombrables conflits. La plupart surgiront lorsque se posera le problème de l'administration des territoires coloniaux français libérés par les Alliés, et dont de Gaulle exige qu'ils lui soient remis alors que les Britanniques songent plutôt à les administrer directement, ce qui fait naître chez le général le soupçon d'ambitions anglaises sur l'empire français. Le problème se posera en 1941 au Liban et en Syrie, à Madagascar en 1942... De Gaulle se montre intraitable et obtient généralement gain de cause, sa faiblesse ne lui permettant pas, à ses yeux, de se montrer accommodant. Les choses s'enveniment encore en 1942 lorsque les Forces françaises libres s'emparent de Saint-Pierre-et-Miquelon, à la grande fureur des Américains qui avaient négocié le maintien en place des autorités de Vichy. Mais c'est avec le débarquement allié en Afrique du Nord que la crise va atteindre son point culminant en novembre 1942. Mettant le général totalement à l'écart de l'opération, les Américains préfèrent installer au pouvoir l'amiral Darlan, ancien dauphin du Maréchal, qui laisse en place toutes les lois et l'administration de Vichy (y compris la législation antisémite). Lorsque Darlan est assassiné en décembre 1942, les Etats-Unis placent au pouvoir le général Giraud qui reprend les pratiques de Darlan et gouverne avec les hommes de Vichy. A la grande fureur du général, un pouvoir fondé sur la Révolution nationale, auquel se rallient les gouverneurs des colonies d'Afrique occidentale et les généraux d'Algérie, se met ainsi en place, recueillant au passage des ministres de Vichy comme Peyrouton, Pucheu ou Flandin.

Cette évolution va pousser de Gaulle à se servir des atouts qu'il possède. Refusant tout compromis avec Giraud (sous la pression de Churchill et de Roosevelt, il a accepté en janvier 1943 de lui serrer la main devant les photographes, mais rejette toute idée de subordination envers le général pétainiste), il va s'appuyer, pour affirmer sa représentativité, sur la Résistance. En mai 1943, Jean Moulin, délégué général du Comité national français, constitue en France occupée le *Conseil national de la Résistance* qui comprend des délégués des principaux mouvements de résistance, des syndicats CGT et CFTC et des représentants de tous les grands partis politiques de la France de l'avant-guerre (des communistes à la Fédération républicaine de Louis Marin). Le CNR fait de Jean Moulin son président, annule toutes les lois de Vichy et reconnaît le général de Gaulle comme chef de la Résistance, lui apportant ainsi un élément de représentativité dont Giraud se trouve dépourvu (sur l'action de Jean Moulin, voir sa biographie par Daniel Cordier qui fut son secrétaire dans la Résistance, *Jean Moulin, l'inconnu du Panthéon*, Paris, J.-C. Lattès, 1989 pour les deux premiers volumes; un travail historique exemplaire fondé sur une rigoureuse analyse de nombreux documents inédits). Arrêté peu après, Jean Moulin est torturé par la Gestapo et meurt, sans doute des suites de ces tortures. Il sera remplacé par un résistant de l'intérieur à la tête du CNR, le démocrate-chrétien Georges Bidault.

Grâce à cet atout décisif, de Gaulle finit par l'emporter. Après de laborieuses négociations avec Giraud et grâce à l'entremise de Jean Monnet, envoyé par les Américains auprès de leur protégé d'Alger, un compromis s'élabore. Le 30 mai 1943, de Gaulle gagne Alger et, le 3 juin, est constitué un *Comité français de libération nationale* (CFLN), véritable gouvernement où gaullistes et giraudistes siègent à parité et qui est coprésidé par les généraux de Gaulle et Giraud. Compromis de faible durée. De Gaulle, plus politique, prend vite le pas sur Giraud qui ne s'intéresse qu'à la conduite des opérations militaires. Gagnant à sa cause une partie des commissaires giraudistes, de Gaulle offre à Giraud le commandement en chef de l'armée en échange de l'abandon de la coprésidence du CFLN, puis fait décider la subordination du pouvoir militaire au pouvoir civil, et enfin démet Giraud de toutes ses fonctions militaires, les seules qui lui restaient. En même temps, il renforce face aux Alliés son caractère représentatif dans la perspective de la Libération. Une assemblée consultative comprenant, aux côtés de résistants, d'anciens parlementaires est constituée à Alger et le CFLN est élargi à des hommes de la IIIe République (comme l'ancien ministre Henri Queuille) et à des représentants du parti communiste.

Au printemps 1944, la Résistance constitue ainsi face à Vichy, en perte de vitesse et devenu un simple auxiliaire de l'Allemagne, un véritable contre-pouvoir étatique. Elle possède un gouvernement assez largement représentatif, le CFLN qui prendra en juin 1944, à la veille du débarquement, le nom de *Gouvernement provisoire de la République française* (GPRF). Celui-ci siège à Alger mais est représenté en métropole par des délégués civils et militaires. Il s'appuie sur deux assemblées représentatives, l'une à Alger, l'*Assemblée consultative*, l'autre en France occupée, et dans la clandestinité, *le Conseil national de la Résistance*, l'une et l'autre rassemblant délégués des mouvements de résistance et de l'ensemble des forces politiques, des communistes à la droite. Pour remplacer à la Libération les hommes de Vichy, des autorités locales sont prêtes. D'une part, des commissaires de la République et des préfets nommés par le GPRF. D'autre part des comités départementaux et locaux de la libération (CDL et CLL) désignés par la Résistance pour remplacer les autorités départementales et municipales mises en place par Vichy, et dans lesquels les communistes occupent souvent une place fondamentale. Enfin, il existe des forces armées se réclamant de la Résistance. Les *Forces françaises libres* ont été fondues avec les troupes d'Afrique du Nord, beaucoup plus nombreuses, pour constituer une véritable armée, qui combat aux côtés des Alliés, en Italie par exemple. Par ailleurs les groupes paramilitaires de la Résistance (Armée secrète et FTP) ont été fondus dans les *Forces françaises de l'intérieur* (FFI). Enfin, le parti communiste a créé dans les entreprises, les quartiers, les bourgades, des *Milices patriotiques* dont le but officiel est de maintenir l'ordre, mais qui pourraient tout aussi bien constituer l'instrument d'une tentative de prise de pouvoir par le PC.

Il existe donc un contre-pouvoir résistant, mais qui est loin d'être homogène. Entre le GPRF d'Alger, la Résistance intérieure non communiste, les communistes, il existe d'incontestables rivalités. Et la mise en place de ce contre-pouvoir qui commandera le destin de la France à la Libération pose au moins trois problèmes politiques : celui de l'attitude des Etats-Unis dont la règle est de laisser en place les autorités légales (donc celles de Vichy) en les contrôlant; celui de la rivalité larvée entre de Gaulle et la Résistance intérieure pour le contrôle du pouvoir; celui du parti communiste qui possède, peut-être, les moyens de déclencher un mouvement révolutionnaire. C'est ce triple problème que posera la libération de la France.

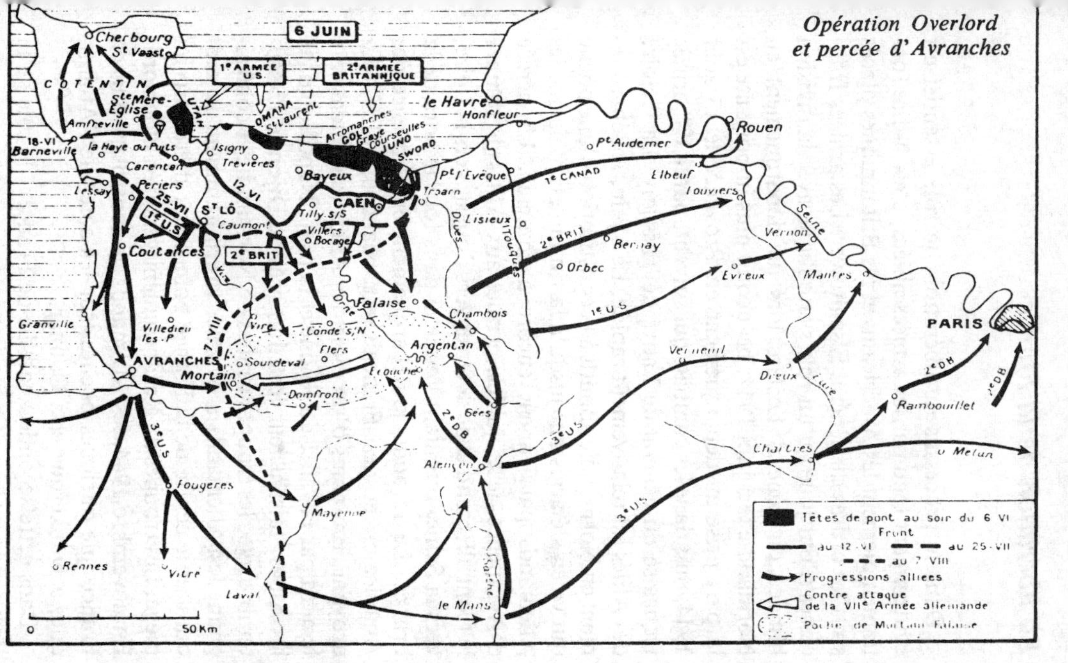

Robert Aron, *Histoire de la libération de la France*, Fayard, 1959, t. 1, chap. 1, p. 22-23.
Carte reproduite avec l'autorisation des Éditions Fayard.

Dans le processus de libération, le rôle essentiel est évidemment tenu par les armées alliées, c'est-à-dire fondamentalement les Américains et les Britanniques placés sous les ordres du général Eisenhower. Les armées françaises n'ont joué qu'un rôle symbolique avec la division blindée du général Leclerc lors du débarquement en Normandie le 6 juin 1944; beaucoup plus importante est la part prise au débarquement en Provence le 15 août 1944, puis dans les combats qui suivent, par la Ière armée française du général de Lattre de Tassigny. La victoire des Alliés est relativement rapide. Le 6 juin, le débarquement en Normandie aboutit à la constitution d'une poche qui va en s'élargissant jusqu'à la fin juillet, mais que les Allemands parviennent encore à contenir. La percée d'Avranches, le 25 juillet, permet aux Alliés de rompre le front allemand et de déferler vers l'ouest, vers la Loire, vers la Seine, refoulant l'ennemi dans tout le nord de la France. Le 15 août, le débarquement en Provence des Américains et des Français est beaucoup plus foudroyant. En moins d'un mois, les Alliés remontent vers le nord par la vallée du Rhône et la route Napoléon dans les Alpes, faisant leur jonction près de Dijon le 12 septembre avec les troupes venues de Normandie et contraignant les Allemands à évacuer précipitamment le sud-ouest et le centre de la France pour éviter d'être pris au piège. Les troupes du Reich reculent vers l'est et le nord. En novembre 1944, les Allemands ne contrôlent plus en France que quelques poches, sur les côtes de l'Atlantique, à Dunkerque et à Colmar.

Dans cette seconde «bataille de France», le rôle de la Résistance intérieure a été important en apportant une aide décisive aux Alliés et en faisant se dérober le sol sous les pieds des Allemands. Au moment du débarquement, les résistants désorganisent les défenses allemandes en sabotant les voies de chemin de fer, les lignes téléphoniques et télégraphiques, en harcelant les troupes allemandes de manière à retarder l'acheminement des renforts. Non sans que la population paie, parfois au prix fort, ces actions, comme à Oradour-sur-Glane. En revanche, les tentatives de déclencher une lutte armée contre l'occupant s'achèvent sur des tragédies. Les expériences de concentration des maquis attirent l'attention des Allemands et des miliciens et l'intervention des blindés, de l'aviation et de l'artillerie lourde sont décisives, face à des résistants sommairement armés : le massacre des résistants du Vercors en juillet 1944 illustre l'échec de cette forme de lutte. En revanche, l'action de la Résistance comme auxiliaire des Alliés est d'une remarquable efficacité, en Bretagne par exemple. Les Résistants accélèrent la défaite d'une armée allemande sur la défensive en libérant la plupart des villes avant l'arrivée des Alliés, en nettoyant les poches de résistance après leur passage, permettant aux blindés américains de progresser rapidement et de libérer à moindres frais l'ouest du territoire national.

C'est cependant à Paris que l'action de la Résistance a revêtu la plus grande importance. Dès le 19 août 1944, en dépit des réticences du général de Gaulle qui redoute un massacre de la population (et peut-être aussi l'installation d'un pouvoir de fait dominé par le CNR et les communistes qui lui barrerait la route), a commencé l'insurrection de la capitale. Elle dure jusqu'au 25 août. La ville est hérissée de barricades et tenue par les insurgés qui combattent sporadiquement contre de petits groupes d'Allemands. Mais, très vite, ceux-ci s'enferment dans leurs casernes, renonçant à combattre : leur chef, le général von Choltitz, jugeant la guerre perdue, considère comme inutile de se livrer à un massacre de la population et refuse d'exécuter les ordres de Hitler lui ordonnant de détruire la capitale. Toutefois, inquiet à l'idée d'une possible réaction allemande, le général de Gaulle obtient (difficilement) des Américains l'envoi sur Paris de la 2e division blindée du général Leclerc. Celui-ci pénètre dans la capitale le 25 août. Le soir même, il recueille à la gare Montparnasse, en compagnie du colonel Rol-Tanguy, chef des FFI parisiens, la reddition du général von Choltitz. Le 26 août, le général de Gaulle arrive à Paris et descend les Champs-Elysées au milieu d'une foule en liesse. Ce triomphe représente une étape décisive dans le règlement de la question du pouvoir en France qui se pose depuis le 6 juin dans les termes indiqués.

Quel pouvoir dans la France libérée?

Dès le débarquement, le problème de l'exercice du pouvoir dans la France libérée des Allemands est une des questions clés qui se posent à tous les protagonistes du conflit en cours. Le général de Gaulle doit tout d'abord redouter les projets des Américains et ceux de Vichy. Le président Roosevelt, on l'a vu, se méfie du général de Gaulle et rejette ses prétentions à vouloir apparaître comme le représentant légitime de la France. Son projet consiste à créer dès la Libération une Administration militaire pour les territoires occupés (AMGOT) qui prendrait en main l'autorité gouvernementale, en laissant en place sur le plan local les autorités de Vichy pour administrer le pays. De même a-t-il fait préparer une monnaie nouvelle émise par les Américains et qui aurait seule cours à la Libération. Le général de Gaulle s'indigne de voir la France ainsi traitée comme un pays vaincu et occupé et rejette toute velléité d'utilisation de la «fausse monnaie» des Américains. Son esprit de décision va déjouer leur projet. Quelques jours après le débarquement, le 14 juin, il se rend dans la première ville française libérée, Bayeux, convoque le sous-préfet laissé en place par les Américains, lui signifie sa révocation et nomme à sa place un dirigeant local de la Résistance. Il crée ainsi un précédent qui s'appliquera désormais dans les sous-préfectures et préfectures libérées. Constatant que les fonctionnaires de Vichy (qui redoutent les sanctions) s'inclinent et que la population se rallie aux nouveaux pouvoirs issus de la Résistance, les Américains, surtout désireux d'avoir un pays en ordre où ils n'auront pas à régler de problèmes intérieures, finissent par s'incliner.

Un second projet prend naissance en août 1944 à l'initiative de Pierre Laval. Redoutant la perspective d'une installation au pouvoir de de Gaulle ou d'une Résistance qu'il juge noyautée par les communistes, il tente de prendre de vitesse les uns et les autres en instituant un pouvoir que les Américains reconnaîtront et avec lequel les hommes de Vichy pourraient éventuellement composer. Pour ce faire, il fait ramener de Nancy où il était interné le président de la Chambre de 1940, Edouard Herriot, et s'efforce de faire venir à Paris celui du Sénat, Jules Jeanneney. Son projet est de leur faire réunir l'Assemblée nationale de 1940, qui constituerait aux yeux des Américains un pouvoir incontestablement légitime et qui blanchirait Laval (qui l'aurait rétabli) de sa collaboration des années 1940-1944. Le projet, qui a l'aval d'Otto Abetz, échoue en raison des réticences d'Herriot qui gagne du temps, du refus de Jeanneney de se rendre à Paris et, finalement, de l'intervention des SS qui déportent Herriot et contraignent Laval à les suivre dans leur retraite.

Cette menace écartée, reste l'attitude du CNR à Paris. La question n'a cessé de préoccuper le général et rend compte au moins pour partie de son opposition à l'insurrection, de l'envoi à Paris de la division Leclerc et de sa propre hâte à gagner la capitale. Parvenu à Paris, il multiplie les gestes symboliques destinés à montrer qu'il incarne — et lui seul — la continuité de l'Etat. Ainsi, alors que les dirigeants du CNR l'attendent à l'Hôtel de Ville, il se rend d'abord rue Saint-Dominique au ministère de la Guerre (le siège de son activité ministérielle de juin 1940). «*L'Etat rentrait chez lui*» explique-t-il dans ses *Mémoires de guerre*. A l'Hôtel de Ville, il s'adresse, non sans rudesse, en chef d'Etat parlant à des subordonnés, aux dirigeants de la Résistance, heurtant nombre d'entre eux, et refuse de proclamer la République du haut du balcon de l'Hôtel de Ville comme le lui demandait Georges Bidault, président du CNR, affirmant par là que la République n'avait jamais cessé d'exister, incarnée tour à tour par la France libre, la France combattante, le GPRF. Au demeurant, le CNR ne fait pas obstacle (en dépit de quelques gestes de mauvaise humeur) à la volonté du général de Gaulle d'incarner la continuité de l'Etat en vertu d'une légitimité historique qu'il fait remonter au 18 juin 1940. D'ailleurs, la consécration populaire du 26 août sur les Champs-Elysées a valeur d'une ratification par les Français de cette manière de voir. En septembre 1944, considérant que l'attitude des Français a donné une légitimité démocratique au général de Gaulle, les Américains reconnaissent enfin le GPRF comme le gouvernement légal de la France.

Encore ce gouvernement, puisqu'il veut incarner l'Etat, doit-il faire prévaloir son autorité sur l'ensemble du territoire national. Or, de ce point de vue, la situation est loin d'être claire et le pouvoir établi à Paris a du mal à se faire obéir dans la pratique. En balayant les autorités administratives établies par Vichy, la Libération a donné l'autorité à une foule de pouvoirs de fait, particulièrement dans le centre et le sud-ouest de la France où les troupes américaines n'ont pas pénétré. Dans ces régions, les fonctionnaires de Vichy cessent d'exercer leurs attributions et, dans de nombreuses agglomérations, les chefs locaux de la Résistance imposent leur autorité, refusant de s'incliner devant les préfets ou les commissaires de la République nommés par le GPRF. Dans ces régions qui échappent à toute autorité gouvernementale, les «colonels» de la Résistance entendent conduire une action révolutionnaire qui commence par le châtiment des traîtres, voire des zélateurs de Vichy: femmes tondues et promenées dans les rues pour avoir entretenu des relations trop étroites avec l'occupant, hommes emprisonnés, parfois même jugés sommairement et exécutés. Aucune statistique précise ne permet d'évaluer de façon sûre le nombre de ces exécutions sommaires. L'étude scientifique la plus sérieuse sur le problème (Peter Novick, *L'Epuration française 1944-1949*, Paris, Balland, 1985) propose de retenir le chiffre de 20 000 à 25 000 qui paraît plausible et montre la réalité de la guerre civile qu'a connue la France de l'époque. En revanche, l'idée selon laquelle ce processus révolutionnaire pourrait être le fait d'un parti communiste décidé à prendre le pouvoir a été réfutée par les historiens. Non que le parti communiste n'en possède les moyens. En position dominante dans nombre de CDL et de CLL, pouvant compter sur les forces militaires des FTP et sur le réseau des Milices patriotiques, capable d'encadrer la population, il n'a sans doute jamais été aussi près qu'en 1944 des conditions d'une prise de pouvoir. Mais on ne constate dans sa direction aucune volonté de la réaliser, en dépit des velléités de tel ou tel dirigeant de la Résistance intérieure. En fait, loin de profiter de son influence (qui atteint alors son sommet), le PC laisse de Gaulle rétablir son autorité, sans rien faire pour contrecarrer sa politique.

Le général de Gaulle met plusieurs mois, d'août à décembre 1944, à faire triompher l'autorité de l'Etat, en même temps qu'il négocie avec les Etats-Unis l'aide d'urgence, alimentaire et technique, permettant à une population durement atteinte par les privations de survivre (chapitre VIII). Il entreprend une série de voyages dans les principales régions de France (Lyon, Marseille, Toulouse, Orléans, Bordeaux, Lille, Caen). Partout, il impose aux dirigeants de la Résistance de rentrer dans le rang, non sans rudesse, et installe solidement les autorités qu'il a nommées. Dans le même esprit, il s'applique à faire disparaître les groupes armés qui subsistent sur le territoire national, afin de les fondre dans une armée solidement tenue en mains. Ainsi les FFI et les FTP se voient intégrés dans l'armée régulière. En octobre 1944, s'attaquant au fer de lance de ce que pourrait être un coup de force communiste, il décide la dissolution des Milices patriotiques. Le parti communiste proteste énergiquement contre une mesure qui l'atteint directement. Mais il ne tente nullement de réagir autrement que par la parole. Son secrétaire général, Maurice Thorez, revenu en France en novembre 1944, après avoir été amnistié de l'accusation de désertion portée contre lui, met définitivement fin à toute tentative d'opposition au général de Gaulle en imposant à son parti l'acceptation de la dissolution des Milices. L'interprétation des historiens sur cet épisode est que le projet insurrectionnel, peut-être envisagé par certains dirigeants de la Résistance communiste, s'est heurté à la stratégie d'ensemble du mouvement communiste international, conduite par Staline, pour qui l'Europe occidentale ne faisait pas partie de ses objectifs immédiats et qui considérait, sans doute à juste titre, que la présence des troupes américaines condamnait d'emblée toute tentative de ce type. (Sur le problème de la politique du PC en 1944-45, voir Jean-Jacques Becker, *Le Parti communiste veut-il prendre le pouvoir? La stratégie du PCF de 1930 à nos jours*, Paris, Editions du Seuil, 1981).

Enfin, le gouvernement décide de prendre en main l'épuration pour mettre fin aux formes de justice sommaires qui ont eu lieu à la Libération. Des cours spéciales de justice sont créées pour examiner les faits de collaboration avec l'ennemi, le cas des principaux responsables du gouvernement de Vichy et des collaborateurs les plus en vue étant soumis à une Haute Cour de justice. Celle-ci prononcera la condamnation à mort de Philippe Pétain, jugé en juillet-août 1945 (mais dont la peine sera commuée en réclusion à perpétuité en raison de son grand âge), celle de Pierre Laval qui tente de s'empoisonner et qu'on doit ranimer pour pouvoir le fusiller. Seront également condamnés à mort et exécutés Joseph Darnand, chef de la Milice, l'écrivain et journaliste Robert Brasillach, chantre de la collaboration et du fascisme, des journalistes, des militaires, des policiers, des hauts fonctionnaires, des miliciens, en tout 2 853 condamnations à mort, dont 767 furent exécutées. Par ailleurs 38 000 peines de prison sont prononcées. Des «Chambres civiques» condamnent à l'indignité nationale des Français qui ont sciemment aidé l'Allemagne, même sans avoir joué un rôle important: 40 000 personnes sont ainsi privées de leurs droits civils et politiques, révoquées des emplois publics ou semi-publics.

A l'issue de cette inexpiable guerre civile, la France retrouve donc sa liberté. Mais cette épreuve, une des plus terribles de son histoire, va longtemps peser sur sa mémoire et laisser des cicatrices dont, un demi-siècle plus tard, certaines ne sont pas refermées. La mémoire des années noires continue à obséder les Français et, dans certains cas, à déterminer leurs attitudes et leurs comportements (cet aspect de l'héritage de la Seconde Guerre mondiale a été remarquablement étudié par Henry Rousso, *Le Syndrome de Vichy 1944-198...*, Paris, Editions du Seuil, 1987). En 1944, la France est à reconstruire, politiquement, économiquement et moralement.

VII

LA RECONSTRUCTION POLITIQUE DE LA FRANCE ET L'EXPÉRIENCE DE LA IVe RÉPUBLIQUE (1945-1954)

Au lendemain de la Libération, la situation politique de la France est marquée par deux caractéristiques fondamentales : un vide juridique et politique qui stimule l'aspiration des Français au renouveau d'une part, le rôle personnel du général de Gaulle de l'autre. Or entre 1945 et 1947, l'évolution des événements va conduire au retrait politique du général de Gaulle et à la mise en place d'un régime très proche de celui de la IIIe République, hier encore vilipendé.

La France en 1945 : une situation de vide juridique et politique

Au début de l'année 1945, la France est un pays sans régime politique établi, où tout est possible. La Constitution de la IIIe République qui régissait la vie nationale a été suspendue de fait le 10 juillet 1940 par le vote de l'Assemblé nationale qui a donné au maréchal Pétain les pleins pouvoirs et la charge de rédiger une nouvelle constitution. Mais celle-ci n'a jamais vu le jour, si bien qu'aucun texte légal ne fixe la place et le rôle des pouvoirs publics. L'expérience de la défaite et celle du régime de Vichy ont laissé en outre dans l'opinion une trace qui perdure : le double refus de l'instabilité et de l'impuissance qui ont marqué la vie politique de la IIIe République et sont jugées responsables de la défaite d'une part, de l'autoritarisme et de la dictature d'autre part. Toutefois, le refus n'est pas identique : la crainte du pouvoir personnel dont on vient de faire l'expérience à Vichy est plus grande que celle d'un retour à l'instabilité dont le souvenir commence à s'estomper et apparaît mineur au regard des excès de son contraire.

Pays sans cadres institutionnels, la France est aussi un pays dont les élites et les guides traditionnels connaissent une soudaine éclipse. Beaucoup de notables d'avant-guerre ont été frappés d'inéligibilité à la Libération pour avoir apporté leur appui ou leur collaboration au régime de Vichy, si bien que nombre de fédérations départementales des grandes formations politiques se trouvent privées de leurs dirigeants les plus connus, ceux que suivent les électeurs. Il s'y ajoute la confiscation d'un certain nombre de journaux qui ont continué à paraître sous contrôle allemand après 1942, situation qui prive les partis du centre et de la droite d'organes départementaux qui assuraient leur influence. Cette épuration frappe aussi, dans une moindre mesure, l'administration. Globalement, l'épuration n'y a pas été très importante, mais les responsables les plus en vue ont perdu leurs postes et, à leur place, s'installe un personnel nouveau, d'autant que les ministres nommés à la Libération placent aux postes clés leurs amis politiques. Si on dénonce la «colonisation» des ministères administrés par les communistes, la remarque vaut, avec des nuances, pour les autres formations politiques. Méfiants envers les nouveaux dirigeants, conscients de vivre une période de transition, les fonctionnaires ont tendance à attendre en gérant le quotidien.

Dans ce vide institutionnel et politique, une seule force réelle surnage, le général de Gaulle. Reconnu par tous les grands Etats depuis 1944, intronisé par les acclamations des Français, ayant réduit les organes dirigeants de la Résistance à un rôle mineur, il gouverne sans contrepoids avec l'aide de deux organes nommés par lui et qui ne dépendent que de lui, le Gouvernement provisoire de la République française (GPRF) et l'Assemblée consultative. Et face à un pouvoir appuyé sur la popularité dont il jouit, il n'y a guère de force politique représentative avant octobre 1945.

La guerre a eu pour effet de briser les structures des partis politiques français. Non seulement la mobilisation, la défaite, la coupure du pays en deux par la ligne de démarcation, puis l'autoritarisme du régime de Vichy interdisent une vie partisane normale, mais la notion même de parti a été rejetée à la fois par Vichy et par la Résistance. L'un comme l'autre se réclament de l'unité nationale et considèrent les partis comme attentant à cette unité par leur caractère fractionnel. Les hommes politiques de la IIIe République sont tenus en suspicion à Vichy quand ils ne sont pas purement et simplement incarcérés. A Londres, la France libre du général de Gaulle manifeste la même méfiance et les mouvements de résistance à leur naissance critiquent avec virulence les partis. Ainsi désignées à la vindicte publique, les formations politiques traditionnelles cessent pratiquement d'exister (sauf le parti communiste qui survit dans la clandestinité depuis 1939), ne subsistant que par les liens personnels que le passé commun a tissés entre les dirigeants ou les militants. Ce n'est qu'à partir de 1942 que les nécessités de la reconnaissance internationale et celles de l'affirmation concomitante de leur caractère démocratique poussent les organes dirigeants de la Résistance extérieure à faire renaître les partis pour s'en réclamer devant l'opinion publique. Mais il ne s'agit là que de petits groupes dirigeants sans troupes véritables et dont il est impossible de connaître l'audience dans l'opinion publique.

La méfiance envers les partis politiques et leur quasi-disparition a conduit certains dirigeants de mouvements de résistance à envisager pour l'après-guerre la naissance d'élites politiques nouvelles, forgées dans le combat contre l'occupant et qui se substitueraient à la Libération aux anciens leaders discrédités par l'effondrement sans gloire du régime. Défendue par certains dirigeants des mouvements, l'idée d'un grand «parti de la Résistance» devient de moins en moins crédible à mesure qu'on progresse vers la fin de la guerre. Elle ne reçoit aucun appui du général de Gaulle, peu désireux d'apparaître comme un chef de parti, et réservé envers une initiative qui sera considérée par le parti communiste comme un acte d'hostilité. Très vite, la reconstitution des forces politiques traditionnelles rendra vaine cette tentative. Il reste que l'appartenance ou la non-appartenance à la Résistance est, en 1945, un critère fondamental de clivage, qui va se combiner avec les traditions politiques pour modifier le paysage politique français de la Libération et ébranler davantage le jeu politique traditionnel.

Ces formations politiques prêtes à renaître ne peuvent espérer s'appuyer sur les valeurs qui faisaient recette avant la guerre. Là encore, le conflit a brisé les vieux cadres et remis en cause les valeurs d'hier. L'idéal de juste milieu, de refus égal de la réaction et de la révolution, de culte du petit, de souhait de l'équilibre, de l'orthodoxie monétaire, d'attachement au monde rural ou à la petite entreprise, qui faisait balancer la France d'un centre-gauche radicalisant teinté de réformisme à un centre-droit prudemment conservateur ont vécu. La France, vaincue, humiliée, réduite par Vichy à un rang d'Etat de seconde zone où le culte du petit a révélé ses archaïsmes et le conservatisme son caractère étriqué, a soif de renouveau et de grandeur. Elle va se détourner avec horreur de ses idoles d'hier et les partis de gouvernement de la IIIe République vont être les grandes victimes de ce désaveu.

Désormais, la France cherche ses modèles ailleurs. Elle pense les trouver d'abord dans l'Amérique qui apparaît comme la championne de la liberté et de la démocratie en raison de son rôle durant le conflit, mais aussi comme le pays phare de la prospérité économique dont il ne faut pas mésestimer le rayonnement sur un pays qui sort de cinq années de pénurie et aspire à retrouver les joies de la consommation. Mais le modèle est aussi l'Union soviétique dont les gigantesques sacrifices ont permis de vaincre Hitler et qui est présentée comme le pays qui a su allier l'efficacité au souci de la justice sociale. Cette image n'est pas le monopole des seuls communistes, mais d'une grande partie des Résistants et d'un nombre important de Français qui ont impatiemment souhaité la Libération. Comment oublier le rôle joué par Staline dans la défaite de Hitler et l'apport fondamental des communistes français à la Résistance? La contradiction entre ces deux modèles est d'ailleurs fort loin d'être établie à la Libération. L'esprit de la Résistance qui transparaît à travers la Charte du Conseil national de la Résistance, adoptée peu avant la Libération, tente en fait de marier les deux projets : il se réclame tout à la fois de l'idéal de liberté au nom duquel les Alliés ont combattu et, tout naturellement, de la démocratie politique; il souhaite la prospérité économique mais considère que celle-ci devrait provenir de la prise en main par la collectivité nationale des sources de production essentielles, enfin il se réclame de la justice sociale dont l'Etat est institué le garant. Au total, une plate-forme politique qui est celle de la gauche démocratique, mais se trouve aussi éloignée du libéralisme pur que des pratiques du socialisme soviétique.

Les épreuves de la guerre conduisent donc, après la longue stagnation qu'ont représentée la crise et le conflit, à une incontestable volonté de modernisation du pays. Le renouvellement des mentalités, qui répudient les valeurs de la France des débuts du XXe siècle et de l'entre-deux-guerres, aboutit au souhait d'un renouveau économique et politique. Or sur le plan politique le très rapide échec de cette volonté de modernisation conduit à la reconstitution des forces politiques traditionnelles.

La reconstitution des forces politiques traditionnelles

L'échec du projet d'un grand parti de la Résistance, s'il parvient à son terme en 1944, est cependant induit par la renaissance des forces politiques traditionnelles entre 1941 et 1943. L'entrée des communistes dans la Résistance pose alors le problème de savoir quelle sera l'attitude des Résistants d'autres sensibilités politiques qui ont jusqu'alors laissé de côté leur appartenance partisane : vont-il laisser le parti communiste se présenter comme le seul parti résistant, les autres engagements n'étant qu'individuels? Le risque d'une telle attitude est évident et c'est lui qui pousse Daniel Mayer qui, sur les conseils de Léon Blum, s'était contenté de créer en 1941 un Comité d'Action socialiste, à faire renaître en 1943 le Parti socialiste SFIO. A peu près au même moment, Georges Bidault rassemble les militants chrétiens engagés dans la Résistance au sein d'une organisation qui deviendra, à la Libération, le «Mouvement républicain populaire» (MRP). Un pas de plus est franchi en 1943 lorsque, pour affirmer la représentativité de la France libre aux yeux des Anglo-Saxons, le général de Gaulle décide la participation ès qualités des partis politiques au CNR. Pour les besoins de la cause, on ressuscite à grand-peine les partis de la IIIe République qui n'ont manifesté aucune activité depuis 1940 : le Parti radical-socialiste, les modérés de l'Alliance démocratique, la Fédération républicaine (la droite parlementaire).

Dans ces conditions, à la Libération, le terrain se trouve occupé et on voit mal quel espace politique demeure libre pour un parti de la Résistance, puisque la plupart des Résistants sont engagés dans les partis déjà constitués, en particulier le parti communiste, le Parti socialiste SFIO et le MRP. Seuls un certain nombre de Résistants vont former, avec l'accord du *Mouvement de Libération nationale* (MLN) qui fédère les mouvements des deux zones, une organisation nouvelle qui prend d'abord le nom d'*Union travailliste*, dirigée par Henri Ribière (de Libération-Nord) et Me Izard (de l'Organisation civile et militaire). Ce groupement s'efforce au début de 1945, après que ses promoteurs ont rejeté toute idée de fusion avec le parti communiste, de créer avec le concours de la SFIO une organisation nouvelle sur le modèle du travaillisme britannique. Approuvé par Léon Blum, ce projet échoue devant la volonté des socialistes de conserver leur originalité. Seuls de petits groupes minoritaires de résistants constitueront finalement en mai 1945, à partir de l'Union travailliste, un parti nouveau, l'*Union démocratique et socialiste de la Résistance* (UDSR) très proche à ce moment du parti socialiste. L'idée d'un parti de la Résistance rassemblant chrétiens et socialistes de diverses sensibilités a définitivement échoué. C'est donc un jeu traditionnel des partis politiques, finalement assez proche de celui qu'on connaissait sous la IIIe République, qui va intervenir en 1945 dans la vie publique française.

Si le jeu des forces politiques est, au total, assez proche de celui qu'on connaissait avant la guerre, un élément nouveau intervient pour rendre plus complexe le jeu des partis et introduire entre eux une différenciation, le rôle qu'ils ont joué dans la Résistance. Dès les élections d'avril-mai 1944 qui renouvellent les conseils municipaux, il apparaît que les partis issus de la Résistance ou qui y ont joué un rôle essentiel l'emportent sur les partis de gouvernement classiques.

Les trois principales forces politiques françaises sont, en effet, soit nées de la Résistance (MRP), soit rénovées par elle (PC et SFIO).

— *Le parti communiste français*, discrédité par son approbation du pacte germano-soviétique d'août 1939, a connu une véritable résurrection grâce à la Résistance. Ayant joué un rôle moteur dans la lutte armée contre l'occupant, il se présente comme LE parti de la Résistance, s'intitulant le «parti des 75 000 fusillés» (chiffre qui, fort heureusement, dépasse le nombre réel des fusillés, bien que le parti communiste ait payé à cet égard un lourd tribut) et tenant un discours politique inspiré non pas des thèmes classiques du marxisme-léninisme mais du programme du CNR dont il réclame l'application intégrale : épuration politique sans faiblesse, réformes économiques et sociales, affirmation des valeurs patriotiques. Le retour en France de son secrétaire général, Maurice Thorez, amnistié de la condamnation pour désertion qui pèse sur lui depuis son départ pour Moscou en 1939, accentue encore cette image. Les communistes se veulent des gestionnaires responsables (ils sont présents au GPRF où, depuis septembre 1944, François Billoux est ministre de la Santé et Charles Tillon ministre de l'Air) et lancent comme mot d'ordre le relèvement de l'économie nationale par une intensification de la production. Quelles que puissent être les arrière-pensées de ses dirigeants, le PC parvient largement à faire partager à l'opinion l'image de lui-même qu'il entend donner (cf. J.-P. Brunet, *Histoire du PCF*, PUF, Que sais-je? 1982).

— *Le parti socialiste SFIO* est sans doute le mieux armé en 1945 pour capter à son profit l'héritage de la Résistance. Les idées du socialisme humaniste imprègnent l'idéologie de la Résistance (voir H. Michel, *Les Courants de pensée de la Résistance*, Paris, PUF, 1962), beaucoup de socialistes et de syndicalistes socialisants ont eu une action essentielle à la tête des mouvements, les membres de ce parti jouent un rôle central dans les nouveaux pouvoirs issus de la Libération (Comités départementaux et locaux de Libération, Assemblée consultative, Gouvernement provisoire...). Nombre de chrétiens de la Résistance et de Résistants non engagés souhaitent le rejoindre au sein d'un parti travailliste qui semble avoir les faveurs de Léon Blum, lequel, par ailleurs, définit dans son livre *A l'échelle humaine* et dans divers discours un socialisme humaniste qui, sans répudier totalement le marxisme, prend très largement ses distances à son égard, en insistant sur le fait que l'objet ultime du socialisme ne consiste pas seulement à libérer l'homme de l'exploitation économique et sociale, mais aussi à lui assurer les conditions de son épanouissement *personnel*. Mais ces projets de rénovation achoppent devant les réflexes traditionalistes des militants socialistes : ils se montrent méfiants envers toute innovation doctrinale qui éloignerait leur parti de l'orthodoxie marxiste, ils tiennent rigueur à Daniel Mayer, secrétaire général, d'avoir écarté les dirigeants des fédérations qui se sont montrés trop complaisants vis-à-vis de Vichy, ils redoutent enfin toute entente avec les chrétiens qui contraindrait les socialistes à renoncer à la laïcité. Au congrès d'août 1945, l'offensive laïque des militants socialistes de l'Ouest fait renaître l'anticléricalisme traditionnel et éloigne les Résistants chrétiens d'un parti qui ne souhaite pas les accueillir. Dès cette date, la tentative de rénovation a échoué et le parti socialiste s'apprête à redevenir la vieille SFIO d'avant la guerre (voir R. Quilliot, *La SFIO et l'exercice du pouvoir (1944-1958)*, Paris, Fayard, 1972).

Cet échec de la rénovation du socialisme laisse toutes ses chances au *Mouvement républicain populaire* (MRP). Celui-ci (d'abord baptisé «Mouvement républicain de la Libération») naît définitivement en novembre 1944. D'emblée, il entend apparaître comme un parti neuf, s'intitule «le parti de la IVe République» et écarte de sa direction les dirigeants démocrates-chrétiens d'avant-guerre, Champetier de Ribes, Paul Simon ou Raymond Laurent pour donner la première place à des figures de proue de la Résistance, Maurice Schumann, Georges Bidault, P.-H. Teitgen, F. de Menthon. Mais surtout, le MRP se caractérise par trois traits qui expliquent son succès initial.

Il est le parti de la Résistance chrétienne. Son image démocrate-chrétienne est fortement marquée dans l'opinion publique, bien que lui-même s'en défende. Toutefois, l'audience de ce courant a toujours été limitée en France, et sous la IIIe République, il ne rassemblait pas plus de 2 à 3 % des suffrages; de même, la référence à la Résistance n'a pas permis à l'UDSR d'être autre chose qu'un groupuscule.

Il apparaît comme le parti le plus proche du général de Gaulle, un parti national, de juste milieu, capable de rassembler les patriotes qui ne se reconnaissent ni dans la gauche, ni dans la droite.

Il est enfin le seul parti qui semble s'opposer véritablement au communisme puisqu'à la différence des socialistes, il n'a aucun rapport avec l'idéologie marxiste. Par ailleurs, sur tous les problèmes posés, il apparaît comme l'adversaire des communistes dans les débats de l'immédiat après-guerre, sur les rigueurs de l'épuration, l'extension des nationalisations, les questions constitutionnelles ou le rôle du général de Gaulle. D'où une incontestable ambiguïté du MRP. Parti de gauche qui se veut ouvert sur le plan social, il va recueillir les suffrages d'un électorat de droite qui voit en lui le principal barrage au communisme en France.

A côté des trois grandes forces politiques, les autres apparaissent comme des partis du passé, même si l'esprit du temps les pousse à se rénover.

La *droite classique* compromise par l'appui apporté au régime de Vichy connaît un discrédit profond en 1945. La *Fédération républicaine* a disparu; l'*Alliance démocratique* de Pierre-Etienne Flandin ne rassemble que quelques nostalgiques du passé et il en va de même du *Parti républicain social de la Réconciliation française* né des cendres du défunt PSF du colonel de La Rocque. En 1945 se crée une nouvelle force modérée, le *Parti républicain de la Liberté* (PRL) qui porte à sa tête Michel Clemenceau, le fils du «Tigre», prône l'association entre patrons et ouvriers et sacrifie à l'air du temps en admettant la lutte contre les trusts et le contrôle de l'Etat sur l'économie. Il refuse d'ailleurs l'étiquette de droite et se veut «centriste». Au demeurant, les modérés ne se reconnaissent pas tous dans le PRL. Beaucoup prennent l'étiquette d'«Indépendants»; d'autres adhèrent au *Parti paysan* de Paul Antier, surtout implanté dans le Centre.

Non moins discrédité apparaît le courant radical. Identifié aux yeux de l'opinion à l'impuissance parlementaire de la IIIe République, symbole d'un passé révolu, il apparaît en rupture avec la France nouvelle. Son chef le plus prestigieux, Edouard Herriot, retour de déportation, refuse de collaborer avec le général de Gaulle pour se consacrer à la résurrection du parti radical. Sa presse a en grande partie disparu. Un nombre significatif de ses élus locaux est frappé d'inéligibilité. S'il lui reste une chance de survie, c'est celle que lui donne le parti communiste qui se sert de lui pour tenter de reconstituer l'unité de la gauche, comme au temps du Front populaire.

C'est ce jeu disparate des forces politiques qui va devoir affronter l'épreuve électorale de 1945. Celle-ci va mettre en relief le profond bouleversement du paysage politique entraîné par le conflit.

Le référendum et les élections du 21 octobre 1945

A tous égards, le 21 octobre 1945 constitue une date capitale dans l'histoire politique de la France, et ce pour trois raisons.

Le suffrage universel, jusque-là réservé aux hommes, est étendu aux femmes (une ordonnance de 1944 leur donne le droit de vote).

Les Français sont invités à se prononcer par référendum sur leur choix quant au maintien ou à la répudiation des institutions de la IIIe République, ainsi que sur l'organisation des pouvoirs provisoires.

Pour la première fois depuis la guerre, une élection nationale permet de connaître l'audience respective des forces politiques.

Le référendum proposé aux Français par le Gouvernement provisoire comporte deux questions. La première leur propose la rédaction d'une nouvelle Constitution et, par conséquent, l'abandon des institutions de la IIIe République. Une réponse positive est préconisée par le général de Gaulle et tous les partis politiques, sauf les radicaux, fidèles à la IIIe République. Le 21 octobre, 96 % des Français se prononcent pour le changement des institutions en votant «oui» à la première question du référendum : l'Assemblée élue ce jour sera donc constituante.

La seconde question porte sur les pouvoirs de cette Assemblée constituante. Redoutant une prépondérance des communistes sur celle-ci, qui leur permettrait d'installer légalement un pouvoir de leur choix, le général de Gaulle a prévu un texte limitant strictement ses prérogatives : sa durée est restreinte à sept mois, le projet constitutionnel qu'elle élabore sera soumis au référendum populaire, enfin elle ne peut renverser le gouvernement que par une motion de censure votée par la majorité absolue de ses membres. Si le général de Gaulle, le MRP, les socialistes, les modérés demandent aux citoyens de voter «oui», les communistes se joignent aux radicaux pour préconiser le «non». Néanmoins 66 % des Français approuvent la limitation des pouvoirs de l'Assemblée en votant «oui» au référendum.

Les élections qui ont lieu le même jour, les premières depuis celles de 1936, bouleversent profondément l'équilibre des forces politiques en France. Si on établit un tableau comparatif des élections de 1945 et de 1936 en rassemblant les familles politiques, les résultats sont éclairants.

Familles politiques	*Élections de 1936*		*Élections de 1945*	
	% des suffrages exprimés	*Sièges*	*% des suffrages exprimés*	*Sièges*
PCF	14,76	72	26,2	160
SFIO	20,07	147	23,4	142
Radicaux et assimilés (partis de centre-gauche)	19,65	157	10,5	59
Modérés (centre-droit et droite)	42,56	220	15,6	61
MRP (1945)			23,9	152

Quatre faits méritent d'être mis en relief.

— En premier lieu, la forte poussée de la gauche marxiste. Socialistes et communistes qui, en 1936, représentaient moins de 35 % des suffrages progressent d'environ 15 points et frôlent la majorité absolue des voix (49,6 %). Ils l'obtiennent en sièges en faisant élire 302 députés sur 586 : ils sont, s'ils se coalisent, maîtres du jeu à la Constituante. Cette percée de la gauche est avant tout celle du parti communiste qui double son poids politique d'avant-guerre et devient le premier parti de France.

— Cette poussée s'accompagne d'un effondrement du centre-gauche (qui atteint particulièrement le parti radical, clé de voûte de la IIIe République) et des forces politiques assimilées. Encore a-t-on pris en compte dans cette rubrique les suffrages de la jeune UDSR qui, à l'époque, est liée aux socialistes et apparaît comme une force neuve, fort éloignée du passéisme radical.

— Le cas de la droite et du centre-droit est d'analyse plus délicate. Passant de 42,5 % à 15,6 % des suffrages, les modérés connaissent en apparence un effondrement, conséquence du discrédit qui les frappe en raison de leur assimilation au régime de Vichy. Toutefois, cette constatation doit être corrigée par le fait qu'une bonne partie de l'électorat traditionnel de la droite s'est, pour des raisons d'efficacité, rangée derrière le MRP. Même avec ce correctif, l'érosion de la droite est évidente.

— Enfin, et c'est probablement là l'essentiel, les élections de 1945 apportent une simplification considérable du paysage politique français. Près des 3/4 des électeurs (73,5 %) ont regroupé leur vote sur les trois grands partis politiques, communiste, socialiste, MRP, renforcés par leur rôle dans la Résistance. De ce fait, ces trois partis dominent l'Assemblée de manière écrasante. Or ce sont trois formations très différentes des groupements aux structures lâches, formés de clans luttant les uns contre les autres qu'étaient les partis de gouvernement de la IIIe République, radicaux et modérés. Tous trois sont des partis fortement structurés, disciplinés, imposant à leurs élus un contrôle qui les contraint à voter en bloc.

Entre ces trois grandes forces, légitimées désormais par le suffrage universel, et le général de Gaulle, fort de sa mission historique et de sa certitude d'incarner le destin national, le conflit ne va guère tarder à s'ouvrir.

Le conflit entre le général de Gaulle et les partis (novembre 1945-janvier 1946)

Si on observe les événements en détail, le conflit semble se circonscrire entre la gauche, majoritaire, et tout particulièrement le parti communiste, d'une part, le général de Gaulle de l'autre. Mais une analyse des événements révèle qu'en réalité ce qui est en cause, c'est la conception même du pouvoir dans les futures institutions : la prépondérance doit-elle appartenir à l'Assemblée, désignée par le suffrage universel, comme le pensent au fond tous les partis, attachés à la conception parlementaire de la République (même si, comme il est légitime, cette idée est affirmée avec plus de force par les deux partis de gauche que par le MRP)? Ou bien, comme l'estime le général de Gaulle, le pouvoir exécutif doit-il gouverner comme il le juge nécessaire, l'Assemblée se contentant, outre le vote des lois et du budget, d'exercer un pouvoir de contrôle?

La lutte entre ces deux conceptions dure de novembre 1945 à janvier 1946 et s'achève par la démission du général de Gaulle, consacrant le triomphe de la prépondérance de l'Assemblée. Trois étapes jalonnent le conflit.

La première est marquée par la formation du gouvernement au lendemain des élections d'octobre 1945. En fonction des résultats électoraux, le parti communiste propose un gouvernement appuyé sur la majorité socialiste et communiste de l'Assemblée. Le parti socialiste qui redoute de servir d'otage dans une combinaison conduisant la France à un statut de démocratie populaire (le processus est en cours en Europe orientale), décline l'offre et propose une association des trois grands partis. Sur cette base, la nouvelle Assemblée constituante désigne, le 13 novembre, le général de Gaulle comme président du Gouvernement provisoire, à l'unanimité.

Aussitôt éclate le conflit. Fort de sa victoire électorale

et considérant le général de Gaulle plus comme un symbole que comme un chef de gouvernement doté de pouvoirs de décision, le parti communiste exige un tiers des portefeuilles et l'un des trois «ministères clés» : Affaires étrangères, Défense nationale, Intérieur. Le général de Gaulle rejette cette prétention et, après de difficiles négociations durant lesquelles le chef du gouvernement menace de démissionner, les communistes finissent par s'incliner. Ils n'obtiennent que 5 ministres sur 21, ne reçoivent aucun des portefeuilles qu'ils exigeaient, mais seulement un ministère de l'Armement, distinct de celui de la Défense nationale, mais disposent des secteurs clés en matière économique et sociale (Economie nationale, Travail). De plus, le général de Gaulle a nommé des ministres hors du tripartisme, modérés ou collaborateurs personnels, qui n'appartiennent pas à la majorité de l'Assemblée. Formé le 21 novembre, le gouvernement, constitué selon le vœu du général de Gaulle, qui l'emporte, va durer moins de deux mois.

Cette victoire du général de Gaulle est sans lendemain. Avec les débuts de l'activité législative de l'Assemblée constituante s'ouvre la seconde phase du conflit. Dès le vote des premières lois proposées par le gouvernement provisoire (nationalisation du crédit, statut des fonctionnaires, projets budgétaires) est mis en évidence le fait que la majorité et le président du Gouvernement provisoire ont des vues différentes, et que la première considère que, représentante du suffrage universel, c'est à elle, et non au gouvernement qu'elle a désigné, d'avoir le dernier mot. Or, le général de Gaulle refuse de s'accommoder de la mainmise de l'Assemblée sur le pouvoir exécutif. Larvé durant le mois de décembre, le conflit éclate fin 1945, rendu plus aigu par l'exaspération du général de Gaulle devant l'attitude des parlementaires, qu'il supporte mal.

Lors du débat de décembre 1945 sur les crédits militaires, le socialiste André Philip demande une réduction de 20 % de ceux-ci. Le chef du gouvernement n'obtient de l'Assemblée qu'un compromis qui ne le satisfait guère. Le 1er janvier 1946, dans un discours célèbre, il refuse la conception, sous-jacente à l'attitude des députés, d'une Assemblée qui gouverne par l'intermédiaire d'un gouvernement dépourvu de liberté d'action et met en garde l'Assemblée : «*Veut-on un gouvernement qui gouverne ou bien veut-on une Assemblée omnipotente déléguant un gouvernement pour accomplir ses volontés?*» Et il laisse pressentir sa démission aux députés.

La troisième et ultime phase du conflit intervient en janvier 1946 et se déroule sur toile de fond de conflit institutionnel. En effet, si le chef du gouvernement porte ainsi le débat institutionnel sur la place publique, c'est qu'il s'inquiète des travaux de la Commission chargée de rédiger la Constitution et qui lui paraît s'orienter dans la voie d'un retour à la prépondérance de l'Assemblée dans les institutions. Or il est tenu systématiquement à l'écart des travaux de cette Commission et on lui refuse le droit d'en rencontrer le rapporteur, sous le prétexte que n'étant pas lui-même un élu, il n'a aucun titre à participer à la rédaction du texte constitutionnel.

Exaspéré, sans moyen d'action réel sur l'Assemblée, il tente d'en appeler à l'opinion. Le 20 janvier 1946, il convoque ses ministres pour leur annoncer sa démission, espérant sans doute par là provoquer un choc et une prise de conscience. Il semble en tout cas que, comme en novembre, il espère être rappelé et pouvoir ainsi imposer ses vues dans la question, essentielle, des institutions (sur ce point, voir Jean Charlot, *Le Gaullisme d'opposition*, Paris, Fayard, 1983). Il sera déçu. L'opinion publique enregistre avec calme son départ. Le MRP, le «parti de la fidélité» dont il attendait sans doute qu'il fasse pression pour son rappel, décide de ne pas le suivre dans sa retraite. Après quelques jours d'attente, il gagne Colombey-les-deux-Eglises. Sa rupture avec le régime que l'Assemblée met en place est consommée.

Le départ du général de Gaulle représente un tournant historique essentiel de la période de naissance de la IVe République. Le temps de l'union nationale autour des idéaux de la Résistance qu'il incarne s'achève; celui de la République des partis commence. Ce sont eux, et non le général de Gaulle, qui mettront en place les nouvelles institutions.

La naissance du tripartisme et l'échec du premier projet constitutionnel (janvier-mai 1946)

C'est avec la démission du général de Gaulle, le 20 janvier 1946, que s'affirme la prépondérance des partis politiques dans la vie publique française qui va caractériser la IVe République. Jusqu'alors, en effet, les gouvernements avaient été des formations d'union nationale dont le véritable inspirateur était le général de Gaulle, seul responsable de la politique conduite. Situation qui permettait aux formations politiques de jouer le jeu commode de l'unanimité au pouvoir tout en formulant des réserves sur tel ou tel aspect des décisions prises, afin de préserver leur capital d'audience dans l'opinion. Le retrait du chef de la France libre fait disparaître la pierre angulaire de cette situation et remet en même temps en question l'unanimité qu'il incarnait. Mais surtout, en se retirant, il constitue comme héritières les seules forces qui puissent se prévaloir d'une réelle légitimité en dehors de lui-même, les forces politiques investies par le suffrage universel de la mission de préparer la nouvelle Constitution. Paradoxalement, en se retirant sans s'expliquer devant le pays, le général de Gaulle va faire naître cette «République des partis» dont il ne cessera ensuite de dénoncer les abus.

Les conditions de la naissance du tripartisme préfigurent en effet une pratique institutionnelle dont la Constitution ne fera ensuite que codifier les usages. Le général de Gaulle démissionnaire, la balle est dans le camp des trois partis politiques qui ont recueilli, aux élections d'octobre 1945, les trois quarts des suffrages. Les socialistes ayant décliné une nouvelle fois l'offre communiste de constituer un gouvernement sur la base de la majorité d'extrême gauche de la Constituante, la future formule ministérielle repose sur la décision du MRP. Or, deux thèses s'affrontent parmi les dirigeants de ce parti : l'une qui, renforçant son image de «parti de la fidélité», propose de se retirer avec le général de Gaulle et de jouer ainsi le jeu de «parti du général», avec l'avantage de pouvoir capitaliser en termes électoraux la popularité de celui-ci lors des futures élections; l'autre, davantage tentée par une participation au pouvoir, mais aussi consciente des dangers que recèle la présence au pouvoir des seuls partis marxistes et désireuse d'aller au gouvernement pour contrôle leur action. La seconde tendance l'emporte sans peine et selon J. Charlot (*Le Gaullisme d'opposition*), la conviction des dirigeants du MRP conduits par leur président Maurice Schumann est faite bien avant que celui-ci reçoive une lettre du général Billotte l'avertissant du risque d'une intervention américaine au cas où communistes et socialistes formeraient seuls le gouvernement, lettre dont Georgette Elgey affirme qu'elle aurait été déterminante (*Histoire de la IVe République, la République des illusions (1945-1951)*, Paris, Fayard, 1965). En l'occurrence, le fait majeur n'est sans doute pas cette première intervention de l'armée dans la vie publique dont parle Georgette Elgey, et qu'elle semble bien avoir surestimé, que l'état d'esprit dans lequel le MRP entre au gouvernement, comme une force d'opposition dont le rôle sera de freiner les initiatives des deux partis majoritaires. Ainsi le débat politique se trouve-t-il transporté de l'Assemblée, qui est le lieu normal de son déroulement, au gouvernement lui-même. On ne saurait mieux caractériser la confusion des pouvoirs qui s'établit ainsi et la prise en main de l'Exécutif par les forces politiques qui dominent l'Assemblée. Les autres aspects essentiels et lourds de conséquences pour l'avenir de la succession du général de Gaulle découlent de cette constatation initiale.

Les trois partis qui décident de s'associer ainsi au pouvoir vont définir les conditions de leur collaboration dans un document signé le 23 janvier 1946, la «Charte du Tripartisme». Programme gouvernemental certes, mais plus encore «pacte de non-agression» entre les trois partenaires, qui insiste sur la nécessité de la solidarité dans le soutien des décisions prises par le gouvernement et fixe les limites de la polémique que les associés s'engagent à ne pas franchir les uns contre les autres. On ne saurait mieux dire que l'alliance gouvernementale est conçue comme conflictuelle et qu'il semble nécessaire d'énoncer les termes d'un armistice qui ne saurait en aucun cas découler d'une solidarité institutionnelle entre les formations gouvernementales.

Les conditions dans lesquelles est choisi le président du Conseil, successeur du général de Gaulle, valent également d'être remarquées. A une personnalité encombrante qui s'imposait aux hommes politiques et dirigeait l'action gouvernementale va succéder un homme capable d'arbitrer courtoisement et sans les trancher brutalement les conflits dont le Conseil des Ministres ne peut manquer d'être le théâtre. On décide tout naturellement de confier la présidence du Conseil à la SFIO, parti axial de la majorité, et, à l'intérieur de celle-ci, le choix se porte sur Félix Gouin qui a montré ses aptitudes aux fonctions qu'on lui assigne en dirigeant avec une grande sérénité les débats houleux de l'Assemblée constituante dont il était le Président. C'est d'ailleurs contre son gré que le nouveau Président accepte la charge qu'on lui confie et il y est poussé par les leaders des trois grands partis qui règlent la succession du général et deviennent, dès lors, les véritables inspirateurs du pouvoir.

Répondant parfaitement à l'attente des partis qui l'ont désigné, Félix Gouin se garde bien de nommer des ministres. Il se contente de répartir les portefeuilles entre les trois grands partis, à charge pour eux d'en désigner les titulaires. Il n'est plus question d'union nationale, mais uniquement de tripartisme, le seul ministre n'appartenant pas aux trois grandes formations, celui du Ravitaillement (Longchambon), ayant été désigné parce qu'aucune d'entre elle ne se soucie de recueillir un portefeuille générateur d'impopularité.

Ainsi la IVe République naît-elle comme un régime des partis. La réalité du pouvoir n'y est pas détenue par le chef du gouvernement dont le rôle se borne à faire coexister des formations aux objectifs antagonistes, ni par les députés élus au suffrage universel qui ne sont que les délégués des organisations qui les ont présentés, mais par les dirigeants de partis qui imposent leur loi à l'Assemblée, au gouvernement, voire dans les administrations qu'ils peuplent de leurs créatures.

La vie du gouvernement provisoire dirigé par Félix Gouin est dominée par les problèmes de la mise en place du projet de Constitution, qui doit être prêt pour mai 1946 en vertu du texte adopté en octobre 1945 par référendum et qui limitait à 7 mois les pouvoirs de la Constituante.

La discussion du premier projet constitutionnel provoque une quasi-rupture entre les trois partis associés au gouvernement. La majorité socialo-communiste qui domine la Commission de Constitution est profondément monocaMériste. Elle penche pour une Assemblée unique, élue pour cinq ans, disposant de tous les pouvoirs, élisant le Président de la République et le Président du Conseil, pouvant renverser le gouvernement par un vote de censure. Le gouvernement a certes le droit de dissoudre l'Assemblée, mais il est alors lui-même contraint de démissionner et de remettre tous ses pouvoirs entre les mains du Président de l'Assemblée. On voit donc que l'Assemblée unique a toujours le dernier mot et que l'Exécutif n'en est que l'émanation. La même prépondérance des élus s'observe dans le département où le Président du Conseil Général hérite de la quasi-totalité des pouvoirs du préfet.

Ce projet rencontre une double opposition :

— celle du MRP qui considére qu'un tel texte laissera à une éventuelle majorité socialo-communiste toute latitude pour transformer la France en une démocratie populaire le plus légalement du monde. C'est pourquoi le rapporteur MRP de la Commission de Constitution s'est efforcé de faire inclure dans le projet des «contrepoids» qui limiteraient l'omnipotence de l'Assemblée, une seconde Chambre et un Président de la République désigné par les deux Chambres. Il n'a obtenu que des concessions dérisoires : deux conseils consultatifs (Conseil national économique, Conseil de l'Union française) et un Président de la République, élu pour sept ans, mais sans le droit de désigner le Président du Conseil. En matière de protestation, ce rapporteur, François de Menthon, a démissionné, et la majorité l'a remplacé par le radical Pierre Cot, proche des vues du parti communiste;

— celle des radicaux et des partis de la IIIe République qui ont fait voter «non» au référendum d'octobre 1945. Rejetant l'ancrage à gauche que leur proposait Herriot et que soutenaient les fidèles du Front populaire (Pierre Cot, Pierre Meunier, Robert Chambeiron, Madeleine Jean-Zay), la majorité du parti radical choisit de tenter la reconstitution d'un bloc centriste. Le congrès de Lyon d'avril 1946 du parti radical rejette le projet de Constitution, exclut Pierre Cot (ses amis suivront sous peu) et décide de constituer un *Rassemblement des Gauches républicaines* avec l'Alliance démocratique, le Parti républicain et social de la Réconciliation française, le Parti socialiste-démocratique, constitué par Paul Faure avec des «épurés» de la SFIO, le Parti républicain-socialiste, formé de socialistes-indépendants, et l'UDSR qui a rompu depuis décembre 1945 son alliance avec la SFIO et qui représente le seul élément moderniste de ce regroupement de centre-gauche. Pendant que Pierre Cot et ses amis se rassemblent dans de petits groupes proches du parti communiste, les radicaux partent en guerre contre le projet constitutionnel aux côtés du MRP.

La rupture entre la majorité et l'opposition au projet est déclarée le 19 avril lorsque, par 309 voix (PC, SFIO, quelques radicaux) contre 249 (RGR et MRP), l'Assemblé constituante adopte le texte préparé et décide de le soumettre au référendum. La campagne électorale prend l'allure d'une explication entre la gauche marxiste conduite par le parti communiste et ses adversaires qui agitent la crainte de la transformation de la France en démocratie populaire. La nature de l'enjeu explique que les socialistes ne mènent qu'avec une grande mollesse la campagne pour le «oui» et que des éléments socialisants de la Résistance (par exemple les dirigeants du journal *Combat*, Pascal Copeau et Claude Bourdet) militent pour le rejet du projet.

Le 5 mai 1946, 80 % des inscrits se prononcent sur le projet de Constitution. Celui-ci est rejeté par 53 % des voix contre 47 %. La signification de l'échec est nette : le corps électoral s'est prononcé contre un texte qui contenait en germe la possibilité d'un régime dominé par les communistes. Ce revers de l'extrême gauche va être lourd de conséquences pour le Parti socialiste SFIO. Il est apparu hésitant, tenté par une démarche commune avec le PC tout en redoutant la victoire de celle-ci. La direction du parti socialiste va payer cette hésitation. Au congrès de l'été 1946, Guy Mollet, animateur de la fédération du Pas-de-Calais, rassemble autour de lui tous les adversaires de Daniel Mayer (partisans d'une entente étroite avec le PC, éléments trotskisants, syndicalistes qui reprochent à leur parti la politique sociale du gouvernement, militants de province qui n'ont pas pardonné au secrétaire général l'épuration du parti) et met celui-ci en minorité. Il devient alors secrétaire général du parti socialiste sur un programme de fidélité à la doctrine marxiste et d'alliance avec le parti communiste.

En attendant, l'échec du premier projet constitutionnel oblige à élire une seconde Constituante qui proposera aux Français un nouveau projet.

La seconde Constituante et l'adoption des institutions de la IVe République (juin-octobre 1946)

Les élections de juin 1946 confirment le recul de l'extrême gauche, évident dès le référendum de mai.

Le MRP qui était apparu durant la première Constituante comme l'héritier du général de Gaulle et le fer de lance de l'opposition au marxisme fait désormais figure de grand parti de la nouvelle droite. Avec plus de 28 % des suffrages et 169 députés, il ravit au parti communiste le titre de premier parti de France. Mais le PC ne subit aucun recul et maintient pour l'essentiel ses positions. Le grand vaincu de la consultation est le parti socialiste SFIO, victime de ses hésitations et de ses divisions (que confirmeront les événements de son congrès), qui perd plus de 2 % des suffrages et apparaît clairement distancé par le PC et le MRP, chefs de file respectifs de la gauche et de la droite. Mais l'événement majeur est sans doute que les deux partis marxistes perdent la majorité des voix dans le pays comme à la Constituante (282 députés sur 586).

Les élections du 2 juin 1946
(% des suffrages exprimés et nombre de sièges)

Parti	*% des suffrages exprimés*	*Nombre de sièges*
Parti communiste et apparentés	25,9 %	153
Parti socialiste SFIO et apparentés	21,1 %	129
RGR	11,6 %	53
MRP et apparentés	28,2 %	169
Modérés	12,8 %	67
Divers	0,1 %	15

Le recul du balancier électoral vers la droite permet au leader MRP, Georges Bidault, de constituer un gouvernement qui ne réussit pas vraiment à échapper au tripartisme. Il échoue dans sa tentative d'attirer les radicaux dans la majorité, Herriot, président du parti, jugeant plus payant le maintien dans l'opposition. Tout au plus réussit-il à faire entrer dans son équipe un membre de l'UDSR (Alexandre Varenne) et, bien entendu, un sans-parti (Yves Farge) au Ravitaillement. Dans ces conditions, le second projet constitutionnel ne peut résulter que d'un compromis entre les vues des socialistes et des communistes telles qu'elles apparaissaient dans le premier projet et celles du MRP qui va exiger, par l'intermédiaire du rapporteur général de la Commission Constitutionnelle, Paul Coste-Floret, les concessions que n'avait pu obtenir François de Menthon (seconde Chambre et Président de la République doté de réels pouvoirs).

Mais le jeu des partis sur la question de la Constitution est troublé par l'intervention dans le débat du général de Gaulle. Celui-ci, qui était resté silencieux durant les premiers mois de 1946, laissant le MRP combattre seul le premier projet, fait une rentrée politique spectaculaire le 16 juin 1946 en prononçant à Bayeux, où il est venu célébrer l'anniversaire de la libération de la ville, un discours retentissant. Lançant l'anathème sur le texte rejeté en juin, il fait connaître sa conception des institutions : un Parlement étroitement cantonné dans ses attributions législatives et budgétaires et où une seconde Chambre limiterait les impulsions de la première, cette seconde Chambre étant constituée, à l'instar de l'ancien Sénat, des élus des Conseils généraux et municipaux, des représentants de l'outre-mer et des «organisations économiques, sociales et intellectuelles»; un exécutif qui ne serait pas l'émanation du Parlement et aurait pour clé de voûte un Président de la République désigné par un collège élargi englobant le Parlement, mais formé surtout de notables et de représentants de l'outre-mer. De Gaulle s'efforce donc, au moment où va se réunir la seconde Constituante, de peser sur ses décisions en proposant son projet de «régime présidentiel appuyé sur les notables» (l'expression est de Jacques Julliard, *La IVe République*, Paris, Calmann-Lévy, 1968). En fait, contrairement aux espoirs du général de Gaulle, le MRP ne fait pas sienne la «Constitution de Bayeux». Sous l'influence de son président, Georges Bidault, il décide de négocier avec les socialistes un texte qui aurait plus de chances d'être adopté par la Constituante que celui que préconise le général de Gaulle.

Adopté en septembre 1946 à une très large majorité par la seconde Constituante (443 voix contre 106), le projet est aussitôt condamné dans les termes les plus nets par le général de Gaulle (discours d'Epinal du 22 septembre 1946) : la rupture est consommée entre le général de Gaulle et l'ex-«parti de la fidélité». Le MRP est désormais privé d'une des bases fondamentales de son électorat et réduit à ne plus représenter que la fraction démocrate-chrétienne de l'opinion.

L'intervention du général de Gaulle pèse sur l'issue du référendum d'octobre 1946 qui doit décider de l'adoption de la Constitution. En dépit d'une campagne pour le «oui» des trois associés du tripartisme, il y aura un tiers d'abstentions, le texte étant finalement accepté par 53 % de «oui» contre 47 % de «non». Ce qui permet au général de Gaulle de juger ainsi la Constitution : «*Un tiers des Français s'y étaient résignés, un tiers l'avaient repoussée, un tiers l'avaient ignorée.*»

C'est incontestablement un fait politique majeur que la Constitution qui va régir la IVe République n'ait été adoptée qu'à la minorité de faveur et que les deux tiers des Français ne se soient pas sentis concernés.

Les institutions adoptées par les Français en octobre 1946 traduisent d'une part l'état des forces politiques dans la seconde Constituante et, de l'autre, la volonté de réagir à la fois contre l'instabilité de la IIIe République et contre le régime de pouvoir personnel de Vichy.

La crainte de la dictature et la nécessité de tenir compte du choix monocamériste des communistes et des socialistes expliquent que la prépondérance au sein des pouvoirs publics appartienne à l'Assemblée nationale. Elue pour 5 ans au suffrage universel direct, elle est la dépositaire privilégiée du suffrage universel. Pour la préserver de tout empiétement du pouvoir exécutif, on décide qu'elle est seule compétente pour fixer la durée de ses sessions (alors que sous la IIIe République, le Président du Conseil pouvait décréter la clôture au bout de cinq mois), qu'elle est seule maîtresse de son ordre du jour et de son règlement, qu'elle vote seule la loi et ne peut déléguer ce droit (les décrets-lois sont donc impossibles), et que, bien entendu, elle doit investir et peut renverser le gouvernement. Face à cette prépondérance de l'Assemblée nationale, quelle est la valeur des deux contrepoids introduits par le MRP?

Le Conseil de la République, la seconde Chambre, est très loin d'avoir les prérogatives de l'ancien Sénat. Il ne peut donner que des avis à l'Assemblée nationale et celle-ci n'est nullement tenue de les suivre. Toutefois, si l'avis est donné à la majorité absolue des membres du Conseil de la République, l'Assemblée nationale ne peut passer outre qu'en votant, elle aussi, à la majorité absolue. Son recrutement, fixé par la loi du 27 octobre 1946, est d'une grande complexité, combinant la désignation directe par l'Assemblée nationale proportionnellement à l'importance des groupes (pour un tiers des membres) et l'élection par un collège comprenant députés, conseillers généraux et «grands électeurs» pour les deux tiers restants. En septembre 1948, une réforme rendra l'élection des sénateurs (ils recouvrent ce nom en dépit de la dénomination de l'assemblée à laquelle ils appartiennent) aux conseillers généraux et aux délégués des conseils municipaux comme sous la IIIe République. Sauf cas précis, le rôle du Conseil de la République est si faible que l'on peut considérer que, pour l'essentiel, le régime est monocamériste.

Plus sérieux est le second contrepoids, le président de la République. Sans doute est-il l'émanation du Parlement puisqu'il est élu par le Congrès, réunissant les deux Chambres. Si en théorie ses pouvoirs sont relativement restreints, il apparaissent en fait plus importants qu'on ne le suppose au premier abord. En premier lieu, il est élu pour sept ans ce qui lui assure une large indépendance à l'égard du Parlement et lui permet, pour peu qu'il le veuille, d'incarner une certaine permanence de la politique française face à des gouvernements changeants. Vincent Auriol, premier président de la IVe République, saura se servir de cet atout et jouer de sa connaissance des dossiers pour intervenir dans la formation des gouvernements et suggérer des politiques. D'autant que, sur l'insistance du MRP, lui a été laissée une prérogative fondamentale, celle de désigner le président du Conseil. Or, dans un système politique où n'existe pas de leader désigné de la majorité, mais toute une gamme de personnalités susceptibles de recueillir une majorité à l'Assemblée, ce droit laisse au chef de l'Etat une marge de manœuvre considérable et lui permet d'infléchir sensiblement la ligne politique du gouvernement. Finalement, le président de la République apparaît comme le seul contrepoids réel face à une Assemblée supposée divisée. Mais il ne peut jouer qu'un rôle limité et, au total, l'Assemblée nationale demeure le seul pouvoir décisif sous la IVe République. L'étude des rapports des pouvoirs publics met d'ailleurs en relief sa prépondérance.

C'est au niveau de la formation, de l'existence et du renversement des gouvernements qu'on peut le mieux saisir l'équilibre des pouvoirs sous la IVe République. Force est de constater que le texte constitutionnel et la pratique se combinent pour faire du gouvernement un jouet entre les mains de l'Assemblée, selon les usages de la IIIe République contre lesquels les constituants entendaient cependant réagir. Le gouvernement est dirigé par un président du Conseil, responsable devant l'Assemblée nationale et, de ce fait, véritable chef du pouvoir exécutif. Les rédacteurs de la Constitution ont pris un grand nombre de précautions pour qu'il dispose d'un réel pouvoir vis-à-vis de l'Assemblée nationale. Mais le poids des habitudes héritées de la IIIe République fera que celles-ci resteront lettre morte. Désigné par le président de la République, le président du Conseil doit aussitôt se présenter devant l'Assemblée nationale pour être investi par elle à la majorité absolue (autrement dit, les abstentions sont, dans ce cas, comptabilisés comme des votes hostiles — mais la réforme de 1954 supprimera cette disposition). Le but est de faire investir un homme et un programme et non de confirmer un dosage ministériel, puisque le chef du gouvernement se présente devant l'Assemblée avant d'avoir formé son équipe. En fait, le premier président du Conseil de la IVe République, Paul Ramadier, investi selon les règles constitutionnelles, se présentera une seconde fois devant l'Assemblée pour faire approuver la composition de son gouvernement. Ce geste qui fait l'Assemblée juge de la composition de l'équipe gouvernementale donne naissance à la pratique de la «double investiture» qui dure jusqu'à la réforme constitutionnelle de 1954. Celle-ci met le droit en harmonie avec le fait en décidant que le président du Conseil ne se présentera devant l'Assemblée, pour une investiture unique, qu'une fois son équipe formée. On en est revenu à la IIIe République.

Durant son existence, le gouvernement est naturellement soumis au contrôle du Parlement par la discussion des projets en commission ou en séance, le vote, les interpellations, la discussion des déclarations de politique générale et la très importante pratique de l'amendement des projets de loi en commission. Au contrôle de tous les instants s'ajoute donc une véritable participation du Parlement à l'action du pouvoir exécutif.

C'est l'Assemblée qui détient seule le pouvoir de renverser le gouvernement. Ce renversement peut avoir une double origine :

— une motion de censure d'origine parlementaire (mais la procédure ne sera jamais appliquée sous la IVe République);

— la question de confiance posée par le gouvernement et qui l'oblige à se retirer si la majorité de l'Assemblée ne le suit pas. Pour limiter l'abus du renversement du gouvernement par cette procédure, et l'instabilité ministérielle qui en résulte, la Constitution a prévu toute une série de garde-fous : la question de confiance doit être posée par le Conseil des ministres et non par le seul président du Conseil; il doit s'écouler un jour entier entre le dépôt de la question de confiance et le vote, afin d'éviter la chute du gouvernement par surprise; enfin, le gouvernement n'est renversé que si la majorité absolue des députés s'est prononcée contre lui (dans ce cas, les abstentions sont considérées comme des votes en faveur du ministère). Dans la pratique, cette dernière disposition restera lettre morte : la plupart des gouvernements démissionnent sans que les conditions constitutionnelles soient réunies, soit parce que le président du Conseil préfère s'effacer avant d'être renversé, soit parce que l'un des partis de la majorité s'en retire, soit enfin parce que, battus par une majorité relative et non absolue, les chefs du gouvernement considèrent néanmoins qu'ils ne disposent plus de la confiance de l'Assemblée.

Au total, en dépit de la volonté des constituants, l'Assemblée est bien omnipotente et le gouvernement est totalement entre ses mains, d'autant que la seule arme dont l'Exécutif dispose contre le législatif, la dissolution, est soumise à des conditions si draconiennes qu'elle paraît aussi improbable qu'elle l'était sous la IIIe République :

— Aucune dissolution n'est possible dans les 18 premiers mois de la législature.

— On ne peut dissoudre l'Assemblée qu'au cas où, en 18 mois, se sont produites deux crises ministérielles dans les conditions constitutionnelles (majorité absolue des députés contre le gouvernement).

— Il faut que le gouvernement soit constitué depuis plus de 15 jours.

— Enfin, et surtout, le gouvernement qui a décidé la dissolution doit être placé sous la présidence du président de l'Assemblée nationale, accepter des ministres d'Etat choisis dans les partis non représentés précédemment au gouvernement et prendre un ministre de l'Intérieur désigné par le bureau de l'Assemblée nationale. Ces dernières dispositions seront supprimées lors de la réforme de 1954, ce qui rendra possible la dissolution de 1955.

Au total, et hormis le faible contrepoids du président de la République, la Constitution de 1946 établit un régime monocaméral de fait dans lequel la prépondérance appartient à l'Assemblée nationale. Ce régime était-il marqué d'emblée par une sorte de péché originel qui devait le faire glisser vers une nouvelle IIIe République avec, comme conséquence, l'instabilité ministérielle et la faiblesse du pouvoir exécutif? Le fait que l'évolution ait bien été celle-là ne doit cependant pas, par une application déterministe du futur au présent, conduire à l'idée qu'il ne pouvait en être autrement. En fait, la Constitution de 1946 doit être lue à la lumière du contexte historique de l'époque, qui est celui du tripartisme. L'existence de trois grands partis structurés, disciplinés et organisés, majoritaires dans le pays et au Parlement aurait dû permettre aux institutions de la IVe République de connaître une incontestable stabilité, sous le contrôle des leaders des trois grands partis. Si le régime de la IVe République a connu la dérive signalée, c'est pour deux raisons :

— le rôle des hommes qui en sont revenus, tout naturellement, à l'instar d'un Paul Ramadier, à leurs pratiques d'antan;

— et surtout le fait qu'au moment où les nouvelles institutions, taillées pour le tripartisme, commencent à fonctionner, celui-ci éclate, modifiant fondamentalement les données du jeu politique français.

Entre novembre 1946 et janvier 1947 se mettent en place les pouvoirs publics créés par la Constitution de 1946.

Le premier acte a lieu le 10 novembre 1946 avec l'élection de la première Assemblée nationale. Trois faits majeurs et qui vont peser lourd sur l'histoire du régime marquent ces élections.

Les élections du 10 novembre 1946
(% des suffrages exprimés et nombre de députés)

Parti	*% des suffrages exprimés*	*Nombre de députés*
Parti communiste et apparentés	28,2 %	183
Parti socialiste SFIO et apparentés	17,8%	105
RGR	11,1%	70
MRP et apparentés	25,9 %	167
Modérés	12,9 %	71
Divers (y compris Union gaulliste)	3,8 %	22

— La prédominance affirmée du PC et du MRP comme forces majeures de l'Assemblée. Le premier atteint son score record dans l'histoire politique française (28,2 %) et redevient le premier parti français. Le second connaît un léger repli dû à la présence dans le scrutin d'une *Union gaulliste*, dirigée par René Capitant (mais que le général n'a pas parrainée), qui lui prend 3 % des voix.

— La poursuite de l'effondrement de la SFIO, conséquence des luttes qui ont marqué son congrès des 29 août-1er septembre, et des hésitations de sa direction.

L'affaiblissement de l'une des composantes du tripartisme déséquilibre la formule politique qui prévaut depuis janvier 1946.

— Enfin, la remontée en siège des partis traditionnels de la IIIe République, radicaux et modérés, qui redonne leur chance aux groupes charnières mal structurés, surtout si on tient compte de l'affaiblissement socialiste.

La seconde étape est la formation du gouvernement. On voit successivement échouer le communiste Thorez devant l'opposition de tous les partis (sauf les socialistes), puis le MRP Bidault. On se tourne alors vers le parti socialiste dont le patriarche Léon Blum, après avoir échoué dans la formation d'un gouvernement d'union nationale en raison de l'opposition du parti communiste, décide finalement de former un gouvernement socialiste homogène jusqu'à l'élection du président de la République.

Le mois de décembre est partiellement occupé par les élections au Conseil de la République.

Le 16 janvier 1947 a lieu l'élection du président de la République. Le socialiste Vincent Auriol l'emporte au premier tour grâce aux voix communistes, par 452 suffrages contre 242 au MRP Champetier de Ribes, 122 au radical Gasser et 60 à Michel Clemenceau.

Fin janvier, Blum ayant démissionné, Auriol nomme président du Conseil le socialiste Paul Ramadier, vieux routier parlementaire de la IIIe République. Celui-ci forme un gouvernement qui se distingue des gouvernements provisoires par sa composition et qui va créer une tradition de soumission aux partis et à l'Assemblée qui marquera durablement le régime (pour le gouvernement Ramadier, voir S. Berstein (sous la direction de), *Paul Ramadier, le socialisme et la République*, Bruxelles, Complexe, 1990).

— Il réussit l'opération d'ouverture sur laquelle ses prédécesseurs avaient échoué en incluant dans son équipe ministérielle, outre les représentants des trois grands partis, 7 ministres extérieurs au tripartisme, 3 radicaux, 2 UDSR, 2 Indépendants. C'est la preuve qu'il existe désormais une solution de rechange au tripartisme.

— Il résout le problème posé par la volonté des communistes de détenir un des trois ministères clés en nommant le communiste François Billoux ministre de la Défense nationale, tout en vidant ce ministère de sa substance réelle par la nomination de trois ministres d'armes, aux Armées (le MRP Michelet), à l'Air (le radical Maroselli), à la Marine (le modéré Jacquinot).

— Enfin, il confirme par une double décision l'interprétation qui fait du régime un régime des partis en laissant à ceux-ci, comme Gouin et Bidault, le soin de désigner les titulaires des portefeuilles et en concluant avec l'Assemblée un contrat tacite qui fait de celle-ci l'arbitre de l'Exécutif (c'est le résultat de la double investiture).

Tous ces éléments qui accompagnent la mise en place des institutions s'intègrent dans un contexte qui implique la possibilité d'une rupture du tripartisme. En fait, en ce début d'année 1947, les tensions entre partis rendent cette rupture probable.

L'évolution des problèmes politiques conduit en effet à constater sur tous les problèmes un clivage chaque jour plus grand entre le parti communiste et les autres formations politiques du gouvernement :

— Sur les questions économiques et sociales.

Après la démission du général de Gaulle, les trois grands partis sont d'accord pour une réorganisation économique et sociale sur la base du programme du CNR, impliquant dirigisme étatique et nationalisations. Ils approuvent la mise au point par Jean Monnet, nommé en décembre 1945 commissaire au Plan par le général de Gaulle, du Plan de modernisation et d'équipement 1946-1950, promulgué par le gouvernement Blum en janvier

1947. Ils procèdent à une extension des nationalisations : gaz, électricité, assurances, charbonnages, mais le MRP refuse d'aller plus loin et de nationaliser les banques d'affaires comme le demande le PC. D'accord sur les lignes directrices de la politique à conduire, les partenaires du tripartisme se heurtent sur les problème de vie quotidienne, générateurs, il est vrai, du mécontentement de l'opinion publique : pénurie de charbon et de matières premières, rationnement du ravitaillement, et surtout problème de la disparité entre les salaires que le gouvernement s'efforce de maintenir pour éviter l'inflation et prix qui ne cessent de monter. Au départ, les ministres communistes et le PC sont d'accord avec les autres partis du gouvernement pour limiter les hausses de salaires. Mais cette politique entraîne une vive colère du monde ouvrier qui n'épargne ni le parti communiste, ni la CGT. Les communistes ont d'autant plus l'impression de s'engager dans une voie dangereuse que, durant l'été 1946, Bidault réunit la conférence du Palais-Royal où patrons, salariés et agriculteurs s'accordent pour condamner les tendances déflationnistes et arrachent au président du Conseil, peu soucieux de s'aliéner l'électorat, une hausse de 25 % des salaires! Peu désireux d'apparaître moins favorable que le MRP aux intérêts du monde ouvrier le PC change alors d'attitude. Au printemps 1947, lorsque la hausse des prix reprend, après un palier, consécutif aux mesures prises par Blum en janvier, le PC est décidé à ne plus se laisser déborder. La grève qui éclate aux usines Renault fin avril 1947 illustre sa nouvelle politique. Après avoir tenté de freiner le mouvement, la CGT s'y rallie. Le 4 mai 1947, Paul Ramadier, qui refuse de céder aux grévistes en augmentant les salaires, est interpellé par les communistes à l'Assemblée. Dans le vote sur la question de confiance qui s'ensuit, tous les députés communistes, y compris les ministres, votent contre le gouvernement. Ce vote sera l'occasion de la rupture du tripartisme.

— Sur les questions coloniales et, spécifiquement, sur l'Indochine.

La République naissante trouve dans sa colonie d'Indochine une situation particulièrement confuse. Occupée au nord par les Chinois, au sud par les Britanniques après la capitulation japonaise, l'Indochine s'est déclarée indépendante en mars 1945. En août, le communiste Hô Chi Minh, à la tête de la coalition nationaliste du Viêtminh, a proclamé une République démocratique du Viêtnam, surtout implantée au Tonkin, sous la protection chinoise. Mais au sud, grâce à l'appui anglais, la France a pu envoyer un corps expéditionnaire commandé par le général Leclerc, cependant que l'amiral Thierry d'Argenlieu a été nommé Haut-Commissaire en Indochine. Désireux de se dégager de la tutelle chinoise, Hô Chi Minh accepte de négocier avec l'envoyé du gouvernement français, Jean Sainteny, et leurs conversations aboutissent à l'accord du 6 mars 1946 qui reconnaît «*la République du Viêt-nam comme un Etat libre faisant partie de la fédération indochinoise et de l'Union française*». En fait l'accord est ambigu et juxtapose deux virtualités antagonistes, celle de la constitution d'un territoire autonome inclus dans une fédération où la France garde le dernier mot et celle d'un Etat indépendant, acceptant volontairement de s'allier à la France. Les négociations se poursuivent, mais, à partir de l'accession de Bidault à la présidence du Conseil, la position française se raidit, le MRP manifestant son intention de ne rien céder sur le plan de la souveraineté française dans l'Empire colonial. Cette attitude intransigeante est partagée sur place par l'amiral Thierry d'Argenlieu, alors que Sainteny et le général Leclerc se montrent partisans d'une plus grande souplesse. Une conférence réunie à Fontainebleau, du 6 juillet au 14 septembre 1946, se solde par un dialogue de sourds entre Hô Chi Minh et les Français.

L'amiral Thierry d'Argenlieu, appuyé par le MRP,

décide alors de sortir de l'impasse par une politique des faits accomplis. En mars 1946, il crée une République de Cochinchine (au sud du pays) qui rompt l'unité de la République du Viêt-nam. Le 23 novembre 1946, il décide d'employer la force pour mettre Hô Chi Minh à la raison et fait bombarder le quartier vietnamien d'Haiphong. Le 19 décembre, la réplique du Viêt-minh déclenche la guerre d'Indochine : une quarantaine de Français sont massacrés à Hanoi. Ministre de la France d'outre-mer, le socialiste Marius Moutet, qui se rend sur place, est bouleversé et décide qu'on ne pourra négocier qu'une fois la paix rétablie, et avec des «interlocuteurs valables». Refus de négocier tant qu'on n'est pas vainqueur, négation de la représentativité de l'adversaire, c'est tout l'engrenage des guerres coloniales qui se met en place au début de 1947.

Les communistes qui préconisent une négociation avec Hô Chi Minh se trouvent donc isolés au sein du gouvernement. Ils s'inquiètent d'autant plus de voir les socialistes emboîter sur ce point le pas au MRP que la volonté de maintenir l'Empire sous sa forme coloniale est le maître mot de la politique de celui-ci : Bidault est intervenu dans les travaux de la Commission constitutionnelle en juillet 1946 pour faire rejeter l'idée d'une Constituante élue par l'outre-mer qui établirait une Constitution de l'Union française. De plus, le gouvernement Ramadier, où Marius Moutet demeure ministre de la France d'outre-mer, reprend la politique du gouvernement Bidault : en mars 1947, il répond à l'insurrection de Madagascar par une vigoureuse répression et l'arrestation des parlementaires malgaches. Décidés à marquer un coup d'arrêt, les communistes décident en mars 1947 de rejeter les crédits militaires demandés par le gouvernement : les députés votent contre, les ministres s'abstiennent.

— Sur les questions de politique étrangère.

Paradoxalement, c'est en ce domaine que l'accord a

duré le plus longtemps. Le maître mot de la politique française est d'obtenir le morcellement de l'Allemagne, le démantèlement de son industrie, la constitution de la Rhénanie en Etat séparé, l'internationalisation de la Ruhr, voire la cession de la Sarre à la France. Or, dès le printemps 1946, cette politique est battue en brèche par les Anglo-Américains, décidés à redonner vie à un Etat allemand. Reprenant la politique du général de Gaulle, Georges Bidault, comme président du Conseil, puis comme ministre des Affaires étrangères du gouvernement Ramadier, s'efforce de s'appuyer sur les Soviétiques pour faire contrepoids aux Anglo-Saxons.

Mais au printemps 1947, cette politique, approuvée par les trois partenaires du tripartisme, devient impossible à maintenir. La concurrence américano-soviétique prend le pas sur les autres réalités. Le 15 mars 1947, la déclaration Truman dénonce en termes très vifs l'entreprise totalitaire que l'URSS développe dans le monde et promet l'appui américain aux peuples qui veulent conserver leur liberté. Il est clair que la France doit choisir son camp et son choix ne fait à vrai dire aucun doute. De plus, à la conférence de Moscou d'avril 1947, Staline fait bon marché des intérêts français en préconisant une réunification allemande dont il pense qu'elle se fera à l'avantage des communistes. Toutefois, Paul Ramadier souhaite échapper à l'engrenage de la guerre froide et il tente de tenir la balance égale entre Américains et Soviétiques. Si nécessités économiques et parenté idéologique le poussent finalement à choisir le camp américain en acceptant l'aide Marshall, c'est à contrecœur qu'il assiste à la rupture des alliances de guerre et en espérant que la tension soviéto-américaine sera seulement passagère.

En tout cas, ce n'est nullement, comme certains historiens l'ont affirmé (par exemple Annie Lacroix-Riz : *Le Choix de Marianne (les relations franco-américaines de la Libération aux débuts du Plan Marshall, 1944-1948)*,

Paris, Messidor, 1986) sous la pression des Etats-Unis que Ramadier chasse les ministres communistes de son gouvernement. Le 5 mai 1947 en effet le *Journal officiel* publie un texte signé Paul Ramadier mettant fin aux fonctions des ministres communistes à la suite du vote qu'ils ont émis la veille contre le gouvernement dans le scrutin de confiance sur la politique salariale du gouvernement aux usines Renault. C'est cette rupture de la solidarité ministérielle, insupportable pour un républicain de tradition comme Ramadier, qui explique cette décision et, de fait, l'attitude des communistes qui témoignent de leur méfiance envers le gouvernement auquel ils appartiennent rend totalement impossible l'exercice du pouvoir. Mais le parti communiste ne reviendra pas dans un gouvernement français avant 1981, et c'est bien la guerre froide qui rend compte de cette longue exclusion, même si le motif immédiat de son éviction n'est pas la guerre froide (voir Jean-Jacques Becker, «Paul Ramadier et l'année 1947», *in* Serge Berstein (sous la direction de), *Paul Ramadier, op. cit.*).

Les communistes n'y voient qu'un incident de parcours sans gravité et, dans les semaines qui suivent, Maurice Thorez prépare d'ailleurs son retour au gouvernement en définissant les bases de la politique qu'il préconise : paix en Indochine par la négociation avec Hô Chi Minh, refus de l'alignement sur les Etats-Unis contre l'URSS, politique sociale qui permettrait l'augmentation du niveau de vie grâce au développement économique. Il considère même avec faveur le plan Marshall proposé en juin 1947 par les Américains et dans lequel il voit un facteur d'expansion économique. Guy Mollet, secrétaire général de la SFIO, fait la même analyse et il s'efforce même de provoquer la démission du gouvernement Ramadier pour ramener les communistes au gouvernement.

En fait, le tournant du 5 mai 1947 est beaucoup plus capital. Il représente l'irruption de la guerre froide comme élément déterminant de la vie politique française. Les communistes sont exclus du pourvoir pour un quart de siècle. L'édifice politique du tripartisme mis en place depuis la Libération vole en éclats et tout le système institutionnel taillé à la mesure de cette coalition politique s'en trouve durablement déséquilibré.

La constitution de la Troisième Force

On appelle «Troisième Force» la formule politique qui, de 1947 à 1952, se substitue au tripartisme en raison de la double menace qui pèse sur la IVe République, celle due au parti communiste et celle à l'origine de laquelle se trouve le RPF, fondé par le général de Gaulle.

L'attitude conciliatrice adoptée par le parti communiste après son éviction du pouvoir ne résiste pas à l'institutionnalisation de la guerre froide. Du 22 au 27 septembre 1947 se réunit en Pologne, à Szklarska Poreba, sous la direction du Soviétique Jdanov, la conférence constitutive du Kominform. Les communistes français, représentés notamment par Jacques Duclos, y sont mis en accusation pour leur légalisme excessif et leur «crétinisme parlementaire». Ils font leur autocritique et adhèrent désormais à l'analyse de la situation mondiale proposée par Jdanov : un monde divisé en deux blocs, le camp «impérialiste et antidémocratique» et le camp «démocratique et anti-impérialiste», entre lesquels la lutte est ouverte, le rôle des communistes du «camp impérialiste» consistant à empêcher par tous les moyens leurs gouvernements de se joindre à la guerre d'agression que médite ce camp contre l'URSS et ses alliés. Le parti communiste français va se lancer dans la lutte avec une énergie d'autant plus grande que certains de ses dirigeants (Marty, Tillon,

Servin...) avaient mal admis le ralliement imposé par Maurice Thorez à l'automne 1944. Désormais le parti communiste dénonce avec énergie le plan Marshall, qu'il décrit comme un instrument de l'impérialisme américain, critique violemment la politique étrangère de la France et la participation à la politique du «containment» en Indochine, et surtout va s'efforcer d'utiliser politiquement le mécontentement économique et social.

La vague de grèves des années 1947-1948 s'explique fondamentalement par des causes spontanées, la vie chère provoquant des revendications salariales auxquelles le patronat et le gouvernement s'efforcent de résister. Mais alors que le parti communiste, et la CGT, dominée par les communistes depuis 1945, avaient plutôt tenté jusqu'au printemps 1947 de canaliser le mouvement, à partir de l'automne, ils l'encouragent au contraire, ajoutant aux mots d'ordre purement revendicatifs des thèmes politiques, en particulier contre le plan Marshall. Il en résulte une énorme flambée de grèves qui se développent dans un climat de violence extraordinaire. A Marseille, les communistes envahissent la salle du Conseil municipal et molestent le maire gaulliste; sur les lieux de travail, les bagarres entre ouvriers communistes et non communistes se multiplient, ainsi que les conflits lors des manifestations et des collages d'affiches : on compte des blessés et même quelques morts. Les grèves s'accompagnent de sabotages graves: hauts-fourneaux éteints, mines noyées, voies ferrées sabotées. Fin 1947, il règne en France un véritable climat de guerre civile, encore accentué par la dramatisation de la situation du fait du ministre de l'Intérieur, le socialiste Jules Moch. Devant la gravité de la situation, le président du Conseil, Robert Schuman, décide, fin novembre 1947, le rappel sous les drapeaux du contingent 1946-2 et propose à l'Assemblée nationale de rappeler 80 000 hommes sous les armes et de voter divers projets renforçant les mesures contre le sabotage et les atteintes à la liberté du travail. Pour empêcher le vote de ces lois, les députés communistes pratiquent l'obstruction durant cinq jours et cinq nuits, occupant la tribune jusqu'à ce que le président de l'Assemblée, Herriot, fasse voter l'expulsion du député Raoul Calas, pour appel à l'insoumission de l'armée, ce qui entraîne le départ en bloc du groupe communiste.

Quelles sont les intentions des dirigeants communistes (voir J.-J. Becker, *Le Parti communiste veut-il prendre le pouvoir?*, Seuil, 1981)? Ont-ils songé, comme une partie de l'opinion l'a pensé, à faire une révolution en France en s'appuyant sur le réel mécontentement social? Rien ne permet de le penser. Le PC applique depuis 1944 une tactique légaliste qui exclut cette hypothèse, et l'application des nouvelles décisions du Kominform implique qu'il joue son rôle dans l'affaiblissement du «camp impérialiste», non qu'il prenne le pouvoir. On peut parler, avec Jacques Julliard, de «guerre civile froide». Quant aux violences qui accréditeraient la thèse révolutionnaire, elles semblent n'être rien d'autre que des bavures à la base, que les dirigeants n'ont nullement encouragées. Quoi qu'il en soit, l'énergique réaction du gouvernement conduit le mouvement au fractionnement, puis à l'échec début 1948. A l'automne 1948 se produit une seconde vague de grèves qui débutent dans les charbonnages, mais retombent au bout de quelques semaines.

Toutefois, si le mouvement n'avait que des objectifs limités, ses conséquences sont considérables à trois niveaux :

— *sur le mouvement syndical.* La participation de la majorité communiste de la CGT à des grèves à objectif politique évident entraîne une vive tension au sein de la centrale, depuis la direction où le communiste Frachon s'oppose à Léon Jouhaux jusqu'à la base où les syndicalistes non communistes prennent parti contre les grèves. En novembre 1947, malgré les réticences du vieux leader

Jouhaux, les syndicalistes non communistes quittent la CGT pour fonder la CGT-Force ouvrière, dont la base sociologique est la fonction publique, mais qui ne réussit pas à attirer les enseignants de la Fédération de l'Education nationale qui se déclarent autonomes des deux centrales;

— *sur le parti communiste.* L'obéissance à la tactique du Kominform lui fait perdre le bénéfice de l'évolution amorcée en 1934 et confirmée par sa participation à la Résistance, c'est-à-dire l'intégration à la société politique française. Pour l'opinion, il apparaît comme un «parti de l'étranger» et, pour le monde politique, il est rejeté dans un «ghetto» encore aggravé par le «coup de Prague» de février 1948;

— *sur la IVe République* enfin. La nouvelle attitude du parti communiste rend radicalement impossible le fonctionnement harmonieux d'institutions fondées sur le tripartisme. Le rejet du parti communiste hors du jeu politique français exige de trouver des majorités de rechange en se tournant vers les partis charnières, modérés et radicaux qui retrouvent ainsi une importance perdue, De surcroît, l'axe de la majorité politique est déplacé vers la droite, les socialistes perdant leur position centrale pour figurer l'aile gauche d'une majorité nouvelle.

Si la menace communiste est le péril essentiel, elle ne doit pas faire oublier qu'un second danger, perçu comme étant de droite, pèse sur la IVe République.

Ayant condamné la Constitution de la IVe République dans son discours d'Epinal, le général de Gaulle manifeste son dédain des nouvelles institutions en n'intervenant pas dans les élections législatives. Il laisse livrés à eux-mêmes René Capitant et son «Union gaulliste» qui ne rassemblent que 3 % des suffrages aux élections du 10 novembre 1946. Cette erreur, lourde de conséquences, va peser sur l'entreprise du général de Gaulle en la privant de perspectives. C'est en effet le 30 mars 1947, à Bruneval, qu'il fait une rentrée politique spectaculaire qui embarrasse fort le gouvernement Ramadier. Le 7 avril 1947 à Strasbourg, il annonce la constitution du Rassemblement du Peuple français (le RPF) qui voit le jour le 14 avril. Ce sont en effet les dangers qui pèsent sur l'indépendance nationale du fait de la présence des Soviétiques «à deux étapes du Tour de France» de la frontière française qui poussent de Gaulle à se présenter comme le grand rassembleur. Dans cette optique, l'adversaire désigné, ce sont les communistes (les «Séparatistes»); devant le danger, les institutions de la IVe République (le «Système») sont impuissantes et il faut réformer l'Etat dans le sens autoritaire indiqué par le discours de Bayeux. Pour obtenir ce résultat, de Gaulle n'entend pas créer un nouveau parti qui diviserait les Français, mais au contraire rassembler ceux-ci, quelles que soient leurs options politiques. De 1947 à 1949, il parcourt la France pour appeler au «rassemblement» et propager ses idées. Le succès est considérable : au milieu de 1948 le RPF revendique un million et demi d'adhérents, chiffre qu'il faudrait selon J. Charlot (*Le Gaullisme d'opposition*) ramener à environ 400 000. Mais compte tenu de la faible propension des Français à adhérer à des partis politiques, ce chiffre demeure considérable. Ces adhérents sont, pour l'essentiel, de nouveaux venus à la politique. Aussi bien, les partis structurés, comme le MRP ou la SFIO ont interdit à leurs membres la double appartenance, acceptée par le RPF. Mais radicaux et modérés admettent le principe en espérant bien en tirer avantage. C'est ainsi que Michel Debré et Jacques Chaban-Delmas seront à la fois membres du parti radical et du RPF, Frédéric-Dupont et Barrachin, Indépendants et RPF.

Mais cette importante mobilisation politique demeure sans emploi. Le général de Gaulle peut juger du succès de son mouvement au vu du résultat des élections municipales de 1947. Pour les villes de plus de 9 000 habitants où le mode de scrutin est la représentation proportionnelle, on assiste à un véritable raz de marée gaulliste. Les listes de coalition organisées autour du RPF recueillent le 13 octobre près de 40 % des suffrages; les listes homogènes RPF rassemblent pour leur part plus de 28 % des voix. Au total dans les grandes villes — la «France dynamique» selon les termes de François Gogue (*Chroniques électorales*, t. I, La Quatrième République, Paris, Presses de la FNSP, 1981) —, la percée RPF est spectaculaire. A l'issue du second tour, le 20 octobre, des maires RPF s'installent dans les 13 plus grandes villes de France (Paris, où le frère du général, Pierre de Gaulle, est élu président du Conseil municipal, Bordeaux, Marseille, Rennes, Strasbourg...), et dans 52 préfectures. Mais les élections municipales ne sont pas les législatives et, malgré sa puissance révélée dans le pays, le RPF reste à l'Assemblée nationale une force de second ordre. Un «intergroupe d'action pour une vraie démocratie» qui regroupe radicaux et modérés à double appartenance, plus quelques députés démissionnaires de l'UDSR ou du MRP (Michelet, Terrenoire) a été constitué, mais il n'atteint qu'une quarantaine de membres. Or, de Gaulle ayant formellement exclu toute autre voie que la voie légale, son mouvement est enfermé dans une impasse. Le 27 octobre, il invite l'Assemblée à constater qu'elle ne représente plus le pays et à se dissoudre après avoir voté une nouvelle loi électorale. La majorité réplique en lançant contre le général l'accusation de boulangisme. Celui-ci n'a d'autre recours que de faire patienter ses troupes jusqu'aux élections de 1951 (quatre ans plus tard!) tout en leur interdisant une quelconque participation au «Système». Position difficile à tenir pour les députés à double appartenance et qui explique le lent effritement de l'intergroupe à partir de 1949. En même temps, on constate dans le pays un certain tassement de l'audience du RPF dès 1948, dans la mesure où le mouvement paraît sans avenir politique immédiat.

Si les communistes et le RPF n'ont pas réussi à emporter le régime durant l'année 1947, du moins la double menace qu'ils représentent rend-elle l'avenir de la IVe République précaire. L'arithmétique électorale est à cet égard éclairante. Les deux partis d'opposition représentant chacun environ 28 % des suffrages, il en résulte que la totalité des autres partis est minoritaire dans le pays. Par conséquent, toute consultation électorale apparaît comme une perspective redoutable qui risque de rendre la France ingouvernable. Dans l'immédiat, avec 272 députés, socialistes et MRP ne sont plus majoritaires à l'Assemblée. Pour retrouver une majorité, l'adjonction aux deux survivants du tripartisme des 70 députés radicaux est une nécessité. C'est à cette coalition centriste, rendue nécessaire par la mise à l'écart des communistes et l'hostilité du RPF dans le pays, qu'on donne le nom de «Troisième Force». En fait les modérés y participeront également, la solidité de l'attachement des radicaux à la majorité n'étant pas avérée. On a alors évoqué à propos de cette formule quadripartite l'expression de «Quatrième Force», mais l'usage ne l'a guère retenue. La «Troisième Force» est donc l'alliance de circonstances conclue par tous les partis qui s'accommodent de la IVe République contre les gaullistes et les communistes, alliance qui va des socialistes aux modérés.

Ces partis «condamnés à vivre ensemble» selon l'expression du docteur Queuille n'ont comme point commun que la défense du régime contre ses adversaires. Mais au-delà de ce ciment de la Troisième Force, les divergences entre ses membres sont considérables. Elles portent, par exemple, sur la question des crédits à l'école libre qui creuse un fossé entre les «laïcs», socialistes et une partie des radicaux, et les partisans de l'école libre, MRP et modérés. D'un commun accord, les membres de la Troisième Force s'entendent pour ne pas poser cette question qui les divise. Mais il ne saurait en être de même pour les questions économiques et sociales qui mettent en jeu la gestion quotidienne de la société française et que les problèmes liés au coût de la vie rendent aiguës. Dans ce domaine, l'opposition est totale entre les socialistes, partisans des augmentations de salaires et des mesures sociales qui impliquent un accroissement des dépenses de l'Etat et l'acceptation du déficit budgétaire, et les modérés pour qui l'orthodoxie financière est un dogme, et qui, en conséquence, exigent l'équilibre du budget, sont hostiles à l'augmentation des impôts et préconisent donc une stabilisation des salaires et des dépenses sociales. Pratiquement tous les gouvernements de la première législature (1946-1951) tombent sur cette opposition fondamentale qui introduit un ferment de division au sein de la Troisième Force. Cette alliance obligatoire de partis opposés sur les choix fondamentaux de gestion rend donc compte de l'instabilité gouvernementale qui marque les débuts de la IVe République sans que les institutions doivent en elles-mêmes être tenues pour responsables.

Dans ce conflit permanent qui mine la Troisième Force, les socialistes, désormais placés en position d'aile gauche de la coalition, apparaissent d'ailleurs comme les vaincus. L'histoire de la première législature est celle d'un glissement à droite permanent. Lorsque Paul Ramadier est renversé en novembre 1947, ses successeurs sont soit des dirigeants du MRP (Robert Schuman ou Georges Bidault), soit des radicaux (André Marie ou Queuille), soit des radicalisants (l'UDSR Pleven). Le glissement à droite est particulièrement perceptible au niveau de la politique économique et sociale. Dès octobre 1947, pour conserver radicaux et modérés dans la majorité, Ramadier a dû renvoyer les deux ministres les plus dirigistes de son gouvernement, les socialistes André Philip (Economie) et Tanguy-Prigent (Agriculture). Désormais, le ministère des Finances sera détenu par des partisans de l'orthodoxie libérale, le radical René Mayer, les modérés Paul Reynaud et Maurice Petsche. Leur politique sera celle d'un abandon progressif des pratiques dirigistes inaugurées à la Libération : retour au marché libre des prix et des changes, libération progressive des échanges, liberté des salaires (sauf pour le minimum vital). Politique qui exige un assainissement financier obtenu par les deux dévaluations de 1948 et de 1949 qui amputent le franc des 9/10e de sa valeur de 1939. Mais la sanction de cette politique est le malaise de plus en plus grand éprouvé par les socialistes. En février 1950, ils quittent le gouvernement Bidault pour ne pas soutenir une politique financière qu'ils désapprouvent. Mais, à moins de précipiter une crise de régime dont ils ne veulent pas, ils n'ont d'autre choix que de voter pour lui à l'Assemblée nationale.

Ces difficultés de la Troisième Force et le risque permanent d'instabilité que sa composition implique, rendent compte du fait que l'immobilisme soit devenu en ces années une vertu politique. L'aptitude d'un gouvernement à survivre dépend de sa capacité à concentrer son action sur la défense du régime et la lutte contre la menace communiste et à éviter de s'engager sur les problèmes économiques et sociaux. Président du Conseil de septembre 1948 à octobre 1949, le docteur Queuille élève cette pratique à la hauteur d'un art véritable. Avec lui, l'immobilisme devient le maître mot de la vie politique. Son but est de poser le moins possible de problèmes, de les laisser pourrir sans y apporter de solution tranchée. Il y réussit aussi bien dans le domaine social où il poursuit une politique de stabilisation que dans le secteur politique où il laisse retomber la vague RPF en changeant la loi électorale pour la désignation du Conseil de la République et en reculant la date des élections cantonales d'octobre 1948 à mars 1949. Une telle politique est évidemment impopulaire, mais elle remplit son but. Elle permet à la IVe République de durer, de laisser passer les temps difficiles et d'éviter d'ouvrir une crise que la composition de la Troisième Force rend menaçante et la vigueur de ses adversaires dangereuse. A bien des égard, l'immobilisme du Dr Queuille a sauvé la IVe République et permis de concentrer l'intérêt sur les points qui font l'objet d'un consensus au sein de la majorité, c'est-à-dire la politique extérieure et coloniale (sur la politique d'Henri Queuille, voir Gilles Le Béguec et Pierre Delivet (sous la direction de), *Henri Queuille et la République*, Actes du colloque de Paris, Sénat 25-26 octobre 1984, Limoges. Trames, 1987).

Une politique dominée par l'anticommunisme et la crainte de l'URSS

C'est un événement de portée internationale, la naissance de la guerre froide, qui rend très largement compte du bouleversement du paysage politique français en 1947 : exclusion des communistes du jeu politique français et développement de l'agitation conduite par ce parti, naissance du RPF et constitution de la Troisième Force. Les années 1947-1952 sont également marquées par cet esprit de la guerre froide qui imprègne les relations internationales et explique les traits majeurs de la vie politique française. Des événements comme le «coup de Prague» de février 1948 qui fait basculer la Tchécoslovaquie dans le camp soviétique, le blocus de Berlin de juin 1948 à mai 1949, le déclenchement de la guerre de Corée de 1950 attestent de la réalité de la menace soviétique à l'extérieur, cependant que les grèves des années 1947-1948 et l'appui inconditionnel du parti communiste français à la politique du bloc soviétique et aux purges des démocraties populaires font régner la crainte d'un danger intérieur. Aussi les partis de la Troisième Force s'entendent-ils pour exclure les communistes et les communisants de toute fonction essentielle. Sans qu'on puisse parle d'une «chasse aux sorcières» identique à celle qui atteint les Etats-Unis à l'époque du «maccarthysme», la suspicion règne à l'encontre des communistes, et les ministres successifs de l'Intérieur surveillent avec attention les activités d'un parti jugé solidaire d'un Etat étranger menaçant la sécurité nationale. Mais c'est surtout dans le domaine des relations extérieures et dans celui des questions coloniales que l'esprit de la guerre froide colore la politique de la Troisième Force.

Dans le domaine des relations internationales (voir chapitre IX), cet anticommunisme a pour effet de faire passer au second plan le danger allemand qui, depuis la fin de la guerre, dominait la politique extérieure de la France pour conduire à une politique tout entière orientée vers la défense du pays contre une possible agression soviétique. Le traité de Dunkerque, signé entre la France et la Grande-Bretagne en mars 1947, est encore dirigé contre l'Allemagne, mais son extension aux trois pays du Benelux en mars 1948 (un mois après le «coup de Prague») est déjà conçu comme un instrument de défense contre l'Union soviétique. Et surtout, à partir de 1948, commence la recherche de l'alliance américaine.

Le blocus de Berlin qui débute en juin 1948 a pour effet de concrétiser la guerre froide en Europe et de pousser les Européens à tenter d'obtenir, contre une éventuelle action soviétique, la protection des Etats-Unis (qui sont alors la seule puissance atomique du monde). Les ministres successifs des Affaires étrangères français, Georges Bidault, puis après juillet 1948, Robert Schuman s'efforcent d'obtenir des Américains un engagement d'aide militaire à l'Europe. Cédant à leurs instances, les Etats-

Unis acceptent d'ouvrir des pourparlers qui aboutissent le 4 avril 1949 à la signature du Pacte Atlantique, traité d'alliance défensive entre les pays européens, les Etats-Unis et le Canada. L'Europe se trouve désormais intégrée (à sa demande) au bloc américain et on commence alors la mise sur pied de l'OTAN (Organisation du Traité de l'Atlantique Nord) qui doit concrétiser sur le plan politique et militaire les engagements de principe du Pacte Atlantique.

C'est encore la guerre froide et la nécessité de répondre à l'attente de l'indispensable allié américain qui va conduire la France à abandonner à contrecœur sa politique de démantèlement et d'affaiblissement de l'Allemagne pour accepter l'union des trois zones d'occupation américaine, britannique et française, dans une «trizone», embryon du futur Etat allemand de l'Ouest et la création en 1948 de l'Organisation européenne de coopération économique (OECE) destinée à répartir l'aide octroyée par les Etats-Unis au titre du plan Marshall. Imposée par les circonstances, cette création européenne va se transformer en véritable mystique, à l'initiative du MRP.

Deux analyses expliquent cette évolution. D'abord celle du ministre des Affaires étrangères, Robert Schuman. Conscient que, sous la pression américaine et en raison des nécessités de la guerre froide, l'Allemagne sera appelée à prendre rang aussi bien dans l'Alliance Atlantique que dans les nouveaux organismes européens, il a l'habileté de considérer qu'il est préférable pour la France de participer volontairement au mouvement plutôt que de se le voir imposer. Ensuite, les problèmes internes du MRP. Celui-ci connaît une sorte de vacuité de ses fonctions politiques depuis la création du RPF qui l'a privé de son label gaulliste et de sa qualité de chef de file de l'opposition au communisme. Il se précipite vers l'idée européenne dont il va se faire le champion, entraînant avec lui ses partenaires de la Troisième Force. Sous l'impulsion de Robert Schuman, la France va donc prendre l'initiative en matière de construction européenne. Dès juillet 1948, Robert Schuman entame des négociations pour la transformation de l'OECE en union politique. Mais il se heurte à l'hostilité déterminée de la Grande-Bretagne, peu désireuse de nouer des liens continentaux et préférant jouer sur ses relations privilégiées avec les Etats-Unis. Finalement, le seul résultat de l'initiative de Robert Schuman est la mise en place d'un organisme strictement consultatif, le Conseil de l'Europe, formé de deux instances, un Conseil des Ministres où les décisions ne peuvent être prises qu'à l'unanimité et une Assemblée européenne dont les membres sont désignés par les parlements nationaux (mai 1949).

Enfin, l'action des gouvernements français de la Troisième Force est encore décisive pour les premières étapes de la construction européenne que sont la constitution de la Communauté européenne du charbon et de l'acier (CECA) dont l'origine remonte au plan Schuman du 9 mai 1950, inspiré par Jean Monnet, puis, en octobre 1950, du projet de Communauté européenne de défense (CED), proposé par le plan Pleven. Dans le premier cas, il s'agit de permettre la reconstitution de l'industrie lourde allemande en lui ôtant son caractère inquiétant pour la sécurité française par l'intégration dans un ensemble supranational européen soumis à la direction d'une Haute Autorité. Dans le second, le but est de faire accepter le réarmement de l'Allemagne exigé par les Américains par la même méthode, c'est-à-dire en intégrant l'armée allemande dans une armée européenne. Dans les deux cas, la majorité de Troisième Force fait bloc pour imposer cette politique européenne qui devient le maître mot de la nouvelle politique étrangère de la France. En décembre 1951, elle s'unit pour imposer, contre communistes et gaullistes, la ratification du traité instituant la CECA.

En février 1952, l'Assemblée nationale, élue en 1951, autorise le gouvernement Edgar Faure à poursuivre les discussions sur la CED, mais à deux conditions: la participation de la Grande-Bretagne, afin d'équilibrer le poids de l'Allemagne; la constitution d'une autorité politique supranationale pour coiffer la Haute Autorité militaire (nouvel effort de dépassement du problème du réarmement allemand qui gêne les Français, en l'intégrant dans des perspectives plus vastes). Mais, du même coup, le problème de la CED devient ainsi la clé de voûte de la construction d'une Europe supranationale, sa mise en place apparaissant comme une sorte de point de non-retour dans cette voie.

Etroitement liée à la politique internationale de la France, sa politique coloniale est, elle aussi, dominée par la volonté de lutte contre le communisme international.

La rupture du tripartisme en mai 1947 a pour effet de faire disparaître le contrepoids que constituait le parti communiste à la politique du MRP dans les questions coloniales. Pratiquant une politique de dépassement national dans les questions européennes, ce parti se montre au contraire étroitement nationaliste en matière coloniale. Il est vrai que certains de ses dirigeants, comme Max André ou Jean Letourneau qui sera ministre de la France d'outre-mer, puis des Etats associés de 1949 à 1954 (et dont la politique s'est identifiée à la guerre d'Indochine) sont considérés comme les représentants des intérêts coloniaux. De plus, dans la majorité de Troisième Force, ils sont associés aux radicaux, grands pourvoyeurs de gouverneurs généraux sous la IIIe République et qui, avec Herriot et René Mayer, député de Constantine et représentant des Français d'Algérie, se veulent les mainteneurs de l'Empire. Les modérés sont sur des positions identiques. Quant aux socialistes, théoriquement partisans d'une politique libérale en matière coloniale, ils se montrent dans la pratique du pouvoir résolument attachés à la souveraineté française dans les colonies, au grand scandale des intellectuels et de la minorité de gauche du parti. Les gouvernements de la Troisième Force s'accordent d'autant plus pour mener une politique de fermeté dans les colonies qu'ils considèrent que toute concession aux mouvements nationalistes favoriserait en fait le communisme et que la résistance qu'ils opposent aux velléités d'indépendance représente la part de la France dans la lutte contre l'expansionnisme soviétique. Cette politique a deux points d'application très différents, l'Afrique du Nord et l'Indochine.

— En *Afrique du Nord*, la politique de fermeté ne tire guère à conséquence dans l'immédiat, mais ses répercussions se feront lourdement sentir par la suite.

— Au *Maroc* en mai 1947, le gouvernement Ramadier substitue au Résident Général Erik Labonne le général Juin, dont la mission consiste à obtenir du sultan Mohammed V le désaveu du parti nationaliste de l'Istiqlâl.

— En *Tunisie*, le leader nationaliste Habib Bourguiba se montre souple et conciliant. Un certain libéralisme semble devoir prévaloir : Robert Schuman, dans une déclaration de juin 1950, semble admettre l'idée de souveraineté tunisienne et il est encouragé dans cette voie par le Résident Général Louis Périllier. Mais les pressions des colons français sur le MRP poussent le gouvernement à faire machine arrière. Cette évolution est consacrée par le remplacement en janvier 1952 de Louis Périllier par un nouveau Résident, de Hautecloque, qui, dès son arrivée, fait arrêter les membres du gouvernement tunisien, déclenchant ainsi une crise majeure.

— En *Algérie* enfin, le libéralisme a d'abord prévalu avec le Gouverneur général Yves Châtaigneau. L'opposition déterminée du MRP, des radicaux et des modérés à tout statut qui pourrait remettre en cause le caractère colonial de l'Algérie aboutit en 1947, après la rupture du tripartisme, à l'adoption d'un Statut qui laisse l'essentiel du pouvoir au Gouverneur général nommé par Paris. Il existe certes une Assemblée algérienne, dotée de pouvoirs financiers, mais elle est élue par deux collèges, l'un européen, l'autre musulman, qui désignent chacun un nombre identique de députés. La portée du Statut va se trouver éclairée par la nomination comme Gouverneur général du socialiste Marcel-Edmond Naegelen, partisan de la fermeté, en janvier 1948. Il trouve en Algérie une situation difficile. Les élections municipales d'octobre 1947 ont amené le succès des listes du Mouvement pour le triomphe des libertés démocratiques (MTLD), dirigé par Messali Hadj, et qui réclame l'indépendance de l'Algérie. Pour éviter semblable mésaventure, Naegelen truque de manière scandaleuse les élections à l'Assemblée algérienne d'avril 1948, faisant élire dans le collège musulman des candidats de l'administration et ne laissant que 9 sièges au MTLD et 8 à l'Union démocratique du Manifeste algérien (UDMA), de Farhât Abbas, cependant fort modérée.

Cette politique de fermeté qui trouve également son répondant en Afrique noire et à Madagascar ne suscite pratiquement aucune opposition en France où on ne s'aperçoit pas que le nationalisme s'explique par la grande vague de décolonisation qui suit la guerre.

La France ne voit pas davantage que c'est cette vague de décolonisation qu'elle doit affronter en *Indochine*. L'analyse la plus couramment faite en ces années de guerre froide est que la guerre d'Indochine s'explique par la volonté d'expansionnisme soviétique, et l'appui que le parti communiste français apporte au Viêt-minh est de nature à conforter cette opinion. Aussi la France refuse-t-elle toute négociation avec Hô Chi Minh, parce qu'il est communiste, et s'efforce-t-elle de trouver un «interlocuteur valable» avec qui négocier. Elle pense le trouver en la personne de l'ex-empereur d'Annam, Bao Dai, qui vit en exil. Il se laisse convaincre de devenir le souverain du

Viêt-nam et la France passe avec lui toute une série d'accords, de 1947 à 1949, lui concédant tout ce qu'elle a refusé à Hô Chi Minh en 1946 : l'union des trois *ky* (des trois provinces du Tonkin, d'Annam et de Cochinchine) et l'indépendance du Viêt-nam (Accords de la baie d'Along de 1949). Désormais, les Français combattent au Viêt-nam pour Bao Dai, chef d'un Etat indépendant, et qui prend d'ailleurs ses distances avec ses protecteurs de Paris. Or, à partir de 1949-1950, la situation militaire de la France se détériore dans la guerre du Viêt-nam. Les communistes chinois qui ont fondé en octobre 1949 la République populaire de Chine apportent désormais une aide ouverte à Hô Chi Minh qui peut ainsi passer de la guerre de guérilla à des opérations de plus grande ampleur. Le désastre de Cao Bang en 1950 est le premier témoignage de cette nouvelle phase du conflit. Mais, parallèlement, les Etats-Unis, engagés à cette époque dans la guerre de Corée, considèrent la guerre d'Indochine non plus comme un conflit colonial, mais comme un aspect du combat mené par l'Occident contre le communisme. Aussi lorsque le général de Lattre de Tassigny est nommé Haut-Commissaire et commandant en chef en Indochine en 1951, il réussit à obtenir des Américains qu'il supportent la moitié des frais engagés par la France en Extrême-Orient. 1950 représente aussi un tournant dans l'opinion publique : jusqu'alors assez indifférente à un combat lointain mené par des professionnels, elle prend conscience à partir du désastre de Cao Bang que la France conduit un combat à l'issue douteuse. Dans cette prise de conscience, deux faits vont jouer un rôle important : la dénonciation par Pierre Mendès France à l'Assemblée nationale des incertitudes d'une politique française qui n'accepte ni de négocier avec l'adversaire, ni de consentir un effort militaire suffisant pour remporter la victoire, maintenant ainsi le pays dans un conflit interminable qui ruine ses finances publiques et compromet son image internationale; «l'affaire des fuites», c'est-à-dire la révélation, dans des circonstances qui alimentent d'interminables spéculations, du rapport du général Revers, chef d'état-major général de l'armée, sur la situation militaire de la France en Indochine. Fait caractéristique : en juin 1950, les socialistes font tomber le gouvernement Bidault en refusant de voter les dépenses militaires pour marquer leur désapprobation de la conduite de la guerre d'Indochine.

Si la Troisième Force peut ainsi conduire une action internationale et coloniale marquée du sceau de la guerre froide, elle ne constitue pas à l'évidence une formule satisfaisante en raison de la réticence des socialistes à en accepter les implications intérieures. Aussi, dans la perspective des élections de 1951, les autres partenaires souhaitent-ils trouver une majorité plus cohérente, en particulier sur le plan économique et social.

Les élections de juin 1951 et la dislocation de la Troisième Force

Le grand problème posé par les élections est la crainte que le maintien de la représentation proportionnelle intégrale ne renvoie à l'Assemblée une majorité hostile au régime de communistes et de RPF, qui rendrait le pays ingouvernable et ouvrirait une crise majeure. Radicaux et modérés qui estiment disposer de fortes positions locales souhaitent un retour au scrutin majoritaire d'arrondissement, mais le MRP s'y oppose, car il redoute d'être laminé entre droite et gauche. Les deux derniers présidents du Conseil de la première législature, René Pleven et Henri Queuille, vont consacrer leurs efforts à mettre au point un système qui combine représentation proportionnelle (pour plaire au MRP) et système majoritaire (pour éliminer les communistes). C'est Henri Queuille qui mène à bien l'opération en faisant voter en mai 1951 la loi des «apparentements». Le principe de la proportionnelle n'est pas remis en cause; mais plusieurs listes peuvent, avant le scrutin, se déclarer apparentées. Dans ce cas, si elles remportent la majorité absolue des suffrages (par l'addition des voix de chacune d'elles), elles disposent de la totalité des sièges de la circonscription qu'elles se partagent à la plus forte moyenne. L'objectif est triple :

— la loi doit permettre l'apparentement de tous les partis de la Troisième Force, leur permettant ainsi de conserver la majorité qui rendra la République viable;

— elle doit aboutir à l'élimination quasi totale des communistes, avec qui aucun parti n'acceptera de s'apparenter et qui ne pourront à eux seuls atteindre la majorité absolue des suffrages (sauf peut-être dans la Seine et en Seine-et-Oise, et c'est pour éviter que ces deux départements aient une représentation parlementaire intégralement communiste qu'on décide de les exclure du champ d'application de la loi nouvelle, la représentation proportionnelle au plus fort reste continuant à s'y appliquer);

— elle doit enfin permettre la domestication du RPF. Si celui-ci reste isolé, il risque de subir un désastre électoral; s'il accepte d'entrer dans le jeu des apparentements comme le souhaitent une vingtaine de députés et de nombreux responsables, il fait un pas décisif vers le régime et on peut envisager avec lui une majorité qui permettrait de se débarrasser des socialistes. Le refus du général de Gaulle de se compromettre avec le «système» fera échouer le plan, et seules 13 circonscriptions verront les gaullistes participer aux apparentements.

En fait, les élections de 1951 ne répondent pas en totalité aux espoirs mis dans la loi des apparentements.

En règle générale, ceux-ci n'ont compris ni les communistes, ni le RPF. Mais, très souvent, les partis de la Troisième Force n'ont pas réussi à se mettre d'accord pour se déclarer tous apparentés dans toutes les circonscriptions, si bien qu'on constate une infinité de combinaisons d'un département à l'autre. Au total, les apparentements ont eu un effet certain au détriment des communistes et du RPF et au bénéfice des partis de la Troisième Force, mais sans atteindre les résultats spectaculaires espérés par le Dr Queuille.

Les élections du 17 juin 1951
(% des suffrages exprimés et nombre de députés)

Parti	*% des suffrages exprimés*	*Nombre de députés*
Parti communiste	26,9 %	101
Parti socialiste SFIO	14,6 %	106
RGR	10 %	99
MRP	12,6 %	88
RPF	21,6 %	117
Modérés	14,1 %	99
Divers	0,2 %	17

Les communistes ont perdu 400 000 voix et tombent en pourcentage de 28,2 % à 26,9 % des suffrages. Les calculs effectués montrent que la loi des apparentements leur fait perdre 47 députés. Ils n'ont plus que 101 élus au lieu des 180 de 1946.

Le RPF espérait 200 députés. Il n'en a que 117, alors que les apparentements ne lui en ont pas fait perdre plus de 25. Néanmoins, il sera le premier parti de l'Assemblée nationale. Au demeurant, on constate que la vague RPF de 1947 est bien retombée puisque ce parti n'a recueilli que 21,6 % des voix.

L'ensemble des partis de la Troisième Force a perdu des voix mais conserve une majorité de 51,2 % (contre 67,6 % en 1946). Les apparentements lui ont fait gagner environ 100 sièges. Le MRP est la grande victime des élections : il perd la moitié de ses voix de 1946 du fait de la concurrence du RPF et la moitié de ses députés (88 contre 167); son audience se réduit désormais aux zones de catholicisme traditionnel (Ouest, Alsace, Savoie, Jura). Les socialistes voient leur déclin s'accentuer et tombent à 14,6 % des suffrages, mais grâce aux apparentements, ils se maintiennent en sièges. RGR et modérés demeurent à peu près stables en voix (respectivement 10 % contre 11 et 14 % contre 12,9) mais le jeu des apparentements leur donne une représentation sans commune mesure avec leur audience dans le pays (une centaine de sièges pour chaque groupe).

Au total, on a baptisé cette Chambre la «Chambre hexagonale» parce que chacune des six grandes formations y dispose d'une centaine de sièges. Conséquence immédiate : le rejet des communistes dans l'opposition et le refus du RPF de jouer le jeu du régime ne laissent d'autre solution que la reconstitution de la Troisième Force, l'union des quatre groupes, des socialistes aux modérés, fournissant seule une majorité suffisante.

Les résultats électoraux contraignent donc à la reconstitution d'une majorité forcée dont personne ne veut. Les socialistes, en désaccord avec les autres partis sur la politique économique et sociale, les questions coloniales et la question scolaire qui a joué un rôle important durant la campagne électorale, souhaitent refaire dans l'opposition une unité mise à mal par la participation à la Troisième Force. De leur côté, les modérés souhaitent rejeter les socialistes dans l'opposition et constituer avec le RPF une majorité axée plus à droite. Cette solution est acceptée par un certain nombre de députés RPF comme Frédéric-Dupont, Barrachin et même Jacques Soustelle, Président du groupe parlementaire. Mais l'hostilité du général de Gaulle interdit la mise en œuvre de cette nouvelle majorité. Il faut donc reconstituer la Troisième Force, mais le RPF va s'efforcer de démontrer que la majorité n'est pas viable, et, en jouant ce jeu, c'est sa propre existence qu'il va mettre en question.

En août 1951, l'UDSR René Pleven constitue un gouvernement de radicaux, MRP et modérés, avec l'appui des voix socialistes au Parlement. Le RPF va alors s'efforcer d'enfoncer un coin dans la Troisième Force en voie de reconstitution en utilisant la question scolaire. Durant la campagne électorale, de nombreux députés modérés, MRP, RPF et quelques UDSR ont accepté de s'engager à voter des subventions aux écoles libres et le RPF réclame l'application des promesses faites. Pleven leur donne satisfaction en étendant à l'enseignement libre les bourses du second degré. Mais il décide de rester neutre en ce qui concerne les subventions à l'école primaire, de crainte de voir éclater sa majorité. Toutefois, il laisse l'Assemblée nationale voter une loi préparée par le MRP Barangé et le RPF Barrachin, qui consiste à allouer à toutes les familles ayant un enfant dans l'enseignement primaire une indemnité de 3 000 F par enfant et par an. La loi est adoptée par une majorité de centre-droit, très différente de la Troisième Force, RPF, modérés, UDSR et quelques radicaux. Les socialistes ne pardonnent pas à Pleven d'avoir laissé passer la loi et ils le renversent en janvier 1952 sur sa politique financière.

Il est alors remplacé par le radical Edgar Faure qui tente de donner satisfaction aux socialistes en prévoyant des augmentations de salaires et des impôts nouveaux pour les couvrir. Il est renversé au bout de 40 jours par les modérés, hostiles aux impôts.

Il est donc clair, début 1952, que la Troisième Force,

constituée avec le seul ciment du maintien des institutions parlementaires et de l'anticommunisme, ne peut plus constituer une majorité valable de gouvernement. Désireux de trouver une formule stable, le président de la République, Vincent Auriol, cherche l'homme capable de pousser le RPF à sortir de sa réserve et à accepter d'entrer à la place des socialistes dans une nouvelle majorité. Il le trouve en mars 1952 en «inventant» M. Pinay. A la surprise générale, celui-ci, désigné par le président de la République, est investi le 6 mars 1952 contre les socialistes et les communistes, par une majorité comprenant les radicaux et l'UDSR, le MRP, les modérés et 27 députés RPF qui, suivant Frédéric-Dupont, transgressent les ordres du général de Gaulle. Une nouvelle majorité de centre-droit est née, rejetant les socialistes dans l'opposition et sonnant le glas de la Troisième Force.

Le centre-droit au pouvoir (1952-1954) : une politique de droite

Avec l'arrivée au pouvoir d'Antoine Pinay en mars 1952, c'est une nouvelle majorité, orientée au centre-droit, qui se substitue à la Troisième Force. Excluant les socialistes, rejetés dans l'opposition, elle se compose des radicaux, de l'UDSR, du MRP, des modérés, et de bataillons gaullistes de plus en plus nombreux. La défection des 27 députés qui, avec Frédéric-Dupont, ont voté en mars 1952 l'investiture d'Antoine Pinay n'est que la première étape de la décomposition du mouvement gaulliste. En 1953, les élus RPF voteront l'investiture du radical René Mayer, successeur de Pinay, puis celle de l'Indépendant Joseph Laniel. Cette intégration au régime, totalement contraire aux vues du général de Gaulle, pousse celui-ci à prendre en mai 1953 la décision de dissolution du RPF. Les élus gaullistes abandonnent alors leur sigle pour constituer l'*Union républicaine d'action sociale* (URAS) : ils deviennent les «Républicains-Sociaux», membres à part entière de la nouvelle majorité de centre-droit. Celle-ci va gouverner le pays durant plus de deux ans, sous les ministères Antoine Pinay (mars-décembre 1952), René Mayer (janvier-juin 1953) et Joseph Laniel (juin 1953-juin 1954). Cette nouvelle majorité, apparemment plus cohérente que la Troisième Force, s'entend pour pratiquer une politique orientée autour de trois axes : le redressement économique et financier; la rigueur sociale et l'anticommunisme; la poursuite de la politique coloniale de maintien de la souveraineté française, inaugurée auparavant.

C'est sur le terrain du redressement économique et financier où les partis de centre-droit sont d'accord pour pratiquer une politique orthodoxe à l'opposé des tendances dirigistes de la Libération, sans l'entrave que constituaient les vues socialistes, que l'accord est le plus aisé à réaliser. Toutefois, il faut dans ce domaine établir une distinction entre l'action d'Antoine Pinay et celle de ses successeurs.

On attend d'Antoine Pinay, petit patron et homme de la droite classique, une politique économique et financière qui prenne le contre-pied de ce qui s'est pratiqué depuis 1945 et surtout une attitude de rigueur budgétaire capable de mettre fin à l'inflation. De fait, Antoine Pinay obtient, durant son gouvernement, d'apparents succès qui vont lui valoir une réputation de nouveau Poincaré, de magicien des finances, réputation qu'il conservera durablement, donnant naissance à un «mythe Pinay». Ce résultat s'explique par trois types d'actions.

— Profitant d'une conjoncture mondiale qui, après le «boom coréen», s'oriente à la baisse des prix, Antoine

Pinay va tenter, et provisoirement réussir, une opération de stabilisation des prix en France. La campagne psychologique lancée à cette occasion (réponse aux facteurs psychologiques qui jouent leur rôle dans l'inflation) explique que l'opinion ait attribué au président du Conseil le mérite d'une action dont la part principale réside dans la conjoncture. Au demeurant, dès l'automne 1952, les prix reprennent leur marche ascendante.

— En second lieu, Antoine Pinay tente de consolider la monnaie en évitant la fuite des capitaux. Dans ce domaine, ses choix, caractéristiques des vues financières de la droite, consistent à rétablir la «confiance» par toute une série de mesures très favorables aux possesseurs de capitaux, mais qui apparaissent, à terme, comme coûteuses pour l'Etat. Une amnistie fiscale est prononcée pour les fraudeurs qui ont transféré leur argent à l'étranger et qui peuvent ainsi le rapatrier en toute impunité après avoir touché les bénéfices de la dépréciation de la monnaie française qu'ils ont contribué à provoquer. Pour les encourager à laisser désormais leur argent en France, Antoine Pinay lance un emprunt qui a conservé son nom. «L'emprunt Pinay» porte 5 % d'intérêt (ce qui est peu en période d'inflation), mais il est indexé sur l'or, ce qui va permettre aux souscripteurs d'en obtenir le remboursement à terme dans des conditions extraordinairement avantageuses, et, surtout, il est exonéré de droits de succession (ce qui en fait un refuge pour les fortunes qui peuvent ainsi échapper au prélèvement fiscal). Extrêmement bien accueillie par les milieux d'affaires, la politique financière d'Antoine Pinay s'avérera lourde pour la collectivité.

— Enfin, Antoine Pinay rétablit l'équilibre budgétaire par une importante réduction des dépenses de l'Etat et, en particulier, par des coupes sombres dans les investissements (ceux-ci diminuent d'un tiers), ce qui évite de nouveaux impôts, mais risque de compromettre l'avenir du pays. Grâce à la prise en charge par les Américains d'une partie des frais de la guerre d'Indochine, l'équilibre budgétaire est cependant réalisé.

L'ensemble de cette politique a cependant le mérite de rétablir la plupart des grands équilibres économiques et financiers. Sur les bases de cet assainissement, les gouvernements suivants dans lesquels le secteur de l'économie et des finances est pris en main par Edgar Faure vont pouvoir développer une reprise des investissements et un retour à l'expansion, baptisée par son auteur «l'expansion dans la stabilité», et qui vont faire des années 1953-1955 les plus belles années économiques de la IVe République.

De même que la Troisième Force, la volonté de lutter contre le communisme est une priorité pour les gouvernements de centre-droit. Les ministres de l'Intérieur successifs, en particulier les radicaux Charles Brune et Léon Martinaud-Deplat, consacrent une grande partie de leur énergie à lutter contre les manifestations organisées par le parti communiste et la CGT, en particulier en 1952. Une manifestation communiste organisée contre le général Ridgway, nouveau commandant en chef de l'OTAN, aboutit à l'arrestation du député communiste Jacques Duclos (c'est le «complot des pigeons», un couple de pigeons, supposés «voyageurs» et destinés à transmettre des consignes subversives, ayant été trouvé dans la voiture du dirigeant communiste). Un peu plus tard, un secrétaire de la CGT, Alain Le Léap, sera à son tour incarcéré. Le gouvernement favorise l'activité de «Paix et Liberté», officine anticommuniste dirigée par le député radical de Seine-et-Oise, Jean-Paul David. Enfin, une étroite surveillance est exercée par la police sur les organisations communistes et communisantes, cependant que, dans la fonction publique ou les organismes parapublics, la carrière des communistes ou des communisants est entravée.

Mais, de manière beaucoup plus nette qu'à l'époque de

la Troisième Force, le centre-droit marque sa détermination de limiter les dépenses sociales et de répondre aux grèves par la rigueur. Si Antoine Pinay accepte imprudemment d'indexer le salaire minimum vital (le SMIC) sur la hausse des prix, c'est parce qu'il estime n'avoir rien à craindre, ayant réussi à stabiliser ceux-ci. Mais ses successeurs, en particulier Joseph Laniel, refusent toute concession sociale. Pour diminuer le déficit du secteur public nationalisé, le gouvernement Laniel envisage un recul de l'âge de la retraite à la SNCF. Il en résulte une vague de grèves spontanées dans le secteur public et nationalisé (PTT, SNCF, mines, EDF, GDF) qui, gagnant de proche en proche, aboutit, durant l'été 1953, à la paralysie totale du pays. On compte quatre millions de grévistes. Le gouvernement doit reculer. Par la suite, la politique d'expansion dans la stabilité d'Edgar Faure permettra de ramener le calme social.

Poursuivant la politique de la Troisième Force, le centre-droit se met d'accord pour une politique de lutte à outrance contre les revendications des nationalistes dans les colonies. Il en résulte une détérioration rapide de la situation dans ce domaine. Pendant que la guerre d'Indochine tourne à la catastrophe (voir plus loin), la politique conduite dans les deux protectorats d'Afrique du Nord débouche sur des crises très graves. En Tunisie, la brutalité du Résident général, de Hautecloque, provoque une crise ouverte avec le parti nationaliste Néo-Destour, conduit par Habib Bourguiba, et avec le bey de Tunis. Malgré l'envoi d'un nouveau Résident, plus libéral, la situation se détériore au point que des groupes armés de «fellagha» commencent bientôt une guerre de guérilla contre les Français et que les attentats se multiplient.

Au Maroc, l'appui de plus en plus ouvert donné par Mohammed V aux nationalistes de l'Istiqlâl provoque l'irritation des fonctionnaires français. En août 1953, le maréchal Juin, Résident général, poussé par le vieil adversaire du souverain, le Gaoui, pacha de Marrakech, décide de déposer le sultan pour le remplacer par Sidi Moulay ben Arafa. Du coup, le souverain déchu devient le symbole du nationalisme marocain en lutte contre la France. Pendant que le ministre des Affaires étrangères, Georges Bidault, couvre cette action, François Mitterrand, ministre d'Etat, donne sa démission pour protester contre la politique française dans les protectorats d'Afrique du Nord et Edgar Faure écrit au président de la République pour faire connaître son désaccord sur la déposition du Sultan.

La nouvelle majorité de centre-droit, constituée en 1952, sort donc en politique intérieure de l'immobilisme de la Troisième Force, pour pratiquer une politique conservatrice sur le plan économique, financier, social et colonial. Cet accord sur des points essentiels a-t-il permis de rétablir la stabilité? Il n'en est rien car la nouvelle majorité connaît un autre ferment de discorde, en matière internationale, le problème de la CED.

Un facteur de paralysie pour la majorité de centre-droit : le problème de la CED

Acceptée dans son principe par le Parlement français en 1952, la CED va très vite susciter en France un violent débat. Il apparaît en effet que derrière l'intégration militaire, c'est une intégration politique que visent les promoteurs du projet. En effet, en acceptant que l'Etat soit dessaisi d'un élément essentiel de la souveraineté nationale, la libre décision sur l'utilisation des troupes, on atteindrait un point de non-retour dans la construction d'une Europe supranationale. Inévitablement se posera en effet le problème de l'autorité qui devra assigner à l'armée européenne les missions qui lui seront confiées et, si l'armée est supranationale, il faudra que l'autorité politique le soit également pour que l'édifice soit viable. A terme, les nations ainsi intégrées se fondraient dans un ensemble politique unique.

Cette perspective rend compte des divisions qui affectent le monde politique français sur le problème de la CED. Champion de la construction d'une Europe supranationale, le MRP accepte avec enthousiasme cette accélération. En revanche, les communistes la rejettent avec énergie à la fois parce qu'ils voient dans la CED un instrument dirigé contre l'URSS et que celle-ci mettrait en cause l'indépendance nationale. De leur côté, les gaullistes ne peuvent accepter que la France se dessaisisse de son autorité dans ce domaine essentiel et remette son sort entre les mains d'une instance supranationale et ils refusent avec énergie ce qu'ils considèrent comme un processus irréversible de disparition de la nation. Entre les adversaires déterminés que sont communistes et gaullistes et les partisans inconditionnels du MRP, les autres partis, socialistes, modérés, radicaux, UDSR sont profondément divisés entre partisans et adversaires de la CED, sans qu'il soit exactement possible de tracer des frontières nettes, ne serait-ce que parce que l'hostilité à la CED s'inspire de motifs aussi divers et contradictoires que le pacifisme, le neutralisme, la germanophobie, le nationalisme, qui conduisent hommes de droite et de gauche à rejeter un projet que leurs collègues de parti acceptent par réalisme, anticommunisme, crainte d'un affaiblissement de l'Europe, etc.

Transgressant les frontières traditionnelles des forces politiques, la CED va devenir, comme les problèmes économiques et sociaux durant la première législature, un élément de dissolution de la majorité de centre-droit. Il se trouve en effet que c'est en son centre que s'établit le clivage entre partisans et adversaires du projet. Si bien que, pour conserver une majorité, les présidents du Conseil successifs vont être conduits, soit à tenter d'évacuer le problème, soit à s'en débarrasser en le faisant voter par les députés sans engager le gouvernement. Comme sous la première législature pour les problèmes budgétaires, la CED devient un facteur d'instabilité et d'immobilisme dans la vie politique. Ainsi, Antoine Pinay, qui, en mai 1952, signe avec les partenaires de la France le projet de CED, est si conscient des oppositions que celui-ci rencontre au sein de sa majorité parlementaire qu'il retarde sans cesse sa ratification à l'Assemblée nationale. Ce retard provoque la mauvaise humeur du MRP, membre de la majorité, et le conduit à s'opposer au président du Conseil lors du débat budgétaire de décembre 1952, provoquant la démission du chef du gouvernement.

Successeur d'Antoine Pinay, René Mayer qui fait entrer dans son gouvernement des MRP et des gaullistes propose que le ministère reste neutre sur la question de la CED et laisse le Parlement en discuter sans intervenir, ni poser la question de confiance. Mais lorsqu'il tente de faire avancer le débat au Parlement, il se heurte aux Républicains-Sociaux, adversaires du projet, qui se joignent à l'opposition pour le renverser.

Le gouvernement Laniel qui lui succède est paralysé face au problème (bien que son chef soit personnellement partisan de la CED), puisqu'il associe MRP et Républicains-Sociaux. La CED devient ainsi un ferment d'instabilité et d'immobilisme pour la majorité de centre-droit, condamnant le régime à vivre à la petite semaine. Rien n'illustre mieux la faiblesse du régime incapable d'affronter un problème sérieux que l'élection présidentielle de décembre 1953.

Le mandat de Vincent Auriol, élu président de la République en janvier 1947, s'achevant en janvier 1954, le Congrès qui doit élire son successeur se réunit en décembre 1953. Il comprend 900 membres, députés et sénateurs, et la majorité est incontestablement de centre-droit puisque radicaux et modérés siègent en grand nombre au Conseil de la République. Les chances de voir un modéré élu sont grandes et c'est la raison pour laquelle Joseph Laniel, président du Conseil, se porte candidat. Son principal adversaire est le socialiste Marcel-Edmond Naegelen, ancien gouverneur de l'Algérie, présenté par le parti socialiste SFIO et auquel se rallient les communistes. En apparence, les choses sont donc simples : un candidat de droite contre un candidat de gauche, l'arithmétique parlementaire donnant toutes les chances au premier. Mais la querelle de la CED va perturber cette vision trop simple de la situation. Joseph Laniel est partisan de la CED. Aussi les adversaires de droite de celle-ci (les Républicains-Sociaux) sans compter les adversaires personnels de Laniel (comme Roger Duchet, secrétaire général du Centre national des Indépendants) vont-ils faire en sorte que le candidat de droite n'atteigne pas les 460 voix nécessaires à son élection. De son côté, Naegelen, dont les chances sont moindres (il ne dépassera pas les 340 voix) ne peut guère compter sur un certain nombre de ses amis politiques, car il est adversaire de la CED alors que beaucoup d'hommes de gauche — chez les socialistes en particulier — en sont partisans. Ce blocage va conduire à onze tours sans résultats. Ce n'est qu'au douzième tour que se dessine une solution qui aboutira au treizième : l'élection d'un homme politique effacé et de second plan, René Coty, vice-président du Sénat (on n'a pas songé à présenter le président du Sénat, Gaston Monnerville, car il est noir), dont le principal titre à cette élection est qu'il ne s'est jamais prononcé publiquement sur le problème de la CED, étant hospitalisé pour une opération lors du vote de principe du Parlement en 1952.

Cette difficile élection symbolise, pour les Français comme pour les étrangers (qui en font des gorges chaudes), l'impuissance d'un régime qui semble à bout de souffle, affronté à des problèmes qu'il semble tragiquement incapable de résoudre. La catastrophe indochinoise qui se produit au printemps 1954 paraît annoncer son effondrement.

La catastrophe indochinoise et l'effondrement du centre-droit

Jusqu'en 1952, le contexte de la guerre froide à permis à la IVe République de disposer de l'appui des Etats-Unis dans sa politique indochinoise, sur le plan diplomatique comme sur le plan financier. Mais en 1953 la mort de Staline et l'accession d'Eisenhower à la présidence des Etats-Unis permettent un dégel des relations entre les deux Grands, manifesté par l'armistice coréen de Pan Mun Jom (juin 1953). Désormais les Etats-Unis se montrent désireux de liquider les conflits qui les opposent à l'Union soviétique par la négociation, tout particulièrement dans l'aire asiatique. Ainsi naît l'idée d'une grande conférence internationale réunissant les grandes puissances intéressées aux conflits d'Extrême-Orient et qui permettrait d'envisager un règlement global. En décembre 1953, les dirigeants américains convoquent leurs alliés anglais et français à la conférence des Bermudes pour proposer une conférence réglant définitivement les conflits coréen et indochinois. Eisenhower et Churchill y imposent au président français Joseph Laniel et à son ministre des Affaires étrangères Georges Bidault, très réticents, le principe d'une conférence à cinq (Etats-Unis,

Grande-Bretagne, France, URSS, Chine communiste) qui se réunirait à cette fin à Genève en 1954.

Dans la perspective de cette conférence, le gouvernement français, résigné à trouver une solution par la négociation, entend tout au moins aborder celle-ci en position de force. Et, pour ce faire, il compte sur un succès militaire d'envergure qui lui permettrait d'imposer ses conditions à l'adversaire. Or, sur place, la situation militaire sur le terrain ne cesse de se détériorer depuis la mort du général de Lattre de Tassigny (nommé maréchal à titre posthume) en 1952. Ses successeurs maîtrisent mal la situation militaire, tout particulièrement au Tonkin où le Viêt-minh menace Hanoi.

C'est dans ce contexte que l'état-major français, à la recherche d'une victoire, va imaginer le piège de Diên Biên Phû. Une partie du corps expéditionnaire français est concentrée dans cette cuvette, de manière à attirer les forces du Viêt-minh, qui seraient alors obligées de converger vers Diên Biên Phû pour venir à bout des Français, lesquels au lieu de faire face à un adversaire insaisissable, pourraient ainsi affronter un ennemi rassemblé dans une formation militaire classique. En fait, le piège va se refermer sur les Français. Ceux-ci sont encerclés à Diên Biên Phû. L'aviation sur laquelle ils comptaient pour venir à bout du Viêt-minh ne peut intervenir. Le 26 avril, lorsque s'ouvre la conférence de Genève, la situation du camp retranché de Diên Biên Phû paraît désespérée. Le 7 mai, le Viêt-minh s'empare de la cuvette, capturant la plus grande partie des troupes qui s'y trouvaient.

L'opinion publique, jusqu'alors relativement indifférente à la guerre d'Indochine, faite par des soldats de métier et non par le contingent, devient désormais violemment hostile à un conflit qui paraît sans issue et qui a conduit à un humiliant échec. Le monde politique, jusqu'alors très réticent face à l'idée d'une négociation, y est désormais acquis. Mais le gouvernement est solidaire du ministre des Affaires étrangères, Georges Bidault, profondément hostile à toute démarche qui aboutirait à remettre en question l'influence française dans l'ancien empire colonial. Cette intransigeance va conduire le ministère à sa chute. Le 12 juin 1954, après un implacable réquisitoire de Pierre Mendès France contre la politique à courte vue suivie dans les questions coloniales, le gouvernement Laniel est renversé par une majorité parlementaire dans laquelle figurent les communistes, les socialistes et une grande partie des radicaux et des républicains-sociaux.

Due circonstanciellement à la catastrophe indochinoise, la chute du gouvernement Laniel signifie aussi l'échec du centre-droit. Majorité apparemment cohérente sur les problèmes intérieurs, le centre-droit n'a pu survivre qu'en maintenant en politique extérieure un immobilisme qui masquait ses contradictions. La défaite indochinoise rend impossible le maintien de cette attitude. Mais au-delà d'une majorité, c'est le régime lui-même qui se trouve mis en cause. Bâti autour de la toute-puissance d'une Assemblée dominée par les partis politiques, il souffre de l'impossibilité de ceux-ci de constituer une majorité cohérente, faute d'un accord sur tous les aspects de la vie politique. Le caractère hétérogène des vues des partis semble condamner le régime qu'ils conduisent par Parlement interposé, à l'instabilité et l'immobilisme. A bien des égards Diên Biên Phû aurait pu sonner le glas de la IVe République, si la défaite n'avait précisément donné naissance à une expérience de rénovation qui semble, quelques mois durant, donner un second souffle à la IVe République.

Ainsi, après à peine plus de sept années d'existence, la IVe République semble-t-elle au bord de l'effondrement. De l'aube nouvelle qui paraissait naître après la Libération, des espoirs de renouveau, si ardemment manifestés dans les années d'après-guerre, il ne subsiste plus rien. L'échec de l'expérience politique de la IVᵉ République paraît dû à l'avortement de la modernisation tentée dans l'immédiat après-guerre. C'est alors en effet que les hommes issus de la Résistance jugent le moment venu de rénover les structures politiques de la République parlementaire déjà considérées comme inopérantes dans les années trente. Or leur échec est patent, sans doute parce que la guerre constitue certes un profond traumatisme, mais ne crée pas elle-même les conditions d'un nouveau contexte politique. La rénovation des partis s'avère ainsi mort-née dès la Libération. Quant à la modernisation institutionnelle, en dépit des efforts du général de Gaulle, elle achoppe devant la répudiation de l'autoritarisme de Vichy et devant la culture politique de la majorité des Français pour qui la république démocratique est inséparable du parlementarisme. Si bien que, dès 1947, renaît le système politique de la IIIᵉ République. Les forces politiques sont approximativement les mêmes, modérés, radicaux, socialistes, communistes, le MRP, parti nouveau, ne parvenant pas à se tailler une place originale et reconstituant les partis charnières du centre-droit. Il n'est pas jusqu'au RPF, parti nationaliste, populiste, à velléités sociales, groupé autour d'un chef charismatique qui ne ressuscite le défunt PSF. Et ces forces politiques se réclament de programmes et d'idéologies qui, pour l'essentiel, ont été forgés à la fin du XIXᵉ siècle ou dans les toutes premières années du XXᵉ siècle. Comme, de surcroît, le retour aux pratiques institutionnelles de la IIIᵉ République avec la prépondérance du parlementarisme constitue ces partis, à travers le Parlement, en acteurs fondamentaux du jeu politique, il n'est pas surprenant que ce soit avec cet appareil conceptuel inadéquat que la IVᵉ République tente de résoudre les problèmes qui lui sont posés. Or ceux-ci apparaissent d'une tout autre portée. La guerre froide et l'affrontement des deux super-Grands, la décolonisation, la modernisation de l'économie, les transformations de la société supposeraient des analyses neuves que le système politique français, figé dans l'archaïsme, est incapable de fournir. L'échec de la modernisation politique de la Libération conduit donc le régime à la crise. Et, en dépit des apparences qui font croire à un renouveau lorsque Mendès France devient président du Conseil, c'est au contraire à ce moment, en 1954, que se noue la crise qui va conduire la IVe République à sa chute. Et ceci d'autant plus que le contraste est saisissant entre l'archaïsme politique du régime et la mutation de ses structures économiques, favorisée par la croissance qui gagne l'ensemble du monde industriel.

Les Présidents des gouvernements provisoires de la République

Charles de Gaulle	4 juin 1944-26 janvier 1946
Félix Gouin (SFIO)	26 janvier 1946-12 juin 1946
Georges Bidault (MRP)	23 juin 1946-28 novembre 1946
Léon Blum (SFIO)	16 décembre 1946-16 janvier 1947

Les Présidents de la IVe République

Vincent Auriol	janvier 1947-janvier 1954
René Coty	janvier 1954-janvier 1959

Les Présidents du Conseil de la IVe République
(janvier 1947-juin 1954)

Paul Ramadier (SFIO)	22 janvier 1947-19 novembre 1947
Robert Schuman (MRP)	24 novembre 1947-19 juillet 1948
André Marie (radical)	26 juillet 1948-28 août 1948
Robert Schuman (MRP)	5-7 septembre 1948
Henri Queuille (radical)	11 septembre 1948-6 octobre 1949
Georges Bidault (MRP)	28 octobre 1949-24 juin 1950
Henri Queuille (radical)	2-4 juillet 1950
René Pleven (UDSR)	12 juillet 1950-28 février 1951
Henri Queuille (radical)	10 mars 1951-10 juillet 1951
René Pleven (UDSR)	10 août 1951-7 janvier 1952
Edgar Faure (radical)	20 janvier 1952-22 février 1952
Antoine Pinay (indépendant)	8 mars 1952-23 décembre 1952
René Mayer (radical)	8 janvier 1953-21 mai 1953
Joseph Laniel (indépendant)	27 juin 1953-12 juin 1954

VIII

RECONSTRUCTION ET MODERNISATION DE L'ÉCONOMIE FRANÇAISE SOUS LA IVe RÉPUBLIQUE (1944-1958)

Si, dans le domaine politique, la IVe République n'a pas réussi l'œuvre de modernisation inscrite dans la crise des années trente et que la Résistance semblait annoncer, le domaine économique et social est, en revanche, celui où, en dépit des crises et des difficultés, l'effort d'adaptation de la France au monde moderne s'est le plus efficacement accompli. Or, c'est là un fait d'autant plus remarquable qu'en 1944, le bilan économique de la guerre s'avère particulièrement lourd et s'ajoute au poids des scléroses léguées par l'avant-guerre. L'expansion de l'économie française, bien qu'elle soit freinée par le problème de l'inflation, doit beaucoup aux conceptions nouvelles élaborées dans les années trente et consolidées par la pratique de Vichy ou les idées neuves issues de la Résistance et qui ont prévalu pendant l'époque de la Libération.

La France en 1944

Le gouvernement provisoire se trouve placé en 1944 devant la situation catastrophique que connaît une économie française déjà profondément atteinte par la crise économique (chapitre I) et aggravée par les conséquences d'une guerre extrêmement préjudiciable à l'économie nationale par les pertes et les destructions subies.

Au total, la guerre a fait 600 000 morts (moitié moins qu'en 1914) : morts au combat, dans les bombardements, en déportation, fusillés... A ce chiffre, il faut ajouter 530 000 décès supplémentaires (par rapport aux moyennes annuelles antérieures) dus aux conditions d'hygiène et d'alimentation défectueuses. De surcroît, pour les cinq années du conflit, on estime le déficit des naissances à un million d'individus. Les pertes démographiques totales seraient donc de l'ordre de deux millions de personnes et ce pour une population vieillie, donc mal placée pour combler les vides.

Les pertes matérielles ne sont pas moins importantes. Les destructions ont touché 74 départements où ont été détruites 50 000 exploitations agricoles, 50 000 usines, 300 000 immeubles, soit 20 % du capital immobilier du pays. L'infrastructure économique a été écrasée par les bombardements : 115 grandes gares sont détruites, ainsi que 9 000 ponts, 80 % des quais des ports, des voies ferrées, des canaux. La France a perdu durant le conflit le quart de ses locomotives, les deux tiers de ses cargos, les trois quarts de ses pétroliers, 85 % de son matériel fluvial, 40 % des véhicules automobiles. Enfin les dommages de guerre (destruction des stocks, du matériel, de l'infrastructure, vieillissement du matériel non renouvelé, exploitation désordonnée des mines) sont évalués à 85 milliards de francs-or, soit plus du quart de la fortune nationale.

Quant aux pertes financières de la guerre, elles sont difficiles à évaluer. L'occupation a coûté à la France environ 1 100 milliards de francs courants versés aux Allemands sous diverses formes :

Versements directs (frais d'occupation)	632 milliards
Réquisitions d'espèces	3 milliards
Prestations de cantonnement	48 milliards
Réquisitions industrielles	40 milliards
Dommages d'occupation	30 milliards
Clearing non réglé	133 milliards
Restitution de l'or belge	9,5 milliards
Réquisitions et prises de guerre	200 milliards
Total	1 095 milliards

Il faudrait ajouter à ce chiffre les 460 milliards de déficit budgétaire des années 1939-1944. Au total, ce sont près de 1 500 milliards de dépenses non couvertes par les recettes qui sont à inscrire au passif financier des années de guerre et qui entretiennent dans le pays une gigantesque inflation.

Cette situation catastrophique pose d'énormes problèmes aux gouvernements de la Libération. Il est clair que la tâche prioritaire consiste à remettre en route la production et, dans ce contexte, le gouvernement se veut résolument dirigiste et laisse en place toutes les mesures et les organismes de contrôle économique et financier légués par Vichy.

Mais pour remettre en route la production, il faut d'abord faire disparaître les goulets d'étranglement que constituent la paralysie des transports et le manque d'énergie. Pour résoudre le problème posé par celui-ci, priorité est donnée à la production de charbon qui fait l'objet de tous les soins puisque c'est la source fondamentale d'énergie industrielle de l'époque et que la France possède dans ce domaine des ressources non négligeables. On donne aux mineurs des avantages importants (salaires élevés, relèvement des retraites, suppléments de rations alimentaires...). Pour accroître la main-d'œuvre, on utilise les prisonniers de guerre, ce qui permet de porter le nombre des mineurs de 156 000 en 1944 à 200 000 en 1945. Le résultat n'est pas négligeable, puisque les rendements s'accroissent de 700 à 900 kilos par mineur et par jour. Mais la production totale stagne autour de 35 millions de tonnes, ce qui est nettement insuffisant. Il est donc fondamental, pour parvenir à remettre en route l'économie, d'importer énergie et matières premières.

Or, pour réaliser ces importations, la France ne possède en 1944 ni ports, ni flotte, ni devises. Les ports français ont été détruits durant les combats de la Libération ou mis hors d'usage. Les quais de Marseille ont été minés et ses bassins sont encombrés de blocs de béton, les formes de radoub détruites, cependant que 69 navires sont noyés dans le port. Bordeaux, Rouen, Saint-Nazaire ont subi des destructions plus ou moins complètes. Seul Cherbourg, premier port libéré, a été remis en état et c'est par lui que passe la plus grosse part du trafic. La flotte, nécessaire pour réaliser les importations, représente moins du tiers de celle de 1938. Elle ne comprend plus que 206 bateaux jaugeant 800 000 tonneaux contre 600 navires jaugeant 2 700 000 tonneaux en 1938. Quant à l'argent, il manque cruellement. Le franc, rongé par l'inflation, ne vaut plus grand-chose et les circuits commerciaux traditionnels de la France sont interrompus. La France du premier semestre 1944 ne commerçait plus guère qu'avec l'Allemagne, mais sur la base du clearing. Or celui-ci, on l'a vu, n'a pas été soldé.

Dès 1945, grâce à l'aide américaine, les importations reprennent, atteignant, pour l'année 1945, 57 milliards de francs (dont 27 milliards venant des Etats-Unis). Mais les exportations n'atteignent que 11 milliards, la France n'ayant que peu à vendre dans la situation de pénurie qui est la sienne. En ajoutant le solde négatif des balances d'outre-mer, la balance des paiements française est en déficit de 1 490 millions de dollars. Pour le solder, le gouvernement doit réquisitionner les avoirs français à l'étranger et céder une importante partie du stock d'or de la Banque de France (600 tonnes sur 1 500). Il est évident que si la France n'obtient pas des crédits massifs de l'étranger, les importations de 1946 vont absorber le reste du stock d'or. C'est pour faire face à cette situation qu'une mission conduite par Jean Monnet se rend aux Etats-Unis en février 1945 et obtient des Américains, dans le cadre du prêt-bail, un don de 1 600 millions de dollars de matières premières et de denrées alimentaires et un prêt de 900 millions de dollars à 0,37 % pour la reconstitution de l'infrastructure économique. De son côté, la Grande-Bretagne consent à la France un prêt de 1 milliard de dollars à 0,50 %, remboursable en 12 ans à partir de 1950.

C'est grâce à cette aide à peu près gratuite que la France peut échapper à la misère et faire face aux premiers besoins. Mais tout l'effort qu'elle entreprend dès la Libération est entravé par la situation monétaire et ses conséquences.

Le cancer de l'inflation

Les conséquences de l'occupation ont fait naître en France un tripe déséquilibre financier qui entretient une spirale inflationniste spectaculaire :

— un déséquilibre entre salaires et prix. La Libération s'est accompagnée d'une poussée inflationniste : l'année 1944 enregistre une hausse de 48 % des prix de détail qui s'explique par la pénurie de produits de consommation courante et l'abondance monétaire. Il en résulte une explosion de revendications salariales que le gouvernement de Vichy a jusqu'alors réussi à contenir. Pour répondre à cette demande, les salaires et les allocations familiales sont relevés en moyenne de 50 % en 1944 pour tenir compte des prix du «marché noir» (deux à trois fois supérieurs aux prix officiels). Comme la production ne suit pas (à la fin de 1944, il y a cinq fois plus de monnaie en circulation qu'en 1939 et deux fois moins de denrées disponibles), il s'ensuit une très forte hausse des prix. En 1945, pour y répondre, on augmente une nouvelle fois les salaires de 35 %. La production étant toujours insuffisante, les prix augmentent de 52 %. La France se trouve ainsi engagée dans une «spirale inflationniste», toute hausse des prix provoquant des augmentations de salaires qui à leur tour nourrissent la hausse des prix.

On constate aussi un déséquilibre entre les prix (qui sont quatre fois plus élevés qu'en 1938) et la circulation fiduciaire qui est 5,5 fois plus forte qu'en 1938. Il y a donc un pouvoir d'achat inemployé qui se reporte sur le marché noir, conséquence du rationnement, mais principal facteur de la hausse des prix.

Enfin, il existe un déséquilibre entre la valeur officielle du franc par rapport au dollar (le dollar vaut en 1945 49,60 F, soit 40 % de plus qu'en 1938) et la hausse relative des prix par rapport à 1938 entre les Etats-Unis (+ 40 %) et la France (+ 400 %). Le cours officiel franc-dollar est donc à peu près au dixième de sa valeur réelle et ce franc surévalué représente une grave gêne pour les exportations françaises.

Face à ce triple déséquilibre, le gouvernement provisoire a le choix entre deux politiques :

— rétablir l'équilibre au prix d'une rigoureuse politique de contrôle et de résorption du pouvoir d'achat excédentaire par rapport à la production disponible;

— accepter l'inflation qui représente une politique de facilités, mais qui ne peut que gêner le rétablissement économique du pays.

La première politique est soutenue par Pierre Mendès France, ministre de l'Economie depuis septembre 1944. Il tente de mettre en œuvre une politique de freinage des prix en restreignant les marges bénéficiaires (tous les prix sont taxés) et en les compensant par des subventions aux producteurs. Mais les commerçants répliquent en accroissant les trafics clandestins, beaucoup plus profitables. Pour faire respecter les mesures prises, en attendant que la production reprenne, il serait donc nécessaire de multiplier les contrôles. Or ceux- ci, qui rappellent par trop les pratiques de Vichy, sont particulièrement impopulaires dans l'atmosphère de la Libération. Dans ces conditions, Mendès France considère que la seule possibilité est d'imiter l'exemple belge en épongeant le pouvoir d'achat excédentaire et en le contraignant à se transformer en épargne forcée. Mendès France propose alors qu'il soit procédé à un échange des billets en circulation. Les porteurs recevraient une somme uniforme de 5 000 F, le reste étant bloqué et devant être restitué aux propriétaires à mesure que les progrès de la production le permettraient. C'est la solution qui a prévalu en Belgique et qui a été couronnée de succès. Pour ce qui concerne les comptes en banque, ils seraient bloqués dans les mêmes conditions pour 75 % de leur valeur, les 25 % restants pouvant être employés en virements. Pour compléter cet arsenal de mesures, les titres au porteur devront être déposés dans les banques et un contrôle sera établi sur les mouvements de chèques postaux et des caisses d'épargne.

Mais la politique de rigueur proposée par Pierre Mendès France va faire l'unanimité contre elle. Elle se heurte en premier lieu aux vues des «libéraux» qui entendent rétablir la situation en faisant confiance aux méthodes orthodoxes : le rétablissement du marché, la confiance des épargnants, l'investissement, la solution du problème de l'inflation se trouvant dans la reprise de la production. A la tête de ce groupe libéral, le ministre des Finances, le banquier Lepercq, puis, après sa mort dans un accident d'automobile en novembre 1944, son successeur René Pleven, le gouverneur de la Banque de France, Emmanuel Monick, la droite et le MRP qui redoutent de provoquer un réflexe de méfiance dans les milieux d'affaires. Pour de tout autres raisons, la gauche rejette la politique de Mendès France. Le parti communiste et la SFIO n'acceptent pas la rigueur que supposerait la stratégie proposée par le ministre de l'Economie nationale. Ils redoutent les souffrances qui en résulteraient pour les ouvriers, mais aussi pour les paysans chez lesquels les deux partis tentent de se créer une clientèle. Aussi se rallient-ils à la solution beaucoup plus indolore que préconise Lepercq et que Pleven mettra en application après sa mort, qui consiste à éponger par un emprunt le pouvoir d'achat excédentaire. Mais «l'emprunt de la Libération» ne rapporte que 164 milliards (dont 73 en espèces et le reste en chèques ou en bons du Trésor).

Le problème de l'inflation ne s'en trouve pas résolu pour autant et dès janvier 1945 on peut constater qu'inflation et marché noir continuent à sévir. Le général de Gaulle doit trancher entre la politique des libéraux préconisée par Pleven et la ligne dirigiste incarnée par Mendès France. Poussé par la plupart des ministres, jugeant la rigoureuse politique de Mendès France politiquement impossible à appliquer sur un peuple qui a subi les contraintes de l'occupation, le chef du gouvernement provisoire choisit la politique de Pleven. Mendès France donne sa démission en avril 1945 en dénonçant, dans une lettre à de Gaulle, «*le manque de courage et d'imagination dans les finances publiques*».

René Pleven qui cumule alors le portefeuille des Finances et celui de l'Economie nationale a les mains libres pour appliquer sa politique. Pour résorber l'inflation, il prend en juin et juillet 1945 deux séries de mesures qui se révéleront impuissantes à éponger la circulation excédentaire. En juin 1945, il décide un échange des billets sans blocage. Son seul résultat effectif est d'éliminer de la circulation 20 milliards de billets non présentés (coupures emportées par les Allemands ou les collaborateurs, bénéfices illicites de trafiquants). 120 autres milliards se placent en bons parce que leurs détenteurs, sachant que leur fortune est désormais connue, préfèrent faire preuve de bonne volonté. L'échange permet aussi d'avoir une photographie de la fortune française pour établir une base d'imposition.

En fonction de quoi, en juillet 1945, Pleven peut décréter un «*impôt de solidarité*» pesant sur les riches qui comporte un prélèvement sur le patrimoine, une taxe sur les enrichissements acquis au cours de la guerre et une contribution sur les fonds des sociétés. Celles-ci peuvent s'en libérer par l'émission de nouvelles actions remises en paiement à l'Etat qui participe ainsi pour 15 % au capital de nombreuses sociétés. Quant aux particuliers, ils peuvent s'acquitter de l'impôt de solidarité en 4 versements étalés sur deux ans (l'inflation réduisant évidemment le rendement réel de l'impôt).

Au total, les diverses ponctions opérées entre l'automne 1944 et juillet 1945 ont permis de ramener la masse monétaire de 642 à 444 milliards. Ponction d'un tiers, qui est loin d'être négligeable, mais qui ne paraît pas suffisante pour rétablir les équilibres si gravement rompus par la guerre. Le 25 décembre 1945, avant que n'entre en fonctions le Fonds monétaire international qui limite les possibilités de modifier les taux de change, le gouvernement doit dévaluer le franc. Avec la nouvelle parité, il ne représente plus que 7,46 mg d'or contre 20 en 1939 et 17,9 en novembre 1944. Avec cette nouvelle définition du franc, le dollar passe de 49,60 F à 119 F et la livre sterling de 200 à 480 F. En dépit de cette énorme dévaluation qui fait perdre au franc les 3/5 de sa valeur de l'année précédente, la monnaie française demeure lourdement surévaluée, car elle ne correspond nullement à son pouvoir d'achat par rapport à la livre et au dollar (sur les marchés parallèles, le dollar vaut 213 F et la livre 809 F). Pour rétablir les équilibres réels, la dévaluation aurait dû être deux fois plus lourde et ramener le franc à environ 3 mg d'or. Mais comme la France doit surtout importer et a relativement peu à exporter, cette surévaluation est, sur le moment, relativement intéressante.

Quoi qu'il en soit, le choix opéré par de Gaulle sur le plan financier en mars-avril 1945 est décisif. Il a opté pour la facilité et, désormais, c'est dans un climat inflationniste qui pèse sur les salariés et les titulaires de revenus fixes que se déroule la reconstruction économique du pays. Les mesures draconiennes préconisées par Mendès France, déjà considérées par de Gaulle comme impossibles à appliquer dans le climat exceptionnel de la Libération, le deviennent encore plus à mesure que l'on s'éloigne de celle-ci. L'inflation sera l'un des cancers qui rongeront la IVe République et placeront les finances en situation périlleuse de façon permanente.

Les réformes de structure : les nationalisations

L'urgence des problèmes posés à la Libération, la nécessité impérative de relancer la production sans que les conditions économiques normales soient réunies, le caractère prioritaire revêtu par la satisfaction des besoins élémentaires de la population en nourriture et en logements dépassaient incontestablement les possibilités des entreprises privées. Aussi paraissait-il indispensable que l'Etat se substitue — au moins provisoirement — à l'initiative individuelle pour répondre aux besoins immédiats et assurer l'indispensable redressement économique. Cet appel à l'Etat choque d'autant moins que Vichy, moins par doctrine que par nécessité, a été conduit depuis 1940 à de très larges interventions dans la vie économique. Mais, en dehors même de la nécessité, l'esprit du temps est favorable à cette intervention de l'Etat dans l'économie. Pendant la guerre en effet, les mouvements de résistance d'une part, les organismes créés pour analyser le visage de la France de la Libération de l'autre, ont longuement réfléchi au statut de la France de la Libération et leurs conclusions sont unanimes : la France ne peut demeurer une nation qui compte dans le monde que si elle rompt avec son vieil idéal médiocre du «petit», maître chez lui et qui vit de peu, et si elle accepte la modernisation économique. Sur les modalités de cette modernisation, les choix sont variables. Autour du professeur René Courtin, le *Comité général d'études* a rédigé en novembre 1943 un rapport de stricte orthodoxie libérale qui prévoit un retour rapide à l'économie de marché. Officiers, hauts fonctionnaires, hommes d'affaires rassemblés dans l'*Organisation civile et militaire*, un des grands mouvements de résistance de zone nord, préconisent au contraire, dans une optique technocratique directement héritée de la pensée des années trente, un système de planification mis en œuvre par l'Etat, assisté de groupements professionnels réunissant patrons, cadres et ouvriers (R.F. Kuisel, *Le Capitalisme et l'Etat en France*, Paris, Gallimard, 1984). Mais le courant le plus important est probablement le courant socialisant qui rassemble une majorité des cadres de la Résistance, communistes, socialistes, syndicalistes et qui se prononce pour une économie mixte sous le contrôle et l'impulsion de l'Etat, comprenant planification, nationalisations, contrôle du crédit.

La nécessité de faire intervenir l'Etat, garant de l'intérêt général, est d'autant plus forte que les milieux de la Résistance considèrent que le patronat s'est massivement rallié à Vichy en 1940 et que, si certains patrons ont pris leurs distances après 1942, leur participation à la Résistance a été tardive et modeste. De surcroît, l'état d'esprit socialisant fait des «trusts» des accusés permanents dans la France de la Libération, les grandes entreprises étant soupçonnées, par haine du monde ouvrier, d'avoir précipité l'effondrement de la IIIe République, salué Vichy avec enthousiasme, profité de la guerre pour s'enrichir, voire collaboré à l'effort de guerre allemand (mais on a vu que l'épuration économique avait été limitée). Etat d'esprit qui conduit tout naturellement à considérer que l'on ne peut confier le redressement de l'économie aux représentants égoïstes d'intérêts particuliers, mais seulement à l'Etat. Le programme du Conseil national de la Résistance se fait au demeurant l'écho de ces idées majoritaires et, sur le plan économique, il reprend les revendications émises entre les deux guerres par la CGT en préconisant le «*retour à la nation des grands moyens de production monopolisés, fruit du travail commun, des sources d'énergie, des richesses du sous-sol, des compagnies d'assurances et des grandes banques...*» (voir Claire Andrieu, *Le Programme commun de la Résistance. Des idées dans la guerre*, Paris, Les Editions de l'Erudit, 1984).

Ajoutons enfin que les hommes des syndicats sont au pouvoir en 1944-1945, que la majorité de la première Constituante est acquise aux nationalisations et que le général de Gaulle lui-même, éloigné de tout présupposé idéologique, partage les préventions générales contre les «trusts» et juge que la situation désespérée de l'économie nationale exige l'intervention de l'Etat.

Celle-ci prend avant tout la forme des nationalisations qui apparaissent comme la plus spectaculaire et la plus symbolique des grandes réformes de structure puisqu'elle ôte à la propriété privée quelques-unes des industries clés (Claire Andrieu, Lucette Le Van, Antoine Prost, *Les Nationalisations de la Libération. De l'utopie au compromis*, Paris, Presses de la FNSP, 1987). Entre décembre 1944 et juin 1945 ont lieu toute une série de nationalisations. Les unes prennent le caractère de mesures de représailles économiques contre des entreprises accusées de collaboration avec l'ennemi. C'est le cas des usines d'automobiles Renault, des usines de camions Berliet, des mines du Nord et du Pas-de-Calais, des usines d'aviation Gnôme-et-Rhône qui deviennent la SNECMA en mai 1945. De la même volonté politique de contrôler les moyens d'information relève la prise en main par l'Etat de la radio et de l'Agence France-Presse.

Mais à ces nationalisations en ordre dispersé et à intention politique, vont assez rapidement se substituer des nationalisations dont l'objet est de placer, entre les mains de l'Etat, les secteurs clés qui commandent le redressement de l'économie nationale et apparaissent comme les armes du relèvement économique. A cet égard, on voit se dégager de l'ensemble des nationalisations trois grands secteurs : l'énergie, les transports et le crédit.

En ce qui concerne l'énergie, l'Etat décide en 1946 l'extension à l'ensemble des houillères de la nationalisation, jusqu'alors réduite à celles du Nord et du Pas-de-Calais, l'ensemble des mines de charbon étant désormais inclus dans les Charbonnages de France. Il s'y ajoute la nationalisation des compagnies du gaz et de l'électricité, rassemblées respectivement dans Gaz de France et Electricité de France. Quant au pétrole, secteur dans lequel l'Etat est déjà présent par ses participations dans les sociétés mixtes que sont la Compagnie française des pétroles ou la Société nationale des pétroles d'Aquitaine, le gouvernement écarte l'idée d'une nationalisation des filiales françaises des compagnies étrangères et décide le maintien du statu quo. Au total, c'est la quasi-totalité du secteur clé de l'énergie qui se trouve placée aux mains de la puissance publique.

Le domaine des transports est déjà partiellement sous contrôle de l'Etat depuis 1937. Cette année-là a été créée la SNCF, société d'économie mixte où l'Etat est majoritaire, les anciennes compagnies possédant 49 % du capital. Les nationalisations de la Libération y ajoutent les sociétés de transport aérien invitées à fusionner avec Air France en juin 1945 et, dans le domaine du transport maritime, la Compagnie générale transatlantique, à une date plus tardive.

Ces nationalisations d'entreprises industrielles ou d'entreprises de transport ne se veulent pas de pures et simples étatisations. Elles sont gérées par des représentants de l'Etat, du personnel et des usagers, mais doivent, comme des sociétés privées, équilibrer leur budget, prévoir une politique d'investissements, faire des bénéfices. L'exemple du statut de la régie Renault est caractéristique des intentions des nationalisations. Disposant de la personnalité civile et de l'autonomie financière, la régie est cependant placée sous le contrôle du ministère de la Production industrielle. Le PDG, nommé par décret, agit comme un directeur d'entreprise privée. Il préside le Conseil d'administration dont les membres sont nommés par le ministre et comprennent des représentants du personnel. Enfin, un Comité d'entreprise, élu par le personnel, est chargé d'améliorer les conditions de travail et de gérer les œuvres sociales.

Ces nationalisations industrielles vont jouer un rôle fondamental dans la rationalisation et la modernisation de la production et dans la réalisation des plans de développement. Il est cependant important de voir que la volonté de rationalisation et de modernisation s'est heurtée aux inquiétudes des libéraux devant la possibilité de création en France d'une économie de type socialiste. Or, dès 1946, la reprise des luttes politiques va donner à ces libéraux l'appui du MRP qui s'ajoute à celui des radicaux et des modérés. Si bien que des secteurs essentiels, comme la sidérurgie ou la chimie, échappent à la nationalisation. Avec le déclenchement de la guerre froide, le passage à l'opposition des communistes, la marginalisation des socialistes et le véritable monopole des ministres libéraux sur l'économie et les finances établi à partir de l'automne 1947, la vague des nationalisations industrielles est bloquée.

Il est vrai que, par la réorganisation du secteur bancaire et le contrôle du crédit, l'Etat s'est doté de moyens d'action puissants sur l'économie nationale. S'il est en effet un domaine où l'esprit anticapitaliste de la Libération trouvait à s'exercer, c'était bien celui du secteur bancaire sur lequel pèse toujours le souvenir du «Mur d'argent» et du rôle joué par la Banque de France à l'époque du Cartel des gauches. Une loi votée en décembre 1945 réorganise le secteur bancaire. Celui-ci est placé sous le contrôle d'un Conseil national du crédit dépendant de l'Etat. La même loi établit pour la première fois en France une distinction juridique entre banques de dépôts et banques d'affaires, dont le statut et les obligations diffèrent. Les premières ont vocation à recevoir des dépôts à vue ou à terme pour un délai maximum de deux ans et ne peuvent posséder plus de 10 % du capital des entreprises, alors que les secondes peuvent prendre des participations dans les entreprises et fournir des crédits à long terme. Par ailleurs, les deux catégories connaissent des sorts différents. Les quatre principales banques de dépôt (Crédit lyonnais, Société générale, Comptoir national d'escompte de Paris, Banque nationale pour le commerce et l'industrie) sont nationalisées. Leur capital passe à l'Etat et leurs actionnaires sont indemnisés par des obligations amortissables en 50 ans. Elles sont gérées par un Conseil d'administration nommé par l'Etat.

En revanche, les banques d'affaires échappent à la nationalisation. En dépit des communistes et des socialistes qui voient en elles les citadelles du «pouvoir des trusts», le Gouvernement provisoire considère que nationaliser l'ensemble du secteur bancaire serait porter atteinte à la confiance indispensable à la reprise économique. Toutefois, elles sont soumises à un double contrôle, celui d'un Commissaire désigné pour chacune d'entre elles par le Conseil national du crédit, celui d'une Commission de contrôle comprenant le Gouverneur de la Banque de France, le Directeur du Trésor et de hauts fonctionnaires.

Complétant le dispositif du contrôle du crédit par l'Etat, le gouvernement provisoire prend la décision que le gouvernement du Front populaire n'avait pas osé prendre en nationalisant la Banque de France. Les actions de celle-ci sont transférées à l'Etat et les actionnaires indemnisés par des obligations amortissables en 20 ans par tirage au sort. Le Conseil général de la Banque de France est nommé par l'Etat, ainsi que le gouverneur et les deux sous-gouverneurs.

Enfin, la mainmise de l'Etat sur le crédit est complétée par la nationalisation des onze groupes d'assurances avec leurs 34 sociétés. L'Etat contrôle ainsi les deux tiers des primes encaissées et les réserves considérables des compagnies d'assurances.

Sans doute là encore peut-on constater que le projet de démantèlement des oligarchies financières prévu par la Résistance est incomplet puisque les banques d'affaires échappent à la nationalisation. Il n'en reste pas moins que, par la nationalisation de l'énergie, des transports et du crédit, l'Etat tient en main les clés du développement industriel.

L'œuvre de modernisation qu'il entend ainsi promouvoir ne saurait se limiter à la rationalisation économique. L'esprit de la Libération est aussi celui de la justice sociale et de la modification de la condition ouvrière dans une atmosphère qui n'est pas sans rappeler celle de juin 1936. En échange de l'effort de travail demandé aux ouvriers pour accroître la production, c'est une transformation de la condition salariale qu'envisagent les gouvernements provisoires.

Les réformes de structure : transformation de l'entreprise et de la condition salariale

C'est, en matière sociale, de très ambitieux projets que prévoient les textes de la Libération, encore que l'application ne réponde pas toujours aux espoirs formulés. Caractéristique est le cas de la création, par la loi du 22 février 1945, des comités d'entreprise dans les établissements de plus de 100 salariés (un texte de 1946 en étendant l'application aux entreprises de plus de 50 salariés). Dans l'esprit des promoteurs de cette réforme, il s'agit d'associer le personnel à la gestion de l'entreprise comme le souhaitaient les syndicalistes de la CGT dès 1919. Si le but de la réforme n'est pas de remettre en cause l'autorité du chef d'entreprise, les délégués élus du personnel reçoivent mission de contrôler la gestion financière, de faire des suggestions pour améliorer la productivité ou les conditions de travail. Le patronat est-il prêt à accepter cette manière de cogestion? Ebranlé par les attaques portées contre lui, il n'apparaît pas en mesure de résister au vent nouveau qui souffle sur la France. La Confédération générale du patronat français a été dissoute par Vichy. Les Comités d'organisation où le patronat était, on l'a vu, largement représenté, après avoir été transformés en Offices professionnels à la Libération, sont à leur tour dissous en avril 1946. Ce n'est qu'en juin 1946 que renaît une organisation patronale, le Centre national du patronat français (CNPF) qui porte à sa tête Georges Villiers, patron d'une entreprise de 700 salariés et qui a été arrêté par la Gestapo et déporté. Or, la renaissance de l'organisation patronale coïncide avec le début du glissement vers le centre et la droite de l'opinion publique française. Dès ce moment, le temps du socialisme paraît passé. Avec le temps, et sous la pression du patronat, les comités d'entreprise se cantonneront à la gestion des œuvres sociales, loin des ambitieux objectifs évoqués lors de leur création.

De beaucoup plus grande portée, dans la mesure où elle modifie durablement la condition salariale en France, est la naissance de la Sécurité sociale. En 1945, la France connaît le régime des Assurances sociales établies par Poincaré en 1928 et celui des Allocations familiales, créées en 1939 par le Code de la famille, à l'époque du gouvernement Daladier. Neuf millions de salariés en sont bénéficiaires et le système est alimenté par des cotisations salariales et patronales. Inspirée par le plan du ministre libéral britannique Beveridge, la Sécurité sociale se réclame d'un changement de conception par rapport aux Assurances sociales. Il ne s'agit plus seulement d'obtenir une redistribution du revenu national sous forme de transferts sociaux opérés au bénéfice des enfants, des malades, des vieillards et d'augmenter indirectement les salaires (par le biais des allocations familiales, par exemple), mais de transformer la notion même de salaire. Celui-ci n'est plus seulement en effet la rémunération du travail du salarié, mais il peut également constituer un revenu social fixe, même s'il n'y a pas de travail fourni (prestations journalières en cas de maladie).

On est donc en présence d'un véritable changement dans la condition du salarié, désormais couvert contre la plupart des risques de l'existence par une promesse de solidarité nationale qui se substitue à la garantie individuelle de l'assurance classique. Sous l'autorité de Pierre Laroque, nommé directeur général de la Sécurité sociale en 1944, sont mis en place entre 1945 et 1946 les principes et les modalités d'application de cette action de «l'Etat-providence». L'assurance est obligatoire pour tout salarié, quel que soit son âge, son salaire ou sa nationalité (les étrangers travaillant en France en bénéficient). L'assurance-maladie couvre les frais médicaux, pharmaceutiques, d'hospitalisation, pour l'assuré et sa famille, à concurrence de 80 % de ceux-ci. En cas d'interruption de travail, la Sécurité sociale verse au salarié des indemnités journalières. Il s'y ajoute une assurance-invalidité qui fournit une pension à l'invalide, une assurance vieillesse qui accorde à 60 ans une pension au retraité (à raison de 20 % du salaire de base plus 4 % par année entre 60 et 65 ans), une assurance-décès qui verse un capital aux ayants droit. Enfin, le système des Allocations familiales est maintenu, prévoyant le versement de compléments de salaire, variables selon le nombre d'enfants, mais égaux pour tous quel que soit le montant du salaire.

Pour couvrir l'ensemble du système de Sécurité sociale, des cotisations sont retenues sur les salaires (6 %) et payées par l'employeur (10 % du montant des salaires distribués). Si on ajoute à ces prélèvements le montant des sommes payées par les entreprises pour les Allocations familiales, l'assurance-accident ou les congés payés, la part des charges sociales représente, en 1945, 33 à 38 % des salaires payés. On est bien en présence d'un gigantesque transfert social, dont la portée est considérable.

On ne saurait négliger l'importance des réformes de structure opérées en 1945. Sans doute ne saurait-on parler de révolution, comme la Résistance l'avait annoncé. On n'a touché ni à la répartition des fortunes, ni au principe capitaliste du profit. L'initiative privée demeure, le poids de la haute finance sur les secteurs clés n'est pas atteint. Mais des tournants fondamentaux ont été pris. L'Etat s'est imposé comme le grand responsable de la vie économique et sociale, le maître d'œuvre de l'économie, chargé de la stimuler, de la contrôler au nom de l'intérêt national, de lui imposer des règles. Par ailleurs l'Etat se considère désormais comme garant du sort de la collectivité et devant intervenir à ce titre dans les rapports sociaux, à travers des institutions comme la Sécurité sociale par le canal de laquelle s'opèrent des transferts sociaux indirects.

La manière dont est mise en œuvre la reconstruction illustre le rôle nouveau joué par l'Etat.

Une reconstruction planifiée

Ces conceptions nouvelles qui prévalent dans la France de la Libération vont trouver un point d'application dans le domaine clé de la reconstruction dont on a vu le caractère impératif. C'est Pierre Mendès France, ministre de l'Economie nationale, qui lance en 1944 l'idée d'une reconstruction planifiée de l'économie et crée une Direction du Plan. Après sa démission, Georges Boris, son collaborateur, tente de maintenir en vie cette Direction du Plan, mais René Pleven la supprime. L'idée est reprise par Jean Monnet, après sa mission aux Etats-Unis, et, en décembre 1945, celui-ci adresse un mémorandum au général de Gaulle sur ce sujet. A la suite de quoi est créé, en janvier 1946, un Commissariat au Plan, placé sous la direction de Jean Monnet, entouré d'une équipe de jeunes technocrates : Etienne Hirsch, Robert Marjolin, Pierre Uri, Paul Delouvrier.

Le plan qu'ils mettent au point en novembre 1946 est promulgué par le gouvernement Léon Blum en janvier 1947 et dénommé *Plan de modernisation et d'équipement*. Il se fixe comme objectif de permettre à la production française de retrouver en 1948 son niveau de 1929 et de le dépasser de 25 % en 1950.

En fait, les responsables du plan se trouvent placés devant trois impératifs, entre lesquels il leur faudra choisir :

— renouveler et améliorer l'équipement du pays, vétuste avant la guerre, usé ou détruit par elle;

— répondre à une demande accrue de biens de consommation;

— reconstruire les immeubles détruits.

Devant l'impossibilité d'assumer tous les objectifs à la fois, ils décident de donner la priorité au premier secteur et d'insister sur le développement de l'industrie de base qui commande le reste de l'économie nationale, aux dépens de la consommation et du logement, et ce d'autant plus que l'Etat s'est doté dans ce domaine de larges possibilités d'action grâce aux nationalisations qui viennent d'être effectuées. Dans ces conditions, l'accent est mis sur les 6 secteurs fondamentaux de l'économie : l'électricité, le charbon, l'acier, le ciment, les transports ferroviaires et le matériel agricole. Ce sont évidemment les domaines de l'énergie et des transports qui paraissent fondamentaux, et en particulier le charbon et la SNCF pour lesquels l'Etat dispose, du fait des nationalisations, de la marge d'action la plus large. Ce sont les entreprises nationalisées qui tiennent en main ces secteurs qui reçoivent les 3/4 des crédits votés par le Parlement.

Cette reconstruction planifiée de l'économie française présente une grande originalité. En effet, pour la première fois, l'ensemble de l'économie française est inclus dans un plan de développement systématique, intéressant tous les secteurs de production. Toutefois, cette planification à la française est très différente des formes de planification autoritaire mises en pratique en URSS, les seules connues jusqu'à la Seconde Guerre mondiale. Dans le cas français on parle de «planification souple» ou de «planification indicative». Mise au point après consultation du patronat et des syndicats ouvriers, elle ne pose pas d'objectifs impératifs et obligatoires. L'Etat se contente d'indiquer des priorités et il pousse à leur réalisation, non par la contrainte, mais par l'incitation, grâce en particulier aux prêts à faible intérêt qu'il distribue de manière sélective aux entreprises qui participent à ses objectifs.

Il n'en reste pas moins que le rôle de l'Etat est fondamental, ne serait-ce que parce que c'est lui qui distribue le crédit, pratique une grande part des investissements et, à travers les entreprises nationalisées, joue un rôle essentiel dans la réalisation du premier plan. Il est vrai que celle-ci se heurte à de multiples problèmes hérités de la guerre.

Le plan connaît un premier obstacle lié à la main-d'œuvre. Les pertes de la guerre ont opéré une nouvelle ponction sur la population active du pays. Or, le sous-équipement industriel exige que la plupart des travaux soient accomplis par la main-d'œuvre. De plus, en 1946-1947, 40 000 mineurs polonais rejoignent leur pays et 500 000 prisonniers allemands sont libérés (dont 100 000 accepteront, toutefois, de rester en France comme travailleurs libres sous contrat dans l'agriculture ou dans les mines). Il reste que la France connaît un gros déficit de main-d'œuvre. Celui-ci est compensé par l'introduction entre 1947 et 1950 de travailleurs étrangers, 200 000 Européens, Italiens pour la plupart, et 100 000 Nord-Africains. Dans ces conditions, bien que la loi de 40 heures ait été rétablie en 1946, les nécessités de la production exigent l'introduction d'heures supplémentaires payées 25 % au-dessus du tarif normal entre 40 et 48 heures, 50 % au-dessus du tarif horaire habituel au-delà de 48 heures. La durée moyenne du travail en 1946 s'établit à 43 heures hebdomadaires. C'est cet effort des Français qui est à la base de la reprise de la production.

Un second problème se pose pour la réalisation du plan, qui n'est pas neuf, mais qui s'aggrave en 1945-1946, celui de la hausse des prix. Directement lié à la pénurie des produits de consommation, il introduit dans l'économie un déséquilibre majeur susceptible de faire échouer le plan. En effet, dès la fin de 1945, les hausses de salaires consenties durant l'année sont absorbées par la hausse des prix. En 1946, de nouvelles hausses de salaires provoquent une flambée généralisée des prix (70 % pour les prix agricoles, 50 à 75 % pour les services, 15 % seulement pour les prix industriels grâce aux subventions d'Etat). La hausse est un moment stoppée par Léon Blum qui décide en janvier 1947 une baisse autoritaire des prix de 5 %. Mais dès mars 1947, les prix connaissent une nouvelle poussée. Au total entre 1945 et 1947, les prix alimentaires triplent pendant que les salaires et les prix industriels doublent. Il existe donc un déséquilibre, préjudiciable à la vie économique du pays, puisque les prix des produits agricoles croissent beaucoup plus vite, en raison de la pénurie, que les prix industriels, subventionnés par l'Etat. Le risque est que les disponibilités financières s'investissent dans les stocks alimentaires, l'agriculture ou les produits de consommation courante qui peuvent permettre de dégager des profits spéculatifs plutôt que dans l'équipement industriel dont le pays a un besoin majeur.

C'est la raison pour laquelle, en 1948, les nouveaux dirigeants de l'économie, adeptes du libéralisme économique, décident la suppression des subventions qui permettent le maintien des prix industriels artificiellement bas, mais qui pèsent sur le budget de l'Etat. Il en résulte une nouvelle flambée, des prix industriels cette fois, qui doublent ou triplent en quelques mois, provoquant une hausse de 60 % des salaires.

Indice des prix de détail à Paris
(indice 100 en 1938)

	1944	*1945*	*1946*	*1947*	*1948*	*1949*
Indice	285	393	645	1 030	1 632	1 817
% de croissance	27 %	38 %	63 %	60 %	59 %	11 %

Ce n'est qu'en 1949 qu'on constate une stabilisation de la hausse des prix, due à deux facteurs : un début de récession aux Etats-Unis qui entraîne une baisse générale des prix dans le monde, favorable à une France importatrice, et une augmentation de la production française qui retrouve à ce moment un niveau à peu près équivalent à celui de 1938 et permet de mettre fin au rationnement du pain et du charbon. Il reste que la reconstruction s'est déroulée dans une atmosphère de course éperdue entre prix et salaires due à l'inflation, les salariés étant largement perdants dans cette compétition (entre 1944 et 1950, les prix industriels ont été multipliés par dix, les prix agricoles par sept, les salaires par 6). Les salariés ont donc connu une baisse de leur niveau de vie, origine des innombrables grèves qui ont gêné la reconstruction.

Mais le problème essentiel rencontré par la réalisation du plan a été celui de son financement. Comment dégager les sommes nécessaires pour payer la reconstruction du pays, et, d'abord, pour se procurer les importations sans lesquelles toute reprise industrielle est impossible? C'est cet impératif que soulignait Jean Monnet en déclarant : «*Nous devons exporter même l'utile pour nous procurer l'indispensable.*» Or la France de l'après-guerre a peu à exporter et sa balance commerciale connaît un lourd déficit : entre 1946 et 1949, les importations s'élèvent à 9 milliards de dollars et les exportations à 4 milliards de dollars. A ce déficit de 5 milliards de dollars s'ajoutent ceux de l'outre-mer et des services qui, cumulés, représentent un milliard de dollars supplémentaire. Cette situation explique que, malgré les protestations des Américains et de l'OECE, la France maintienne un contrôle draconien des échanges afin de réduire au maximum ses importations. Toutefois, il faut solder le déficit existant. Pour y parvenir, la France doit céder ses avoirs à l'étranger et 500 tonnes d'or (l'encaisse de la Banque de France tombant en 1950 à 464 tonnes d'or). Mais surtout, la France doit négocier des prêts massifs, et avant tout auprès des Américains, les seuls à pouvoir avancer les sommes nécessaires aux énormes besoins français. Une mission conduite par Léon Blum aux Etats-Unis aboutit en mai 1946 à la signature des Accords Blum-Byrnes qui règlent le problème des dettes françaises à l'égard des Etats- Unis. Sur 2 630 millions de dollars représentant la dette française, les Etats-Unis renoncent à 1 930 millions de dollars. Les 700 millions restants seront remboursés en 35 ans (jusqu'en 1980) avec un intérêt de 2 %. Cette question réglée, la France reçoit de nouveaux crédits : l'Export-Import Bank lui consent un crédit de 650 millions de dollars à 3 %, remboursable en 20 ans pour ses achats aux Etats-Unis, et des prêts du même type sont consentis par le Canada (250 millions de dollars) et la Nouvelle-Zélande (20 millions de dollars). La Banque internationale pour la reconstruction et le développement ouvre à la France un crédit de 250 millions de dollars à 4,25 % remboursable en 30 ans. Enfin le Fonds monétaire international fait un prêt de 280 millions de dollars. L'essentiel est toutefois représenté par la politique Truman d'aide gouvernementale directe à l'Europe. A ce titre, la France reçoit, en décembre 1947, 284 millions de dollars d'aide intérimaire, à quoi s'ajouteront, en 1948-1949, 1 300 millions de dollars d'aide Marshall.

Au total, c'est incontestablement grâce à l'aide américaine que la France a pu assurer les importations nécessaires à sa reconstruction économique.

Financer les importations ne saurait évidemment suffire à payer le prix de la reconstruction. La France doit trouver en outre les sommes nécessaires pour assurer les énormes dépenses prévues au titre du plan Monnet. A l'origine, le gouvernement provisoire compte sur l'épargne très importante accumulée pendant la guerre, faute de possibilités d'achat. Mais celle-ci est détruite par l'inflation de la Libération qui pousse à l'achat de biens de consommation au marché noir. Or les entreprises n'ont pas de capitaux. Il est donc nécessaire que l'Etat fournisse lui-même les crédits nécessaires aux investissements (entre 1947 et 1950, la part de l'Etat dans les investissements en métropole tourne autour de 60 %). Ces crédits sont fournis aux entreprises sous forme de prêts à 4 ou 5 % par le *Fonds de modernisation et d'équipement* dont les ressources sont votées par le Parlement. Les fonds nécessaires proviennent de trois sources différentes : les recettes habituelles de l'Etat, l'inflation et la contre-valeur de l'aide américaine. En premier lieu, l'Etat a financé la reconstruction par le produit des impôts et des emprunts (la dette publique passe en francs courants de 1 680 milliards en 1945 à 3 410 milliards en 1949). Mais cet effort financier a été en grande partie corrigé par l'inflation. En effet, la circulation fiduciaire est passée entre 1946 et 1949 de 638 milliards à 1 389 milliards. Il en résulte un allégement considérable de la dette publique qui, évaluée en francs constants, passe de 60 milliards de francs-or en 1945 à 26 milliards en 1949. Autrement dit, par l'inflation qu'il a laissée se développer, l'Etat fait retomber une grande partie du poids financier de la reconstruction sur les souscripteurs des emprunts d'Etat. Si ces deux sources représentent l'essentiel de l'effort financier de reconstruction, la contre-valeur de l'aide américaine a été l'appoint indispensable à sa réalisation. La plus grande partie des dollars parvenus à la Banque de France sont prêtés au Trésor en francs, émis en contre-valeur. Ces sommes provenant de l'aide américaine sont distribuées aux entreprises par le biais d'un service du Trésor, le *Fonds de développement économique et social*. Bien entendu, ces sommes ne vont qu'aux entreprises sélectionnées en fonction des objectifs du plan. Elles permettent à celles-ci de racheter des dollars à la Banque de France pour solder les importations américaines.

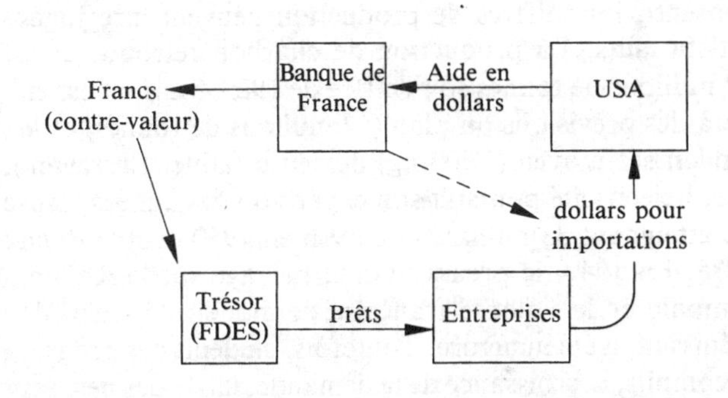

Le schéma de l'aide Marshall

De 1948 à 1951, la Banque de France a pu émettre, en contrepartie de l'aide Marshall, 732 milliards de francs (dont 22 % sont allés à l'EDF, 14 % aux Charbonnages, 5,5 % à la SNCF). Les autres postes bénéficiaires importants ont été la construction de logements (9 %), les prêts à l'industrie privée (8,3 %) et à l'agriculture (7,35 %). Le Trésor est ainsi devenu, grâce à l'aide américaine, le principal banquier du développement économique national.

Bilan de la reconstruction vers 1950

Vers 1950, la reconstruction peut être considérée comme achevée dans ses grandes lignes, l'économie ayant retrouvé son rythme de 1938. Dans le domaine agricole, on en est revenu au niveau de l'immédiat avant-guerre dès 1948-1949. Le parc de machines de l'époque a été reconstitué. Les productions de sucre (1 400 000 tonnes), de blé (80 millions de quintaux), de vin (65 millions d'hectolitres) sont identiques à celles de 1938.

Dans l'industrie, la reconstruction est inégale selon les secteurs. Dans le domaine de l'énergie, considéré comme prioritaire par le plan et pour lequel un gros effort a été consenti, les chiffres de production peuvent être jugés satisfaisants. La production de charbon retrouve avec 52 millions de tonnes son chiffre de 1929, mais on est en deçà des prévisions du plan (62 millions de tonnes) et le rendement moyen (1 207 kg) demeure faible. En revanche, l'électricité poursuit son expansion des années trente, atteignant 33 milliards de kWh en 1950 contre 20 en 1938. En 1949, le premier grand barrage sur le Rhône, symbole de la volonté française de modernité, celui de Génissiat, a été inauguré. Toutefois, en dépit des progrès accomplis, la croissance de la demande, laisse des besoins non satisfaits. C'est aussi d'expansion qu'il faut parler à propos du raffinage du pétrole. L'aménagement des raffineries de l'étang de Berre a porté la capacité française de raffinage à 16 millions de tonnes contre 8 en 1938.

Pour ce qui est de la sidérurgie, secteur également prioritaire, les 8,5 millions de tonnes d'acier produites en 1950 laissent la production française assez proche de celle de 1938, mais inférieure à son niveau de 1929. La progression reste lente, d'autant que les industries de transformation, étant négligées par le plan, ne peuvent absorber toute la production et on exporte 1,7 million de tonnes d'acier. Quant aux autres industries, comme le textile ou le bâtiment, elles piétinent.

Si, globalement, l'indice général de la production industrielle est à 128 en 1950 contre 100 en 1938, il le doit aux performances de quelques branches motrices et non au développement général de l'économie. La situation paraît d'ailleurs si médiocre qu'on décide de prolonger le plan jusqu'en 1952 afin de faire jouer à plein les possibilités de l'aide américaine.

Toutefois, si, quantitativement, la reconstruction est achevée, qualitativement, on ne saurait considérer que la France s'est dotée d'un économie moderne. Mis à part des secteurs pionniers comme l'électricité ou le pétrole, on a, dans l'ensemble, reconstruit sur les bases existantes et la productivité générale de l'économie demeure faible. Les notions de rendement ou de rentabilité restent étrangères aux mentalités nationales et l'économie française est toujours caractérisée par la prédominance des petites entreprises, industrielles, artisanales, commerciales ou agricoles, employant une main-d'œuvre nombreuse et sous-équipée. Dans le climat de pénurie qui garantit la vente et en raison du contrôle étroit des échanges, ces nombreuses petites entreprises survivent, mais dans des conditions artificielles qui rendent leur prospérité trompeuse.

Cependant, il existe dans l'économie française en 1950 des facteurs de renouveau et de modernisation, provenant tant du secteur nationalisé que du secteur privé. Dans le premier où l'Etat, on l'a vu, a consenti un effort important d'investissement, on assiste à la mise en place d'un équipement moderne et à une volonté de rentabiliser les productions : Charbonnages de France, Electricité de France, Gaz de France font ainsi figure d'entreprises pionnières. Dans le domaine des entreprises privées, on constate, dans les secteurs où les ententes sont traditionnelles, un effort de modernisation et de rationalisation.

La sidérurgie, où s'opèrent des regroupements horizontaux et verticaux, en fournit un bon exemple. C'est ainsi qu'en 1949 la fusion de la *Société des Forges et Aciéries du Nord et de l'Est* et de la *Société des Forges et Aciéries de Denain-Anzin* donne naissance à USINOR. L'année suivante c'est la création de SIDELOR à partir du regroupement des *Aciéries de Rombas et de Micheville*, des *Forges et Aciéries de la Marine* et des *Fonderies de Pont-à-Mousson*. Comme à la fin des années vingt, il existe donc un secteur pionnier capable de servir de moteur à la modernisation de l'économie française.

Mais, à la différence de ce qui se passait à cette époque, l'action de l'Etat s'exerce, cette fois, dans le sens de cette modernisation. Ne serait-ce qu'en créant dans les milieux économiques un état d'esprit nouveau orienté vers l'investissement. Le produit national, évalué en francs constants, étant à peu près identique en 1949 à ce qu'il était en 1938, son affectation entre la consommation et l'investissement s'est notablement modifié entre ces deux dates.

Affectation du produit national

	1938	*1949*
Consommation des ménages	74,5 %	68 %
Consommation des administrations	12,5 %	11,5 %
Investissement	13 %	20,5 %

Néanmoins, cette rapide reconstruction a créé des déséquilibres sociaux et financiers. Sur le plan social, les pénuries nées de la guerre et l'abondance monétaire ont permis, dans un climat d'inflation, aux agriculteurs, aux industriels et aux commerçants de connaître une situation d'aisance. Dans l'atmosphère de rigueur et de difficultés qui est celle des années d'après-guerre, ils apparaissent à l'opinion comme un groupe de «nouveaux riches» dont la prospérité ostentatoire contraste fortement avec l'idéal de justice sociale de la Libération. Par contre, la grande masse des salariés dont les salaires sont tardivement réajustés pour tenir compte de l'inflation ont été assez largement lésés par les conditions dans lesquelles s'est opérée la Reconstruction.

On a déjà insisté sur le poids du déséquilibre financier dû aux choix du printemps 1945 et qui explique que la reconstruction se soit opérée dans un climat d'inflation. Celle-ci a pour conséquence de rendre plus coûteux les achats des étrangers en France, donc de gêner les exportations, mais de permettre les achats de produits étrangers à des prix avantageux, donc de stimuler les importations. Il en résulte un déséquilibre de la balance commerciale et de la balance des paiements, que seule l'aide Marshall permet de rééquilibrer. Enfin, le budget de l'Etat demeure déficitaire, les recettes ne couvrant les dépenses qu'à 70 % entre 1947 et 1949. C'est à ce déséquilibre financier que tente de porter remède la nouvelle politique qui se met progressivement en place à partir de 1947 et qui représente un retour très net au libéralisme et aux lois du marché.

Un tournant libéral

On a vu que les débuts de la reconstruction économique en France s'étaient opérés sous l'égide de l'Etat et dans un climat socialisant où l'interventionnisme des pouvoirs publics, les nationalisations, le Commissariat au Plan et ses experts apparaissaient à la fois comme des facteurs de la modernisation de l'économie nationale et des artisans de la justice sociale. Dans l'atmosphère de la Libération, les critiques de cet interventionnisme, venues des milieux d'affaires ou, dans le monde politique, des milieux radicaux et modérés, se font feutrées tant le socialisme apparaît à l'opinion porteur de connotations positives. La tension entre Américains et Soviétiques, la naissance des démocraties populaires, l'éviction des ministres communistes du gouvernement, l'entrée du monde dans la guerre froide constituent autant de facteurs qui rendent compte d'un retournement de cet état d'esprit. A partir de l'automne 1947, pour toute une partie de l'opinion et du monde politique, les idées socialisantes apparaissent désormais comme synonymes de privation de liberté et d'entrée dans un système politique dont l'URSS et les démocraties populaires offrent le sinistre exemple, faisant du socialisme un véritable contre-modèle. Du même coup, le libéralisme, longtemps silencieux et tenu à une prudente réserve, opère un retour en force que la politique économique enregistre en toute priorité. Il est par exemple caractéristique que, remaniant son cabinet le 30 octobre 1947, Paul Ramadier élimine les ministres socialistes les plus novateurs, Tanguy-Prigent et André Philip, pour répondre aux préoccupations des modérés, désormais nécessaires à la construction d'une majorité.

A partir de l'automne 1947, ce sont des tenants du libéralisme économique, radicaux ou modérés, qui se succèdent au ministère des Finances et vont imposer progressivement un retour à l'économie de marché. Le radical René Mayer, le modéré Maurice Petsche, puis bientôt le radical Edgar Faure s'appliquent les uns et les autres à mettre fin aux pratiques dirigistes.

Dès décembre 1947, René Mayer se fixe comme objectif un retour aux grands équilibres traditionnels. Pour équilibrer une trésorerie, perpétuellement aux abois, par d'autres moyens que l'émission monétaire à jet continu, un très large recours est fait à l'emprunt et à l'impôt. De grands emprunts, dont un emprunt forcé en janvier 1948, sont lancés par Mayer et Petsche. En septembre 1948, il est fait obligation aux banques de détenir un montant minimum de Bons du Trésor. Il en résulte un gonflement de la dette publique qui passe, entre janvier 1945 et janvier 1951, de 1 674 milliards à 2 845 milliards, mais l'Etat se trouve doté de cette manière de ressources indispensables.

Parallèlement, on assiste à un alourdissement de la fiscalité. Les impôts sur le revenu connaissent une série de hausses spectaculaires entre 1947 et 1949 et, pour donner à l'Etat des ressources, on institue en 1947 les acomptes provisionnels. A côté des personnes physiques, les entreprises sont tout aussi lourdement frappées par l'impôt sur les bénéfices créé en 1949 et qui représente un quart de ceux-ci, par l'impôt sur les salaires, par la croissance des cotisations sociales.

A côté de l'accroissement des recettes, le retour à la politique traditionnelle exige une compression des dépenses publiques. Dès avril 1947 est créée une «Commission de la Hache» dont la mission est de proposer des suppressions des dépenses de l'Etat : 110 000 postes de fonctionnaires sont ainsi supprimés en 1947-1949. La diminution durant le même temps des dépenses militaires qui tombent en 1950 à 20,9 % du budget de l'Etat contre plus de 32 % en 1947 contribue à cette résorption du déficit qui est toutefois loin d'être atteinte en 1950.

En même temps que les finances publiques sont ainsi remises en ordre, les nouveaux responsables de l'économie s'appliquent à remettre la France dans les conditions d'une véritable économie de marché, et, d'abord, en rétablissant la vérité des prix. Le gouvernement réduit les subventions qui maintenaient artificiellement bas les prix industriels, faisant subir à ceux-ci une hausse brutale en 1947-1948. Toutefois si cette libération des prix est importante, elle n'est pas générale et certains prix demeurent contrôlés, d'autres continuant à être fixés par l'Etat. Néanmoins, cette marche vers la libéralisation rapproche progressivement les prix français de la réalité du marché. Encore faut-il, pour que l'économie française puisse valablement se réinsérer dans le marché mondial, que soit mis fin à la surévaluation des prix français. Là encore les libéraux qui gouvernent désormais l'économie française décident de ramener la valeur officielle du franc à celle qui est la sienne sur le marché parallèle des devises. En 1948, une première dévaluation du franc l'ampute de 80 % de sa valeur, amenant le dollar à 264 F. En septembre 1949, après la dévaluation de la livre, Maurice Petsche dévalue à nouveau le franc de 22,4 %. Il est officiellement fixé à 2,539 mg d'or et le cours du dollar s'élève à 350 F. Désormais on considère que la parité du franc correspond à peu près à sa valeur réelle.

Ces mesures drastiques ne sont pas sans résultat et, vers 1949-1950, on peut considérer que les conséquences économiques les plus graves de la guerre ont été effacées. La confiance revient et, avec elle, les capitaux, d'autant que la vente libre de l'or a été rétablie en 1949. Le déficit budgétaire est en voie de résorption. La balance commerciale et la balance des comptes se trouvent presque équilibrées. Au début de 1950, la France connaît sur le plan économique un début de stabilisation. Tout le problème est de savoir si, celle-ci étant obtenue, la France va poursuivre dans la voie de la croissance qui lui a permis en quelques années de reconstruire son économie ou si la crainte de l'inflation va la pousser à freiner son développement économique pour maintenir ses équilibres. C'est là le grand débat du début des années cinquante que la IVe République va avoir à trancher.

Surchauffe et stabilisation : l'expérience Pinay

On a vu que le début de récession que connaissent les Etats-Unis en 1949 permet à la France de tenter une stabilisation économique qui paraît réussir. En 1950, le déficit de la balance commerciale n'est plus que de 78 millions de dollars. A cette date commence une libération de 50 % des échanges extérieurs dont l'objet est de stimuler l'achat de biens de consommation à l'étranger, de manière à faire baisser les prix intérieurs. On a vu que, depuis 1948, René Mayer avait libéré une partie de ceux-ci. De leur côté, les salaires deviennent libres en février 1950. Cette stabilité dans le libéralisme retrouvé est toutefois remise en cause dès 1949-1950.

D'abord par la signature en avril 1949 du Pacte Atlantique qui prévoit un programme de réarmement pour tous les pays membres. Cet effort généralisé de réarmement provoque une hausse du prix des matières premières et les dépenses auxquelles la France doit faire face s'avèrent difficilement compatibles avec l'exécution du Plan Monnet. Toutefois, cette première difficulté est en partie résolue par la participation financière américaine aux dépenses de réarmement, puis, entre 1950 et 1955, aux frais militaires entraînés par la guerre d'Indochine.

Mais la stabilité est surtout compromise par le déclenchement, le 21 juin 1950, de la guerre de Corée. Celle-ci entraîne une hausse énorme des matières premières stratégiques (pétrole, caoutchouc, métaux non ferreux, laine, coton), de l'ordre de 40 % en raison des énormes besoins des Etats-Unis et de l'accélération du réarmement des pays de l'OTAN. Parallèlement les frets maritimes connaissent une augmentation considérable.

Quelle est la conséquence, pour la France, de cette

brutale accélération de la demande? L'effet sur l'économie française est triple.

— En premier lieu, la guerre de Corée et ses conséquences entraînent une augmentation soudaine des exportations françaises. Celles-ci s'accroissent de 46 % en 1950 et connaissent encore une croissance de 12,5 % en 1951. Par rapport à 1949, les exportations de minerais et de métaux non ferreux triplent, celles de minerai de fer et de produits sidérurgiques augmentent de 80 %, celles de produits manufacturés (surtout provenant des industries mécaniques et électriques)croissent de 17 % en 1950, de 40 % en 1951.

— En second lieu, cette soudaine flambée de la demande provoque une relance de l'inflation. Si la situation de pénurie qui expliquait l'inflation de la Libération est en voie de disparition, la guerre de Corée relance une inflation par les coûts. Celle-ci résulte tout d'abord de la hausse brutale du prix des matières premières importées. Mais la hausse prend très vite un caractère spéculatif dû à la volonté des chefs d'entreprise de profiter de la conjoncture mondiale à la hausse pour majorer leurs prix. De 1950 à 1951, les prix de gros augmentent de 27 %, tandis que la hausse des prix de détail n'excède pas 16 %.

Dans ces conditions, la bonne conjoncture et la hausse des prix poussent les salariés à revendiquer des ajustements de salaires (qu'ils obtiennent en 1950 et 1951) et les paysans à exiger une augmentation des prix agricoles (en 1951, le gouvernement accepte d'augmenter de 38 % le prix du quintal de blé).

La spirale inflationniste est donc relancée. L'idée prévaut que l'inflation est presque impossible à stopper et, en 1952, la politique gouvernementale s'adaptera à cette donnée en instituant pour le Salaire minimum interprofessionnel garanti (le SMIG) une échelle mobile qui l'indexe sur la hausse des prix.

— En troisième lieu, la guerre de Corée et ses conséquences vont agir comme un stimulant à la consommation. La hausse des salaires et des prix agricoles permet à la consommation d'augmenter dans d'importantes proportions (+6 % en 1950 ; +7,5 % en 1951), ce qui a pour effet d'accroître les importations. Celles-ci, freinées un moment en 1950 par la montée des prix, augmentent en 1951 de 15,5 % et la balance commerciale accuse en 1951 une chute brutale. Ce phénomène a pour effet de restreindre les investissements dans un premier temps (leur croissance n'est que de 1 % en 1950) avant que la reprise de l'inflation ne leur permette de remonter à +5,5 % en 1951.

Il est donc incontestable que la guerre de Corée, par ses divers effets, compromet l'effort de stabilisation entrepris en 1948-1949 et fait s'éloigner les perspectives d'une croissance dans la stabilité. Le choix qui est alors posé est de savoir s'il faut poursuivre l'expansion dans l'inflation ou la bloquer par une politique de stabilisation.

Le choix va être résolu de façon politique. En mars 1952, Antoine Pinay devient président du Conseil. Avec lui, c'est la droite classique qui est au pouvoir, avec sa politique de primauté aux grands équilibres, de maintien de la valeur de la monnaie, d'économies budgétaires et d'orthodoxie financière. Toutefois, le président du Conseil doit tenir compte d'une majorité où coexistent des modernistes, soucieux d'expansion, et même des dirigistes attachés à une politique sociale. Lui-même ne se veut nullement un théoricien et paraît décidé à conduire une politique pragmatique.

Sa volonté majeure est d'abord de stabiliser les prix. Il y est aidé par une conjoncture mondiale orientée à la baisse. En effet, après la surchauffe de la guerre de Corée, les Etats-Unis connaissent en 1952 une nouvelle vague de récession économique. Dans ces conditions, la campagne psychologique lancée par Antoine Pinay en faveur de la baisse des prix réussit. Entre mars et juillet 1952, l'indice des prix baisse de 4 %. Toutefois, ce résultat n'est que provisoire. Dès la fin de l'été, les prix remontent, et, en septembre 1952, le gouvernement doit les bloquer. L'inflation reprend, bien que le gouvernement, pour ne pas avoir à réajuster les salaires, s'efforce d'agir sur les prix de certains produits qui entrent dans la constitution de l'indice.

Parallèlement à cette volonté de stabilisation monétaire, le gouvernement Pinay multiplie les mesures destinées à donner confiance aux capitaux. En mai 1952, pour inciter les capitaux à rentrer en France, une amnistie fiscale est instaurée en faveur de ceux qui, malgré le contrôle des changes, ont fait fuir leur argent à l'étranger. La plus célèbre des mesures prises dans ce domaine est cependant le lancement de l'emprunt Pinay, emprunt à 60 ans et 3,5 %, mais qui, aux yeux des souscripteurs, présente deux vertus majeures : il est indexé sur l'or et garantit donc les porteurs contre toute dépréciation monétaire et il est exonéré d'impôt sur le revenu et d'impôt sur les successions, ce qui en fait un moyen légal d'évasion fiscale. En dépit de son succès auprès des porteurs de capitaux, le rendement de l'emprunt Pinay est médiocre. Il rapporte 428 milliards, dont seulement 200 milliards en argent frais et en or, le reste résultant de la conversion d'anciens emprunts ou de bons du Trésor. Comme, par ailleurs, il s'avère, en raison de l'indexation sur l'or des diverses exonérations, fort coûteux pour l'Etat, il apparaît comme une mesure à courte vue, qui n'éponge que 4,5 % de la masse monétaire.

Enfin, dans la meilleure tradition poincariste, Pinay s'efforce de réaliser l'équilibre budgétaire. Il présente un budget théoriquement en équilibre, grâce à des économies draconiennes de 110 milliards. Mais comme la plupart des postes budgétaires sont incompressibles, l'essentiel de son programme d'économies consiste à trancher dans les investissements publics, désignés par les libéraux comme une des causes de l'inflation. 95 des 110 milliards d'économies sont réalisés par des coupes sombres dans les investissements qui, pour la première fois depuis la Libération, connaissent un recul (−3,5 % en 1952, par rapport à 1951).

Quels ont été les résultats de l'«expérience Pinay»? On note un extraordinaire contraste entre les résultats psychologiques de l'opération et la réalité économique. Sur le premier point, Pinay a su toucher les consommateurs et les persuader que, pour la première fois, une politique cohérente et adaptée à fait reculer l'inflation et rétabli la confiance. Antoine Pinay devient l'idole d'une classe moyenne de petits épargnants, gagne une réputation de grand thaumaturge des finances publiques, de nouveau Poincaré, qui va faire de lui l'un des rares hommes de la IVe République à jouir d'une réelle popularité. Le bilan économique est moins flatteur. La France de M. Pinay subit une récession économique. La croissance du Produit intérieur brut qui avait été de +7,9 % en 1950, de +6,4 % en 1951 tombe en 1952 à +2,3 % et en 1953 à +3 %. Les exportations françaises chutent de 6 % en 1952 et 1,2 % en 1953, les prix français ayant été stabilisés à 15 ou 20 % au-dessus des prix mondiaux. Le déficit du commerce extérieur atteint, en 1952, 618 millions de dollars et finalement le budget, qu'il s'agissait de rééquilibrer, est en déficit en raison des moins-values fiscales dues à la récession.

L'échec économique est donc patent et le mythe Pinay n'est qu'une illusion. Malgré l'effort de propagande qui a entouré son action, le président du Conseil de 1952 n'a résolu aucun problème. Jugulée quelques mois, l'inflation reprend, l'emprunt qui ne rapporte pas plus à l'Etat que les emprunts antérieurs lui coûte plus cher dans l'avenir. L'équilibre du budget n'est pas obtenu, mais l'effort poursuivi pour l'atteindre installe en France une récession économique. Fin 1952, les experts financiers considèrent la dévaluation comme inévitable. Sans doute la récession de 1952-1953 s'explique-t-elle assez largement par la conjoncture mondiale orientée à la baisse, mais la politique d'Antoine Pinay, loin d'en combattre les effets, en a aggravé les conséquences.

Or, au moment même où la France subit ainsi cette crise conjoncturelle de 1952, commence une crise structurelle d'une partie de la société française qui va rendre sa solution encore plus difficile.

La crise structurelle de la société française

Les catégories de producteurs ou de commerçants qui avaient le plus bénéficié de la situation de pénurie de la guerre et de ses suites des années d'après-guerre commencent à subir après 1950 le contrecoup de la disparition de la pénurie, puis celui de la stabilisation et de la modernisation de l'économie qui, partis des secteurs de base, s'étendent progressivement à l'ensemble de l'économie française.

Le premier de ces contrecoups est subi par le monde rural. Pendant dix ans, de 1939 à 1949, il a connu, du fait de la pénurie de denrées alimentaires, puis de l'inflation, une trompeuse euphorie. A l'abri de celle-ci, les structures agraires, déjà inadaptées dans l'entre-deux-guerres, ne se sont nullement modernisées. Alors que la France de 1946 compte 35 % d'agriculteurs dans sa population active, les carences des années trente demeurent (chapitre I) : morcellement, faible productivité, utilisation insuffisante des engrais, ignorance de l'usage des semences sélectionnées, médiocre mécanisation. Les techniques agricoles modernes sont pratiquement ignorées et, sur la plupart des exploitations, on continue à employer les anciennes méthodes de culture. Quant à l'investissement agricole, il est réduit au maximum, même dans les grandes exploitations du Bassin parisien. Toutes les disponibilités servent à accroître la production en quantité pour bénéficier de la bonne conjoncture. La Confédération générale de l'Agriculture est une organisation conservatrice, se considérant non comme responsable de la promotion et de la modernisation de la profession agricole, mais comme un groupe de pression, qui est d'ailleurs tenu en main par les plus riches des agriculteurs.

Or, dès 1949, la production agricole retrouve son niveau d'avant-guerre et, la pénurie disparaissant, le rationnement est abandonné. Aussitôt commence la chute des prix à la production. Pour y faire face, les groupes de pression agissent sur le Parlement en constituant en son sein des «lobbies» de députés prêts à soutenir leurs intérêts. Le plus célèbre est celui formé autour du député de l'Oise, Jean Legendre, par les producteurs de betteraves du Bassin parisien, mais il en existe d'autres inspirés par les producteurs de céréales ou les viticulteurs du Languedoc et du Bordelais. En 1948, sous la pression des producteurs de betteraves, l'Etat accepte de distiller 27 % de la récolte de betteraves, afin de maintenir le prix du sucre.

Mais si les grands groupes de pression réussissent ainsi à défendre leurs intérêts, ils sacrifient sans problème ceux des petits producteurs mal organisés qui connaissent la mévente et chez qui commence une vague d'exode rural dès 1951-1952.

Plus tardif est le mouvement qui frappe artisans et commerçants. Il se révèle à la faveur de la stabilisation Pinay de 1952 qui, en freinant la consommation et en installant une situation de récession, met en relief l'inadaptation de tout un secteur de l'économie face à la modernisation des structures : artisans menacés par la production d'entreprises ayant investi pour renouveler leur matériel et produisant dans des conditions plus rentables, producteurs touchés par la diminution de la demande dans des secteurs comme le textile, la chaussure ou la confection et incapables de faire front à la concurrence étrangère, à partir du moment où les échanges se trouvent libérés, commerçants atteints par la naissance des formes modernes de distribution et ulcérés par la diminution de leurs marges bénéficiaires après l'heureux temps de la pénurie...

Toutes ces victimes de la modernisation constituent un bloc de mécontentement latent dont la colère perce avec la multiplication des contrôles fiscaux. Le poujadisme va y puiser l'essentiel de sa clientèle (voir chapitre XI, Les crises de la IVe République).

La conjonction de la crise conjoncturelle de 1952, effet de la récession américaine aggravée par l'expérience Pinay et de la crise structurelle que subissent des secteurs importants de la société française, va conduire à partir de 1953 les gouvernements français à choisir l'expansion et la modernisation économique, tout en s'efforçant de préserver la stabilité. Entre 1953 et 1957, l'économie française connaît ses plus belles années sous la IVe République, celles de l'«expansion dans la stabilité».

L'expansion dans la stabilité : la croissance française (1953-1957)

Devenu en juin 1953 ministre des Finances du gouvernement Laniel, Edgar Faure dirige pratiquement sans discontinuer l'économie française jusqu'à la fin de 1955, soit comme ministre des Finances et de l'Economie, soit comme président du Conseil. Son nom est attaché à la période la plus prospère de la IVe République, celle au cours de laquelle la France de l'après-guerre prend définitivement le virage vers l'expansion et la modernisation. Lui-même a d'ailleurs qualifié d'«expansion dans la stabilité» la période au cours de laquelle il est responsable de la politique économique de la France.

C'est en effet en 1953 que la France retrouve approximativement le niveau record de la production d'avant-guerre (celui de 1929-1930). Mais cette situation n'est pas perçue par les Français comme un retour à la prospérité, car la ponction des investissements sur le revenu national est beaucoup plus importante qu'avant la guerre et, de ce fait, la consommation n'a pas encore retrouvé, en 1953, le niveau de 1938. Dans ces conditions, Edgar Faure juge nécessaire une relance économique qui, portant à la fois sur l'investissement (pour préparer l'avenir) et sur la consommation (pour satisfaire les Français), permettrait de doubler en 10 ans le revenu national. C'est dans cette perspective qu'il décide la mise sur pied du Second Plan de modernisation et d'équipement, baptisé plan Hirsch, du nom du commissaire au Plan et qui est prévu pour couvrir la période allant du 1er janvier 1954 au 31 décembre 1957.

Par rapport au plan Monnet, le plan Hirsch présente une double originalité. La première réside dans l'accent mis sur la consommation qui devient le moteur essentiel de l'expansion. Le plan prévoit une augmentation de 6 % par an du revenu national. La construction doit être accrue de 60 % pendant la période du plan, l'industrie de 30 %, mais la priorité est, cette fois, donnée aux industries de consommation, l'agriculture doit enfin progresser de 20 %. Toutefois, signe des nouvelles préoccupations économiques, il ne s'agit pas seulement d'accroître la production, mais aussi de moderniser l'appareil productif français. C'est ainsi qu'en 1953 est créé un Commissariat à la Productivité dont l'objet est d'insister sur la rentabilité de la production nationale. La seconde originalité du plan Hirsch tient à la diversification de son financement. A la prépondérance quasi absolue des investissements d'Etat se substituent des formes de financement diverses. L'Etat continue à prendre à sa charge les frais d'investissement agricole et ceux qui concernent l'équipement national, soit 27 à 28 % du total des investissements des années 1953-1958. Mais le reste est à la charge des entreprises publiques ou privées qui doivent soit s'autofinancer, soit émettre des emprunts, parfois garantis par l'Etat (comme ceux émis par la sidérurgie). Sans abandonner sa mission de contrôle de l'économie nationale, l'Etat invite donc l'industrie privée, reconstruite, à prendre le relais de l'effort qu'il a consenti durant les 8 années qui ont suivi la Libération.

C'est cette politique qui explique la forte croissance des années 1953-1957. En effet, à partir de 1953-1954, la France s'engage dans un processus de croissance qui se poursuivra pratiquement sans interruption jusqu'en 1974, en dehors de quelques ralentissements temporaires. Alors qu'entre 1954 et 1957, les prix demeurent pratiquement stables, la production augmente en moyenne de 6 % par an. Les exportations se développent et, certaines années (1954, 1957), la balance commerciale de la France devient excédentaire. Toutefois, la structure du commerce extérieur reste fragile, car la France exporte des produits agricoles vendus à perte par l'Etat ou des matières premières industrielles alors qu'elle importe de l'énergie ou des machines. Cependant, les reliquats de l'aide américaine lui permettent d'accroître ses réserves en devises qui atteignent, en 1955, 680 milliards contre 204 en 1953. Poursuivant dans la voie ouverte par René Mayer et Maurice Petsche, la France continue à libérer progressivement ses échanges, et les années 1953, 1954, 1955 voient la suppression des contingentements qui limitent l'importation de certains produits. Là encore existent des difficultés qui conduisent à imposer une taxe de 15 % sur les produits importés et à subventionner les exportations. En dépit de la précarité du commerce extérieur et du caractère artificiel de l'équilibre obtenu par la balance des paiements (aide américaine), les résultats sont spectaculaires. La France du milieu des années cinquante, dix ans après la Libération et la situation dramatique qu'elle a léguée au pays, s'engage dans la voie de l'expansion et de la croissance.

Si le plan Hirsch paraît particulièrement bien adapté à la situation économique de la France, les causes de cette croissance tiennent à des circonstances conjoncturelles et structurelles qui échappent en partie à la volonté des responsables de l'économie nationale.

Au premier rang de ces éléments favorables s'inscrit le contexte mondial. La croissance française du milieu des années cinquante est un élément de la croissance généralisée des pays industriels. Il reste que la France, sans doute parce que le retard qu'elle a accumulé depuis 1930 est considérable et qu'elle doit le rattraper, s'inscrit dans le peloton de tête de la croissance au sein des pays industriels.

Produit national brut en 1959
(Indice 100 = 1953)

République fédérale d'Allemagne	141
France	122
Royaume-Uni	113
Etats-Unis	104

Et, pour la première fois depuis la fin de la guerre, cette croissance se produit dans la stabilité des prix. La retombée de l'inflation coréenne se poursuit dans le monde et se manifeste par la baisse du prix des produits importés qui fait disparaître l'inflation par les coûts, cependant que la production stimulée efface l'inflation par la demande.

Cette situation permet une reprise de l'investissement public et privé, après le freinage dû à la politique Pinay en 1952.

Croissance des investissements en France

1954	+ 8,5 %
1955	+ 13 %
1956	+ 8,5 %
1957	+ 10,5 %

Au total, 900 milliards de francs (valeur 1958) sont investis en 4 ans, dont plus des deux tiers du fait de l'initiative privée. On est là en présence d'un tournant psychologique essentiel, marquant une étape fondamentale dans la prise de conscience des réalités économiques. A l'école des Américains (les missions de productivité envoyées aux Etats-Unis se sont multipliées depuis la Libération), les Français découvrent la nécessité absolue de l'investissement et de la recherche de la rentabilité.

Parmi les éléments conjoncturels qui expliquent la croissance et que le Plan a d'ailleurs pris en compte intervient enfin l'augmentation de la consommation des ménages. La stabilité des prix, en rendant moins tendus les rapports sociaux, a permis de mettre fin à la course prix-salaires. Dans le nouveau climat social et psychologique des années 1953-1957, on en vient à l'idée que la croissance nécessite une harmonisation permanente des salaires et des prix en fonction de l'augmentation de la production. La période 1953-1957 est d'ailleurs celle de la signature de nombreuses conventions collectives qui traduisent dans les faits cette prise de conscience. Le modèle demeure l'accord Renault du 15 septembre 1955, signé entre la direction et les syndicats, accord de portée historique car il est le premier à placer le problème social dans une perspective économique générale. L'accord prévoit une augmentation annuelle de 4 % des salaires pendant deux ans, trois semaines de congés payés plus onze jours chômés par an, en échange de quoi les syndicats s'engagent à ne pas recourir à la grève avant d'avoir épuisé toutes les possibilités de conciliation.

Cette distribution croissante de revenus permet un spectaculaire accroissement de la consommation des ménages qui, comme le Plan l'avait prévu, devient le moteur principal de l'expansion économique.

Croissance de la consommation des ménages

1954	+4 %
1955	+6 %
1956	+5,5 %
1957	+5 %

Mais à ces éléments conjoncturels, il faut ajouter une cause structurelle, sans doute déterminante et qui explique le maintien de la croissance économique : la poussée démographique que connaît le pays. Ce phénomène contraste brutalement avec la stagnation démographique qu'a connue la France dans ce domaine jusqu'en 1945 puisque, entre 1935 et 1945, le taux brut de natalité s'établit à 15 ‰, tandis que le taux de mortalité est de

16 ‰, ce qui revient à un taux d'accroissement naturel négatif (– 1 ‰), seulement compensé par l'immigration.

Au contraire, au lendemain de la guerre, on enregistre une augmentation marquée du taux de natalité, 20 ‰ entre 1946 et 1954, 18 ‰ entre 1954 et 1957. De son côté, la mortalité diminue rapidement, tombant à 12 ‰ dans les années 60. Dans la période 1950-1958, le chiffre des naissances ne descend jamais au-dessous de 800 000 par an, ce qui laisse un excédent de naissances de 250 000 à 280 000 individus par an. La France de la IVe République est donc un pays à la fois rajeuni par la croissance du taux de natalité depuis 1946 et vieilli par la diminution du taux de mortalité et l'augmentation de la durée moyenne de la vie qui en résulte (63 ans pour les hommes, 68 ans pour les femmes).

Au 1er janvier 1958, la France compte ainsi 44,3 millions d'habitants dont 11,4 millions ont moins de 15 ans et 5,1 millions plus de soixante ans. Il est certain que l'expansion démographique constitue un stimulant de la consommation, mais la structure de la population est telle que la population active ne comprend que 19,6 millions d'habitants, soit 44 % de la population. Chiffre qui apparaît nettement insuffisant, compte tenu de l'effort de production à entreprendre. Non seulement le plein emploi est réalisé, mais on constate une pénurie de main-d'œuvre, qui s'aggrave avec la guerre d'Algérie et l'allongement de la durée du service militaire. Il faut faire appel entre 1951 et 1957 à 164 000 étrangers et 154 000 Nord-Africains. Situation de pénurie de main-d'œuvre qui pousse à l'augmentation des salaires et permet de réaliser la croissance sans grandes tensions sociales.

Il va cependant de soi que cette croissance ne concerne pas également l'ensemble des secteurs économiques.

Les secteurs moteurs de la croissance

Parmi les secteurs industriels qui ont particulièrement bénéficié de la croissance, on ne sera pas surpris de trouver ceux qui furent considérés comme fondamentaux à l'époque du premier Plan (l'énergie), puis du second Plan (les industries de consommation).

Le développement du programme énergétique représente la poursuite de l'effort de modernisation et d'équipement entrepris durant la période de la reconstruction. C'est d'ailleurs lui qui a bénéficié de la grande masse des investissements publics. C'est ainsi que la production d'énergie électrique passe entre 1950 et 1958 de 40 à 57 milliards de kWh, grâce à la construction de centrales thermiques et surtout hydro-électriques. Les années de la IVe République voient la poursuite de l'aménagement du Rhône avec la construction du barrage de Rochemaure au nord de Montélimar, celle du canal d'Alsace avec l'achèvement des barrages de Kembs, Ottmarsheim, Fessenheim, cependant que sont mis en chantier ceux de Vogelgrün et de Marckolsheim. Enfin, en 1956 un accord franco-allemand pour l'aménagement de la Moselle est signé. Autre secteur dynamique, celui du raffinage du pétrole dont la capacité passe entre 1950 et 1958 de 24 à 33 millions de tonnes. Les recherches poursuivies en France permettent la mise en exploitation du gisement de pétrole de Parentis et surtout, à partir de 1957, du gisement de gaz naturel de Lacq, grâce à la découverte d'alliages permettant le transport du gaz malgré le soufre qu'il contient. Cette politique d'exploitation des hydrocarbures s'étend à l'Algérie. La société formée pour la recherche et l'exploitation des pétroles sahariens (la CREPS) découvre une série de gisements de pétrole à Edjelé et Hassi Messaoud et un gisement de gaz naturel à Hassi R'Mel. Il faut d'ailleurs noter que les efforts poursuivis dans le domaine de l'électricité et des hydrocarbures portent la marque d'une politique énergétique nouvelle tendant à substituer au charbon des formes plus modernes d'énergie.

Mais la vraie nouveauté qui caractérise l'époque est celle du développement des industries de consommation et sa signification sociologique est aussi importante que sa signification économique. Dans la mesure où la production des biens de consommation se substitue comme moteur de la croissance à celle des biens d'équipement, c'est que la France entre dans l'ère de la société de consommation, un moment entrevue à la fin des années vingt, et que la longue période de stagnation de la crise, de la guerre et de l'après-guerre, semblait avoir durablement éloignée. A partir du milieu des années cinquante, la France connaît une période de prospérité, ressentie comme telle, après la longue pénurie passée, et qui efface l'âge d'or de l'abondance d'avant-guerre qui avait hanté les Français pendant les années difficiles qu'ils viennent de vivre. Entre 1949 et 1957, les industries de consommation passent de l'indice 100 à l'indice 140,9, soit une croissance de plus de 40 % en 8 ans.

Quels sont les secteurs bénéficiaires de cette expansion de la consommation?

Le secteur qui connaît la croissance la plus spectaculaire est celui de l'hygiène et de la santé dont les dépenses augmentent de 77 % entre 1949 et 1957. C'est évidemment l'effet de la création de la Sécurité sociale qui pousse les Français à prendre l'habitude de se soigner, ce qui introduit dans la société française une modification sociologique fondamentale.

Toutefois, immédiatement après, viennent les dépenses de confort, véritable bouleversement pour une société qui jusqu'alors était prioritairement concernée par la satisfaction des besoins fondamentaux, alimentation ou logement. L'automobile est probablement le domaine industriel qui tire le plus grand bénéfice de ces nouveaux comportements. En 1944, le parc automobile français comporte 900 000 véhicules dont 680 000 voitures particulières. En 1957, il atteint 5 818 000 véhicules dont 3 972 000 voitures particulières.

Entre 1950 et 1958, la demande triple. Pour y répondre, les constructeurs doivent investir massivement. Renault joue un rôle pilote en ce domaine et construit le premier véhicule original de l'après-guerre, destiné à une très large clientèle aux revenus moyens, la 4 CV, qui fera une éblouissante carrière et fait figure de symbole du redressement de l'économie française après la Seconde Guerre mondiale. Fait caractéristique du nouvel état d'esprit des industriels français qui semblait avoir disparu depuis la fin des années vingt, les constructeurs automobiles commencent à se tourner vers l'exportation. En 1957, les possibilités d'expansion demeurent très fortes pour l'industrie automobile. Cette année-là, les constructeurs français livrent 900 000 véhicules contre 500 000 en 1952. Mais les livraisons exigent de longs délais, en particulier pour les voitures les plus économiques comme la 2 CV Citroën qui connaît un extraordinaire succès populaire. L'automobile cesse d'être l'apanage de la bourgeoisie et de la classe moyenne, comme dans l'entre-deux-guerres, pour pénétrer progressivement l'ensemble de la société française.

Autre secteur moteur de la grande croissance fondée sur le succès des industries de consommation, celui de l'équipement électroménager. L'équipement du foyer en éléments de confort comme les réfrigérateurs, les aspirateurs, les machines à laver et les téléviseurs devient une des grandes préoccupations des Français et les industries fournissant ces appareils connaissent un âge d'or.

% des ménages français possédant

	en décembre 1954	*en septembre 1957*
Un récepteur radio	72 %	78 %
Un récepteur de télévision	1 %	6 %
Un réfrigérateur	7 %	17 %
Une machine à laver	7 %	18 %
Un aspirateur	14 %	22 %

Là aussi, le développement économique s'inscrit en termes de confort accru pour la société française, à quoi on pourrait ajouter l'augmentation des dépenses de culture et de loisir (33 % entre 1953 et 1957). Et la modification du climat quotidien est perceptible dans le fait qu'entre ces deux mêmes dates, le poste de consommation qui augmente le moins est celui des dépenses alimentaires (+ 14 %), pratiquement prioritaire jusqu'en 1949.

Dans le domaine des industries de consommation, entraînant ainsi le début d'une mutation si profonde des conditions de vie des Français, subsiste cependant un point noir, celui du logement. Le blocage des loyers en France durant la Première Guerre mondiale, puis dans les années de l'entre-deux-guerres, a eu pour résultat de maintenir ceux-ci à un taux relativement bas, ce qui permet à la part du budget familial consacrée au logement d'être deux fois plus faible en France que dans tous les autres pays de l'Europe occidentale. Mais, dans ces conditions, il est peu rentable d'investir dans la construction de logements à usage locatif et les capitaux se détournent de cette forme d'investissement. Il en résulte une énorme pénurie de logements et la quasi-impossibilité pour les jeunes ménages d'en trouver un.

Pour renverser cette situation, le gouvernement prend,

à partir de 1950, une série de mesures : primes à la construction versées par le Crédit Foncier, prêts hypothécaires du Sous-Comptoir des Entrepreneurs, renforcement des pouvoirs du gouvernement en matière d'expropriation. En 1953 est votée une contribution patronale égale à 1 % des salaires et affectée à la construction. A partir de 1954, on accroît les fonds mis à la disposition des organismes d'HLM. Enfin, une loi de 1948 décide l'alignement progressif du loyer des logements anciens sur celui des logements neufs.

Cet effort n'est pas dépourvu de résultats. Un million de logements sont construits au cours du second plan contre 370 000 ente 1948 et 1952. Economiquement, le bâtiment est donc, avec l'automobile et l'électroménager, une des industries motrices de l'expansion. En revanche, sur le plan social, l'offre de logements est loin de correspondre à la demande et la crise du logement n'est pas achevée à la fin de la IVe République, s'accompagnant d'une hausse largement spéculative du prix des loyers.

En dépit de ce point noir, il n'est cependant pas excessif de dire que le tournant des années 1953-1957 est fondamental. L'économie française est reconstruite : en 1957, l'indice de la production industrielle est le double de celui de 1938 et dépasse largement celui de l'année-référence 1929. Et surtout, cette modification économique provoque dans la société française une mutation fondamentale qui en fait désormais une société mue par la consommation de masse.

Les problèmes de la croissance française à la fin de la IVe République

La croissance extrêmement rapide de l'économie française durant les années 1953-1957, accompagnée d'une profonde modernisation, fait, bien entendu, surgir des problèmes et des difficultés que parviennent mal à maîtriser des gouvernements affrontés pour la première fois à des questions de ce type.

Les difficultés touchent d'abord l'industrie elle-même, tant sur le plan social que sur le plan économique. L'introduction des notions de productivité, de rationalisation du travail, d'automation provoquent un malaise social dans le monde ouvrier habitué à un travail de type plus artisanal. Il en résulte des protestations syndicales, souvent sous forme de grèves, qui traduisent le malaise des ouvriers devant la modernisation. Mais les difficultés les plus graves sont d'ordre économique. Des secteurs entiers de l'industrie ne participent pas à la prospérité que connaissent l'automobile, l'électroménager ou la construction. Il s'agit d'industries, longtemps considérées comme essentielles, et qui végètent, soit en raison d'une diminution de la demande (les dépenses d'habillement, par exemple, n'augmentent entre 1953 et 1957 que de 18 %, soit à peine plus que les dépenses alimentaires), soit en raison de la concurrence étrangère. C'est le cas, par exemple, du textile qui perd le débouché colonial qui était le sien jusqu'alors et qui connaît une crise grave dans le Nord, les Vosges ou la Normandie ou de la chaussure qui périclite à Fougères ou à Limoges.

Le second grand problème de l'économie française est la crise agricole, née à partir de 1950, mais qui s'aggrave entre 1953 et 1957. Certains efforts sont tentés pour y mettre fin. On tente de promouvoir le remembrement et le total des parcelles remembrées passe de un million d'hectares en 1952 à 2,5 millions en 1957, ce qui est fort peu. La motorisation se développe, le nombre des tracteurs s'élevant de 177 000 en 1952 à 477 000 en 1957. L'accent est mis sur la production de produits considérés comme rentables, le lait et la viande en particulier. En même temps, le gouvernement s'efforce de limiter la production de betteraves (les quantités d'alcool achetées par l'Etat diminuent à partir de 1953), d'alcool (en 1954 le gouvernement Mendès France ose supprimer le privilège des bouilleurs de cru qui permettait aux paysans de fabriquer sans contrôle de l'alcool «pour leur usage personnel»), de blé (en 1953 le gouvernement fixe un prix garanti pour des quantités limitées). En fait, à travers la lutte contre les lobbies conservateurs de la betterave, du blé ou de l'alcool, c'est tout un effort d'orientation et de modernisation de l'agriculture qui est entrepris. Il aboutit à l'accélération de l'exode rural. Entre 1954 et 1957, 600 000 travailleurs quittent la campagne. Mais, là encore, la mutation entreprise ne va ni sans difficulté, ni sans tension.

Enfin, le troisième grand problème né de l'entrée de la France dans l'ère de la croissance et des vastes mutations en cours est la révélation d'un profond déséquilibre régional. La crise des industries traditionnelles et les difficultés les plus graves de l'agriculture touchent les même régions : l'Ouest, le Massif central, le Sud-Ouest, éloignés des grands courants d'échanges ou ne possédant pas un marché suffisant. La modernisation au contraire tend à concentrer les hommes et les entreprises là où se trouvent la main-d'œuvre, le marché, une infrastructure développée de transports, c'est-à-dire dans les zones urbaines, déjà économiquement évoluées : le Nord, la vallée du Rhône et surtout la région parisienne. Sans doute le phénomène est-il ancien. C'est en 1947 que le géographe Jean-François Gravier publie un ouvrage qui fait grand bruit, *Paris et le désert français*, dans lequel il dénonce la monopolisation par la capitale de toutes les activités économiques dynamiques aux dépens du reste du territoire national. Mais la croissance et la modernisation de l'économie française tendent à aggraver le phénomène.

On assiste alors à l'éclosion spontanée d'organismes de défense régionaux dans les zones économiquement menacées, par exemple, à l'initiative d'élus locaux et de chefs d'entreprise, le *Centre d'études et de liaison des intérêts bretons* (CELIB) ou encore le *Comité d'études et de liaison de la région Bas-Rhône-Languedoc*, animé par Philippe Lamour. C'est avec le gouvernement Mendès France en 1954 que l'on assiste à la prise de conscience du problème par le gouvernement. Une Direction de l'Aménagement du Territoire est créée au ministère de la Reconstruction et est chargée de regrouper l'action des différents comités d'études et de liaison, en en créant au besoin dans les régions qui en sont dépourvues. En décembre 1954, le gouvernement Mendès France crée un fonds spécial avançant des capitaux aux entreprises qui accepteraient de s'installer dans les zones déshéritées. En janvier 1955, la création de nouvelles usines est interdite dans un rayon de 80 km autour de Paris. Cette politique est poursuivie par le gouvernement Edgar Faure : définition des zones critiques qui connaissent le sous-emploi et octroi d'avantages aux entreprises qui s'y installent, sous forme d'exonérations d'impôts, de garantie de l'Etat aux emprunts, de formation de main-d'œuvre, de paiement par le Fonds de développement économique et social de 20 % des frais d'installation. Tout un programme de développement concerté est ainsi inclus dans les programmes d'action régionale. En fait, ce n'est qu'un début et on peut considérer que la IVe République finissante a tout au plus pris conscience des problèmes posés par l'aménagement du territoire plutôt qu'elle n'y a apporté de véritable solution.

La rançon de la croissance économique et de la modernisation réussie des années 1953-1957 est donc la naissance de nouveaux problèmes, contrepartie d'une croissance qui fait passer la France des années cinquante sur le plan économique du XIXe au XXe siècle.

Il convient donc de ne pas se leurrer. Toute l'histoire de la IVe République hormis les années 1952-1955 se déroule sur fond de crise financière, conséquence de l'inflation héritée de la guerre, mais aussi du choix du général de Gaulle en 1945, puis de la pénurie des années d'après-guerre, du boom coréen et des guerres coloniales. Le fait que le régime s'achève en pleine crise financière due aux conséquences de la guerre d'Algérie a largement contribué à projeter l'image d'une IVe République ayant échoué sur les plans économique et financier, image d'ailleurs complaisamment diffusée par la Ve République naissante.

Or la réalité apparaît bien différente de cette légende noire. Si la crise financière est indéniable, la IVe République a entrepris une transformation considérable des structures économiques et des conceptions sociales qui intègre la France dans la modernité des années cinquante.

D'abord en faisant de l'Etat le chef d'orchestre de la vie économique et sociale puisqu'il tient en main par le biais des entreprises nationalisées les clés du développement économique. Ensuite parce que cet Etat a choisi dès 1945 de s'engager dans la voie d'une reconstruction, puis d'une expansion planifiée qui permet le développement de l'économie française dans un contexte cohérent et qui la conduit à s'engager, conjoncture mondiale aidant, dans la période de croissance la plus longue et la plus soutenue de son histoire nationale, grâce à quoi la France pénètre au milieu des années cinquante dans l'ère de la production et de la consommation de masse. Dans ce processus, le rôle des grandes entreprises nationalisées est fondamental comme modèle qui conduit à la modification de la psychologie du patronat français et l'oriente, à la faveur de l'expansion démographique et de l'ouverture des frontières, vers des notions qui lui étaient jadis étrangères comme l'investissement, la productivité, la rentabilité, la gestion rationnelle... Enfin, parce que, dans le contexte de 1944, il a été admis que l'Etat avait un rôle d'arbitre social et qu'il lui appartenait de procéder à des corrections dans la distribution des revenus par des transferts sociaux : fiscalité, sécurité sociale, allocations familiales, retraites... Là, l'œuvre est importante surtout au niveau des principes proclamés, sa réalisation effective se heurtant aux difficulté financières, mais aussi aux résistances des intérêts économiques. En dépit de ces réserves, on ne saurait sous-estimer l'importance de notions nouvelles qui tendent à remplacer les vieilles lois du libéralisme économique fondées sur la conception du travail-marchandise soumis à la loi de l'offre et de la demande par des conceptions neuves selon lesquelles le travail doit recueillir sa part des fruits de l'expansion sous le contrôle de l'Etat qui s'efforce de mettre au point des pratiques de développement social concerté : l'institution de la Sécurité sociale en 1945, celle du salaire minimum interprofessionnel garanti (SMIG) en 1950, l'échelle mobile du SMIG en 1952, l'accord Renault de 1955 préfigurent un nouveau comportement social.

De ce point de vue, la IVe République représente une étape essentielle de la transition qui conduit la France d'une économie et d'une société purement libérales, mais attardées dans les conceptions du XIXe siècle dont la crise des années trente a révélé l'inadéquation, vers de nouvelles formules qui intègrent par le biais de l'action grandissante d'un Etat dirigiste l'économie et la société française au monde du XXe siècle. Mais ce début de modernisation économique et sociale dont la France est redevable à la IVe République s'est trouvé estompé dans les mémoires par la gravité de la crise qui emporte le régime entre 1954 et 1958.

IX

La France et le monde extérieur de 1945 à 1958

Au cours des deux années qui suivent la fin de la guerre, la politique extérieure de la France se trouve placée sous le double signe contradictoire de la continuité et de la rupture avec la période immédiatement antérieure au conflit. Continuité en ce sens que la IVe République continue de considérer l'Allemagne vaincue comme son principal adversaire potentiel, voire comme la seule puissance susceptible de constituer pour elle un danger. C'est la perception et l'amplification de ce danger qui inclinent ses gouvernements successifs à renouer avec la politique d'«Entente cordiale» que les cabinets de l'avant-guerre s'étaient efforcés de faire revivre, et à conclure avec les dirigeants de Londres, en mars 1947, le traité de Dunkerque. Mais rupture en même temps avec une configuration internationale dans laquelle la France faisait figure de grande puissance dont les choix de politique étrangère pouvaient s'exercer en toute indépendance, ce qui est loin d'être le cas au lendemain de la guerre.

Il avait fallu beaucoup d'opiniâtreté au général de Gaulle pour que la France libre fût reconnue par les trois protagonistes de la «Grande Alliance» comme une associée à part entière. Installé à Paris au lendemain même de la Libération de la capitale, le Gouvernement provisoire de la République française dut attendre le 23 octobre 1944 sa reconnaissance officielle par les alliés. «*Le gouvernement français est satisfait qu'on veuille bien l'appeler par son nom*», dira de Gaulle deux jours plus tard dans une conférence de presse. Le 11 novembre, il obtiendra que soit annoncé, à l'occasion de la venue à Paris de Churchill et d'Eden, l'admission de la France à la «Commission consultative européenne» en tant que quatrième membre permanent. Pourtant, les causes de friction ne manquent pas avec les Alliés, et elles vont avoir tendance à se multiplier et à s'accentuer au cours des derniers mois de la guerre.

D'abord, on le sait, le général n'était guère en odeur de sainteté auprès de Roosevelt qui se méfiait des tendances trop autoritaires, estimait-il, du chef de la France libre. A la mise en place d'un gouvernement issu de cette dernière, il aurait préféré que fût désigné un «*gouvernement militaire allié*» et s'il accepta finalement de reconnaître le GPRF, c'est d'abord parce que l'immense enthousiasme qui, partout en France et en particulier à Paris, avait salué l'arrivée de l'homme du 18 juin avait apporté à ce dernier une légitimation populaire que Roosevelt pouvait difficilement contester, ensuite parce que, dès le 12 septembre, de Gaulle avait promis de faire procéder aussi vite que possible à l'élection d'une Assemblée nationale. Il reste que, jusqu'à la capitulation allemande, et même jusqu'à l'extrême fin du conflit mondial, les pommes de discorde avec Washington vont s'accumuler, ne serait-ce que sur le plan militaire. A la fin de 1944, lors de l'offensive allemande dans les Ardennes, de Gaulle refuse d'évacuer Strasbourg comme l'ordonne le haut commandement américain et oblige Eisenhower à céder sur ce point. En avril 1945, la 1ère armée française occupe Stuttgart en violation des décisions stratégiques arrêtées par les alliés. Début mai, ce sont les troupes du général Doyen qui, déferlant depuis les cols des Alpes sur le val d'Aoste et sur le Piémont, s'avancent jusqu'aux environs de Turin. A cette date, le général qui avait été poussé en 1943 par une partie de son entourage algérois à annexer le val d'Aoste a renoncé à cette revendication maximaliste et songe seulement à quelques «rectifications» de frontière dans la haute vallée de la Roya. Il s'agit donc essentiellement pour lui de prendre un gage dans la perspective de la future négociation de paix, et aussi d'afficher la différence qui existe à ses yeux entre la France, puissance victorieuse, et l'Italie qui, en dépit du revirement de 1943, doit être considérée comme un Etat vaincu et un ancien ennemi. Ce n'est pas l'avis de Truman, qui vient de s'installer à la Maison-Blanche après la mort de Roosevelt et qui redoute, comme son prédécesseur, les desseins impérialistes du chef de la France libre. Aussi ordonne-t-il de suspendre toute livraison de matériel et de munitions aux troupes françaises, obligeant celles-ci à se retirer et à céder la place aux alliés.

Les rebuffades essuyées du côté de Washington et le souci qu'a eu le général de Gaulle d'affirmer son indépendance à l'égard des Anglo-Américains l'ont incité de bonne heure à chercher un contrepoids du côté de l'Est. Non que Staline lui ait été personnellement beaucoup plus favorable que Roosevelt et ait manifesté une grande sympathie envers la France libre. N'avait-il pas déclaré à Téhéran, selon Harry Hopkins, qu'il «*ne considérait pas qu'on pût, dans la période d'après-guerre, confier à la France des positions stratégiques en dehors de ses propres frontières*»? Mais le général n'a pas le choix. L'idée qu'il se fait dès cette époque de l'Europe à venir — «*celle-ci ne pourra*, écrit-il dans ses *Mémoires de guerre, trouver l'équilibre et la paix que moyennant l'association entre Slaves, Germains, Gaulois et Latins*» (t. III, pp. 46-47) — et surtout de la place que l'Allemagne sera amenée à y occuper («*plus de Reich centralisé*», autonomie interne de «*chacun des Etats appartenant au corps germanique*», «*statut spécial sous contrôle international*» pour la Ruhr, la Sarre érigée en entité indépendante reliée économiquement à la France, l'occupation prolongée de la rive gauche du Rhin, etc.), fait qu'il ne peut compter pour faire triompher ses projets «sécuritaires» sur l'appui de Washington et de Londres. Seule l'URSS, qui a payé un lourd tribut à la guerre et dont les desseins expansionnistes sont manifestes, est à même estime-t-il de seconder ses propres vues. A quoi il faut ajouter un mobile d'ordre intérieur, dont de Gaulle s'est toujours défendu, mais qui paraît pourtant avoir pesé sur sa décision de négocier un traité d'alliance avec Staline : la réinsertion des communistes à la vie politique française, que le rapprochement avec les Soviets ne pouvait que favoriser.

Déjà en mai 1944, alors que la Libération de la France n'était pas encore entamée, le général avait déclaré dans son discours de Tunis : «*Les Français veulent, une fois l'ennemi chassé, être à l'Ouest un centre de coopération directe et pratique et, vis-à-vis de l'Est, c'est-à-dire d'abord de la chère et puissante Russie, une alliée permanente.*» Et c'est bien dans cette disposition d'esprit, conforme, dira-t-il, «*à l'ordre naturel des choses*» (*Mémoires de guerre*, Paris, Plon, 1959, t. III, p. 54), qu'il se rend à Moscou dans les premiers jours de décembre 1944, en compagnie de son ministre des Affaires étrangères Georges Bidault, et signe avec Staline et Molotov, à l'issue d'une semaine de négociations, un traité d'alliance dont la clause principale stipule que les deux parties s'engagent à prendre «*toutes mesures nécessaires pour éliminer toute nouvelle menace provenant de l'Allemagne*». Marché de dupes à bien des égards, en ce sens que si le général de Gaulle a tacitement approuvé la future annexion par la Pologne des territoires allemands situés à l'Est de la ligne Oder-Neisse, Staline ne lui a en échange donné aucune garantie concernant le soutien de sa politique allemande. La ligne adoptée dès l'été 1945 par la diplomatie soviétique devait confirmer que la «*belle et bonne alliance*» n'avait guère eu d'autre résultat que d'inquiéter passagèrement les Anglo-Américains : pas assez toutefois pour que Roosevelt et son successeur modifient radicalement leur attitude envers le chef du gouvernement français.

Lorsque s'ouvre la conférence de Yalta, le 5 février 1945, de Gaulle peut déjà dresser un bilan amer de sa politique à l'Est. Elle n'a pas été d'un poids suffisant pour que le président américain accepte d'inviter en Crimée le chef de la France libre, ce que Churchill et Staline étaient à la rigueur disposés à faire. C'est par la presse que le général a appris en janvier le projet de conférence à trois et il a très mal pris la chose. Les bonnes paroles prodiguées par Hopkins, à qui Roosevelt avait confié la délicate besogne, avant le rendez-vous de Malte, de passer par Paris pour tenter d'apaiser l'homme du 18 juin, n'y changeront rien et, lorsqu'à son retour de Crimée Roosevelt lui demandera de le rejoindre à Alger, il se heurtera à un refus hautain. «*Il se félicitait*, répondra-t-il, *d'apprendre que le président Roosevelt projetait de visiter un port français*», ajoutant que «*beaucoup d'affaires exigeaient sa présence à Paris... au lendemain d'une conférence entre trois chefs de gouvernement alliés... conférence à laquelle la France n'avait pas pris part et dont elle ignorait encore les multiples objets.*»

Parmi ces objets multiples de la rencontre de Yalta, il

y avait ceux qui tenaient précisément au statut de la France dans l'Europe et dans le monde de l'après-guerre. On en parla beaucoup sur les bords de la mer Noire et Churchill — qui songeait aux difficultés qu'il y aurait pour son pays à assumer seul le face-à-face avec les Soviétiques, une fois les troupes américaines retirées du Vieux Continent — dut batailler ferme pour obtenir de ses deux alliés qu'ils consentissent à la France le statut de puissance occupante dans l'Allemagne vaincue. Avec Roosevelt, qui était loin d'être enthousiaste, le Premier ministre britannique s'est assez vite mis d'accord pour qu'une zone d'occupation lui soit réservée, mais Staline s'y est fortement opposé, et s'il a finalement accepté de donner sur ce point satisfaction aux Occidentaux, c'est à la condition expresse que la zone française serait, comme l'avait proposé Churchill, prise sur les zones anglaise et américaine. En revanche, il s'est montré irréductiblement hostile à ce que la France disposât d'un siège dans la commission de contrôle interallié. «*Elle n'y a aucun droit*, a-t-il déclaré à ses interlocuteurs, *moins que la Pologne, moins que la Yougoslavie. Où sont les combats qu'elle a livrés? N'oubliez pas que, dans cette guerre, elle a ouvert ses portes à l'ennemi. La Russie et la Grande-Bretagne n'auraient pas subi tant de pertes si les Français avaient eu la résolution de se battre. Le contrôle et l'administration de l'Allemagne ne doivent revenir qu'aux puissances dressées contre l'ennemi dès le début. Et aujourd'hui même, la France n'a que neuf divisions en ligne. Lublin en a dix!*»

Churchill eut beau expliquer au numéro un soviétique que concéder une zone d'occupation à de Gaulle sans lui offrir en même temps un siège à la commission de contrôle serait une humiliation inutile et lourde de conséquences, que la France, qu'on le veuille ou non, resterait le principal voisin de l'Allemagne, qu'il ne serait pas possible de prendre des décisions concernant le Reich vaincu sans la consulter, que l'équilibre de l'Europe à reconstruire voulait qu'elle retrouve sa place dans le concert des puissances, il ne put obtenir plus que le compromis proposé par Roosevelt et Hopkins. La France se voyait reconnaître à Yalta une zone d'occupation prélevée sur celles des deux autres puissances occidentales, mais la question de sa participation à la commission interalliée était remise à plus tard. En revanche, les décisions prises à l'automne 1944 à Dumbarton Oaks furent entérinées par les trois alliés. La France n'avait pas non plus été invitée à cette conférence au cours de laquelle avaient été jetées les bases de la future Organisation des Nations unies, mais on lui avait réservé un siège du membre permanent au Conseil de Sécurité, ce qui revenait à lui reconnaître, aux côtés des Etats-Unis, de l'URSS, de la Grande-Bretagne et de la chine, un statut de grande puissance.

La France ne sera pas davantage invitée par les trois Grands à la conférence de Potsdam, qui a lieu en juillet-août 1945, mais elle obtient d'être admise dans l'organisme le plus important créé par les Trois : la Conférence des ministres des Affaires étrangères, dont la première réunion se tient en septembre 1945. Ainsi a-t-elle réussi, en dépit des humiliations qui ont été infligées à son principal dirigeant, à opérer en un an sa réinsertion dans le concert des grandes puissances. Aurait-elle obtenu le même résultat sans le volontarisme du général de Gaulle, sans l'acharnement déployé par ce dernier pour lui assurer la reconquête de son «rang»? Les avis sur ce point sont partagés. Il est clair que, sans de Gaulle, les Alliés auraient eu en face d'eux un gouvernement satellite qui aurait entériné toutes les décisions prises en dehors de lui. Il n'est pas moins évident que celles qui ont été arrêtées lors des grandes conférences internationales dans le but de rendre à la France sa place en Europe et dans le monde, l'ont été en l'absence de ses représentants, sous la pression notamment de Churchill. Bien avant que les combats aient cessé, ce dernier avait en effet compris qu'une fois la paix rétablie et les Américains rentrés chez eux, l'Occident aurait besoin d'une France forte, alliée de la Grande-Bretagne, pour faire front au danger soviétique.

Le fait que soient reconnues à la République restaurée des responsabilités mondiales, en tant que membre permanent du Conseil de Sécurité de l'ONU et en tant que partie prenante au conseil des quatre ministres des Affaires étrangères, signifiait-il que la France était redevenue une «grande puissance», maîtresse de son destin et capable sinon d'assumer seule sa défense, du moins de fixer en toute souveraineté ses choix de politique étrangère? Les Français le croient, si l'on se réfère aux sondages des derniers mois de la guerre européenne. Dès décembre 1944, un peu plus de trois mois après la libération de Paris, 64 % d'entre eux estiment que leur pays a retrouvé sa place de grande puissance. En janvier 1945, 87 % se déclarent favorables à la mobilisation de classes nouvelles. Début avril, ils sont 70 % à approuver les projets gouvernementaux d'expansion rhénane et de démembrement de l'Allemagne. Il y a donc à cette date un véritable consensus pour suivre le général dans la voie qu'il a choisie et qui est celle de la restauration du «rang» international de la France. Simplement, rares sont ceux qui en perçoivent les conséquences internes, et notamment la pesée que ne peut manquer d'exercer sur le niveau de vie de la nation le choix d'une politique rigoureusement indépendante à l'égard de Washington.

Pierre Mendès France, alors ministre de l'Economie nationale, est de ceux-là. Dans la lettre de démission qu'il adresse le 18 janvier 1945 au général de Gaulle, il place ce dernier en face de ce qu'il considère comme relevant de la logique même de l'option qu'il a choisie. «*Pouvons-nous*, écrit-il, *mener la France sur le chemin de la gran-*

deur, exiger d'elle des sacrifices sanglants et des efforts sans nombre et poursuivre en même temps une politique de facilité dans le domaine financier et économique?» Autrement dit, il faut choisir entre la grandeur sans le consensus, dès lors que se manifesteront les effets d'une politique de rigueur impliquant, après quatre ans d'occupation et de pénurie, la pérennisation de l'austérité, et l'adéquation de la politique étrangère aux aspirations d'une opinion qui ne saurait très longtemps sacrifier son niveau de vie au fantasme de la grandeur. De Gaulle, en refusant de suivre Mendès, n'a pas véritablement choisi. Ou plutôt il a fait le choix ambigu du primat de la politique extérieure, sans se donner les moyens d'une indépendance financière véritable. Dans le contexte du moment, il ne pouvait guère, semble-t-il, faire autrement, les Français étant à la fois demandeurs de rêve et d'un minimum de bien-être.

L'illusion de la puissance retrouvée contraste avec les dures réalités de l'heure. Certes, la France fait partie du directoire des «grands». Elle a partout rétabli sa souveraineté sur les territoires qui forment le second empire colonial du monde et si ces derniers commencent à manifester leur volonté d'indépendance (l'Algérie et l'Indochine dès 1945, Madagascar deux ans plus tard), l'immense majorité des Français continue de croire que le maintien de la «plus grande France» permettra à leur pays de conserver sa place dans le monde. Ni les événements de Sétif, en mai 1945, ni ceux d'Haiphong l'année suivante, ne suffiront à dissiper le mirage du «retour à la normale». Qui est prêt alors à entendre le message d'un Raymond Aron, lorsqu'il écrit : «*La France n'a pas — et n'aura pas pour plusieurs années — les moyens matériels d'une grande puissance... La France reçoit du dehors les armes de ses soldats et les matières premières de ses usines. Tant qu'elle dépendra pour son existence même de la bienveillance des autres, elle n'aura pas le plus indispensable attribut d'une grande puissance*»? (*L'Age des Empires et l'avenir de la France*, Paris, Défense de la France, 1945, p. 340).

Or la dépendance financière à l'égard des Etats-Unis s'affirme comme l'une des données incontournables de la diplomatie bien avant que le général de Gaulle ait quitté le pouvoir. Les accords de Bretton Woods ont mis en place un système monétaire international faisant du dollar le pivot des échanges internationaux, et la France, comme les autres Etats européens, manque de dollars. Elle a, moins que l'Empire britannique et l'URSS, mais plus que d'autres pays, bénéficié des contrats de prêt-bail, or ceux-ci sont résiliés par le président Truman dès le 21 août 1945. De Gaulle voudrait-il, comme Mendès France le lui a suggéré, adopter une politique d'austérité, qu'il faudrait encore acquitter les indispensables achats de matières premières et de biens d'équipement en dollars (y compris le charbon de la Ruhr). Aussi faut-il se résoudre à demander aux Américains l'aide financière dont la France à besoin pour solder ses importations et entamer son effort de reconstruction. En décembre 1945 le gouvernement de Gaulle sollicite un prêt de 550 millions de dollars de l'Import-Export Bank destiné à financer le complément des commandes passées au titre du prêt-bail. Il l'obtient sans trop de difficulté, mais au prix semble-t-il de concessions importantes sur la question allemande. Le gouvernement français s'est en effet déclaré prêt en novembre, par la voix de Maurice Couve de Murville, à accepter l'établissement d'une administration centrale en Allemagne, à la condition que les pouvoirs de cet organisme ne s'étendent pas à la Ruhr et à la Rhénanie.

Le départ du général de Gaulle, en janvier 1946, ne fait qu'accentuer la tendance. Son successeur, Félix Gouin, envoie en mars Léon Blum à Washington, en qualité d'ambassadeur extraordinaire, avec pour mission d'obtenir des Américains la liquidation complète des dettes de guerre. Accompagné d'Emmanuel Monick, gouverneur de la Banque de France, et de Jean Monnet, commissaire au Plan, l'ancien leader du Front populaire obtient satisfaction sur ce point (soit un «coup d'éponge» portant sur 1 800 millions de dollars), ainsi que l'assurance d'un crédit de 500 millions de dollars offert par la BIRD : en échange de quoi les «accords Blum-Byrnes» stipulent que la France devra renoncer à sa politique de contingentement des importations américaines et accepter en particulier d'ouvrir massivement ses salles de projection aux produits de la cinématographie d'outre-Atlantique. Léon Blum pourra bien affirmer à son retour d'Amérique que «*la négociation menée à Washington n'a comporté ni explicitement, ni implicitement, ni directement, ni indirectement, aucune condition d'aucune espèce, civile, militaire, politique ou diplomatique*», un premier pas est accompli sur la voie d'une mise en tutelle qui n'a pas besoin, pour atteindre ses buts, d'opérer par ultimatums et menaces explicites de représailles.

Le syndrome allemand

Avec ses trois principales voisines continentales, la France a mené au lendemain de la guerre une politique fortement imprégnée de considérations idéologiques, mais dont la cohérence d'ensemble n'est pas évidente.

C'est avec l'Italie que des relations de bon voisinage ont été rétablies le plus vite. L'opinion a certes conservé la trace douloureuse du «coup de poignard» de 1940 et du mythe — totalement démenti par les archives — des mitraillages d'avions italiens sur les ponts de la Loire en juin 1940. Les souffrances endurées par les Transalpins après la déclaration de cobelligérance, l'invasion d'une partie de la péninsule par les armées allemandes, les atrocités commises par les SS et par leurs auxiliaires «*repubblichini*», l'action de masse menée par les partisans (parfois en relation avec leurs homologues des maquis alpins), la rédemption par la misère dont les films néoréalistes ont diffusé l'image à partir de 1946, tout cela a concouru à faire oublier, ou pardonner, une agression dont la responsabilité était imputée au fascisme et à son chef. Si bien qu'une fois l'annexion du val d'Aoste écartée et les menues rectifications de frontière opérées à Tende et à La Brigue, ce sont des rapports amicaux qui se sont noués entre les deux républiques. La France a choisi en 1947 de donner la priorité aux Italiens pour satisfaire ses urgents besoins de main-d'œuvre étrangère. Un accord commercial a été signé entre les deux pays en février 1946 et si, par la suite, le projet d'Union douanière proposé par Rome n'a pas abouti, c'est essentiellement pour des raisons économiques, non pour des mobiles politiques.

Avec l'Espagne au contraire, qui pourtant était restée neutre pendant la guerre, les relations se sont vite détériorées sous la pression des exilés politiques espagnols et des organisations syndicales et partisanes de la gauche. Considérant l'Espagne de Franco comme l'ultime repaire du fascisme européen, le gouvernement français a d'abord voté contre l'admission à l'ONU de cette puissance. Il a ensuite décidé de fermer la frontière à dater du 1er mars 1946, sans pour autant rompre ses relations diplomatiques avec la voisine ibérique et sans faire quoi que ce soit pour déstabiliser le régime du *caudillo*. Il faut attendre février 1948 pour que, dans un contexte qui est désormais celui de la guerre froide, la frontière pyrénéenne soit rouverte et pour que les deux pays normalisent leurs rapports.

L'Allemagne fait l'objet de son côté d'une hostilité très

vive de la part de la France et de son gouvernement. A la différence des Italiens, les Allemands sont en effet considérés par beaucoup de Français comme collectivement responsables des crimes du nazisme. Seule une minorité exprime son animosité en termes ouvertement racistes, considérant, comme Henri Massis par exemple, que l'on ne peut «*s'obstiner à traiter les Allemands comme s'ils étaient des hommes comme les autres*» (*Allemagne d'hier et d'après-demain*, Paris, Ed. du Conquistador, 1949, p. 10), mais l'idée qui prédomine, et ceci jusque dans les secteurs les plus progressistes de l'intelligentsia, est que l'hitlérisme est le point d'aboutissement logique d'une évolution historique qui a fait que l'unité allemande s'est opérée autour de la Prusse autoritaire et militariste. Cette idée, on la trouve exprimée aussi bien par le grand germaniste Edmond Vermeil, auteur d'une *Allemagne, essai d'explication*, parue en 1945, que sous la plume d'historiens appartenant à la mouvance de la gauche et pour lesquels il existe un lien évident sinon entre Luther et Hitler, comme certains l'affirment, du moins entre ce dernier et l'entreprise bismarckienne. De là l'idée répandue dans tous les secteurs de l'opinion et de la classe politique françaises, que l'Allemagne doit être démembrée, ramenée en quelque sorte à la situation qui aurait pu accoucher au XIXe siècle d'une nation démocratique et pacifique, et que par conséquent la Prusse doit être détruite, les provinces orientales étant annexées par la Pologne et par l'URSS, tandis que la Rhénanie serait divisée en Etats autonomes et que la Ruhr serait détaché du Reich et «internationalisée». Ce sont les thèses du général de Gaulle, mais aussi celles que défendent à cette date la majorité des dirigeants du MRP et de la SFIO.

Cette volonté de démembrement et de mise au ban de l'Europe d'une Allemagne que l'on considère comme l'héritière directe et non repentie du IIIe Reich, a d'abord été partagée par les trois grands vainqueurs de la guerre. Le secrétaire américain au Trésor, Henry Morgenthau, n'avait-il pas conçu un plan de désindustrialisation du Reich, dans le double but de le rendre militairement inoffensif et de rééduquer ses habitants grâce aux vertus expiatoires de la vie champêtre? Ce projet, qui ne paraît pas avoir retenu longtemps l'attention de Roosevelt, coïncidait encore au moment de Yalta avec les vues de Staline, dont les exigences en matière de réparations ne visaient à rien moins qu'au transfert en URSS de 80 % de l'industrie lourde allemande. L'insistance de Churchill qui estimait que «*si l'on veut qu'un cheval tire une charrette, il faut au moins lui donner du foin*», fit que ne furent pas retenus à la conférence de Crimée les projets les plus intransigeants en matière de réparations. En revanche on maintint le principe du démembrement de l'Allemagne, décidé à Téhéran en 1943, sans préciser davantage la nature et l'importance de cette partition, et surtout pour donner satisfaction à Staline. Or, si à Potsdam Truman arrive encore avec dans ses bagages un plan de partage du Reich, la position du maréchalissime a changé du tout au tout, non pas sur la question de la démilitarisation de l'Allemagne et de sa désindustrialisation opérée principalement au profit de l'URSS, mais sur le problème du démembrement. Craignant de voir les Français établir leur protectorat de fait sur des Etats rhénans devenus autonomes, et jouant la carte d'une éventuelle révolution allemande que la situation catastrophique du pays rend tout à fait crédible à cette date, Staline a en effet lancé le 9 mai 1945, donc au lendemain même de la capitulation du Reich, un «message au peuple allemand» dans lequel il proclame qu'il n'a l'intention ni de détruire l'Allemagne, ni de la démembrer.

Churchill ayant lui aussi considérablement modifié sa position sur cette question depuis Téhéran, pour des raisons diamétralement opposées à celles du numéro un soviétique, on a donc décidé à Potsdam de désarmer et de démilitariser l'Allemagne, de l'épurer et de la démocratiser, de lui faire payer de lourdes réparations, mais pas de la démembrer. Simplement, ces décisions ont été prise en l'absence de représentants de la France, puissance occupante et membre désormais de la Conférence des ministres des Affaires étrangères. Elles doivent pour être appliquées être soumises à l'accord unanime de la commission de contrôle, dont la France est également membre. Or cette dernière s'engage d'entrée de jeu dans une politique solitaire visant à empêcher la reconstitution d'un gouvernement central en Allemagne, de façon à faire prévaloir ses thèses concernant le détachement complet de la Rhénanie et de la Ruhr.

Les Anglo-Saxons voudraient au contraire hâter la transformation des trois zones d'occupation occidentales en un Etat structuré pouvant servir de rempart contre l'extension du communisme et capable en même temps de s'assumer économiquement et politiquement, donc de peser moins lourdement sur le budget des puissances occupantes. L'opposition est totale avec la façon dont les Français conçoivent l'avenir de l'Allemagne et avec la manière dont ils administrent leur propre zone d'occupation. Il y a certes, pour nombre d'entre eux, une revanche à prendre sur les dures conditions de l'occupation nazie. Mais, comme le fait justement remarquer Alfred Grosser, ce ne sont en général ni les résistants les plus actifs ni les pionniers de la France libre qui manifestent le plus de zèle à faire payer aux civils allemands les exactions de la Wehrmacht et les crimes de l'hitlérisme (A. Grosser, *La IVe République et sa politique extérieure*, Paris, A. Colin, 1967). Ce sont même souvent des «épurés» récents qui ont tendance à en rajouter en matière d'antigermanisme et d'arrogance, ne serait-ce que pour faire oublier leurs propres écarts.

Les abus qui en résultent — marché noir, trafics en

tout genre, abus d'autorité et extorsions diverses opérés aux dépens des populations occupées — passent d'autant plus inaperçus qu'il règne en haut lieu et à tous les niveaux, aussi bien dans l'entourage du commandant en chef à Baden-Baden, qu'à l'échelon des responsables de provinces, districts et cercles, une volonté sans retenue d'exercer, chacun pour son compte, la fraction de pouvoir absolu que la République a confiée à ses représentants. Tous ne sont certainement pas à blâmer. Certains ont montré beaucoup de sérieux et d'humanité dans leur tâche. C'est même dans la zone française que les efforts effectués pour exercer une action en profondeur sur la jeune génération ont été les plus fructueux, qu'il s'agisse de l'action culturelle proprement dite ou des rencontres entre jeunes des deux pays. Il s'agit cependant d'entreprises minoritaires, riches de conséquences positives pour l'avenir, mais qui dans le court terme se développent à contre-courant d'une politique d'ensemble visant à isoler la zone d'occupation française.

Jusqu'au milieu de 1948, la position de la France à l'égard du problème allemand n'évolue que lentement. L'image d'un Reich restauré et redevenue menaçant ne cesse de hanter l'esprit de ses dirigeants, lesquels continuent de prôner un «régime spécial» pour la Ruhr et maintiennent leurs exigences en matière de réparations. Ceci alors que la guerre froide bat son plein et que l'Allemagne est devenue l'enjeu majeur de l'affrontement Est-Ouest. Face à une menace communiste que l'on a peut-être tendance à exagérer dans le camp occidental, mais qui n'en est pas moins réelle, il est clair que les Etats-Unis et leurs alliés ne peuvent prendre le risque de maintenir au centre de l'Europe un vide dans lequel leurs adversaires peuvent être tentés de s'engouffrer. Il en résulte pour la France l'obligation de modérer son comportement en acceptant finalement que soit constituée cette entité politique allemande dont elle avait jusqu'alors rejeté le principe.

Avant d'en arriver là, les responsables de la diplomatie française vont s'efforcer de tirer le plus grand profit possible de l'opportunité qui leur est offerte de bloquer les travaux de la commission de contrôle et ceux de la Conférence des ministres des Affaires étrangères. A défaut de démantèlement de l'Allemagne et de constitution de la Rhénanie et de la Ruhr en entité politique indépendante, on se contentera de la Sarre, érigée par la conférence de Moscou, en mars-avril 1947, en un Etat détaché politiquement de l'Allemagne, rattaché économiquement à la France et bientôt doté d'un gouvernement qui, présidé par le leader du parti chrétien du peuple, Johannes Hoffmann, signera en décembre 1947 un traité d'union douanière et monétaire avec la République française.

Aux yeux de nombreux responsables français, ce statut d'autonomie — une autonomie au demeurant toute relative, en ce sens que le pays demeurait soumis à l'occupation française et à l'autorité du haut-commissaire Grandval — devait à plus ou moins long terme incliner la Sarre à s'intégrer à la France, ce que paraissaient confirmer les élections d'octobre 1947 qui avaient vu les partis favorables au nouveau statut l'emporter avec plus de 91 % des suffrages. En échange de cette espérance, qui relevait de la pure illusion, le gouvernement présidé par Robert Schuman accepta en juin 1948, lors de la conférence qui avait réuni à Londres les représentants des trois puissances occidentales occupantes et ceux du Benelux, le principe de la création d'un Etat ouest-allemand souverain. «*Tenant compte de la situation actuelle*», était-il précisé dans le communiqué final de cette rencontre, les délégations présentes dans la capitale britannique «*reconnaissent qu'il est nécessaire de donner au peuple allemand la possibilité de parvenir, dans le cadre d'une forme de gouvernement libre et démocratique, au rétablissement ultime de son unité aujourd'hui déchirée.»*

Pour donner à son acceptation — difficilement acceptée par l'Assemblée nationale où le gouvernement Schuman ne l'emporta qu'à une très faible majorité —, un contenu concret, le gouvernement français décida de réunir, le 1er août 1948, sa propre zone d'occupation à la «bizone» qui avait été constituée en janvier 1947 par la fusion des zones américaine et britannique. Finalement, le 8 avril 1949, les Trois se mirent d'accord sur une série de textes fixant le statut du futur Etat allemand, lequel aurait, conformément aux vœux continûment formulés par les Français, une structure fédérale. Un mois plus tard était adoptée la loi fondamentale qui donnait naissance à la RFA.

La France a donc placé, pendant plus de trois ans, la question allemande au centre de ses préoccupations internationales, menant contre ses alliées un combat d'arrière-garde qui n'a pu que retarder la restauration d'un Etat souverain au centre de l'Europe, là où s'exerçait avec le plus de force la menace d'extension du communisme. Si elle a fini par en accepter le principe, au prix de concessions réelles de la part de ses partenaires (par exemple la création en décembre 1948 d'une Autorité internationale destinée à exercer son contrôle sur l'exploitation du charbon de la Ruhr), c'est d'une part parce que les contraintes de sa propre situation économique et financière ont contraint ses dirigeants à se montrer plus souples dans leurs rapports avec les Anglo-Saxons, d'autre part parce qu'elle a fini par admettre, au lendemain du «coup de Prague» et du déclenchement de la première crise de Berlin, que l'ennemi principal et la menace la plus immédiate se situaient désormais au-delà de l'Elbe et qu'il y avait lieu d'en tenir compte dans la détermination de sa politique étrangère. Jusque-là, tout son comportement se trouve dicté par des considérations qui relèvent plus des «leçons», voire des fantasmes du passé que des impératifs d'une situation internationale qui est désormais placée sous le signe de la guerre froide.

La signature, en mars 1947, du traité de Dunkerque, signé avec la Grande-Bretagne, s'inscrit entièrement dans cette perspective. Le texte prévoit en effet que dans le cas «*où l'une des hautes parties contractantes serait à nouveau engagée dans des hostilités avec l'Allemagne... l'autre partie lui viendra immédiatement en aide et lui prêtera assistance par tous les moyens en son pouvoir, militaires ou autres*». Il s'agit donc bel et bien d'une alliance militaire dirigée contre l'ex-ennemie, et il n'est fait mention dans le traité d'aucun autre adversaire potentiel. A la veille du discours dans lequel le président Truman va lancer à la face du monde sa doctrine de l'endiguement du communisme, la France continue de percevoir les relations internationales à travers une grille de lecture qui est celle des années trente.

Le choix atlantique

Plus que la reconstitution d'une Internationale communiste directement reliée au Kremlin — le *Kominform* — à l'automne 1947, et la proclamation de la «doctrine Jdanov», c'est le coup de force opéré par les communistes en Tchécoslovaquie, en février 1948, qui incline l'opinion et les dirigeants français à modifier brusquement leur perception du système international et l'ordre de leurs priorités en matière de parade aux dangers extérieurs.

Est-ce à dire que le choix «atlantique» de la France a été le résultat d'une conversion immédiatement consécutive au «coup de Prague»? Bien évidemment non. Si la question allemande reste au centre de ses préoccupations pendant toute l'année 1947, les effets de la guerre froide et la partition de l'Europe en deux blocs ne sont pas sans effet sur sa politique, de même que ceux qui résultent de l'acceptation par son gouvernement de l'aide Marshall. Celle-ci, on le sait, a joué un rôle décisif dans la reconstruction économique de la France en réduisant le *dollar gap* et en permettant la modernisation de l'appareil productif et l'accroissement de la production industrielle, tout en assurant un meilleur ravitaillement du pays en matières premières, pétrole, charbon et denrées alimentaires. Du printemps 1948 au début de 1952, la France va ainsi recevoir une aide de plus de 2,6 milliards de dollars, dont 85 % sous forme de don, le reste sous forme de prêt à 2,5 % d'intérêt remboursable en 35 ans à partir de 1956 : soit un peu plus de 20 % des crédits américains en Europe, contre 24,4 % au Royaume-Uni, 11 % à l'Italie et 10 % à l'Allemagne de l'Ouest (qui vient en fait en première position si l'on fait intervenir dans les calculs l'aide intérimaire, c'est-à-dire les sommes reçues antérieurement).

Cette manne généreusement distribuée par l'Amérique ne va pas sans contrepartie. Ainsi les sommes allouées, comme précédemment celles de l'aide intérimaire, doivent-elles être dépensées en achats aux Etats-Unis. Le 28 juin 1948, un accord de coopération franco-américain stipule que la France devra stabiliser sa monnaie, libéraliser ses échanges extérieurs, fournir aux Etats-Unis certaines matières premières stratégiques (dans le but de constituer des stocks en vue d'une guerre contre l'URSS), garantir enfin aux investisseurs américains des droits analogues à ceux des ressortissants français. Incontestablement, l'ingérence de la puissance donatrice dans la vie administrative et économique du pays assisté est une donnée qui ne saurait être tenue pour négligeable.

Faut-il pour autant parler de «colonisation» et établir

une relation directe entre l'influence économique et financière exercée par les Etats-Unis grâce à l'aide Marshall et les choix politiques opérés par les équipes au pouvoir, tant sur le plan intérieur qu'international? C'est la thèse qu'ont soutenue, avec des présupposés différents, communistes et gaullistes. C'est celle que défend aujourd'hui encore une historienne comme Annie Lacroix-Riz, dont le livre paru en 1985 — *Le Choix de Marianne. Les relations franco-américaines de la Libération au début du plan Marshall (1944-1948)*, Paris, Messidor/Editions sociales, 1985) — fait grief à la «classe dirigeante» française (le terme englobant la droite, le centre et la SFIO) d'avoir en quelque sorte livré le pays aux ambitions de l'impérialisme américain, en échange de la protection accordée par celui-ci aux adversaires de la «révolution».

Des travaux plus nuancés, ceux de Pierre Mélandri par exemple (*Les Etats-Unis et le «Défi européen»*, Paris, PUF, 1975), montrent que s'il y a eu effectivement «alignement» des positions françaises sur celles des Etats-Unis à partir de 1948, celui-ci n'est pas directement relié à l'aide Marshall et relève bien davantage de choix politiques effectués par des dirigeants qui, il est vrai, ont peut-être amplifié le danger communiste, mais de bonne foi, et avec le souci de préserver les institutions démocratiques. Ils n'ont pas pour autant été les agents du «grand capital» et les décisions politiques qu'ils ont été amenés à prendre n'ont pas nécessairement été «dictées» par Washington. Ainsi en est-il par exemple de celle qu'a prise en mai 1947 le socialiste Paul Ramadier, quand il a renvoyé les ministres communistes qui siégeaient à son gouvernement. Elle est antérieure d'un mois au discours de Harvard et ne peut donc constituer, comme on l'a écrit souvent, la contrepartie de l'aide Marshall. Tous les travaux qui, fondés sur une analyse minutieuse des archives américaines, ont analysé de près les rapports franco-américains pendant cette période, montrent qu'il n'y a eu de la part de la Maison-Blanche et du Département d'Etat aucune pression explicite sur le gouvernement français (pas plus que sur les gouvernements italien et belge qui, à quelques semaines d'intervalle, ont pris des décisions semblables). Ramadier a tiré parti d'un événement intérieur — le refus des ministres communistes de voter la confiance à son gouvernement sur sa politique économique et salariale — pour les «démissionner», et ceci pour des raisons qui tiennent en partie à la situation internationale. Ce faisant, il est incontestablement allé au-devant des desiderata américains, non par «servilité» mais parce que ces derniers coïncidaient avec ses propres analyses, et avec les vœux de la majorité de la classe politique française.

Si l'on fait le bilan politico-économique du plan Marshall, on constate deux choses. En premier lieu, qu'il a joué un rôle déterminant dans le relèvement économique de l'Europe, donc qu'il a contribué à lui rendre une partie de sa puissance et l'essentiel de son indépendance. D'autre part qu'il n'a pas servi aux Américains à établir leur protectorat militaire sur le Vieux Continent, en ce sens que ce ne sont pas les Etats-Unis qui ont été demandeurs d'un traité d'alliance mais les Etats de l'Europe occidentale à la suite d'événements qu'ils ont considérés comme des menaces directes dirigées contre eux.

Le «coup de Prague» et le blocus de Berlin ont fortement inquiété les gouvernements et les populations des démocraties occidentales, conscients de l'impossibilité dans laquelle ils se trouvent de résister à une éventuelle agression soviétique. Le 17 mars 1948, quelques semaines après les événements de Tchécoslovaquie, un traité cette fois clairement destiné à faire barrage à la poussée communiste — alors que le traité de Dunkerque était, nous l'avons vu, exclusivement dirigé contre l'Allemagne — est signé à Bruxelles entre la France, le Royaume-Uni, la

Belgique, le Luxembourg et les Pays-Bas. Conclu pour cinq ans, il stipule que dans le cas où l'une des parties serait l'objet d'une agression en Europe, les autres signataires «*lui porteront... aide et assistance par tous les moyens en leur pouvoir, militaires et autres*». En paraphant ce texte, la France reconnaît explicitement que son principal adversaire potentiel n'est plus l'Allemagne mais l'Union soviétique.

Que peut-elle faire cependant, et que peuvent faire ses alliés du pacte de Bruxelles contre le déploiement éventuel de la formidable armée Rouge? Le blocus de Berlin achèvera de convaincre les dirigeants des cinq pays que le seul moyen d'établir un barrage efficace à l'expansion du communisme est d'élargir le pacte aux autres pays de l'Europe occidentale, et surtout d'impliquer l'Amérique dans cette combinaison diplomatique.

L'entreprise n'est pas évidente. Les Etats-Unis, on l'a dit, ne sont pas demandeurs. Leur tradition diplomatique veut qu'ils ne s'engagent pas, en temps de paix, dans un système d'alliances pouvant les entraîner dans un conflit hors de l'hémisphère occidental. Pour que le président puisse le faire, il faut un vote du Sénat qui sera acquis, à une très forte majorité, le 11 juin 1948. C'est la «résolution Vandenberg», du nom du sénateur qui l'a proposée. Dès lors, des pourparlers s'engagent avec les gouvernements européens en vue d'établir un système unique de défense intégrant celui du traité de Bruxelles. Ils aboutissent le 4 avril 1949 à la signature du pacte de l'Atlantique Nord par les représentants des deux Etats d'Amérique du Nord et de dix pays européens: les cinq du pacte de Bruxelles auxquels se sont joints l'Italie, le Portugal, la Norvège, le Danemark et l'Islande.

Au cours des années suivantes seront constitués les organismes intégrés — civils et militaires — dont l'ensemble forme l'OTAN et auxquels la France participera jusqu'en 1966. En attendant, il est stipulé que le pacte atlantique a un caractère essentiellement défensif et il est fait référence aux grands principes sur lesquels doit reposer l'ordre international : la liberté des peuples, le «*règne du droit*», la «*justice*», le «*bien-être des populations*», le refus de l'emploi de la force dans le règlement des différends internationaux. Autrement dit, il se réclame de la communauté de civilisation et d'idéal qui lie les parties contractantes, respectueuses de la démocratie et des «*libertés individuelles*», ce qui ne sera pas le cas de certains Etats signataires, tels le Portugal de Salazar et, épisodiquement, la Grèce et la Turquie, admises l'une et l'autre en 1952 dans l'Alliance atlantique.

Lors du débat de ratification à l'Assemblée nationale, plusieurs voix s'élèvent en dehors de celles des communistes, qui ont d'entrée de jeu proclamé leur hostilité au pacte : les unes pour s'inquiéter que la France puisse se trouver entraînée malgré elle dans un conflit en Europe, d'autres au contraire pour regretter que l'intervention des forces américaines ne soit pas automatique. Le rapporteur du traité, René Mayer, réplique à ces dernières que chacun est juge des mesures que son obligation d'assistance mutuelle lui impose, cette stipulation étant, explique-t-il, un «*compromis... entre l'impossible automatisme*» (le Sénat américain ne l'aurait pas accepté) et «*l'absence de tout engagement*». Le vote est sans ambiguïté : par 395 voix contre 189 (le PC, les progressistes et quelques députés d'outre-mer) et 15 abstentions, l'Assemblée nationale ratifie le traité le 25 juillet 1949.

Espérances et incertitudes «européennes»

Affrontée à la double contrainte de sa reconstruction et de sa sécurité, face à une Europe de l'Est en voie de satellisation, l'Europe occidentale a cherché, au cours des années qui ont suivi le conflit mondial, à assurer son redressement et sa survie en jouant successivement, ou simultanément, de l'aide américaine et de la volonté d'union manifestée par certains de ses dirigeants.

En 1945, ce sont les projets «paneuropéens» qui paraissent avoir le vent en poupe, encore que les individus et les groupes qui s'en réclament soient loin d'être d'accord sur le sens qu'il convient de donner à cette expression. A ceux qui, comme Winston Churchill dans le retentissant discours qu'il prononce à Zurich le 19 septembre 1946, estiment qu'il faut bâtir les «Etats-Unis d'Europe» autour de l'axe franco-allemand, sans la Grande-Bretagne et dans le respect de la souveraineté de chaque Etat, s'opposent les «fédéralistes» qui préconisent la création d'une structure forte, avec un gouvernement européen doté de véritables pouvoirs et la réduction de la souveraineté absolue des Etats membres. De 1945 à 1947, de multiples organisations paneuropéennes vont ainsi se constituer, la plus importante étant l'Union européenne des fédéralistes, dans laquelle figurent des personnalités françaises telles qu'Henry Frenay, Alexandre Marc et André Voisin. D'autres se sont fondées sur une base plus étroitement idéologique, comme le Mouvement socialiste pour les Etats-Unis d'Europe, présidé par André Philip, ou les Nouvelles équipes internationales, d'inspiration démocrate-chrétienne. De son côté, reprenant l'idée qu'il avait défendue aux côtés de Briand à la fin des années 20, le comte de Coudenhove-Kalergi rassemble autour de lui une Union parlementaire européenne regroupant un nombre important de représentants du peuple acquis à l'idée fédéraliste dans la plupart des Etats de l'Europe occidentale. Le comité français est présidé par René Coty, sénateur et futur président de la République.

Dès 1947, il est devenu clair pour la majorité des

«unionistes» et des «fédéralistes» que la construction de l'Europe, quel qu'en soit le contenu, ne pourra se faire en y incluant les Etats en voie de satellisation par l'URSS et que par conséquent le projet doit, dans l'attente de jours meilleurs, être ramené aux dimensions de l'Europe de l'Ouest. Pour beaucoup, il constitue même le meilleur rempart contre l'extension du communisme, à condition qu'on lui donne une certaine cohérence et que les divergences de conception s'effacent devant l'urgence du moment. C'est dans cette perspective qu'en mai 1948, trois mois après le «coup de Prague», se tient à La Haye un grand «Congrès de l'Europe» réunissant, sous la présidence d'honneur de Churchill, près de 800 personnalités appartenant à la plupart des pays d'Europe occidentale : hommes politiques, hommes d'affaires, journalistes, syndicalistes, intellectuels, les plus nombreux étant les Britanniques et les Français. Bien que le clivage entre unionistes (surtout anglais) et fédéralistes (principalement représentés par les Français, les Italiens, les Néerlandais et les Belges) s'y soit une nouvelle fois manifesté, le congrès de La Haye se prononce sur la nécessité de mettre en commun une partie des droits souverains des Etats afin de coordonner et de développer leurs ressources, d'intégrer l'Allemagne dans le nouveau cadre européen et de constituer le plus vite possible une assemblée parlementaire qui pour certains, comme Paul Reynaud, devrait être élue au suffrage universel. En attendant, on décide de créer un Mouvement européen qui, sans remplacer les organisations existantes, se donne pour mission de coordonner leur action et de les représenter auprès des gouvernements.

La création, le 5 mai 1949 à Londres, du Conseil de l'Europe marque le point d'aboutissement des efforts entrepris depuis la fin de la guerre par les partisans d'une construction européenne fondée sur la coopération politique. A l'initiative du président du Conseil français, le

MRP Georges Bidault, ce sont dix pays d'Europe occidentale — France, Royaume-Uni, Belgique, Pays-Bas, Luxembourg, Irlande, Italie, Danemark, Suède et Norvège — qui décident de se donner des institutions communes, aux attributions d'ailleurs strictement limitées. Celles-ci comprennent d'une part un Comité des ministres, constitué par les ministres des Affaires étrangères ou leurs suppléants, qui siège à huis clos et vote à l'unanimité sur tous les cas importants — ce qui suppose un véritable droit de veto de chaque membre —, et une assemblée consultative, établie à Strasbourg et formée de délégués désignés par les parlements nationaux.

Contrairement aux espérances qu'avaient nourries les dirigeants des mouvements paneuropéens, il ne s'agit ni d'une union, ni d'une fédération, mais plutôt d'une sorte de «club» des nations attachées au pluralisme et à la démocratie. Présidée par le Belge Paul-Henri Spaak, l'assemblée de Strasbourg, où siègent de brillantes personnalités — parmi lesquelles Paul Reynaud et Winston Churchill — n'est guère qu'un «laboratoire d'idées» dont l'application dépend du bon vouloir des divers gouvernements. Les réticences britanniques à l'extension de ses attributions font que, même élargie par la suite à l'ensemble des Etats démocratiques du Vieux Continent, elle devra cantonner ses activités dans les domaines juridique et culturel. Le Conseil de l'Europe adoptera notamment, le 4 novembre 1950, une Convention européenne des droits de l'homme que la France ne ratifiera d'ailleurs qu'en 1981.

L'année 1950 marque dans l'histoire de la construction européenne un tournant auquel la France a donné une impulsion décisive avec le projet de «pool charbon-acier» présenté le 9 mai par le ministre des Affaires étrangères Robert Schuman, dans un contexte international marqué par l'aggravation de la guerre froide et par la persistance du contentieux franco-allemand à propos de la Sarre.

L'idée de créer une Communauté européenne du charbon et de l'acier (CECA) revient à l'homme qui préside, depuis 1946, à la planification française, Jean Monnet, «Européen» de toujours, ancien concepteur en pleine débâcle de 1940 d'un projet d'union perpétuelle franco-britannique présenté à Paul Reynaud pour tenter d'empêcher la défection française, et promoteur, au paroxysme de la guerre froide, d'une Europe du charbon et de l'acier gérée par un organisme supranational. Les adversaires de Monnet ont parfois stigmatisé en lui le «technocrate», inspirateur d'une Europe des industriels et des banques, fondée sur les seuls intérêts économiques. Rien n'est plus faux. Jean Monnet a eu, en concevant son projet, le souci de rapprocher les peuples du Vieux Continent et de jeter les bases des futurs «Etats-Unis d'Europe». Mais en même temps, il était conscient des immenses difficultés de l'entreprise. «*L'Europe* — dira-t-il — *ne se fera pas d'un coup ni dans une construction d'ensemble : elle se fera par des réalisations concrètes, créant d'abord une solidarité de fait.*» Or, que pouvait-il y avoir de plus concret et de plus urgent que de rapprocher la France et l'Allemagne en les associant dans un projet commun offrant à leurs économies réciproques la possibilité de tirer profit de leur complémentarité? L'Allemagne est riche en coke, la France a besoin de celui-ci pour assurer l'approvisionnement de ses hauts fourneaux et peut, en retour, fournir à sa voisine des quantités importantes de minerai de fer. Pourquoi ne pas associer ces richesses et ces besoins dans une entreprise que l'on élargirait aussitôt à ceux des pays européens qui le souhaiteraient, première étape d'une communauté plus vaste et moins étroitement spécialisée?

Tel est le projet que le Commissaire général au Plan va présenter au chef de la diplomatie française, le MRP Robert Schuman, Européen convaincu lui aussi et «homme de frontière» né en Lorraine annexée et partagé entre deux cultures, ce qui lui vaudra d'être traité de «Boche» par des parlementaires communistes. Considérant que la méfiance envers l'Allemagne est désormais dépassée et que la France ne peut se dérober indéfiniment aux suggestions américaines qui la pressent de «*prendre le* leadership *décisif en intégrant l'Allemagne occidentale dans l'Europe occidentale*» — selon les termes d'une note adressée en octobre 1949 par le secrétaire d'Etat Dean Acheson aux ambassadeurs des Etats-Unis en Europe —, Robert Schuman a tôt de faire sien le projet de Monnet. Le 9 mai 1950, il en expose les grandes lignes dans une déclaration proposée à l'ensemble des pays européens.

Le succès est immédiat. Pas chez tous les Européens : les sidérurgistes britanniques n'ont pas besoin d'échanger des matières premières avec le continent et les travaillistes au pouvoir redoutent que «l'Europe des patrons» ne remette en question les acquis du *Welfare State*. Ils seront suivis par les dirigeants scandinaves. L'URSS et ses satellites, comme d'ailleurs les grands PC occidentaux, dénoncent une politique qu'ils jugent inspirée par les «monopoles» et par les «fauteurs de guerre» d'outre-Atlantique. Mais en Allemagne, en Italie et dans les trois pays du Benelux, la réaction est très favorable. Le «plan Schuman» est également bien accueilli par les Etats-Unis, où l'on considère qu'il constitue le prologue d'une union européenne qui pourrait ensuite s'atteler au problème de la défense.

Les partisans d'une Europe intégrée économiquement et si possible politiquement se recrutent principalement dans les rangs de la démocratie chrétienne, du socialisme démocratique et des diverses formations libérales, c'est-à-dire dans des organisations politiques qui forment pour l'essentiel les coalisations au pouvoir dans les pays de l'Ouest européen. Ces affinités idéologiques, doublées souvent de relations amicales entre les principaux responsables de ces courants — les Français Schuman, Monnet,

Ramadier et André Philip entretiennent les meilleurs rapports avec le Belge Paul-Henri Spaak, l'Allemand Adenauer, les Italiens de Gasperi et Spinelli — expliquent que le projet ait rapidement abouti. Dès le 18 avril 1951, six pays, la France, la RFA, l'Italie, la Belgique, les Pays-Bas et le Luxembourg (sept si l'on y ajoute la Sarre), signent le traité de Paris instituant la CECA pour une durée de 50 ans et fixant les attributions de ses organismes institutionnels : la Haute Autorité, dotée de pouvoirs autonomes et exécutoires, le Conseil des ministres qui exprime l'intérêt des Etats, l'Assemblée qui contrôle la Haute Autorité et la Cour de Justice qui juge les litiges.

Ces institutions communautaires seront mises en place dans le courant de 1952 et, dès l'année suivante, le «marché commun» du charbon et de l'acier commencera à fonctionner à la satisfaction générale. Economiquement, il constitue un incontestable facteur de croissance de la production et des échanges dont la France sera parmi les principales bénéficiaires. Politiquement, il pousse à la réconciliation franco-allemande, axe de la future Europe politique, et ceci quelques années seulement après l'effondrement du Reich hitlérien. Dans l'ensemble, il est jugé favorablement par l'opinion publique. Si gaullistes et communistes accordent leurs voix pour dénoncer les premiers l'Europe du «grand capital international», les seconds la «technocratie apatride», si les dirigeants de la sidérurgie, soutenus par le CNPF, le jugent dangereux pour leurs entreprises, les partis de la «troisième force» se montrent, à des degrés divers, favorables à l'entreprise, de même que la majorité des habitants de l'Hexagone, dès lors que l'intégration de l'Allemagne à l'espace économique et politique de l'Europe de l'Ouest ne s'accompagne pas du rétablissement de sa puissance militaire. Or, le problème du réarmement allemand ne peut être éludé très longtemps eu égard à l'évolution de la situation internationale et, sur ce terrain, la construction européenne va connaître en 1954 un échec cuisant.

Ce sont les Américains qui, affrontés aux problèmes que suscite le conflit coréen et inquiets de la radicalisation d'un bloc de l'Est dont la pièce maîtresse se trouve, depuis 1949, en possession de l'arme nucléaire, poussent dès le milieu de 1950 au réarmement de l'ancien Reich. Pour éviter que celui-ci n'aboutisse à la renaissance du militarisme outre-Rhin, et tandis qu'au sein de l'OTAN la France a tôt fait de constater son isolement, le Conseil de l'Europe vote en août une résolution défendue par Winston Churchill en appelant à la création d'une «armée européenne» dans le cadre du pacte atlantique. A l'automne, c'est le président du Conseil français, René Pleven, qui propose son «plan» prévoyant la constitution d'une armée européenne de 100 000 hommes juxtaposant dans les mêmes corps des bataillons nationaux, parmi lesquels des Allemands, et placée sous un commandement supranational dépendant de l'OTAN. Dans le débat qui suit à l'Assemblée nationale, la déclaration gouvernementale obtient 349 approbations contre 235 votes hostiles, mais 402 députés contre 168 affirment, dans un autre scrutin, leur volonté de ne pas permettre que soient reconstitués une armée et un état-major allemands.

Il faudra plus de dix-huit mois pour que soit mis au point, avec l'accord des Etats-Unis, le projet de Communauté européenne de défense (CED). Prêt en mars 1952, signé deux mois plus tard par les six pays membres de la CECA, le traité ne pouvait entrer en application qu'après ratification par les parlements des Etats signataires. Les pays du Benelux et la RFA le font en février et mars 1954. L'Italie, où une majorité est favorable à la ratification, décide d'attendre le vote des députés français. Tout dépend donc, pour que le «plan Pleven» entre dans les faits, de l'attitude de la France. Or, le débat qui s'engage au début de 1953, et qui va durer plus de dix-huit mois, prend dans ce pays la forme d'une véritable Affaire Dreyfus dont la dramatisation doit beaucoup aux événements d'Indochine et d'Afrique du Nord. L'opinion et la classe politique se trouvent divisées en deux camps aux contours fluctuants : d'un côté celui des «cédistes» composé principalement des MRP et des représentants de la droite libérale, de l'autre celui des «anticédistes» où se rejoignent communistes et gaullistes. Socialistes et radicaux se partagent pour moitié entre partisans et adversaires du traité, tandis que les «neutralistes» de la gauche non conformiste (*Combat*, *France-Observateur*, *Témoignage chrétien*) prennent position contre ce dernier, de même que le journal *Le Monde*, devenu en 1953 le principal vecteur de la campagne contre la CED.

L'évolution de la situation internationale, marquée par un relatif «dégel» au lendemain de la mort de Staline, favorise les adversaires de la ratification, en ce sens que, le danger de guerre s'éloignant, l'opinion se montre moins empressée de voir la France abandonner une partie de sa souveraineté dans l'aventure d'une armée multinationale. A l'automne 1951, 42 % des personnes interrogées se déclaraient partisanes d'une armée européenne, 26 % étaient contre, 32 % sans opinion. En juillet 1954, à la veille du débat de ratification, il n'y a plus que 36 % de Français pour se déclarer pour ou «plutôt pour» la CED, contre 31 % de contre ou «plutôt contre» et 33 % de «sans avis».

C'est à Pierre Mendès France, devenu président du conseil le 17 juin 1954, qu'il incombera, après dix-huit mois de tergiversations, de soumettre le traité à ratification. Conscient des très fortes divisions qui secouent le pays, parlant dans sa déclaration d'investiture du débat sur la CED comme de l'un des «*plus graves cas de conscience qui ait jamais troublé le pays*», mais considérant en même temps que la France a des préoccupations plus importantes que celle de l'armée européenne (l'Indochine et surtout, à cette date, la mise en ordre de l'économie nationale), Mendès va s'efforcer de trouver un compromis non pas avec les adversaires irréductibles du réarmement allemand, mais entre partisans des deux formes que pourrait prendre ce réarmement. Mais les quelques aménagements qui sont apportés au texte ne suffisent pas à apaiser les anticédistes et surtout, considérant que le projet qui est présenté aux députés n'est pas le sien, Mendès n'engage pas sa responsabilité devant ses collègues. Si bien que, le 30 août, dans une atmosphère survoltée, l'assemblée rejette la CED en adoptant par 319 voix (les 99 communistes et progressistes, 67 républicains-sociaux sur 73, 34 radicaux sur 67, 10 UDSR sur 18, 55 Socialistes sur 105, 44 indépendants sur 124) contre 264 une question préalable qui clôt le débat sans discussion.

La réaction à la défection française est vive en Europe où nombreux étaient ceux qui avaient misé sur le projet de communauté de défense, pas seulement parce qu'il leur paraissait de nature à assurer à moyen terme la sécurité du Vieux Continent, mais parce qu'en donnant naissance à un organisme supranational à direction collégiale, il offrait à la communauté des six l'embryon institutionnel d'une future fédération européenne. Aux Etats-Unis, la déception n'est pas moins grande. Le secrétaire d'Etat, John Foster Dulles, évite même de passer par la France lors d'un voyage qu'il entreprend en Europe en septembre 1954. A cette date, les choses ont pourtant évolué grâce à l'initiative qu'a prise peu de temps auparavant le Britannique Anthony Eden. Au cours d'une tournée effectuée dans les capitales de la «petite Europe», celui-ci a en effet proposé de relancer l'Union occidentale, mise sur pied en 1948 par le pacte de Bruxelles, en y faisant entrer l'Italie et l'Allemagne. Accueilli avec enthousiasme dans les trois pays du Benelux, avec plus de réserve par Adenauer que l'échec de la CED a fortement déçu, Eden achève sa tournée par Paris où il rencontre Mendès France le 15 septembre et finit par obtenir de lui l'acceptation de l'entrée de la RFA dans l'OTAN.

Ainsi, de façon assez paradoxale, la France qui venait de rejeter le traité élaboré à partir du «plan Pleven», traité dont elle pouvait en quelque sorte revendiquer la paternité et qui visait à éviter de faire purement et simplement entrer l'Allemagne dans l'Alliance atlantique, accepte-t-elle quelques semaines plus tard une combinaison qui la ramène à la case départ. Dès le 23 octobre, après un premier accord paraphé à Londres entre les signataires du traité de Bruxelles et les deux Etats d'Amérique du Nord, les «accords de Paris» consacrent la souveraineté de la RFA, l'adhésion de l'Italie et de l'Allemagne à l'Union de l'Europe occidentale, et par là même l'entrée de cette dernière puissance dans l'organisation atlantique. Pour ne pas trop heurter les opinions publiques, en France notamment où l'antigermanisme demeure très virulent, on interdit à l'Allemagne fédérale de fabriquer ou de se procurer des armes dites «ABC» (atomiques, biologiques et chimiques). A cette réserve près, la remilitarisation de l'ancienne vaincue est acceptée, plus rien ne s'opposant à ce que la RFA, devenue puissance souveraine, ait sa propre armée dans le cadre du pacte atlantique.

Plus rien, sinon la résistance opposée à l'assemblée nationale française par les adversaires irréductibles du réarmement allemand et, fait plus surprenant, par des membres du MRP, cédistes de choc qui n'ont pas pardonné à Mendès d'avoir fait capoter le projet d'armée européenne. Le 23 décembre 1954, un premier vote sur la ratification des accords sur l'UEO est défavorable au gouvernement. Il faudra que le président du Conseil engage une semaine plus tard, sur un texte légèrement modifié, la responsabilité de son gouvernement, et que le chancelier allemand intervienne indirectement auprès de ses amis du MRP, pour que, les 29 et 30 décembre, les accords de Paris soient ratifiés par les députés français.

La crise de Suez

Au cours des dix années qui ont suivi la Seconde Guerre mondiale, la politique étrangère de la France a subi très fortement l'influence des problèmes coloniaux (cf. chapitres VII et XI). D'abord par le poids que ceux-ci ont exercé sur ses finances, donc sur ses choix de politique économique et sociale, et sur ses possibilités d'action autonome en regard de la puissance détentrice du *leadership* occidental. Ensuite parce que les problèmes posés par la décolonisation ne peuvent être réduits aux relations entre Etats colonisateurs et peuples soumis à la domination européenne. De plus en plus, ils ont eu une résonance mondiale, s'inscrivant à l'échelle planétaire dans le conflit entre les deux blocs, puis dans une logique triangulaire faisant intervenir à partir des années 1950 ce que l'on a commencé à appeler le «tiers monde». Affrontée à la rébellion de ses colonies d'Indochine, la France a dû faire appel aux Etats-Unis pour financer son effort de guerre, ce qui l'a conduite à devoir tenir compte de manière croissante de la façon dont Washington envisageait de manière globale la stratégie du «monde libre» dans l'aire Asie/Pacifique, puis à céder la main aux Américains. A propos de la question tunisienne, son refus de soumettre le règlement du conflit au Conseil de sécurité et à l'Assemblée générale de l'ONU devait inaugurer une période de «bouderie» à l'égard de cette organisation dont la guerre d'Algérie allait amplifier les effets.

La connexion entre les problèmes liés à la décolonisation et à l'émergence du tiers monde, et ceux relevant du conflit Est/Ouest va se manifester de façon spectaculaire à propos des événements de Suez, à l'automne 1956, événements dans lesquels la France se trouve directement impliquée et dont le dénouement aura de fortes incidences à la fois sur sa politique étrangère et sur son évolution interne.

A l'origine de la crise, il y a la décision prise le 26 juillet par le colonel Nasser — qui a pris le pouvoir en Egypte deux ans plus tôt et souhaite réaliser autour de son pays l'unité du monde arabe — de nationaliser la compagnie du canal de Suez, dont les actionnaires sont en majorité français et britanniques. Ce geste, qui est salué par les populations de la région comme un défi aux anciennes puissances coloniales, provoque aussitôt une vive réaction des deux Etats européens concernés. Le Royaume-Uni pour lequel le canal constitue à la fois un enjeu économique considérable — sur les 15 000 navires qui transitent chaque année par cette voie d'eau, les deux tiers sont des pétroliers et 35 % sont britanniques — et le symbole de leur ancienne puissance impériale, redoute de se voir complètement éliminé d'une zone sur laquelle s'exerçait jusqu'à la guerre sa prépondérance. En France, où les responsabilités du pouvoir sont assumées depuis les élections de janvier par un gouvernement de «front républicain» présidé par Guy Mollet, l'hostilité à Nasser se nourrit principalement, outre la répulsion qu'inspire aux dirigeants socialistes et radicaux la nature d'un régime qu'ils ont eu tôt fait d'assimiler aux dictatures totalitaires de l'entre-deux-guerres (Nasser = Hitler), de considérations dictées par la guerre d'Algérie, devenue en 1956 le problème numéro un de la politique française. La complicité dont bénéficient auprès de Nasser les chefs de la rébellion, l'aide militaire et logistique qui leur est apportée par le gouvernement du Caire et dont on a tendance à Paris — classique référence au mythe du complot extérieur — à grossir les effets, les liens que les dirigeants français établissent mentalement entre l'Egypte, cheval de Troie de l'Union soviétique en terre d'Islam, et la subversion communiste pratiquée à l'échelle de la planète, fournissent à l'équipe gouvernementale autant de raisons de chercher à exploiter une situation qu'elle n'a pas créée mais qui peut lui permettre de retourner contre l'Egypte l'arme de la nationalisation.

Français et Britanniques ont donc intérêt, pour des raisons dissemblables, à intervenir aussi vite que possible en Egypte. Non pour rétablir leur autorité directe ou indirecte sur ce pays, mais pour favoriser, à l'occasion d'une opération limitée dans la zone du canal, le renversement de Nasser et son remplacement par des militaires plus coopératifs. Telle est du moins la solution maximaliste envisagée par les gouvernements de Londres et de Paris au lendemain même du coup de force nassérien. Dès le 28 juillet, en effet, des conversations au plus haut niveau ont lieu entre militaires et responsables politiques des deux pays, dans le but de mettre sur pied un plan de débarquement à Port-Saïd ou à Alexandrie. Un état-major mixte est aussitôt constitué, dont les réunions ultra-secrètes se tiendront jusqu'à l'automne dans le célèbre tunnel qui se prolonge sous la Tamise et où ont été préparés les plans du débarquement allié de 1944.

Des premières conversations entre militaires français et anglais, il ressort clairement que les deux puissances n'ont pas les moyens d'entreprendre immédiatement une action d'envergure contre l'Egypte. Il faut en effet plusieurs semaines, même en brusquant les choses, pour mettre sur pied une force d'intervention aéronavale agissant à partir de Malte ou de Chypre, et ceci d'autant plus qu'il n'y a pas grand-chose à attendre d'un appui éventuel de la VIe flotte américaine. Il faut donc temporiser, c'est-à-dire accepter la négociation internationale que propose Foster Dulles. Celle-ci ne donnera aucun résultat, de même que la tentative de conciliation effectuée par l'ONU, si bien qu'à la fin de l'été, Paris et Londres vont opter pour la manière forte.

En France comme en Angleterre, ce sont de petits groupes dominés par les politiques qui ont pris toutes les décisions importantes pendant la crise de Suez. Du côté français, l'équipe décisionnelle comprend, outre le président du Conseil Guy Mollet, qui arbitre entre les «faucons et les colombes» et pèsera fortement sur les choix essentiels, le ministre des Affaires étrangères Christian Pineau, le ministre de la Défense nationale Bourgès-Maunoury et celui de l'Armement Max Lejeune, assistés épisodiquement des généraux Challe et Ely et d'hommes de confiance comme Louis Mangin et Abel Thomas, directeur du cabinet de Bourgès-Maunoury. En fait, la décision d'intervenir militairement sur le canal, de concert avec les Israéliens, sera prise en octobre par une équipe encore plus restreinte et ce sont les Français qui en ont eu l'initiative, face à des dirigeants britanniques qui redoutent à la fois la mauvaise humeur de Washington et les retombées sur leurs amitiés arabes d'une alliance avec Israël.

A Paris, en effet, on n'a pas attendu la nationalisation du canal pour jouer contre Nasser la carte israélienne. Pas seulement par intérêt. Pas seulement parce qu'aux yeux des dirigeants français la victoire en Algérie passe par l'élimination du raïs. Mais parce qu'il existe des affinités idéologiques et une réelle sympathie entre les principaux dirigeants israéliens de l'époque — Ben Gourion, Golda Meir, Shimon Peres — et les vainqueurs, socialistes et radicaux, de l'élection législative de janvier. Depuis la fin juillet, les Français sont au courant des intentions de Tel-Aviv. Le feu couve depuis longtemps entre l'Etat hébreu et ses voisins arabes, nourri d'incidents de frontière, de raids de fedayin et de menaces proférées par les radios de Damas et du Caire. Mais ce sont les fournitures par les Russes de matériels nouveaux à l'Egypte qui ont décidé le gouvernement israélien à engager une guerre préventive contre Nasser. De passage à Paris, Shimon Peres a fait savoir à Bourgès-Maunoury que son pays se trouvait dans l'«ardente obligation» de nettoyer la zone du Sinaï, et on a parlé de l'éventualité d'une action commune, à deux ou à trois, avant de prendre rendez-vous pour l'automne.

Des négociations triangulaires qui s'engagent alors, l'épisode le plus important est la conférence secrète qui s'est tenue dans une villa de Sèvres du 22 au 24 octobre 1956 entre les principaux décideurs français, israéliens et britanniques. Après trois jours de discussions serrées et de va-et-vient entre Paris et Londres, on aboutit dans la soirée du 24 à la signature d'un protocole qui établit le scénario de l'agression contre l'Egypte, cyniquement travestie par les Franco-Britanniques en opération de maintien de la paix. Il est prévu que les Israéliens lanceront dans les derniers jours d'octobre une attaque dans le Sinaï dans le but d'atteindre le canal. Après avoir envoyé aux deux belligérants un ultimatum exigeant le retrait de leurs troupes à 15 kilomètres de la voie d'eau et leur remplacement par des troupes franco-anglaises, et dans le cas — hautement prévisible — d'un refus de Nasser, Français et Britanniques déclencheront deux jours plus tard une attaque contre l'Egypte.

Le succès de l'opération dépendait largement du respect du *timing* mis au point à Sèvres. Or, dès le début de l'offensive israélienne, il apparut clairement que les incertitudes de la politique britannique, la complexité de l'organigramme militaire, la mauvaise coordination entre décideurs civils et responsables sur le terrain de l'opération «mousquetaire» multipliaient les causes de retard.

Il fallut, à la suite d'un appel dramatique de Ben Gourion, que le gouvernement français intervienne énergiquement auprès de Londres pour que, le 1er novembre, les Britanniques se décident — avec 24 heures de retard — à bombarder les aérodromes égyptiens afin de clouer au sol l'aviation de Nasser. Quant à l'opération aéroportée et amphibie, elle ne commença que le 5 novembre, six jours après la date prévue. Elle rencontra peu de résistance mais ne put obtenir, faute de temps, que des succès ponctuels, alors que l'essentiel se jouait déjà au niveau des superpuissances.

Les Soviétiques et les Américains réagirent en effet aussitôt, et avec une extrême vigueur, à une initiative qui pouvait les empêcher de substituer leur propre influence à celle des anciennes puissances coloniales. Les premiers en menaçant Paris et Londres de représailles nucléaires : «*Dans quelle situation se trouverait la France* — disait la note envoyée à Guy Mollet par le maréchal Boulganine — *si elle était l'objet d'une agression de la part d'autres Etats disposant de terribles moyens de destruction moderne?... Le gouvernement soviétique est pleinement résolu à employer la force pour écraser les agresseurs.*» Et pour que les choses soient claires, il précisait dans le message adressé à Eden : «*Ces Etats n'auraient même pas besoin d'expédier des forces navales et aériennes contre les Britanniques. Ils pourraient se servir d'autres moyens, comme des fusées par exemple.*»

Que le président du Conseil des ministres de l'URSS ait bluffé en menaçant Paris et Londres de l'holocauste nucléaire, cela ne fait guère de doute. Aussi fort qu'ait été l'intérêt de l'URSS à assurer sa présence en Egypte, elle pouvait difficilement porter le feu nucléaire sur le territoire des alliés de Washington — à une époque où la disparité des forces stratégiques restait considérable — sans encourir des représailles massives. Cela, les dirigeants français et anglais le savaient, mais ils ne pouvaient quand même pas prendre l'avertissement à la légère. D'autre part les messages soviétiques avaient été rendus publics et l'opinion des pays visés — notamment en Grande-Bretagne — ne montrait pas la même sérénité, même si les sondages effectués après coup, à un moment où le péril était écarté, paraissent dire le contraire (en France, en décembre 1956, il y aura 42 % des personnes interrogées pour approuver rétrospectivement l'opération de Suez, contre 33 % d'avis hostiles et 25 % de sans opinion).

Toutefois — et il est probable que les Russes en avaient soigneusement mesuré l'impact —, le principal résultat de l'ultimatum du 5 novembre est d'avoir permis au président Eisenhower — réélu le 6 novembre — d'exercer une pression indirecte sur Londres et sur Paris, en jouant sur l'effet dissuasif de la menace soviétique. Débarrassée de ses soucis électoraux, l'administration républicaine n'a pas l'intention de laisser les Français et les Britanniques poursuivre jusqu'à son terme une opération dont l'initiative lui a échappé et qui peut l'entraîner plus loin qu'elle ne le souhaite. Pour faire reculer ses alliés, Washington dispose, en plus de l'arme psychologique que lui fournit Boulganine, de deux atouts économiques majeurs : le chantage aux approvisionnements pétroliers et les pressions sur la livre sterling. Celles-ci vont être déterminantes. Depuis le début de la crise, John Foster Dulles a compris que le Royaume-Uni était le maillon le plus faible de la coalition antinassérienne. L'opposition à la politique gouvernementale y était en effet plus marquée qu'en France où le problème algérien jouait en faveur d'une action énergique. Face à une opposition travailliste déchaînée, lâché par les libéraux et par certains de ses collègues conservateurs, Eden ne résistera pas aux menaces d'effondrement de la livre qui résultait de l'action discrète des spéculateurs de Wall Street et de la Federal Reserve Bank de New York.

Sommé par Washington d'accepter le cessez-le-feu ordonné par l'ONU, en échange d'un prêt consenti à la Grande-Bretagne pour sauver sa monnaie, le Premier Ministre dut jeter l'éponge le 6 novembre à 13 heures, la capitulation anglaise entraînant aussitôt celle du gouvernement français, qui ne pouvait envisager de poursuivre seul l'aventure. Les troupes se trouvaient à 37 kilomètres au sud de Port-Saïd et n'avaient pas encore atteint Ismaïlia lorsque leur fut donné l'ordre de stopper leur progression pour céder la place aux forces de l'ONU. L'opération «mousquetaire» était terminée. Elle se soldait pour les anciennes puissances coloniales par un échec dans une affaire qui fut vite perçue comme l'ultime manifestation de la «politique de la canonnière», telle qu'elle avait été pratiquée par elles depuis le XIXe siècle. Pour la France, la reculade imposée par les deux Grands, outre qu'elle mettait fin à ses espérances et à ses illusions concernant le conflit algérien, indiquait quelle était désormais sa place dans le système international hérité de la guerre : celle d'une puissance moyenne dont l'autonomie se trouvait limitée par le jeu des deux Grands, et notamment par le droit de regard exercé sur la politique étrangère par les dirigeants de Washington. La prise de conscience de cette situation subalterne fait partie des éléments qui ont pesé sur l'évolution intérieure de la IVe République et ont précipité sa chute. Elle a aussi concouru à relancer en France la construction européenne et a accéléré un processus qui devait aboutir, moins de cinq mois après l'échec de l'intervention franco-anglaise à Suez, à la signature du traité de Rome.

La France et la relance européenne

Au lendemain de l'échec de la CED, l'entreprise européenne paraît enlisée. Tous les effets de création d'autorités supranationales ont échoué, à l'exception de la CECA, qui elle-même n'a pas que des partisans. En France, la poussée nationaliste qui coïncide avec la première phase de la guerre d'Algérie est peu propice à la relance de l'idée européenne. En Angleterre, la majorité de la population demeure hostile à la supranationalité. C'est en Italie, en Allemagne et dans les trois pays du Benelux que les partisans d'une Europe dans laquelle chaque partenaire accepterait d'abandonner une part de sa souveraineté sont les plus nombreux et les plus influents. Pas assez toutefois pour surmonter l'indifférence des populations.

Pourtant, dès la fin de 1954, donc au lendemain du rejet de la CED par les parlementaires français, de petits groupes d'Européens convaincus, au premier rang desquels figurent Jean Monnet et ses amis, vont effectuer une relance du projet communautaire en fondant leur action sur les problèmes très concrets de l'intégration économique. Or cette relance, dans laquelle la France joue un rôle important, va s'effectuer avec une rapidité et une ampleur inattendues, pour aboutir, en un peu plus de deux ans, à la signature par les Six d'un traité instituant la Communauté économique européenne et la Communauté européenne de l'énergie atomique.

Deux types d'initiatives vont se croiser dans le courant de l'année 1955, visant les unes et les autres à relancer l'idée communautaire. Les premières émanent de milieux restreints de technocrates pour lesquels la meilleure manière de faire avancer les choses est de se placer dans un cadre sectoriel, que ce soit celui de la CECA ou que l'on cherche à étendre les compétences communautaires aux transports et à l'énergie. Parmi les groupes et les personnalités, principalement françaises, qui agissent en ce sens, on trouve Jean Monnet et son équipe, mais aussi d'autres technocrates de haut vol, tels Louis Armand, président de la SNCF, et les dirigeants du Commissariat à l'énergie atomique, avec à leur tête le haut-commissaire Francis Perrin. Il existe à cette date un engouement très vif pour l'énergie atomique, dont l'utilisation pacifique fait figure de remède miracle aux difficultés d'approvisionnement énergétique qui paraissent menacer le Vieux Continent. Faire de l'atome le moteur de la relance européenne, telle est l'idée qui fait rapidement son chemin au lendemain de l'échec de la CED, notamment en France, où la chute du cabinet Mendès France, et son remplacement par un gouvernement présidé par Edgar Faure, semblent favoriser cette évolution des esprits.

Les autres initiatives portent sur l'élaboration d'un projet de Marché commun général. Elles émanent du ministre de l'Economie ouest-allemand Ludwig Erhard qui, en bon libéral, souhaite réduire les entraves aux échanges internationaux, des milieux dirigeants néerlandais et du Belge Paul-Henri Spaak, les uns et les autres favorables à une intégration économique globale dans une structure supranationale. Dès le début de 1955, des contacts sont pris entre les représentants de ces deux grandes tendances, Monnet et Spaak consacrant toute leur énergie à rapprocher les points de vue et à lier l'approche globale et l'approche sectorielle. Pendant quelque temps, les réticences les plus fortes vont encore venir de la France, Edgar Faure, qui compte dans son gouvernement un certain nombre de ministres gaullistes, envisageant favorablement une action dans le domaine des transports et de l'énergie, mais pas nécessairement par extension des compétences de la CECA. En revanche le Premier ministre luxembourgeois, Joseph Bech, et le ministre des Affaires étrangères des Pays-Bas, J.W.

Beyen, manifestent beaucoup d'enthousiasme pour le projet présenté par Spaak. Adenauer est plus circonspect mais, une fois les accords de Paris entrés en vigueur, il va lui aussi pencher du côté des propositions du ministre belge, tout comme l'Italien Martino.

On aboutit finalement, le 9 mai 1955, au vote unanime de l'Assemblée de la CECA en faveur d'une reprise de la construction européenne incluant à la fois les projets sectoriels et le programme plus ambitieux des représentants du Benelux et de l'Allemagne. Le 3 juin, la Conférence de Messine, qui réunit les ministres des Affaires étrangères des Six, adopte une résolution qui affirme la commune volonté des Etats représentés de «*franchir une nouvelle étape dans la voie de la construction européenne*». Un comité présidé par Paul-Henri Spaak et composé d'experts et de délégués des gouvernements intéressés est chargé d'élaborer un rapport esquissant les grandes lignes de ce qui va devenir la Communauté économique européenne et Euratom. Celui-ci est remis aux gouvernements des six Etats membres le 21 avril 1956.

Entre l'automne 1955 et le début de 1957, plusieurs éléments vont accélérer le cours de la construction communautaire. Tout d'abord l'effort déployé par le Comité d'action pour les Etats-Unis d'Europe, de Jean Monnet, qui rassemble un certain nombre de personnalités appartenant à diverses familles politiques — sociaux-démocrates, démocrates-chrétiens, libéraux — et pouvant servir de relais auprès des gouvernements et des opinions publiques. L'action d'autre part de nombreux mouvements européens, un peu tombés en sommeil au début des années 50 et qui trouvent un second souffle après la conférence de Messine : Union européenne des fédéralistes, Action européenne fédéraliste, Ligue européenne de coopération économique, et celle de hauts fonctionnaires et d'hommes politiques relevant des mêmes mouvances.

En France, bien qu'il ait été fort peu question de

l'Europe durant la campagne des législatives, la victoire du «Front républicain» au début de 1956, et le recul des gaullistes, permettent de dégager une nouvelle majorité européenne, socialistes, radicaux, MRP et indépendants, en désaccord sur tous les autres points, se retrouvant sur la nécessité de la construction communautaire.

Joue également dans le sens de la recherche d'une solidarité ouest-européenne l'évolution du contexte international, marqué en 1956 par un retour à la guerre froide. La tension entre l'Est et l'Ouest à la suite du déclenchement de la guerre de Corée avait permis la mise sur pied de la CECA et la conclusion du traité instituant la CED. Au contraire, le dégel consécutif à la mort de Staline avait joué contre la ratification de cet instrument diplomatique. Avec les événements de Hongrie, et surtout avec la crise de Suez, qui fait toucher aux Européens leur degré de dépendance énergétique, on en revient à l'idée que seule une Europe unie pourra faire entendre sa voix sur la scène internationale.

Aussi est-ce avec une grande diligence et dans un climat très convivial que le comité Spaak, réuni pendant plusieurs mois dans le petit château de Val-Duchesse, près de Bruxelles, va élaborer la rédaction des traités, en partant du modèle proposé par le rapport du ministre belge et en tenant compte des différentes positions nationales. Au cours de la négociation, c'est la France qui est amenée à faire le plus de concessions. Favorables à la relance européenne, ses dirigeants auraient en effet préféré que l'approche sectorielle fût privilégiée et ce n'est pas sans réserve qu'ils se sont finalement ralliés à l'idée d'un marché commun général. Ils posent toutefois un certain nombre de conditions, les unes d'ordre économique (harmonisation des charges sociales, politique agricole, association des territoires d'outre-mer), les autres d'ordre politique et institutionnel.

Pour éviter que se renouvelle la mésaventure de la

CED, le président du conseil Guy Mollet engage devant l'Assemblée nationale, le 15 janvier 1957, un débat d'orientation sur le traité de marché commun en cours de négociation, qui permet aux députés d'exprimer leurs craintes et leurs réserves et d'indiquer au gouvernement les limites des concessions qui peuvent être faites aux partenaires de la France. Contré par Pierre Mendès France, qui se fait à cette occasion le pourfendeur de la supranationalité — «*une démocratie abdique*, déclare l'ancien président du Conseil, *en s'adonnant à une dictature interne, mais aussi en déléguant ses pouvoirs à une autorité extérieure*» —, le gouvernement obtient cependant l'adoption de l'ordre du jour par 332 voix contre 207 (communistes, poujadistes et 14 radicaux). Le 25 mars 1957, les deux traités instituant le Marché commun et la Communauté européenne de l'énergie atomique sont signés à Rome par les représentants des Six. Le débat de ratification à l'Assemblée nationale, qui a lieu début juillet alors que Bourgès-Maunoury a remplacé Guy Mollet à la tête du gouvernement, se déroule dans une atmosphère relativement sereine et s'achève par un vote favorable, obtenu par 342 voix contre 239. A la fin de 1957, les deux nouvelles communautés se trouvent donc placées sur orbite et, le 1er janvier 1959, le Marché commun entre en vigueur. Commence pour la France, qui s'est longtemps montrée réticente, la grande aventure de la construction communautaire.

Pendant que s'opéraient la relance européenne, puis la longue négociation qui devait aboutir à la création de la CEE, la France et l'Allemagne ont eu à résoudre le problème qui affectait leurs rapports depuis la fondation de la RFA en septembre 1949. Lors de la signature du traité instituant la CECA, cette dernière avait refusé que la Sarre fût admise en tant qu'Etat parmi les puissances signataires. Pour contourner la difficulté, Paris proposa et Bonn accepta l'idée d'«européaniser» la Sarre tout en maintenant celle-ci dans l'orbite économique de la France. Or, il apparut qu'à partir de 1953, les Sarrois étaient de plus en plus nombreux à manifester leur volonté de rattachement à la République fédérale, conséquence à la fois de la résurgence dans ce territoire du sentiment national allemand, d'autre part de l'attraction exercée par une RFA en pleine renaissance économique. Après de nombreuses tergiversations, on aboutit néanmoins, en octobre 1954, à la signature d'un accord établissant un statut qui faisait de la Sarre un territoire européen, doté d'un gouvernement local, représenté dans le domaine des affaires extérieures et de la Défense par un «Commissaire européen» désigné par le conseil des ministres de l'UEO et qui devra être ni français, ni allemand, ni sarrois. L'union économique et monétaire avec la France était maintenue. Il était stipulé que ce statut serait soumis à deux référendums, l'un après une campagne électorale de trois mois où les partis pro-allemands seraient libres de faire leur propagande, l'autre une fois signé le traité de paix avec l'Allemagne.

Ratifié par les deux parlements, sans grande opposition en France, plus difficilement en Allemagne, le statut de la Sarre allait être rejeté, en octobre 1955, par près de 68 % des habitants du territoire (424 000 voix contre 202 000), à la suite d'une campagne passionnée menée par les leaders pro-allemands, et notamment par Heinrich Schneider. Théoriquement, cela aurait dû entraîner le maintien du statu quo, mais les dirigeants français eurent la sagesse de comprendre que le vote négatif des Sarrois signifiait davantage que le simple refus de l'«européanisation» et qu'il y avait le plus grand intérêt à régler à l'amiable cette épineuse question, au moment où se profilait à l'horizon la «*nouvelle étape dans la voie de la construction européenne*» évoquée à Messine. Antoine Pinay dans un premier temps, puis Christian Pineau après l'arrivée au pouvoir du «front républicain», vont donc engager avec Bonn des négociations en vue du retour de la Sarre à l'Allemagne moyennant certaines garanties et compensations.

L'accord du 27 octobre 1956 admettait le rattachement politique du territoire à la République fédérale à dater du 1er janvier 1957, ainsi que son rattachement économique trois ans plus tard. La France disposait d'un délai de 25 ans pour se retirer des mines de la Sarre et recevait des garanties pour la livraison du charbon sarrois. Enfin, il était décidé de canaliser la Moselle entre Thionville et Coblence, les frais de construction des centrales électriques et le tiers des autres travaux étant à la charge de la RFA. Quoique plutôt mal accueilli dans les deux pays, l'accord sera ratifié sans grande difficulté par les parlements, en France par 354 voix contre 225 à l'Assemblée nationale et par 209 voix contre 66 au Conseil de la République. Il est vrai qu'à cette date les relations franco-allemandes ont acquis une intensité et une cordialité qui font qu'aucune des deux parties ne souhaite les voir achopper sur une question dont la solution apparaît de toute manière difficilement réversible. Au lendemain du traité de Rome et plus d'un an avant que le drame algérien n'entraîne la chute de la IVe République, l'axe Paris/Bonn paraît appelé à devenir le moteur de la construction communautaire et le noyau dur de l'Europe à construire. Ainsi, dans ce domaine des relations franco-allemandes, qui occupe depuis la fin de la guerre une place centrale dans la politique étrangère de la France, le général de Gaulle va-t-il recueillir à son arrivée au pouvoir un héritage que lui-même et son homologue d'outre-Rhin, Konrad Adenauer, sauront faire fructifier au bénéfice de leurs deux pays.

X

Les cultures de l'après-guerre

La brève période qui sépare en France la Libération du début de la guerre froide est marquée dans le domaine de la culture par une volonté de rupture et de renouvellement qui coïncide avec la relève des générations et des magistères esthétiques et idéologiques. Ce sont très souvent des hommes nouveaux, des créateurs jusqu'alors peu connus du public, de nouveaux organes de presse qui tiennent le haut du pavé et qui vont pendant quelque temps donner le ton au débat intellectuel. Pas pour très longtemps : dès 1947 en effet les clivages de l'avant-guerre réapparaissent à la faveur de la bipolarisation idéologique qui affecte aussi bien le champ de la politique intérieure que celui des relations internationales. Ecartées pour un temps de la consécration culturelle, les valeurs de droite reconquièrent une partie du terrain perdu à la Libération et trouvent un nouveau souffle dans la défense de la «liberté de l'esprit», tandis que l'intelligentsia de gauche se divise en fonction de l'attitude qu'adoptent ses représentants en regard du communisme et de l'appartenance à l'un ou l'autre camp.

«*Cette victoire,* écrit Simone de Beauvoir, *effaçait nos anciennes défaites. Elle était nôtre et l'avenir qu'elle ouvrait nous appartenait... Avoir vingt ou vingt-cinq ans en septembre 1944, cela paraissait une énorme chance: tous les chemins s'ouvraient*» (*La Force des choses*, Paris, Gallimard, 1963, p. 19). La Libération inaugure en effet une courte période d'euphorie et d'illusion lyrique pour tous ceux qui, résistants authentiques ou attentistes prudents, ne se sont pas, à quelque degré que ce soit, compromis avec l'occupant ou avec ses auxiliaires vichyssois. Pendant quelques mois, l'unanimisme de façade qui règne dans le monde politique issu de la Résistance intérieure et de la France libre, a pour corollaire une homogénéisation apparente de l'intelligentsia. C'est l'époque où *Le Figaro* publie des poèmes d'Eluard — revenu au communisme en 1942 —, où des organes reliés au PCF comme *Action* et *Les Lettres françaises* accueillent les écrits de Prévert et de Simone de Beauvoir, voire de Mauriac et de Queneau, où Emmanuel Mounier prône dans *Esprit* la collaboration des trois courants qui «*se partagent actuellement la philosophie de la révolution en Occident*» : marxisme, existentialisme et personnalisme. La liberté retrouvée et la Révolution à faire, tels sont les maîtres mots d'un aréopage intellectuel qui rassemble tous les courants de l'«antifascisme», des gaullistes au PC, des chrétiens de gauche et des spiritualistes engagés dans le combat contre le nazisme aux diverses strates du socialisme démocratique et de la gauche non conformiste. Rares sont encore ceux qui font remarquer que tout le monde ne dit pas les mêmes choses avec les mêmes mots, ou que Révolution et Liberté ne se conjuguent pas nécessairement sur le même mode.

Après six années de guerre totale, d'occupation, de

souffrances et de privations multiples, c'est d'abord la liberté qui est à l'ordre du jour, qu'il s'agisse des libertés «formelles», reconquises au prix fort sur les partisans de l'«Ordre nouveau» et qui vont bientôt servir de drapeau aux adversaires d'un autre totalitarisme, de la liberté pour l'homme d'affirmer et d'afficher ses propres choix d'existence contre les dogmes, les tabous et les conformismes imposés par les idéologies, les religions ou la simple pression du corps social, ou encore de l'acte voulu et choisi par lequel l'individu s'efforce d'échapper à sa condition d'être déterminé, biologiquement et socialement. Sous la plume d'un Paul Eluard («*J'écris ton nom*»), d'un Sartre, d'un Camus, d'un Malraux et de beaucoup d'autres, le mot et la notion de liberté tendent à occuper un espace privilégié dans le champ de la production littéraire.

A l'exception peut-être d'une fraction très minoritaire de l'establishment germanopratin, pour laquelle liberté signifie affranchissement de toute contrainte et se conjugue avec fureur de vivre, il n'y a guère de profession de foi «libertaire» qui ne soit assortie de restrictions quant à la signification de cette valeur et aux règles qui doivent, estime-t-on, présider à son épanouissement. Or ces règles sont celles d'une société politiquement libre, mais dans laquelle les effets pervers du libéralisme seront annihilés, ou du moins corrigés par l'application de deux autres principes sacrés relevant de l'héritage républicain : la justice et la vertu. L'aspiration n'est pas nouvelle. Pendant toute la période de l'entre-deux-guerres, et principalement à la charnière des années 20 et 30, nombreux sont ceux qui, à gauche comme à droite, ont rêvé d'une rénovation politique restauratrice des valeurs et des pratiques de la République jacobine. La guerre et la Libération ayant fait table rase d'un régime qui a doublement failli, en ne sachant pas préparer la France à la guerre puis en se sabordant pour laisser le champ libre aux adversaires de la démocratie, le moment paraît venu de donner à celle-ci un autre visage que celui qu'elle avait pris avec la IIIe République finissante, et qui était celui de l'impuissance et du règne de l'argent.

Tel est le message des intellectuels qui, dans le droit fil du programme du CNR, rêvent de concilier ou de réconcilier pratique de la démocratie et efficacité gouvernementale, liberté et justice sociale, institutions républicaines et moralité politique. Tous ne sont pas d'accord sur la teneur de l'alliage qui fera, comme l'écrit *Combat*, une République «*pure comme l'acier de la lame de Roland*». Mais tous, ou presque, s'accordent à proclamer qu'elle sera le produit d'une «révolution» qui substituera à l'oligarchie économique et aux politiciens de l'avant-guerre une élite nouvelle, forgée par la Résistance. La justice, écrit Camus, «*vaut bien une révolution*» (*Combat*, 25 novembre 1944), et Mounier n'est pas le dernier à admettre que celle-ci ne s'opérera pas sans heurt. L'«*opération radicale*», d'où sortira la «*démocratie réelle*» dont il se déclare partisan, «*ne se fera pas*, écrit-il, *sans résistances violentes qui amèneront des contre-violences*» (*Esprit*, décembre 1944). Plus modéré, parce que pressentant déjà de quelles dérives totalitaires sont porteuses les révolutions qui se réclament prioritairement de la justice et de la vertu, Raymond Aron privilégie pour sa part une «*évolution pacifique ordonnée*» dont l'instrument pourrait être la SFIO : il n'en évalue pas moins avec sympathie «*les chances du socialisme*» dans la société française de l'après-guerre et estime que l'action de cette organisation politique devrait aboutir à la «*direction de l'économie par l'Etat sous l'influence des masses populaires*» (*Les Temps modernes*, n° 2, novembre 1945, pp. 233-234).

Pour la majorité des écrivains et des artistes issus de la Résistance, ou ralliés à cette dernière au cours de la phase ultime de l'occupation, la priorité consiste à balayer devant leur porte et à procéder au grand nettoyage d'un milieu qui avait été particulièrement perméable aux diverses formes de la collaboration et du compagnonnage de route avec l'occupant. Tandis que l'appareil judiciaire frappe avec une rigueur particulière les plus compromis — Henri Béraud, Lucien Rebatet, Georges Suarez, Alphonse de Châteaubriant sont condamnés à mort et graciés, alors que Paul Chack et Robert Brasillach sont fusillés et que Drieu La Rochelle, qui s'est caché pendant quelques mois dans un appartement parisien, se donne la mort en mars 1945 —, le Conseil national des écrivains dresse des listes noires qui valent pour ceux qui y figurent interdiction d'être publiés dans la presse ou dans l'édition. L'établissement de ces listes, où l'on trouve à côté des noms précédemment cités ceux de Giono, de Maurras, de Montherlant, de Céline, de Jacques Chardonne, de Paul Morand, de Pierre Benoit, de Henry Bordeaux, etc. — la dernière liste, publiée en octobre 1944, comportant 165 noms —, ne fait pas l'unanimité au sein d'un CNE en proie aux règlements de comptes personnels et à la très forte influence du parti communiste. Jean Paulhan notamment s'élève dans une *Lettre aux directeurs de la Résistance* contre ce qu'il considère comme un déni de justice et une manipulation politique.

De même, les poursuites engagées contre les écrivains et les artistes soupçonnés d'avoir, à des titres divers, pactisé avec l'ennemi donnent lieu à un débat passionné. Il faut dire qu'après avoir pris la place des anciens résistants, à Drancy ou à Fresnes, il vont être jugés, souvent de manière expéditive et par les mêmes magistrats qui avaient requis quelques mois plus tôt contre les résistants, pour «atteinte à la sûreté de l'Etat» telle que celle-ci est définie dans le Code pénal, ce qui implique — compte tenu de l'imbroglio politico-diplomatique franco-français du temps de guerre — un recours non formulé au verdict de l'histoire et à la raison du vainqueur dont

Jean Paulhan et Raymond Aron seront parmi les premiers à dénoncer le caractère arbitraire.

C'est également la hantise de l'arbitraire qui fait que François Mauriac («saint François des Assises» pour *Le Canard enchaîné*) se dresse non pas contre le principe de l'épuration judiciaire, mais contre le recours, trop fréquent à ses yeux, à la peine capitale. Invoquant le devoir de charité qui s'impose à chaque chrétien et s'insurgeant contre le caractère expéditif d'une procédure qui fait la part belle au risque de l'erreur judiciaire, Mauriac engage au début de 1945 dans les colonnes du *Figaro* une polémique acerbe avec Camus, pour qui la charité et le pardon doivent s'incliner devant «*la plus impitoyable et la plus déterminée des justices*». «*En tant qu'homme*, écrit l'auteur des *Justes, j'admirerai peut-être M. Mauriac de savoir aimer les traîtres, mais en tant que citoyen, je le déplorerai, parce que cet amour nous amènera justement une nation de traîtres et de médiocres*» (*Combat*, 11 janvier 1945).

Bien qu'elle ne soit pas encore au courant des horreurs que vont révéler au printemps la découverte des camps d'extermination nazis et le retour des premiers déportés, l'opinion penche alors très fortement en faveur du second. Les sondages de l'IFOP révèlent en effet que 52 % des Français approuvent la condamnation à mort de Brasillach, contre 30 % qui se disent «sans opinion». Mauriac, à qui le nazisme fait horreur et qui ne peut en aucune façon être suspecté d'inclination vichyste rétrospective, n'en a que plus de mérite à prendre publiquement position pour que Brasillach ne soit pas condamné à mort, puis, une fois le verdict acquis, pour que l'ancien rédacteur en chef de *Je suis partout* bénéficie de la grâce du chef du gouvernement provisoire. On sait que ni la lettre de l'écrivain catholique qui sera lue à l'audience, ni la pétition signée par 63 artistes et écrivains ne fléchiront le général de Gaulle. Le 6 février 1945, l'auteur de

Notre avant-guerre est fusillé au fort de Montrouge. Le débat qui s'ensuit porte sur la responsabilité de l'intellectuel et de ses écrits dans le déchaînement de haines qui a conduit certains Français à se faire les alliés du nazisme et les complices de ses crimes. «*Il y a,* écrira Simone de Beauvoir, *des mots aussi meurtriers que des chambres à gaz.*»

Angoisse et engagement

Une fois passée l'euphorie de la Libération et de la victoire, l'air du temps se teinte d'un sentiment d'angoisse qui ne relève que partiellement du traumatisme de la guerre et qui suscite chez les écrivains et dans le public des réactions très diverses.

Au niveau le plus concret, le conflit mondial a fait rejouer, avec une force décuplée, les réflexes et les interrogations des intellectuels en regard d'un monde perçu comme de plus en plus irrationnel et inhumain. La science et la technologie de pointe mises au service de la tuerie de masse, la révélation des capacités de destruction propres aux armes nucléaires, les bombardements terroristes (Hiroshima et Nagasaki sans doute, mais aussi Dresde et Londres), le massacre des civils, la sinistre résurgence de la torture et de la famine, l'horreur soulevée par la «solution finale», etc., tout cela s'inscrit dans une perspective historique qui paraît une fois de plus contredire le schéma progressiste cher aux héritiers des Lumières et achève de ruiner l'ancien système de valeurs. Ceci, dans un climat où la peur d'une nouvelle guerre, plus meurtrière encore que celle qui vient de finir, a vite remplacé l'optimisme consensuel de la Libération.

A ce pessimisme ambiant, qui va s'amplifier avec les

premiers développements de la guerre froide, beaucoup réagissent, surtout parmi les jeunes et dans les petits cénacles intellectuels parisiens, en affichant une «fureur de vivre» qui est à la fois, on l'a vu, refus de toutes les contraintes et de tous les tabous, et fuite un peu suicidaire dans un monde artificiel que symbolise, jusqu'au début des années 1950, le mythe de Saint-Germain-des-Prés. A la «Coupole» et au «Café de Flore», aux «Deux-Magots» et au «Bar Vert», au «Petit Saint-Benoît» et aux «Assassins», chez Marguerite Duras et à la «Rhumerie» se côtoient écrivains et artistes, poètes et chanteurs (Boris Vian, Juliette Gréco, Jacques Prévert), cinéastes et journalistes, et surtout, autour de Jean-Paul Sartre et de la petite équipe des «Temps modernes» (Simone de Beauvoir, Aron, Merleau-Ponty), tous ceux séduits sans toujours la comprendre par la philosophie nouvelle: l'existentialisme. A l'écoute des nouveaux maîtres à penser, la jeune génération bourgeoise se presse dans les «caves» à la mode, au Tabou, à la Huchette, au Lorientais, etc., cherchant un remède à son mal de vivre dans un étourdissement de musique de jazz, de danse et de transgressions provocatrices.

A l'angoisse et au sentiment de l'absurde qui occupent les esprits, répond chez de nombreux intellectuels le souci de donner un sens au monde dans lequel ils vivent en participant aux grands débats et combats de leur temps. L'engagement, quelle qu'en soit la forme, est à l'ordre du jour, et ceci d'autant plus qu'au lendemain de la guerre, il s'inscrit dans la continuité de la lutte antifasciste et de la Résistance. Nombreux sont ceux qui, comme Aragon, Eluard, Roger Vaillant, Edgar Morin, Claude Roy et beaucoup d'autres, ont adhéré au parti communiste plus par haine du fascisme et par souci de justice sociale qu'à la suite d'un choix idéologique délibéré. D'autres, se réclamant ou non du marxisme, se refusent à franchir le pas et à entrer dans une organisation dont ils ne partagent pas toutes les idées mais qui leur paraît porteuse d'avenir parce que «sur les positions de la classe ouvrière», acceptant de se ranger pendant quelque temps parmi les «compagnons de route» du PC.

Le succès que rencontrent au lendemain de la Libération l'œuvre romanesque et scénique de Jean-Paul Sartre et celle d'Albert Camus s'expliquent à bien des égards par le fait qu'elles sont emblématiques de leur temps, répondent aux inquiétudes de la génération issue de la guerre et offrent également à celle-ci une éthique de l'engagement qui diffère il est vrai de celle des adeptes de l'église communiste.

Il n'y a en effet pas grand-chose de commun au départ entre la démarche de l'intellectuel qui adhère au parti par antifascisme ou à la suite d'une prise de conscience des injustices de la société et celle du héros sartrien dont le choix relève du malaise métaphysique. L'angoisse qu'éprouvent le Roquentin de *La Nausée* ou le Mathieu des *Chemins de la liberté* naît en effet du sentiment de l'absurde que génère la perception du monde, du «fourmillement de la contingence» auxquels l'individu ne peut échapper que par l'action voulue et choisie. L'homme n'est ni la créature de Dieu, ni le représentant d'une «nature humaine» qui serait antérieure à sa propre existence. C'est son existence même qui le définit et il n'a de sens que par ses actes («*l'homme est ce qu'il se fait*»): ce qui fonde à la fois sa liberté et ses valeurs, car le bien et le mal ne doivent pas être considérés comme des absolus.

Albert Camus, dont la pensée présente de nombreuses analogies avec celle de Sartre sans relever toutefois *stricto sensu* du courant existentialiste, fait lui aussi le constat de l'absurdité d'un monde qui est à la fois étrange, hostile et «peuplé d'irrationnel». Récusant à son tour les attitudes d'évasion que constituent à ses yeux le suicide et la croyance religieuse, il pense que ce qui fait la grandeur de l'homme et donne un sens à son existence, c'est d'agir en sachant quelle est la vanité des efforts qu'il déploie. Ce défi, cette révolte lucide et désespérée pour échapper à sa condition et à son destin biologique, font de l'homme un être libre et lui offrent le seul bonheur qui lui soit accessible : celui de la conscience de sa liberté et de sa dignité. «*La lutte vers les sommets,* écrit-il, *suffit à remplir un cœur d'homme. Il faut imaginer Sisyphe heureux*» (*Le Mythe de Sisyphe*, 1942).

Cette éthique peut servir d'alibi aux actions les plus éloignées de l'utilitarisme social. En effet, si l'acte individuel suffit à fonder la liberté et les valeurs humaines, sans référence à une métaphysique ou à une morale préétablie, toute action, quelle qu'elle soit, présente un aspect positif : aussi bien l'entreprise humanitaire et désintéressée que le geste gratuit du nihiliste (*Les Justes* de Camus), voire des actions nuisibles à autrui (le crime rêvé d'Erostrate dans *Le Mur* de Sartre). Les deux maîtres à penser de la génération de l'après-guerre ont eu, chacun à sa manière, conscience des dangers d'une telle attitude et n'ont cesse de la corriger, en intégrant dans leur schéma intellectuel — au prix de contradictions qui ne leur échappent pas — des données inspirées de l'humanisme traditionnel. Camus pose ainsi des limites à sa révolte, en proposant à ses contemporains de «*diminuer arithmétiquement la douleur du monde*», en se réclamant de valeurs telles que la justice et la fraternité, et en refusant toute forme de terreur, fût-elle destinée à préparer l'avènement d'une société plus juste. Alors que Sartre, qui se préoccupe déjà de «*ne pas décourager Billancourt*», accepte de faire «*un bout de chemin*» avec les communistes, l'auteur de *l'Etranger* condamne sans appel toute forme de terrorisme totalitaire.

Sartre, de son côté, ne se contente pas de faire grief à Flaubert et aux Goncourt d'être «*responsables de la répression qui suivit la Commune parce qu'ils n'ont pas écrit une ligne pour l'empêcher*». Il exalte en même temps le combat d'un Voltaire et d'un Zola contre l'injustice et l'intolérance. «*Pour nous,* écrit-il, *l'écrivain est 'dans le coup', quoi qu'il fasse, marqué, compromis, jusque dans sa plus lointaine retraite.*»

Si la philosophie sartrienne ne bouleverse en rien la pensée contemporaine et ne fournit en quelque sorte qu'un apport modeste aux doctrines «existentialistes», l'influence qu'a exercée sur la génération de l'après-guerre l'auteur de *l'Etre et le Néant* et l'équipe des *Temps modernes* a été considérable, comme en témoigne douze ans après la fin du conflit l'enquête sur la «Nouvelle Vague» effectuée auprès des lecteurs de *L'Express*. Jusqu'en 1945, Jean-Paul Sartre, qui avait alors une quarantaine d'années et plusieurs œuvres importantes derrière lui (*La Nausée* et *Le Mur* avaient été publiés avant la guerre, *L'Etre et le Néant* date de 1943), était resté à peu près inconnu du grand public. Or en quelques mois sa notoriété atteint des sommets, de même que celle de Simone de Beauvoir, laquelle décrit et explique en ces termes le succès de la «tribu existentialiste» :

> «*Ce fut dont une 'offensive existentialiste' que, sans l'avoir concertée, nous déclenchâmes en ce début d'automne. Dans les semaines qui suivirent la publication de mon roman, les deux premiers volumes des* Chemins de la Liberté *parurent, et les premiers numéros des* Temps modernes. *Sartre donna une conférence* — L'existentialisme est-il un humanisme? — *et j'en fis une au club* Maintenant *sur le roman et la métaphysique.* Les Bouches inutiles *furent jouées... Le tumulte que nous soulevâmes nous surprit.*
>
> *Ce fracas s'expliquait en partie par l''inflation' que sur le moment même Sartre a dénoncée; devenue une puissance de second ordre, la France se défendait en exaltant, à des fins d'exportation, les produits de son terroir : haute couture et littérature. Le plus modeste écrit suscitait des*

acclamations, on menait grand tapage autour de son auteur : les pays étrangers s'émouvaient avec bienveillance de ce vacarme et l'amplifiaient. Cependant, si les circonstances jouèrent à un si haut point en faveur de Sartre, ce ne fut pas par hasard; il y avait, du moins à première vue, un remarquable accord entre ce qu'il apportait au public et ce que celui-ci réclamait. Les petits bourgeois qui le lisaient avaient eux aussi perdu leur foi dans la paix éternelle, dans un calme progrès, dans des essences immuables; ils avaient découvert l'Histoire sous sa figure la plus affreuse. Ils avaient besoin d'une idéologie qui intégrât ces révélations, sans les obliger cependant à jeter par-dessus bord leurs anciennes justifications. L'existentialisme, s'efforçant à assumer leur condition transitoire sans renoncer à un certain absolu, à affronter l'horreur et l'absurdité tout en gardant leur dignité d'homme, à préserver leur singularité. Il semblait leur fournir la solution rêvée.»

(S. de Beauvoir, La Force des choses, Paris, Gallimard, 1963).

L'immense fortune littéraire et médiatique de Sartre et de sa «tribu», leur impact sur une partie de la jeunesse intellectuelle et la réputation sulfureuse qu'une presse avide de scandale avait faite au locataire, au demeurant fort studieux, de la rue Bonaparte, eurent tôt fait de déchaîner contre lui ce qu'Ariane Chebel d'Appollonia a appelé le «clan des anti» (*Histoire politique des intellectuels en France, 1944-1954*, tome I, Bruxelles, Complexe, 1991, pp. 123 sq.). S'y croisaient, avec des arguments et des fureurs langagières peu dissemblables, des extrémistes de droite comme Pierre Boutang et de grands noms de l'establishment littéraire comme Gide («le mouvement caca»), Mauriac (le «rat visqueux») et Julien Benda, d'épisodiques compagnons de route du PC comme Emmanuel Mounier et les gros bataillons de l'intelligentsia communiste, Aragon et Garaudy en tête : tous s'accordant à voir dans l'«animal Sartre» (J. Kanapa) un corrupteur de la jeunesse et une émanation de la «pourriture» ambiante. Trois ans avant la condamnation par le porte-parole du jdanovisme des «*chacals tapant à la machine*» et des «*hyènes maniant le stylo*» (lors du «Congrès des intellectuels pour la paix» réuni à Wroclaw, en Pologne, en août 1948), le ton est donné, et par des clercs qui sont loin d'être unanimement placés sur les «positions de la classe ouvrière».

Une culture de guerre froide

A partir de la fin de 1946, le champ culturel au sens large est devenu un terrain d'affrontement pour les influences rivales des deux principaux vainqueurs de la guerre. Celle des Etats-Unis bénéficie des atouts nouveaux que confère à cette puissance son avance technologique, sa prépondérance financière, industrielle et commerciale, ainsi que le prestige résultant du rôle qu'elle a joué dans la lutte contre la coalition hitlérienne, puis dans la reconstruction rapide des pays libérés.

A l'image, très répandue on l'a vu dans l'intelligentsia française de l'avant-guerre, d'un pays sans âme et sans culture, voué à la robotisation (cf. G. Duhamel et la plupart des auteurs de récits de voyage) et soumis à la toute-puissance du roi dollar, se substitue chez beaucoup de Français celle d'une civilisation qui a su allier aux avantages matériels qu'elle tire de sa haute technicité le respect des idéaux démocratiques. A l'heure où, dans le contexte des premiers affrontements de la guerre froide, l'Europe sinistrée et affaiblie paraît menacée par un totalitarisme non moins redoutable que celui qui a fait naufrage avec l'Allemagne hitlérienne, ils se tournent vers les principaux artisans de la victoire, à la fois pour leur demander d'assurer leur défense et pour se mettre à leur école, en occultant fréquemment il est vrai les zones d'ombre que recouvre à cette date le mythe de l'Amérique terre de liberté (problèmes raciaux, inégalités, maccarthysme).

Il est à noter d'ailleurs que cette évolution ne se fait pas brusquement. Interrogés par l'IFOP en 1944, 61 % des Français considèrent que l'URSS a plus que les autres pays contribué à la défaite de l'Axe, contre 29 % pour les Etats-Unis. En mars 1947, à la question *«une nation cherche-t-elle à dominer le monde?»*, l'URSS n'est encore placée devant sa rivale d'outre-Atlantique qu'avec un point de distance (contre 7 en juillet de la même année). Un an plus tard, le «désir sincère de paix» de l'Union soviétique n'est plus admis que par 23 % des personnes sondées contre 40 % qui sont d'un avis contraire. En août 1950 (deux mois après le déclenchement des hostilités en Corée), les sympathies des Français vont à 52 % aux Américains contre 13 % aux Soviétiques (presque tous relevant de l'électorat communiste). Enfin, en 1956, les opinions favorables à la superpuissance de l'Est tombent au-dessous de 12 %.

La force de pénétration du «modèle» américain concerne moins les formes traditionnelles et élitistes de la culture que les divers aspects d'une culture de masse dont les produits répondent aux aspirations d'un vaste public, composé principalement de jeunes et épris de modernité. Sans doute les grands noms du roman américain contemporain (Hemingway, Faulkner, Caldwell, Steinbeck, etc.) trouvent-ils dans l'Hexagone des lecteurs plus nombreux qu'avant la guerre, mais, comme en témoigne une enquête effectuée en 1948 auprès des étudiants en lettres de Paris, on leur préfère généralement les «classiques» de la littérature française du XXe siècle, les Gide, Valéry, Malraux, Duhamel, Claudel, ou les nouveaux «mandarins» de la Rive gauche. En revanche, il existe un vif engouement pour le jazz, fréquemment perçu il est vrai comme musique «noire», ce qui aboutit à un véritable renversement d'image, pour le cinéma américain (celui des années 30 plutôt que celui des *fifties*), pour la littérature de science-fiction et pour le roman policier, comme en témoigne le fulgurant succès de la «série noire», publiée par Gallimard et dirigée par Marcel Duhamel : un vecteur de l'influence américaine qui introduit lui aussi une image ambiguë de l'Amérique, tout comme les imitations et pastiches auxquels se livrent certains indigènes germanopratins, tel le Boris Vian de *J'irai cracher sur vos tombes*. Seule la bande dessinée d'outre-Atlantique voit son influence décroître par rapport à l'avant-guerre, son homologue français se trouvant protégée par la loi de 1949 sur les publications de la jeunesse.

Favorisée par la force de pénétration de puissants réseaux financiers, par l'hégémonie linguistique que l'anglais commence à exercer à cette époque, par l'action concertée d'hommes d'affaires et de gouvernants pour lesquels l'ouverture des marchés extérieurs aux produits de la culture nord-américaine présente à la fois un intérêt politique (en diffusant une «bonne image» de l'Amérique) et économique, la diffusion des modes et des modèles en provenance des Etats-Unis se heurte fréquemment à la résistance des formes traditionnelles de la culture hexagonale, qu'il s'agisse de l'attachement au «patrimoine» classique ou des formes multiples d'une culture populaire qui conserve à cette date nombre de ses traits spécifiques, que ce soit dans le monde rural ou en milieu urbain. Jusqu'au milieu des années 50, le temps n'est pas encore venu — il faudra attendre au moins un ou deux lustres — où Claude Nougaro et Yves Montand pourront dire en chanson «*quand le jazz est là, la java s'en va*».

D'autre part, la puissance du courant communiste et le poids du parti communiste constituent un contrepoids important à la pénétration des influences américaines. Sans doute faut-il ramener à la juste mesure l'influence exercée par le PCF sur le monde intellectuel de l'après-guerre. Les travaux de Jeannine Verdès-Leroux (*Au service du parti. Le parti communiste, les intellectuels et la culture (1944-1956)*, Paris, Fayard-Editions de Minuit, 1983) ont clairement montré que l'image du PCF comme «parti de l'intelligence française», dont Georges Cogniot avait fait l'un des slogans du Xe Congrès en 1945, était largement mythique, et qu'il y avait lieu de considérer à la fois la relative étroitesse de la base statistique de l'intelligentsia communiste et d'autre part sa très grande hétérogénéité.

Il n'en demeure pas moins que le PCF de l'après-guerre constitue dans le champ intellectuel, flanqué des bastions avancés que forment les divers noyaux de sympathisants et autres «compagnons de route» — très fortement ancrés ceux-là dans le monde du «mandarinat» —, une «citadelle» qui pour être assiégée n'en est pas moins redoutable, avec son réseau de presse et de revues spécialisées (de *La Pensée* à *Lettres françaises*, de *La Nouvelle Critique* à *Arts de France* et à *L'Ecran français*, pour ne parler que des titres les plus significatifs), avec le rôle de magistère et de station d'«épuration» qu'exerce, nous l'avons vu, en début de parcours le CNE, placé sous le double symbole de la royauté aragonienne et du voisinage élyséen (la «Maison de la pensée» est située à l'angle de l'avenue Gabriel et de la rue de l'Elysée : en 1952, une foule de militants et de sympathisants du PC défilera pendant des heures devant le cercueil de Paul Eluard). Avec surtout sa puissante capacité de promotion interne et son aptitude à transformer d'obscurs intellectuels «organiques» ou «prolétaroïdes» en «intellectuels» reconnus, ou du moins en producteurs de culture auxquels (c'est le cas du romancier André Stil ou du peintre Fougeron) le parti fournit un public, une tribune et un formidable soutien médiatique. Tout cela certes va avoir tendance à se réduire avec le temps et avec le raidissement des blocs, mais jusqu'en 1956 — date du premier exode massif des intellectuels communistes de l'après-guerre — la citadelle tient bon.

Pour en revenir à l'affrontement des modèles idéologiques et culturels, disons qu'à ceux qu'ils jugent «décadents» et dont ils dénoncent le caractère «étranger» et la vocation impérialiste, les communistes opposent les modèles qui, dans la tradition nationale, s'accordent le mieux avec leurs propres idéaux. Pourtant, c'est moins la référence aux grandes œuvres du passé — celle d'un Zola, d'un Hugo ou d'un Courbet — qui guide la majorité des écrivains et artistes communistes dans leur activité de créateurs que les principes d'un «réalisme socialiste» dont Jdanov, principal idéologue du PCUS, a fixé les principes intangibles : exaltation de la classe ouvrière et du parti, culte du «héros positif», glorification des «valeurs prolétariennes» (travail, loyauté, abnégation et autres vertus morales supposées émaner du peuple), condamnation du «modernisme» dans les arts et les lettres, etc.

En août 1948, lors du «Congrès des intellectuels pour la paix» qui se tient à Wroclaw, en Pologne, ces articles du dogme sont énoncés avec véhémence à la tribune, non par Jdanov qui est alors tombé en disgrâce et mourra peu de temps après, mais par le romancier soviétique Fadeïev, lequel profite de la circonstance pour condamner avec une extrême violence Sartre, Malraux et divers autres écrivains «bourgeois», traités de «fauves» au service des «potentats» et des «monopoles américains», de «chacals tapant à la machine» et de «hyènes maniant le stylo». Ceci, devant un parterre de 500 délégués parmi lesquels figurent nombre d'intellectuels n'appartenant pas au mouvement communiste, tels Irène Joliot-Curie, Julien Benda et Maurice Bedel, président de la société des gens de lettres.

A partir de cette date, la culture communiste de guerre froide s'enfonce pour de nombreuses années dans un conformisme idéologique et formel et dans un dogmatisme figé d'où émergent toutefois épisodiquement des œuvres de valeur, y compris lorsqu'elles se veulent politiques et s'inscrivent dans le contexte de l'affrontement entre les deux idéologies dominantes. Certaines, par exemple les poèmes de Guillevic et surtout ceux de Paul Eluard, seront bien accueillies par les instances dirigeantes du PC, en dépit de leur modernité, parfois de leur hermétisme. D'autres au contraire donneront lieu de leur part à des réactions de mauvaise humeur : tel le portrait de Staline, paru, avec l'aval d'Aragon, à la une des *Lettres françaises*, au lendemain de la mort du dictateur, en mars 1953. Un Staline rajeuni et passablement éloigné des canons du «réalisme socialiste», ce qui, «à l'initiative de la base», allait entraîner une vigoureuse désapprobation de la part de l'état-major du parti. On pouvait ainsi, à la date du 18 mars 1953, lire dans *L'Humanité* le communiqué suivant :

> «*Le secrétariat du PCF désapprouve catégoriquement la publication dans* Les Lettres françaises *du 12 mars du portrait du grand Staline dessiné par le camarade Picasso.*
> *Sans mettre en doute les sentiments du grand artiste Picasso, dont chacun connaît l'attachement à la cause de la classe ouvrière, le secrétariat du PCF regrette que le camarade Aragon, membre du comité central et directeur des* Lettres françaises, *qui par ailleurs lutte courageusement pour le développement de l'art réaliste, ait permis cette publication.*»

C'est en fin de compte autour de l'affrontement entre ces deux modèles dominants que se structure pendant les années de la guerre froide le champ culturel et idéologique. D'un côté les communistes, engagés en première ligne de toutes les batailles, et les plus dociles des compagnons de route : aux uns et aux autres, le ton a été donné par Laurent Casanova lors du XIe congrès du PCF à Strasbourg, en 1947, lorsque ce responsable des questions culturelles au sein de l'organisation communiste a déclaré que les intellectuels devaient «rallier les positions de la classe ouvrière». De l'autre, les partisans de l'«atlantisme», dont l'action s'est opérée avec retard sur celle des premiers, selon une logique négative — en tout cas défensive — qui est celle du rejet du modèle stalinien.

Entreprise difficile, dans un contexte marqué par la forte domination de l'intelligentsia de gauche, et qui a infiniment de difficulté à croître de manière autonome. De là le soutien apporté par les fonds secrets gouvernementaux, ou par les syndicats américains (en attendant le relais de la CIA) à de pures officines de propagande anticommuniste — comme «Paix et Liberté», créée par la présidence du Conseil en 1950 — ou à des entreprises plus consistantes et regroupant, sous la bannière alors difficile à porter du «monde libre», des intellectuels venus d'horizons divers. Ainsi en est-il des Congrès pour la Liberté de la culture, symboliquement lancés à Berlin-Ouest en juin 1950, et de la revue *Preuves* qui en est l'expression francophone et dans laquelle coexistent des personnalités de sensibilités aussi diverses que Michel Collinet, André Philip, Jules Monnerot, Thierry Maulnier, Denis de Rougemont et Raymond Aron, ce dernier ayant de bonne heure rompu les ponts avec son ancien condisciple Sartre et avec l'équipe des *Temps modernes*.

Entre ces deux pôles, qui reproduisent sur le plan de l'Hexagone et dans le champ de la culture, le partage bipolaire issu de la guerre froide, se mettent en place entre 1947 et 1950 les lignes de clivage dont les rencontres conflictuelles font le débat idéologique et culturel au cours de ces années tournantes de l'après-guerre.

Débat tout d'abord au sein de la famille divisée de la

gauche non conformiste entre les inconditionnels de l'URSS et les «neutralistes» en quête d'une «troisième voie» (*Esprit*, *France-Observateur*, l'éphémère Rassemblement démocratique révolutionnaire que fondent Sartre et Rousset en 1948 et qui ne survivra pas à la rupture de ses deux principaux dirigeants, ou encore Gilson dans *Le Monde*), ou entre ceux qui choisissent d'entrée de jeu, ou presque, de dénoncer la dérive totalitaire du marxisme (Camus, Rousset, Castoriadis) et la petite cohorte d'intellectuels qui, malgré ses démêlés avec le PC, se refuse à dénoncer le Goulag pour ne pas «désespérer Billancourt». Sartre appartient à cette dernière catégorie. D'abord pris à partie avec une violence extrême par les jdanoviens français — Courtade et Kanapa — qui, entre autres griefs, reprochent à l'auteur des *Mains sales* (1948) l'anticommunisme que révèle à leurs yeux ce grand succès théâtral, le philosophe revient en effet avec la guerre de Corée et les batailles pour la «sale guerre» d'Indochine à un compagnonnage de route qui durera jusqu'à la révélation des crimes de Staline au XXe Congrès du PCUS et à la répression de l'insurrection hongroise, provoquant la rupture d'Etiemble et de Merleau-Ponty avec l'équipe des *Temps modernes*.

Un débat symétrique oppose au même moment, au sein de la constellation anticommuniste, «atlantistes» et «gaullistes». Rassemblés depuis 1949 autour de la revue *Liberté de l'esprit*, que dirige Claude Mauriac et dont le financement est assuré par le RPF, ces derniers s'en prennent en effet aussi bien à l'impérialisme soviétique qu'à des formes de domination et de déculturation jugées par eux aussi dangereuses pour la survie de l'esprit européen; à savoir la communauté atlantique dominée par les Etats-Unis et l'«Europe de Monnet».

Arts et lettres dans la tourmente du «grand schisme»

La littérature du second après-guerre porte fortement la marque de ces tensions. L'œuvre romanesque et théâtrale de Sartre, tout comme celle d'Albert Camus, traduisent à la fois l'évolution des deux écrivains les plus représentatifs de la «Rive gauche» en regard des problèmes de leur temps et le conflit qui oppose dès 1951 le fondateur des *Temps modernes*, qui considère désormais que le PCF est «l'expression nécessaire et exacte de la classe ouvrière», et l'auteur des *Justes* pour qui le «messianisme utopique» de Marx et de ses épigones ne peut avoir pour objet que de «fabriquer des esclaves». Simone de Beauvoir fera de cette douloureuse querelle le sujet principal de son roman *Les Mandarins*, couronné par le jury Goncourt en 1954, mais il faudra attendre la mort en 1960 du prix Nobel de littérature pour que Sartre lui rende enfin justice. «*Son humanisme têtu,* écrira-t-il alors, *étroit et pur, austère et sensuel, livrait un combat douteux contre les événements massifs et difformes de ce temps. Mais, inversement, il réaffirmait, au cœur de notre époque, contre les machiavéliens, contre le veau d'or du réalisme, l'existence du fait moral.*»

Par leur qualité littéraire et par leur immense retentissement médiatique, les œuvres de Camus et de Sartre occupent pendant la décennie qui suit la guerre un espace que ne peut guère leur disputer la cohorte pourtant nombreuse et prolixe des écrivains directement reliés au PC. Trônant en majesté sur une intelligentsia communiste qui applique sans états d'âme les préceptes jdanoviens, Louis Aragon a abandonné le grand romanesque psychologique et social (*Aurélien*, *Les Beaux Quartiers*, *Les Voyageurs de l'Impériale*) pour la fresque politique et passablement pesante des *Communistes* (1949-1951), ou pour une «poésie» de circonstance à la gloire de Staline et de Maurice Thorez, en attendant de revenir à partir de 1954 à une plus grande autonomie esthétique (*Le Roman inachevé*, 1956). Elsa Triolet, qui a publié son meilleur livre en 1942 (*Le Cheval blanc*) et obtenu le Goncourt en 1944 avec *Le Premier Accroc coûte deux cents francs*), manifeste une plus grande discrétion dans son engagement formel, de même qu'Eluard et que Roger Vailland, dont le séjour relativement bref au sein de la famille communiste ne suffira pas à faire de ses romans les plus «militants» (*Beau Masque*, *325 000 francs*) d'authentiques échantillons de la littérature «prolétarienne».

En revanche, il se développe au cours de la phase la plus aiguë de la guerre froide une littérature de combat, produite par des intellectuels «organiques» ayant fait carrière dans l'appareil du parti et dont le prototype est constitué par les deux volumes qu'André Stil, rédacteur en chef de *Ce Soir* puis de *L'Humanité*, a publiés en 1951 et 1952 sous le titre *Le Premier Choc*. Cet ouvrage de circonstance, qui met en scène des militants du PCF et des dockers de Saint-Nazaire en lutte contre l'«impérialisme américain» au moment de la guerre d'Indochine, vaudra à son auteur de recevoir la distinction suprême de l'intelligentsia communiste internationale : le Prix Staline de littérature. A la même veine glorificatrice du «héros positif» et des «vertus prolétariennes», évoqués avec peut-être des traits un peu moins accusés, se rattachent les romans d'un Pierre Courtade (*Jimmy*, 1951) ou d'un Jean Laffitte.

On a vu que face à ces courants engagés à gauche s'était peu à peu constitué un bastion d'intellectuels gaullistes, issu lui aussi de la Résistance et dont André Malraux — qui publie moins depuis la guerre et manifeste une certaine gêne devant ses propres chefs-d'œuvre, dès lors qu'ils constituent pour beaucoup de jeunes une sorte de propédeutique à l'entrée en marxisme — constitue la figure de proue. Rassemblés autour de la revue *Liberté d'esprit*, les représentants de ce courant ne tardent pas à être rejoints puis dépassés en anticommunisme par des écrivains se rattachant à un droite plus traditionnelle.

Bien qu'il se réclame avec force du refus de l'engagement politique, le petit cénacle de jeunes écrivains auxquels Bernard Franck a donné le nom — qui lui restera — de «hussards» se situe, lui aussi, à droite du spectre idéologique. Il rassemble autour de la revue *La Table ronde* des littérateurs âgés pour la plupart de moins de trente ans dont le chef de file est Roger Nimier (*Les Epées*, 1948, *Le Hussard bleu*, 1950) : Jacques Laurent, Jean-Louis Curtis, Michel Déon, Kléber Haedens, Antoine Blondin, etc. Au-delà des anathèmes lancés contre le «terrorisme intellectuel» de la tribu sartrienne et contre la «tentative d'asservissement des lettres au nom du dogme de l'engagement», dont parlera plus tard Jacques Laurent, c'est un «apolitisme» tout relatif qui fait courir les «hussards», fait d'anticommunisme et de référence aux valeurs viriles, à l'élitisme et au nationalisme. Blondin ne se veut ni de droite ni de gauche, mais «au milieu», ce qui ne l'empêche pas de collaborer épisodiquement à des organes de la droite extrême, tels qu'*Aspects de la France* et *Rivarol*, et à rendre visite chaque dimanche à Céline, dans son pavillon de Meudon, en compagnie de Marcel Aymé et de Nimier (cf. A. Chebel d'Appollonia, *Histoire politique des intellectuels*, *op. cit.*, vol. 2, p. 103). Il n'en reste pas moins qu'autour de ceux que François Mauriac — qui a un moment servi de mentor au groupe — finira par considérer comme des «chevau-légers maurrassiens», a soufflé pendant quelque temps un air de liberté intellectuelle et d'«improvisation ingénue» (Michel Déon) qui tranche avec la dramatisation verbale de l'époque et qui imprègne notamment l'impertinente et allègre revue de Jacques Laurent, *La Parisienne*.

Tandis que s'affrontent ces différents courants, perdure dans les lettres françaises une tradition classique, incarnée par de grands écrivains en fin de carrière comme Valéry, Claudel, Montherlant, Gide (Prix Nobel de littérature en 1947) et François Mauriac.
Ils ne font pas l'actualité médiatique, à l'exception du dernier, qui consacre une partie de son énergie au lendemain du conflit mondial à défendre les vaincus de la Libération, puis s'engagera dès le début de la guerre d'Algérie dans la lutte militante contre la torture, mais ils jouissent, tant à l'étranger qu'en dehors de l'Hexagone, d'une audience qui fait les beaux jours des grandes maison d'édition parisienne et concourt au prestige résiduel de notre pays.

Au début des années 1950, l'épicentre de l'innovation littéraire s'est toutefois déplacé de la France vers des pays tels que l'Italie (Vittorini, Pavese, Silone, Calvino, Pratolini, etc.), l'Allemagne (E.M. Remarque, H. Böll, E. Jünger), l'Angleterre (G. Orwell, T.S. Eliot, Lawrence Durrel) et bien sûr les Etats-Unis. Il faut attendre le milieu de la décennie pour que le relais de la «vague existentialiste» soit pris par de jeunes littérateurs dont le succès provient de leur aptitude à exprimer les nouvelles valeurs libérées des vieilles contraintes — *Bonjour tristesse* de Françoise Sagan paraît en 1954 — et surtout, accueillie par les Editions de Minuit, par l'école du «Nouveau Roman» (Alain Robbe-Grillet, Nathalie Sarraute, Marguerite Duras, Michel Butor, couronné en 1957 par le Renaudot pour *La Modification*, etc.), pour laquelle l'œuvre romanesque devient à la fois un jeu de langage et une recomposition du réel, un peu à la manière des peintres cubistes. Se rattachent à cette tendance, dans le monde théâtral, des auteurs comme Jean Genet (dont *Les Bonnes* ont été montées par Jouvet dès 1947), Eugène Ionesco (sa *Cantatrice chauve*, montée aux Noctambules dès 1950, a pris racine en 1957 pour plus de trente ans à la Huchette) et Samuel Beckett (*En attendant Godot* et *Fin de partie* datent respectivement de 1953 et 1957).

Les arts plastiques sont dans l'ensemble moins directement impliqués dans le débat et dans le combat politiquesde l'après-guerre que la littérature et si affrontement il y a, il se situe le plus souvent sur le terrain esthétique. En octobre 1944, deux mois après la libération de Paris, le Salon d'Automne est le théâtre d'une manifestation d'hostilité envers ce qu'une partie du public considère comme des «fumisteries». Plusieurs toiles, parmi les plus provocantes, sont décrochées et circulent dans la foule sous les quolibets des adversaires de l'avant-garde. Cette petite émeute, vite oubliée, constitue la dernière manifestation de ce genre, émanant d'un public de connaisseurs, face à la percée inexorable de l'art non figuratif.

Désormais universellement connus grâce à la reproduction de leurs œuvres diffusées par les livres d'art et bientôt affichées en posters dans les demeures «petites-bourgeoises», les grands peintres du premier XXe siècle — cubistes, expressionnistes, surréalistes — connaissent un sort analogue à celui des impressionnistes, même lorsqu'ils ont conservé toute leur audace créative, comme le Matisse des grands papiers collés (*La Tristesse du roi*, 1952) ou le Picasso triomphant qui s'installe à Antibes en 1946 et va dominer pendant plus d'un quart de siècle l'art pictural européen. Bonnard, Braque, Rouault, Chagall, Derain, Fernand Léger, bénéficient de la même consécration au cours des dernières années de leur vie, tout en continuant d'apporter un sang neuf à l'art de leur temps.

Jusqu'au milieu des années 1960, l'abstraction, qui n'avait jusqu'alors rencontré qu'une audience confidentielle, va s'imposer en tant que forme privilégiée de l'art à partir des deux pôles new-yorkais et parisien. A côté de Vasarely, qui constitue au lendemain de la guerre la figure de proue de l'abstraction géométrique, les promoteurs de la nouvelle avant-garde parisienne s'orientent majoritairement vers une forme très spontanée d'abstraction — dite «lyrique» ou encore «gestuelle» —, les signes que l'artiste inscrit sur la toile étant plus, à la manière de Hans Hartung (venu de Dresde en 1935), des griffes, des traces de gestes, que les marques d'une écriture dominée. Se rattachent à cette tendance Nicolas de Staël, revenu pourtant à la figuration en 1952, mais à une figuration dont les éléments sont plus des signes que des représentations (cf. ses *Grands Footballeurs*), et surtout les artistes issus du groupe dit des «Jeunes peintres de tradition française», fondé sous l'occupation pour braver la censure nazie contre l'«art dégénéré» (cf. la thèse de Laurence Bertrand Dorléac : «Art, culture et société : l'exemple des arts plastiques à Paris entre 1940 et 1944») et d'où émergent les personnalités de Bazaine, Manessier et Estève. Ils seront rejoints dans les années 50 par d'autres peintres venus soit de l'art figuratif, comme Roger Bissière, soit du surréalisme comme Camille Bryen et Alfred Wols (né à Berlin, installé à Paris en 1932).

La prépondérance marquée de l'abstraction au cours des deux décennies qui suivent la guerre n'est pas exclusive néanmoins d'autres tendances. Ainsi, dans la foulée d'une génération qui s'efface — Kandinsky et Mondrian disparaissent l'un et l'autre en 1944 —, le surréalisme connaît une seconde jeunesse, illustrée par les noms de Paul Klee, Joan Miró, Salvador Dali et Magritte. S'y rattachent également les peintres du groupe Cobra, encore que leurs œuvres soient en général à mi-chemin du surréalisme et de l'abstrait. Né d'une dissidence du mouvement surréaliste révolutionnaire opérée par des artistes danois, belges et néerlandais, d'où le nom choisi pour qualifier leur entreprise (COpenhague, BRuxelles, Amsterdam), le groupe que domine la personnalité de Karel Appel s'est formé à Paris en 1948 et a acquis dans la capitale française une réputation internationale.

Par réaction contre ces tendances, qui répondent à bien des égards aux incertitudes, à l'angoisse et au sentiment de l'absurde qui caractérisent le second après-guerre, se développe un courant réaliste ou néo-réaliste qui obéit en même temps, chez certains artistes engagés aux côtés du parti communiste, aux préceptes que Jdanov a voulu imposer aux représentants de l'intelligentsia «progressiste». Tout n'est cependant pas froide application de ces consignes dans les toiles d'un Fougeron, d'un Pignon ou d'un Taslitzky. Le premier notamment fait songer dans certaines de ses toiles de circonstance exposées en 1951 («Le Pays des mines») à ce qui deviendra une vingtaine d'années plus tard aux Etats-Unis le courant «hyperréaliste». Dans un autre registre, l'opposition à l'abstraction va faire dans les années 1950 le succès du «misérabilisme» de Bernard Buffet et du petit groupe de peintres qui ont fondé en 1949 le salon du *peintre témoin de son temps*: André Minaux, Vénard, Rebeyrolle, etc.

La sculpture française des quinze années qui suivent la guerre subit pareillement la prédominance de l'abstrait. S'y ajoute, chez la plupart des créateurs, une ambition monumentale qu'illustrent notamment l'immense *Signal* posé en 1961 par Henri-Georges Adam devant le musée du Havre, le «signe-chapelle» du *Monument aux morts de Glières* par Emile Gilioli et le *Carmel* de Pierre Szekely à Valenciennes, ainsi que nombre d'œuvres signées par André Bloc et Morice Lipsi.

«*Education populaire*» *et culture de masse*

L'élan donné à l'«action culturelle» par le gouvernement de Front populaire (cf. sur ce point la remarquable thèse d'Etat, non encore publiée, de Pascal Ory), puis l'interventionnisme de Vichy ont fortement modifié en dix ans les relations entre les pouvoirs publics et le monde de la culture. Aussi, dans le droit fil du programme du CNR, le préambule de la Constitution d'octobre 1946 ne manque-t-il pas de proclamer pour tous le droit d'«égal accès» au culturel. Répondant aux initiatives associatives de Travail et Culture, organisation bientôt contrôlée par le parti communiste, et de Peuple et culture, organisation issue, via les maquis du Vercors, de l'école des Cadres d'Uriage et par conséquent marquée au double sceau du premier maréchalisme et de l'esprit de la Résistance, le gouvernement provisoire a créé au ministère de l'Education nationale une Direction des mouvements de jeunesse et de l'éducation populaire qui sera confiée pendant quelque temps à Jean Guéhenno, avant de donner naissance en 1948 à la Direction de la Jeunesse et des sports.

L'heure est donc à l'«éducation populaire» et à la diffusion dans le «peuple» du patrimoine culturel de la nation. L'idée ne va pas sans arrière-pensées paternalistes et élitistes, dès lors qu'on se propose de «relever» le goût du public et de faire accéder les masses à la «grande» culture, sans se préoccuper beaucoup des formes spontanées de création culturelle qui peuvent se manifester en dehors de l'élite. Dès 1948, dans le contexte de la guerre froide, les grandes espérances de la Libération ont fait long feu. Les gouvernements de la Troisième Force reviennent à des pratiques plus traditionnelles, comme en témoigne la résurrection au début des années 1950 d'un secrétariat d'Etat aux Beaux-Arts, privé de budget autonome et davantage préoccupé de gestion du patrimoine que de création (on lui doit notamment un coûteux et très médiatique «sauvetage» du château de Versailles). A cette date, le budget culturel est inférieur à celui de 1938 et plafonne à 0,10 % des dépenses de la nation : «*L'académisme 'humaniste'* — écrit Jean-Pierre Rioux — *s'en satisfait, mais l'action culturelle ne s'en relèvera pas.*

D'autant plus que les hommes de terrain, moins épaulés par les pouvoirs publics, ne peuvent pas manquer d'enregistrer les évolution sociales. Leur populisme culturel qui rêvait d'un parcours rectiligne, des quarante-huitards aux maquis, de Michelet à Vilar en passant par Léo Lagrange, est écartelé entre un moralisme de la bonne volonté et le jdanovisme, entre un système scolaire qui reprend l'offensive et une culture de masse qui submerge toutes les classes. Le Peuple non seulement se dérobe mais se dissout sous leurs yeux, la Culture perd sa majuscule, les zones de création se circonscrivent dans un espace social plus étroit. Ils croyaient diffuser aux masses une culture unifiante qui changerait la vie: ils rencontrent dans leurs associations, leurs théâtres et leurs clubs de plus en plus des classes moyennes en mal de culture, qui valorisent ainsi leur mobilité sociale et non pas le plus grand nombre auquel d'autres loisirs suffisent» (*La France de la Quatrième République*, 2/ *L'Expansion et l'impuissance, 1952-1958, op. cit.*, p. 329).

Malgré ces déceptions, le bilan est loin d'être négligeable. Balbutiante en 1945, l'institution des Maisons des jeunes et de la culture comptera plus de deux cents unités à la fin de la IVe République, à quoi il faut ajouter les quelques milliers de maisons de jeunes, foyers ruraux et clubs divers. Surtout, la décentralisation théâtrale, menée sous l'égide d'un fonctionnaire de la Direction des Arts et Lettres, Jeanne Laurent, et les efforts de démocratisation entrepris dans ce secteur au lendemain même de la guerre ont connu d'incontestables succès. L'objectif était non seulement d'élargir le public national, mais de faire sortir le théâtre d'une orbite parisienne soumise aux caprices de la mode et de la critique spécialisée. En s'appuyant sur des initiatives locales et sur l'expérience de quelques pionniers enthousiastes, un Jean Vilar, formé par Dullin et fondateur en 1947 du Festival d'Avignon — qui connaît bientôt un immense succès —, ou un

Jean Dasté à Grenoble, Jeanne Laurent et son équipe vont en quelques années développer des Centres dramatiques nationaux à Strasbourg, Saint-Etienne, Toulouse, Aix-en-Provence et Rennes, et relancer à partir de 1951 sous la direction de Vilar le Théâtre national populaire qu'avait fondé Firmin Gémier au début des années 20.

D'abord installé sous un chapiteau provisoire à Suresnes, puis dans la salle du Palais de Chaillot, et rompant avec le rituel social de la représentation «digestive», le TNP allait s'efforcer avec la collaboration des comités d'entreprises, des syndicats et d'associations comme Travail et Culture de faire passer dans un public plus large — attiré à la fois par des abonnements à prix modérés et par le «souffle» de mises en scènes rodées en Avignon — de grands classiques de la scène nationale et internationale (*Le Cid* et *Lorenzaccio* où triomphe Gérard Philipe, les chefs-d'œuvre de Molière et de Shakespeare) et quelques œuvres modernes (*Henri IV* de Pirandello, *Mère Courage* de Brecht). Malgré l'hostilité déclarée de la droite, qui se manifeste dès le débat budgétaire sur les Beaux-Arts à la fin de 1951 et aboutira deux ans plus tard au limogeage de Jeanne Laurent, l'entreprise du TNP est une incontestable réussite. Qu'il n'ait pas, comme on le lui reprochera à l'extrême gauche lors de la grande fièvre soixante-huitarde, apporté le théâtre au «peuple», si par ce terme il faut entendre l'ensemble des couches populaires de la nation, et qu'il ait principalement fait progresser le goût et la fréquentation théâtrale dans des catégories «émergentes» (fonctionnaires, employés, cadres subalternes, techniciens, étudiants, parfois même ouvriers qualifiés) n'enlèvent rien à son immense mérite : avec lui, c'est deux millions de spectateurs en plus qu'a pu compter, dès le début des années 1950, une scène hexagonale dont le versant «classique» cessait d'être monopolisé par les institutions vénérables et beaucoup plus fermées que constituaient l'Odéon et la Comédie-Française.

Il n'y a pas lieu de s'étonner si, dans ces conditions, la production scénique de la décennie qui suit l'entrée en guerre froide constitue l'un des vecteurs privilégiés du combat politique. Sans doute la plus grande partie des pièces représentées appartient-elle au répertoire «classique» (élargi aux grandes œuvres du théâtre européen des XIXe et XXe siècles) et à celui du «Boulevard», l'un et l'autre pouvant d'ailleurs se faire l'écho des préoccupations du temps présent (*Arturo Ui* de Brecht au TNP, *Le Procès* de Kafka monté au théâtre Marigny par la compagne Renaud/Barrault) ou faire explicitement référence à l'actualité. Mais un nombre non négligeable d'œuvres scéniques développent explicitement les thèmes politiques qui sont ceux de la guerre froide. Peu représenté à droite, où il est surtout illustré par Jean Anouilh (*Ornifle*, *Pauvre Bitos*), ce théâtre «engagé» connaît dans l'autre camp un relatif succès, tantôt sous la forme indirecte que lui donnent Jean Vilar et son TNP, tantôt à travers des pièces qui se veulent partie prenante dans le débat d'idées et dans le combat idéologique. Le théâtre de Sartre révèle ainsi, au cours des dix années qui suivent la guerre, l'évolution des rapports compliqués que le compagnon de route sans illusion entretient avec le marxisme et avec sa dérive stalino-jdanovienne : de la critique acerbe de la société américaine (*La Putain respectueuse*, 1946) à celle de la presse capitaliste et inféodée à la politique US (*Nékrassov*, 1955), en passant par la dénonciation du tournant totalitaire des PC (*Les Mains sales*, dont le succès sur la scène sera assuré en 1948 au théâtre Antoine par le tandem André Luguet/François Périer, en attendant la reprise cinématographique quelques années plus tard avec Pierre Brasseur et Daniel Gélin) et par la métaphore historique du *Diable et le Bon Dieu* (avec Pierre Brasseur également dans le rôle principal et une mise en scène signée Louis Jouvet). Celui de Camus traduit lui aussi le cheminement intellectuel et politique de son auteur, depuis le *Caligula* de 1945 interprété par Gérard Philipe, à *Etat de siège*, créé en octobre 1948 à Marigny avec une mise en scène de Jean-Louis Barrault et des décors de Balthus et aux *Justes*, donnés à la fin de l'année suivante au théâtre Hébertot.

Si Ionesco, dont *La Cantatrice chauve* s'est durablement implantée, on l'a vu, à la Huchette, répudie dès cette époque «*tout théâtre asservi à une cause quelconque*» et qui «*dépérit au moment où se révèle l'inanité de l'idéologie qu'il représente*», Arthur Adamov, dont *L'Invasion* et *La Parodie* sont montées en novembre 1950 par Barrault à la Comédie des Champs-Elysées, opte pour sa part résolument en faveur d'un théâtre politique et marxiste inspiré par les problématiques brechtiennes. Sa volonté d'«historiser les personnages» et de porter à la scène l'explication marxiste de l'aliénation de l'homme contemporain s'expriment au cours des années suivantes dans des œuvres telles que *Paolo Paoli* (réplique au *Galileo Galilei* de Brecht), *Ping-Pong* et *Printemps 71*, où sont mis en scène les travailleurs parisiens de la Commune « *tels qu'ils étaient, gais, travailleurs, turbulents, héroïques*». Le «réalisme socialiste» codifié par Jdanov est passé par là, et avec lui, introduits par Roger Planchon dans la mise en scène de 1957 de *Paolo Paoli*, les procédés scéniques de Piscator alternant dialogues et projections de documentaires cinématographiques.

C'est cependant une œuvre de facture américaine qui devait, dans sa version hexagonale montée au théâtre Sarah Bernhardt en 1954, attirer le public le plus nombreux et le plus passionné. En juin 1953, accusés d'avoir fourni aux Soviétiques des secrets atomiques, les époux Rosenberg avaient été exécutés aux Etats-Unis en dépit de l'immense vague protestataire qui avait suivi leur condamnation, et la pièce d'Arthur Miller, *Les Sorcières de Salem*, dont l'action transposait dans la Nouvelle

Angleterre puritaine et intolérante du XVIIe siècle les problèmes posés par le maccarthysme, s'inscrivait dans cette histoire immédiate. Mise en scène par Raymond Rouleau, sympathisant du PC, la pièce a dû l'essentiel de son succès au jeu et à l'engagement personnel des deux principaux acteurs, Yves Montand et Simone Signoret, eux aussi à cette date compagnons de route de l'organisation communiste. Un succès que ne confirmera pas la version cinématographique des *Sorcières de Salem*, tournée en Allemagne de l'Est en 1956 par le couple célèbre mais sortie sur les écrans après les événements de Budapest.

Quant à la pièce la plus directement inspirée par la guerre froide — *Le Colonel Foster plaidera coupable* — dans laquelle Roger Vailland développe, sur fond de conflit coréen, une thématique assimilant l'armée américaine aux occupants hitlériens (son héroïne, fille d'un notable de Séoul, n'est pas sans rappeler celle du *Silence de la mer* de Vercors), elle ne connaîtra que deux représentations en mai 1952, contemporaines de la grande manifestation du PC contre «Ridgway la peste». Mise en scène par le cinéaste communiste Louis Daquin, assisté de Claude Sautet qui sera blessé lors des bagarres déclenchées par des commandos d'extrême droite, elle est en effet interdite par le préfet de police pour «menace contre l'ordre public».

Ces manifestations de la guerre froide théâtrale ne se limitent pas à la capitale. Un certain nombre de pièces engagées sont en effet reprises en province par des troupes militantes et jouées devant des publics ouvriers. Il en est ainsi par exemple de *Drame à Toulon*, une œuvre de circonstance relatant l'action du quartier-maître Henri Martin, condamné pour avoir saboté les machines d'un navire en partance pour l'Indochine et condamné pour ce fait à une lourde peine de prison. José Valverde, qui deviendra plus tard directeur du théâtre Gérard Philipe de Saint-Denis et qui occupe aujourd'hui des fonctions identiques au théâtre Essaion, près du centre Beaubourg, raconte que, jeune militant, il a joué des dizaines de fois cette pièce devant des publics de dockers ou de mineurs, dans une version abrégée dont la durée était calculée en fonction du temps supposé nécessaire aux forces de l'ordre pour intervenir et mettre fin à la représentation [1].

Même élargi au public des adhérents et sympathisants du PCF et aux abonnés du TNP, le théâtre des années 50 reste limité à une frange très minoritaire du corps social et ne peut être considéré comme relevant de la culture de masse. Il en est tout différemment du cinéma qui, malgré la concurrence que commence à lui faire le «petit écran», occupe toujours une position privilégiée dans ce secteur.

Au lendemain de la guerre, la cinématographie française — qui avait connu sous Vichy une sorte d'âge d'or prolongeant celui des années 30 — va rencontrer un certain nombre de difficultés dues à l'épuration d'abord, puis au manque de moyens matériels et de capitaux. La signature des accords Blum/Byrnes en 1946 stipulant (en échange d'avantages divers consentis à la France, à commencer par l'annulation de ses dettes à l'égard des Etats-Unis) un quota minimum à la projection des films d'outre-Atlantique ne manque pas de soulever une protestation quasi unanime de la profession, en principe mobilisée pour la défense de la production hexagonale, en fait travaillée par le PCF et la CGT, l'un et l'autre très fortement représentés dans le milieu. Objets d'un débat historiographique longtemps passionné (cf. les travaux d'Annie Lacroix-Riz, en particulier son article dans la *Revue d'Histoire moderne et contemporaine*, juillet- septembre 1984, pp. 417-447, «Négociation et signature des accords Blum-Byrnes, octobre 1945-mai 1946», et celui

[1] Entretien avec Pierre Milza.

de Jacques Portes dans la même publication, avril-juin 1986, pp. 314-329, «Les origines de la légende noire des accords Blum-Byrnes sur le cinéma»), ces accords (d'ailleurs révisés dès janvier 1948) sont plutôt considérés aujourd'hui comme ayant exercé une protection indirecte du cinéma français en marquant un seuil au flot de la production américaine.

Quoi qu'il en soit, effet de l'offensive et de la force de pénétration des produits *made in Hollywood* ou vide relatif créé par les difficultés de la cinématographie nationale, on voit en France beaucoup de films américains durant les années 50. Ils représentent en effet en 1952-1953 70 % des produits diffusés sur les écrans français (pourcentage équivalent à celui de la Grande-Bretagne qui n'a pas signé les accords Blum-Byrnes). Or, si l'on se réfère aux sondages (examinés par Patricia Hubert-Lacombe dans sa thèse sur «La Guerre froide et le cinéma français, 1946-1953», IEP Paris, 1981, ex. dact.), cette «invasion», qui s'explique davantage par des raisons financières et techniques (concentration des firmes de production, haute technicité, prix de revient modéré) que par les pressions exercées depuis Washington, n'a guère été appréciée par le public.

Il faut dire que la prépondérance commerciale du cinéma d'outre-Atlantique rencontre en France de nombreuses résistances. Si la veine néo-réaliste, qui triomphe au même moment en Italie, donne en deçà des Alpes peu d'œuvres significatives (*Le Point du jour* de Louis Daquin et *Antoine et Antoinette* de Jacques Becker font un peu exception dans des genres au demeurant très différents), la pénétration des modèles nord-américains doit compter avec une tradition et un savoir-faire qui prolongent, sans beaucoup la renouveler, la cinématographie des années 30 et celle de l'Occupation. Films «roses» (à la Berthomieu) ou «noirs» (à la Yves Allégret ou à la Marcel Carné), comédies gaies et dramatiques (René

Clair, René Clément, Claude Autant-Lara), films historiques à vocation récréative (la série des *Caroline chérie* de Christian-Jaque, avec le symbole sexuel de l'époque, Martine Carol) ou didactique (avec les lourdes promenades dans le temps filmées par Sacha Guitry), films poétiques (l'*Orphée* de Cocteau, avec Jean Marais), films «à thèse» (*Nous sommes tous des assassins* et *Justice est faite* d'André Cayatte), etc., s'éloignent peu des formes classiques et ne font l'événement que lorsqu'ils égratignent la morale traditionnelle, comme la *Manon* de Georges-Henri Clouzot ou *Le Diable au corps* de Claude Autant-Lara, avec Gérard Philipe.

Rien dans tout cela qui traduise une influence pesante des modèles hollywoodiens. Verneuil et Melville en sont encore à faire leurs premières armes et les réalisateurs qui se risquent à confectionner des *thrillers* à la française, comme Jacques Becker en 1954 avec *Touchez pas au grisbi* (adaptation du roman «noir» d'Albert Simonin) prennent bien soin de ne pas dépayser le public : le décor, le langage (l'argot nouveau du Pigalle des années 50 accommodé par Michel Audiard) et le «look» des personnages (Jean Gabin, René Dary, Lino Ventura) demeurent ceux du Paris des «voyous».

Quant à la guerre froide, elle est beaucoup moins présente sur les écrans que sur les scènes de théâtre, du moins dans sa formulation explicite, telle qu'elle apparaît par exemple dans *Avant le déluge* de Cayatte (1955), une tragique histoire d'adolescents inspirée d'un fait divers qui avait défrayé la chronique des années 50 et qui se déroule sur fond de menace de conflit nucléaire. Si combat politique il y a, il s'inscrit dans le cadre d'une cinématographie «sociale», dans la veine déjà mentionnée du cinéma des années 30, ou prend la forme de la comédie humoristique, comme la série des *Don Camillo* — l'une des plus grosses recettes du cinéma de l'après-guerre — qui met en scène, sous les traits de Fernandel et de Gino Cervi, un curé de choc de la plaine du Pô aux prises avec un maire communiste bon enfant qui, comme beaucoup de ses semblables — c'est le très explicite message du film de Julien Duvivier, premier de la série (1952) —, rentrerait bien vite dans le giron de l'Eglise s'il n'était manipulé par la direction du parti.

Au début de la décennie 1950, le cinéma français paraît donc sorti de la crise qui avait suivi la fin du conflit. Il produit chaque année 130 ou 140 longs métrages de fiction et enregistre 380 millions d'entrées dans les salles. Pourtant, le moment est proche où la concurrence du «petit écran» va provoquer le relatif déclin du «7e art». En 1953, la France ne compte encore que 50 000 récepteurs de télévision. Il y en aura 600 000 en 1958, diffusant en noir et blanc les programmes qui, à cette date, maintiennent un certain équilibre entre l'information — le «journal télévisé» a été lancé par Pierre Sabbagh en 1949 —, le divertissement, avec des émissions de variétés telles que «36 chandelles», «La piste aux étoiles» ou «La joie de vivre», le culturel représenté par des séquences de qualité comme «Lectures pour tous», «La caméra explore le temps», les dramatiques de Claude Santelli, les émissions scientifiques d'Etienne Lalou, etc. Le sport est diffusé à doses raisonnables (c'est la télévision qui va populariser en France le rugby à quinze), de même que les produits cinématographiques : à la fin de la période, le film du dimanche soir constitue déjà un rituel familial en passe de détrôner la séance du «ciné de quartier». Enfin, de grands reportages commentés par un Léon Zitrone omniprésent et transmis en «eurovision» — par exemple le couronnement de la reine Elisabeth d'Angleterre en 1953 — mettent le public en prise directe avec les événements internationaux.

Ce ne sont encore cependant que 5 % des familles françaises — quasi exclusivement domiciliées dans les villes et principalement à Paris — qui sont concernées par les programmes télévisuels. La radio au contraire est devenue l'affaire de tous, le nombre des récepteurs passant de 5 millions à la fin de la guerre à plus de 10 millions en 1958, soit en moyenne un poste par foyer. Certes, la «révolution du transistor» qui va permettre aux ondes radiophoniques d'être présentes en tout lieu et à tout moment n'est pas encore accomplie et l'écoute reste essentiellement liée au temps du loisir, mais elle est devenue un phénomène de masse qui occupe un créneau temporel important dans la vie quotidienne des Français.

L'enjeu est suffisamment important pour que l'Etat veille jalousement au monopole qui lui a été accordé par les ordonnances et décrets de 1945, fondateurs de la Radio-télévision française (RTF). Il permet aux gouvernements de la IVe République d'exercer un sévère contrôle de l'information, notamment pendant la guerre d'Algérie, voire d'introduire dans les programmes d'authentiques émissions de propagande, comme celle que diffusent Jean-Paul David et son officine «Paix et Liberté». Moins pour cette raison peut-être que par souci de diversifier leurs loisirs, les auditeurs français vont être de plus en plus nombreux à quitter l'écoute des stations publiques — programme national, programme parisien, Paris-Inter — pour celle des postes «périphériques», émettant depuis des stations situées à l'extérieur de l'Hexagone : Radio-Monte-Carlo, Andorre et surtout Radio-Luxembourg et Europe 1. La première a commencé à émettre en 1945. Elle atteindra en fin de période un chiffre d'écoute de 14 millions d'auditeurs que ne rebutent pas l'abondance des séquences publicitaires et qui apprécient sans complexe les émissions de variétés («Pêle-Mêle» de Jean-Jacques Vital), les jeux radiophoniques («Quitte ou double» de Zappy Max) et les sketches («La famille Duraton») diffusés à haute dose par la station «luxembourgeoise». Europe 1 — qui émet depuis la Sarre — fait son apparition dix ans plus tard, portée par la campagne de l'abbé Pierre en faveur des sans-abri durant le rude hiver 1954-1955. La diversité des programmes, le style nouveau apporté par les présentateurs, le reportage en images sonores imposé par Maurice Siégel dans le «journal», la place offerte à la musique d'outre-Atlantique, alors peu diffusée sur les autres stations, lui assurent un succès immédiat.

Postes nationaux et stations périphériques assurent, avec la diffusion de l'électrophone et du microsillon, une immense audience aux représentants de la nouvelle chanson française. Dans la foulée d'un Charles Trenet, véritable pionnier de la chanson poétique, Yves Montand et Juliette Gréco tiennent le devant de la scène depuis la fin de la guerre, rejoints au début des années 50 par Léo Ferré et Charles Aznavour, puis, au milieu de la décennie, par Georges Brassens, Jacques Brel et Gilbert Bécaud, en attendant l'arrivée massive sur les ondes des stars du rock américain et de leurs épigones européens.

La montée en puissance de la radio — qui vit son âge d'or — et de la télévision n'a pas encore ôté à l'imprimé son rôle essentiel dans la formation des esprits et la fabrication ou le polissage des opinions. Jusqu'à la fin des années 1950, le système éditorial conserve en partie le caractère familial et artisanal qu'il avait avant la guerre, et si le groupe Hachette forme un pôle de concentration qui englobe beaucoup d'autres activités que celle du livre, la plupart des maisons d'édition parisiennes et provinciales gardent des dimensions modestes et des activités assez strictement spécialisées. L'élargissement du marché qui résulte de la démocratisation de l'enseignement et de l'accroissement du pouvoir d'achat des catégories modestes pousse néanmoins à la transformation de ce secteur en une industrie soumise aux contraintes de la productivité et du profit. La course au *best-seller*, au gros tirage, devient la préoccupation majeure de nombreux comités de lecture, tandis que se confirme et s'accélère la tendance, déjà perceptible avant la guerre, à produire des articles de série permettant au grand public d'accéder au moindre coût aux grandes œuvres contemporaines. En 1953, Henri Filipachi lance à cette fin *Le Livre de Poche*, dont le succès est immédiat et qui ne tardera pas à être imité par d'autres collections de même nature.

La presse a plus fortement souffert de la concurrence de la radio, du moins dans sa forme classique privilégiant les grands quotidiens parisiens. Après la courte période d'euphorie qui a suivi la Libération (plus de 15 millions d'exemplaires en 1946), elle a subi un fort reflux au début des années 50 pour se stabiliser en fin de période à 10 ou 11 millions d'exemplaires quotidiens. Les grandes feuilles de province — comme *Ouest-France, La Dépêche de Toulouse* ou *Le Dauphiné libéré* —, qui apportent à leurs lecteurs des informations régionales que la presse de la capitale ne peut leur fournir, a mieux tenu la route, de même que les magazines illustrés et les hebdomadaires.

Dans la première catégorie triomphe *Paris-Match*. Reprenant à partir de 1949 la formule expérimentée avant la guerre avec le *Match* de Jean Prouvost, cet hebdomadaire qui fonde sa pénétration dans le public sur le choc des images photographiques glanées aux quatre coins de la planète, comptera en fin de période près de 8 millions de lecteurs pour 2 millions d'exemplaires vendus. C'est dire l'influence qu'il est susceptible d'exercer sur la façon dont les Français voient le monde et jugent les événements de leur temps (cf. les articles de Raymond Cartier sur l'aide «coûteuse» et «peu rentable» aux pays du tiers monde, d'où sortira le vocable «cartiérisme»). Au même titre que les magazines féminins — *Elle* dont le tirage atteindra 700 000 exemplaires, *Marie-Claire*, *L'Echo de la mode* — et que la «presse du cœur» (*Nous Deux* et *Confidences* ont un lectorat qui se chiffre par millions), il concourt à la standardisation culturelle de la population et au développement d'un conformisme social que nourrissent également la presse sportive (*L'Equipe, Miroir-Sprint*) et des publications telles que *L'Auto-Journal, Sélection du Reader's Digest* et les hebdomadaires populaires qui se sont fait une spécialité du fait divers plus ou moins scabreux, comme *Détective, France-Dimanche* et *Samedi-Soir*.

Les années 50 voient d'autre part se développer les hebdomadaires politico-culturels inspirés des «News» américains. En moins d'une décennie, *L'Express* et *France-Observateur* voient ainsi leur tirage décupler (de 50 000 à plus de 500 000 pour le premier, de 20 000 à 200 000 pour le second) du fait de leur pénétration dans les classes moyennes «émergentes» (enseignants, étudiants, personnel d'encadrement, techniciens) auxquelles ils apportent une information polyvalente privilégiant le politique (leur rôle dans le façonnement de l'opinion positionnée à gauche et au centre a été considérable pendant la guerre d'Algérie) et l'actualité culturelle au sens large, englobant le cinéma, la musique moderne et les sciences humaines qui leur doivent en partie l'élargissement de leur audience.

Toujours au chapitre de l'imprimé, il faut encore mentionner la bande dessinée dont la vogue continue à cette date, et contrairement à ce qui se passe aux Etats-Unis, à concerner prioritairement les moins de dix-huit ans. C'est pour mettre ces derniers à l'abri de l'influence, jugée pernicieuse, de la BD américaine, que sera votée la loi du 16 juillet 1949 sur les «publications destinées à la jeunesse», laquelle a établi en cette matière une censure rigoureuse dont le principal effet a été de privilégier, aux dépens des publications anglo-saxonnes, celles de l'«école belge», diffusées par des hebdomadaires comme *Tintin* et *Spirou* et dont les auteurs s'appellent Hergé, Franquin, Morris, etc.

Le sport

L'éducation physique et les activités du muscle en général révèlent de manière significative, et au même titre que l'éducation populaire, les ambiguïtés d'une politique qui, conçue dans l'«illusion lyrique» de la Libération, n'a survécu ni aux contraintes d'une France en reconstruction et en guerre coloniale, ni aux intrigues et aux contradictions du jeu partisan, ni enfin aux déchirements de la guerre froide et à l'inertie d'une population qui, interrogée en 1947 par l'IFOP, s'affirme «sportive» à 31 % et très majoritairement résolue à «ne rien faire» durant ses futures vacances (*Sondages*, 16 juillet et 1er novembre 1947).

Marianne Amar a souligné dans sa thèse pionnière (*Nés pour courir. Sport, pouvoirs et rébellions, 1944-1958*, Presses universitaires de Grenoble, 1987) le fossé, qui s'est rapidement creusé à partir de 1946, entre les intentions affichées par les dirigeants de la IVe République et la misérable réalité des efforts accomplis pour doter la France d'une infrastructure sportive conforme aux objectifs fixés.

Au départ, il y a d'abord le dessein — hérité du Front populaire et du programme du CNR — de bâtir un homme nouveau, équilibré, physiquement et intellectuellement «cultivé», et le sport tient dans cette perspective «éducative» reliée au progressisme républicain une place de choix. «*Le sport* — écrira Joffre Dumazedier — *est avant tout moyen de culture. Certes, il comporte aussi la recherche de la performance et la distraction mais il est essentiellement... un moyen de se perfectionner, un moyen de devenir un homme plus complet. Ainsi le sport peut être à l'origine d'une culture s'il est non seulement vécu, mais ressenti, pensé, compris comme tel*» (*Regards neufs sur le sport*, Paris, Seuil, 1950, p. 22). Il y a d'autre part, dans une perspective moins triomphaliste, le souci de pallier les effets de la guerre sur la génération sous-alimentée et moralement sinistrée des «J3». Pour beaucoup, l'éducation physique et le sport font alors figure de remède-miracle, à la fois destiné à fabriquer des génitrices saines — c'est à bien des égards la mission essentielle assignée au sport féminin —, de remodeler la «race» (le mot se fait plus rare mais il ne disparaît pas du champ lexical), de forger des citoyens responsables et de futurs soldats, enfin de faire reculer le mal de vivre et la délinquance qui sont censés caractériser la génération du marché noir et de l'amoralisme «zazou».

Pour mener à bien l'entreprise, pour donner, comme le dit une ordonnance de 1945, «plus de cohésion, plus de vie et de moralité... au sport français, élément capital du redressement de la nation», les dirigeants de la IVe République vont, une fois l'épuration effectuée (avec une certaine mansuétude dans ce secteur), confier à l'Etat le soin d'organiser et de contrôler les activités sportives et mettre en place une structure administrative solide, coiffée par la Direction générale de l'Education physique et des Sports du ministère de l'Education nationale. Ce comportement dirigiste n'est pas sans provoquer de vives résistances de la part des fédérations et des milieux confessionnels qui font grief à la «République totalitaire» d'endoctriner la jeunesse jusque dans ses jeux.

Sport et jeunesse sont ainsi conjugués sur le même mode par les responsables politiques français qui entendent montrer clairement le rôle éducatif qu'ils assignent aux activités du corps. La nomination du recteur Jean Sarrailh à la tête de la nouvelle direction est à cet égard symbolique, tout comme celle de Guéhenno à la Direction des mouvements de jeunesse et de l'éducation populaire. La nomination de Pierre Bourdan, l'animateur pendant la guerre à la BBC de l'émission «Des Français parlent aux Français», à l'éphémère ministère de la Jeunesse, des Arts et des Lettres du gouvernement Ramadier, paraît aller dans le même sens, mais l'entreprise ne survivra pas aux premiers déchirements de la guerre froide, aux économies drastiques que suppose la lutte contre l'inflation et aux turbulences du jeu parlementaire. Dès décembre 1946, il a été décidé de fusionner les services extérieurs des deux directions, et en 1948 il est procédé à l'installation d'une administration unique de la Jeunesse et des Sports.

Au point d'arrivée, il y a la «grande misère du sport français», telle qu'elle peut être constatée à la lecture des bilans budgétaires et des inventaires d'équipement. Au début de 1958, alors que l'Allemagne a déjà reconstitué depuis dix ans la plus grande partie de son patrimoine détruit, 52 départements n'ont pas de piscine couverte et 8 n'en ont aucune, 43 départements n'ont pas de salle de sport et 11 n'ont pas de stade. «*Triste bilan*, écrit Marianne Amar, *qui rejette la France aux dernières places de la hiérarchie européenne. Paris dépassé par Belgrade vaut mieux qu'un long discours*» (*op. cit.*, p. 52).

Le sport civil, en principe soutenu par les subventions de la Direction générale, n'est guère mieux loti. Dès 1946 une enquête du Comité national des Sports auprès d'une vingtaine de fédérations montre que l'Etat reprend d'une main, par le biais de la ponction fiscale, ce qu'il a parcimonieusement donné de l'autre. Pour surmonter cette contradiction ruineuse, nombreux sont ceux qui préconisent l'institution — sur le modèle britannique, italien ou espagnol — de concours de pronostics qui assureraient aux clubs aisance et indépendance. Le journal *L'Equipe* prend la tête d'une campagne en ce sens, mais l'ensemble de la classe politique s'oppose au nom de la morale à cette tentation «corruptrice».

Il en résulte, dans un pays où la pratique sportive n'avait jamais mobilisé des foules très considérables, une stagnation du nombre des adeptes de la religion du muscle. En 1958, on compte tout juste un peu plus de 5 % de licenciés, tous sports confondus, parmi lesquels ceux qui pratiquent une activité réputée «noble», comme l'athlétisme et la gymnastique, forment les bataillons les moins nourris. Au-delà de ces pratiquants encartés, ceux qui déclarent simplement «faire du sport» — lors d'un sondage IFOP de juin 1948 — privilégient, à l'exception du football qui recueille 4 % des suffrages, de pures activités de loisir, comme le cyclisme et la natation. C'est dire que la base de masse du sport français est loin de constituer un vivier comparable à celui dont disposent les autres grandes nations industrielles ou les démocraties populaires de l'Est européen.

A défaut de militants de base, le sport hexagonal peut compter au lendemain de la guerre sur de gros contingents d'*aficionados* du spectacle sportif (essentiellement football et cyclisme) et — de façon plus inattendue — sur une pépinière de champions qui vont, pendant quelques années, relever les défis internationaux de la compétition de haut niveau. La voici en effet figurant pendant un lustre ou deux au palmarès des médailles et des titres mondiaux, et ceci dans des compartiments aussi divers que l'athlétisme (Pujazon, Marcel Hansenne, Alain Mimoun, vainqueur du marathon aux Jeux de Melbourne), la natation (Jany, Bozon, Boiteux), l'escrime (Christian d'Oriola), l'équitation (Jonquères d'Oriola), le cyclisme (Robic, Bobet), le tennis (Yvon Petra, vainqueur à Wimbledon en 1946), la boxe (Cerdan, Villemain, Charron), le judo (Pariset, De Heerdt, Courtine), le onze tricolore (3e à la Coupe du monde, en 1958 à Stockholm), etc. Au Jeux de Londres, en 1948, elle vient en troisième position du classement officieux, réponse de ses athlètes au message qui leur avait été adressé à la veille des JO par le Comité olympique et dit bien de quelle mission étaient investis les tricolores :

«Il importe que dès le départ chacun conserve à tout moment la notion qu'il représente la France. Plus que jamais aux heures graves que nous vivons, il est capital que nul d'entre vous ne se départisse du sens de la dignité nationale et ne puisse prêter le flanc à la critique, par son attitude et ses propos...

Assurés de votre volonté de représenter toujours et victorieusement si possible notre patrie chez nos amis britanniques, qui ont su faire l'admiration du monde entier par leur courage et leur discipline, nous avons la conviction que tous vos efforts conjugués réussiront à faire hisser nos trois couleurs au mât olympique. Notre pays — et maints autres! — va nous juger à l'œuvre.»

Symbole de la renaissance, la moisson de médailles aux premiers Jeux Olympiques de l'après-guerre ? Défi aux infortunes de l'heure, internes et externes (les grèves, le *dollar gap*, l'Indochine, la guerre froide)? Assurément, si l'on en croit non seulement la presse de l'époque mais aussi le discours officiel. Et lorsqu'en septembre 1948, un mois après la clôture des Jeux de Londres, Marcel Cerdan devient champion du monde des poids moyens, en battant à Jersey City l'Américain Tony Zale, le mythe prend corps au plus haut niveau. Le petit Français est resté debout devant «l'Amérique» et l'a remporté par son énergie et son courage. Aussi les responsables ministériels lui envoient-ils télégrammes et messages pour le féliciter d'une si utile et si peu coûteuse propagande : ceci, bien qu'il incarne non le pur idéal olympique, mais au contraire le sport-spectacle par excellence. Et Pierre de Gaulle, frère du général et président du conseil municipal de Paris, qui se trouve alors de passage aux Etats-Unis, lui déclare : «*Vous avez fait à la France la meilleure propagande. Nous avons besoin d'hommes comme vous.*»

Il faut dire que les dirigeants français auraient bien du

mérite à ne pas suivre la pente d'une opinion galvanisée par le mythe Cerdan et à se priver des services d'un tel ambassadeur. Car le mythe ne fonctionne pas seulement de ce côté-ci de l'Atlantique, comme en témoignent les articles de la presse américaine, saluant en Cerdan — bien avant le combat de Jersey City — un «héros de la France éternelle»: «*Il se bat comme un maquisard rencontrant un nazi dans l'arrière-boutique d'un bistrot*»; «*Marcel, voilà un combattant avec les qualités qui ont fait de la France cette vieille chère terre historique... Cerdan, c'est le La Fayette du noble art*» (B. Corum dans *American Journal*); «*On ne trouvera pas dans les événements politiques un homme qui ait fait une pareille publicité à la France. Cerdan peut être considéré comme un véritable ambassadeur*» (Van Every dans *Sun*).

A défaut donc de régénération de la «race» et de moralisation de la jeunesse, le culte du muscle se trouve donc instrumentalisé et mis au service des relations publiques de la France. Avec les années 1950, lorsque viendra pour le sport français le temps du recueillement et du déclin accepté — la France était troisième on l'a vu au classement officieux des Jeux de Londres; elle est sixième à Helsinki en 1952 et onzième à Melbourne quatre ans plus tard —, en attendant le «renouveau de la décennie gaullienne» (Michel Jazy, «Kiki» Caron, le XV de France, etc.), il faudra bien trouver d'autres sujets de fierté que les lauriers olympiques et afficher une autre image que celle de la puissance retrouvée. Ce sera celle du pays resté fidèle à l'idéal de Pierre de Coubertin, face aux géants qui fabriquent les champions à coups de dollars ou de promotions dans l'appareil d'Etat. David contre Goliath revus par l'imagerie d'Epinal: Gilbert Bozon, médaille d'argent en natation aux Jeux d'Helsinki, vit dans un «taudis», entre une mère malade et un père chômeur. Colette Thomas, championne de natation elle aussi, est vendeuse dans un magasin: debout toute la journée, elle ne peut s'entraîner qu'aux heures des repas. Macquet, candidat au titre olympique en javelot, est ouvrier d'usine et prend sur son temps de repos les heures nécessaires pour se hisser au niveau des meilleurs, etc. Ou encore, ce sera l'image du pays de la mesure, de l'intelligence, de la liberté, où les jeunes «*affectionnent trop leur indépendance d'hommes libres pour consacrer au sport toute l'énergie qu'exige la compétition moderne*» (*France-Soir*, 1-8-1952).

Les jeunes et les moins jeunes ont en effet majoritairement du «sport» un conception qui relève moins de l'éthique de l'énergie que de l'engouement hédoniste pour les loisirs. En 1950, l'année où se déclenche la guerre de Corée, le Club Méditerranée inaugure sa formule de vacances «clé en main» conjuguant tourisme, activités physiques et soirées récréatives. A cette date, le grand exode estival n'a pas encore commencé et les «sports d'hiver» restent le privilège d'une frange très minoritaire de vacanciers. Les temps sont proches cependant où va s'épanouir une civilisation des loisirs qui sera l'une des caractéristiques majeures du second XXe siècle.

XI

Les crises de la IVe République (1954-1958)

Après le drame de Diên Biên Phû, la IVe République paraît toucher le fond de l'abîme. L'impopularité du régime est à son comble. La crise financière qui débute en 1957 va ôter le principal argument de la République en compromettant la croissance. Après l'échec d'Indochine, le déclenchement de la guerre d'Algérie paraît annoncer la décomposition de l'Empire. L'armée s'agite et on commence à évoquer à mots couverts la possibilité d'un putsch qui arrêterait la dégradation de la situation. Dans ce tableau sombre, la période du gouvernement Mendès France, puis les espoirs soulevés par la victoire de la gauche aux élections de 1956 paraissent donner un coup d'arrêt à l'effondrement du régime. Mais le sursis est bref. La guerre d'Algérie va bientôt emporter la IVe République et *a posteriori* l'expérience Mendès France apparaît plutôt comme l'inexorable tournant vers l'effondrement que comme le début du redressement qu'il a paru signifier sur le moment.

Une expérience perturbatrice des pratiques de la IVᵉ République

Dans l'histoire de la IVᵉ République, les sept mois et 17 jours du gouvernement Mendès France occupent une place sans commune mesure avec la durée de l'expérience. Les historiens n'ont pas fini d'analyser la portée d'une expérience gouvernementale dont l'importance ne se mesure ni à la personnalité de l'homme qui la conduit, ni au contenu de la politique suivie, mais à la signification de l'événement dans l'histoire de la IVᵉ République. L'intérêt suscité dans l'opinion par ce gouvernement peut faire penser qu'il représente une tentative réelle de redressement du régime. Son échec porte condamnation définitive d'un système politique qui est incapable de se réformer. Mais dès sa naissance, l'expérience Mendès France apparaît perturbatrice des pratiques de la IVᵉ République (voir F. Bédarida et J.-P. Rioux (sous la direction de), *Mendès France et le mendésisme*, Paris, Fayard, 1985).

Le premier caractère perturbateur de l'expérience Mendès France tient au fait que les partis politiques n'y tiennent pas la place essentielle qui a été la leur depuis le début du régime. Pierre Mendès France lui-même apparaît quelque peu en marge de ce système des partis. Sans doute est-il membre du parti radical, auquel il appartient depuis sa jeunesse (il y a adhéré en 1926, à 19 ans, et a été élu député radical en 1932). Mais depuis la fin de la guerre, son activité politique se déroule en marge de ce parti, aux organismes dirigeants duquel il n'a jamais participé. Ministre de l'Economie nationale du général de Gaulle en 1944, démissionnaire en 1945 pour n'avoir pu mettre en pratique la politique de rigueur qu'il préconisait, il a fait une carrière d'expert économique et financier, représentant la France dans les organismes financiers internationaux, créant la Commission des Comptes de la nation, ce qui lui donne une image de technicien compétent plus que d'homme politique et le met en contact avec nombre de hauts fonctionnaires et d'experts dont il partage les idées et les préoccupations. Son retour à la politique s'opère en 1950 lorsqu'il se fait le critique véhément de la guerre d'Indochine après le désastre de Cao Bang.

En 1953, lorsque le régime, à bout de souffle, est à la recherche d'hommes nouveaux, il se présente pour la première fois à l'investiture des députés. Son discours fait passer sur l'Assemblée un souffle nouveau par sa façon directe d'appréhender les problèmes et aussi par la conception qu'il développe de la formation et de l'action du gouvernement. Il s'engage en effet à constituer une équipe de personnalités compétentes capable de mettre en œuvre le programme qu'il aura présenté à l'Assemblée, sans négociation avec les partis sur la répartition des portefeuilles. Il ne lui manque alors que quelques voix pour être investi. Mais il apparaît désormais comme un recours possible pour la IVe République.

Son heure sonne avec le désastre de Diên Biên Phû, tragique issue d'une guerre d'Indochine dont il a dénoncé les dangers. Procureur de la politique du centre-droit, il est appelé par le président de la République, René Coty, à mettre en pratique la politique de négociations qu'il préconise depuis longtemps. Les conditions de son investiture et de la formation du gouvernement illustrent les thèses qu'il défendait dès 1953. Il propose en effet aux députés un programme dont la rubrique la plus spectaculaire est le «pari indochinois» : la promesse de parvenir en un mois à une paix négociée et de donner sa démission à l'issue de ce délai s'il ne remplissait pas sa part de contrat. Après quoi, l'investiture acquise, il constitue son gouvernement, comme il l'avait annoncé, sans négociation avec les partis. Cette attitude conduira le parti socialiste SFIO, qui, par ailleurs, soutient le gouvernement de ses votes au Parlement, à refuser d'y participer, ses dirigeants n'admettant pas que des ministres socialistes puissent être nommés sans l'accord de leur parti. Décision qui sera confirmée en novembre 1954 par le congrès socialiste SFIO après une nouvelle tentative de Pierre Mendès France pour obtenir la participation socialiste. Devant l'abstention socialiste, le gouvernement est formé de radicaux (Edgar Faure aux Finances, Berthoin à l'Education nationale), d'UDSR (Mitterrand à l'Intérieur), de Républicains-Sociaux (Kœnig à la Défense nationale, Chaban-Delmas aux Travaux publics, Fouchet aux Affaires marocaines et tunisiennes), de quelques modérés et même de deux MRP (dont Robert Buron à la France d'outre-mer) qui passent outre au veto de leur parti et seront traduits en commission de discipline. Mais ces ministres ne représentent pas leur parti et Pierre Mendès France les change comme il l'entend. C'est ainsi qu'en janvier 1955, il décidera de placer Edgar Faure aux Affaires étrangères pour prendre lui-même le portefeuille des Finances, avec l'aide de Robert Buron. De même, il ne démissionne pas lorsque certains d'entre eux se retirent du gouvernement, se contentant de les remplacer par d'autres personnalités.

Perturbateur des pratiques de la IVe République par sa volonté de mettre au second plan le rôle des partis, le gouvernement Mendès France l'est encore par le fait qu'il brouille les cartes du jeu politique traditionnel qui s'était établi depuis 1947. Premier élément nouveau : pour la première fois depuis les débuts de la guerre froide, les communistes décident de voter en sa faveur lors de son investiture, puisqu'il promet la paix en Indochine qu'ils réclament depuis longtemps. Cette décision est de nature à inquiéter les autres partis qui redoutent que, lors des négociations de Genève, le président du Conseil ne soit le prisonnier des communistes dont il aurait besoin pour se maintenir et ne soit, de ce fait, conduit à d'excessives concessions envers le Viêt-minh. Aussi Pierre Mendès France fait-il savoir qu'il décomptera les voix communistes de sa majorité et ne se considérera pas comme investi s'il n'atteint le seuil requis des 314 voix que grâce aux suffrages du PC. Le 18 juin, il gagne ce second pari puisqu'il est investi par 419 voix contre 47 et 143 abstentions (les 99 communistes ayant voté en sa faveur). En fait, la composition de la majorité révèle le caractère insolite de l'expérience. Si, outre les communistes, tous les socialistes ont voté l'investiture, le MRP s'est abstenu. Quant aux autres formations, elles se divisent sur une formule politique qui ne rentre pas dans les catégories habituelles. La plupart des Républicains-Sociaux et des radicaux ont voté en faveur du Président du Conseil, mais il subsiste au sein de ces formations des groupes hostiles qui ont voté contre ou se sont abstenus. C'est aussi le cas d'une partie des modérés devant une expérience qui paraît marquée à gauche, mais des Indépendants sont ministres et un certain nombre de députés de ce parti soutiendront l'expérience. Ce caractère discontinu d'une majorité qui ne constitue pas un bloc cohérent dans l'hémicycle, mais trouve des appuis de la gauche à la droite, a fait parler à son propos d'une «majorité saute-mouton» qui révèle la crise des grandes formations politiques, incertaines de l'attitude à adopter face au ministère.

Ajoutons enfin que cette majorité «saute-mouton» ne sera en rien durable. Les grands votes sur les questions clés — la paix en Indochine, les questions internationales, la politique européenne, la politique économique, l'Algérie — entraîneront le passage à l'opposition ou à l'abstention de quelques-uns des soutiens des débuts, cependant que d'autres, réticents à l'origine, approuveront telle ou telle mesure. Si on met à part le soutien permanent des socialistes et l'opposition de plus en plus nette du MRP, les majorités sont changeantes.

La prépondérance retrouvée du pouvoir exécutif, le dynamisme dont fait preuve Pierre Mendès France auront pour effet d'assurer le gouvernement d'une très réelle popularité dans l'opinion publique. L'image d'un Président du Conseil doté d'une forte personnalité, capable de s'imposer à un Parlement soumis, de ramener les partis politiques à leur fonction traditionnelle sans tolérer leurs empiétements sur la politique gouvernementale, s'impose peu à peu à l'opinion publique. Dans la constitution de cette image, un rôle très important est tenu par l'hebdomadaire *L'Express*. Fondé en 1953 par Jean-Jacques Servan-Schreiber et Françoise Giroud, il se fait l'organe officiel du mendésisme, s'appliquant à populariser l'idée d'un homme neuf, capable d'appliquer une politique adaptée aux problèmes de la France des années 50, celle qui entre dans l'été de la croissance économique et du modernisme. L'utilisation de méthodes publicitaires efficaces pour lancer Pierre Mendès France, le fait que les idées qu'on lui prête sont effectivement celles qui correspondent à l'attente d'un pays à la recherche de formules neuves et lassé d'un jeu politique sclérosé et désuet rendent partiellement compte de l'extraordinaire percée du mendésisme dans l'opinion. Toutefois, deux correctifs s'imposent : le premier est de savoir ce qui dans ce «mendésisme» qui naît ainsi aux alentours de 1953 et s'épanouira en 1954-55 est le propre de Pierre Mendès France et ce qui appartient aux idées du fondateur de *L'Express*, à la conception qu'il se fait d'un homme politique et qu'il projettera sur l'homme qu'il soutient et dont il fait PMF (comme on disait jadis FDR pour Roosevelt); le second est de savoir si l'audience — réelle — du mendésisme dépasse vraiment le monde politique et les milieux intellectuels (et sur ce point nous sommes assez mal renseignés).

Il reste que Mendès France lui-même a tout fait pour trouver le contact avec le peuple, donnant parfois l'impression de passer par-dessus la tête des parlementaires en une tentative de démocratie directe. Ses «discours au coin du feu», causeries radiodiffusées par lesquelles il explique hebdomadairement sa politique aux Français, sont à coup sûr imitées des pratiques de Roosevelt. Pour le Président du Conseil, il s'agit de faire comprendre sa politique au peuple souverain, et, d'une certaine manière, de pratiquer une pédagogie démocratique en s'assurant que ses idées sont comprises et approuvées par les Français. Mais les dirigeants politiques et les parlementaires y verront une tentative, cohérente avec les efforts faits par le président du Conseil pour soustraire le gouvernement à leur pression, destinée à les mettre hors du jeu politique et des circuits de décision.

Il n'y a sans doute aucune réalité dans ces craintes. Pierre Mendès France, radical de tradition, est profondément attaché à la vie parlementaire qui, pour lui comme pour tous les radicaux, se confond avec la République elle-même. Admirateur du système politique britannique dont il a connu l'efficacité et la pratique démocratique durant la guerre, il cherche davantage à faire fonctionner le régime parlementaire dans des conditions acceptables qu'à le remettre en cause. Or, parmi ces causes de dysfonctionnement, il voit avant tout les empiétements de l'Assemblée sur le pouvoir exécutif, qu'il cherche à corriger en rétablissant un certain équilibre des pouvoirs. C'est d'ailleurs le sens de la petite réforme constitutionnelle de 1954, la «réformette», qui modifie les règles de l'investiture du Président du Conseil (une seule investiture au lieu de la «double investiture» établie depuis 1947 et c'est désormais la majorité relative qui permet à un Président du Conseil de s'installer, au lieu de la majorité absolue qui permettait le jeu de massacre par l'abstention), rend la dissolution plus facile par la suppression des modifications au sein du gouvernement exigées par la Constitution de 1946 et qui décourageait l'usage de cette arme de l'Exécutif, rétablit enfin les attributions législatives du Conseil de la République. En fait, il n'y a là aucune tentative de démocratie directe, mais une volonté de rendre viables des institutions qui demeurent d'essence parlementaire.

Cette tentative a été incontestablement populaire dans l'opinion. Mais l'audience de Pierre Mendès France ne tient pas seulement à ce style, apprécié par les Français et mis en valeur par *L'Express*, mais aussi au dynamisme de l'action gouvernementale.

Une action gouvernementale dynamique

D'une manière générale, l'opinion publique accoutumée à voir à l'œuvre des gouvernements passifs, sans cesse à la remorque de l'événement, apprécie de trouver un Président du Conseil qui prend les initiatives et se montre capable de concevoir une politique d'ensemble. Toutefois, tous les domaines de l'action gouvernementale n'ont pas bénéficié au même titre de ce sentiment de succès et d'efficacité. Le secteur où le dynamisme gouvernemental est à coup sûr le mieux marqué est celui de la politique coloniale.

Le premier problème que doit traiter le Président du Conseil est en effet celui de l'Indochine où il est le syndic d'une faillite dont il n'est pas responsable. Il reste que la défaite de Diên Biên Phû pèse lourd dans les négociations. L'habileté de Pierre Mendès France sera d'enfermer la Chine et le Viêt-minh dans le pari où il s'est enfermé lui-même et de les pousser à la conciliation pour conclure, en évitant les misères d'une guerre prolongée. Sa force consistera à les persuader de sa sincérité et de son désir d'aboutir. Il réussit ainsi à créer une dynamique de la négociation qui débloquera une situation difficile. Le 20 juillet 1954 les accords de Genève aboutissent à une solution réaliste : le partage du Viêt-nam en deux parties, de part et d'autre du 17e parallèle, le nord étant laissé au Viêt-minh qui le tient effectivement en main, le sud demeurant un Etat indépendant, et des élections libres devant avoir lieu dans les deux Viêt-nams dans un délai de deux ans. Solution réaliste puisqu'elle tient compte de l'équilibre des forces et dégage la France d'une guerre de sept ans qui lui a coûté près de 100 000 morts et a englouti 3 000 milliards de francs. Il est vrai que chez Mendès France, le désir de désengagement l'emporte sur celui de maintien de la présence française, car il acceptera volontiers fin 1954 que l'influence américaine remplace celle de la France au Sud-Viêt-nam.

Mais globalement, l'opinion publique est reconnaissante à Mendès France d'avoir sorti le pays d'une guerre interminable. Seuls le MRP et une partie de la droite l'accuseront de «brader l'Empire».

En Tunisie où la situation ne cesse de se détériorer, Mendès France n'attend pas que la France soit acculée à la défaite pour négocier. C'est lui qui prend l'initiative. Fin juillet 1954, à peine signés les Accords de Genève, il se rend à Tunis accompagné du gaulliste Christian Fouchet et du maréchal Juin (deux personnages qu'on ne saurait accuser de vouloir «brader l'Empire» et qui lui servent de caution). Dans une déclaration solennelle, il promet d'ouvrir des négociations qui aboutiront à donner à la Tunisie la souveraineté interne, c'est-à-dire, nul n'en doute, l'indépendance à terme. La France, pour la première fois, s'engage dans la voie de la décolonisation consentie. Une autre preuve en est donnée par la rétrocession à l'Inde des comptoirs que la France y possédait depuis le XVIIIe siècle.

En Algérie, la situation est apparemment très différente. C'est sous le gouvernement Mendès France, le 1er novembre 1954, qu'éclate l'insurrection qui va donner naissance à la guerre d'Algérie. Mendès France et son ministre de l'Intérieur François Mitterrand répliquent par d'énergiques déclarations qui rejettent toute idée de négociation et affirment le caractère français de l'Algérie. Le paradoxe n'est qu'apparent. Le FLN qui est responsable des actions de la Toussaint 1954, n'a, à l'époque, aucune représentativité. Son action est désavouée par la plupart des leaders nationalistes algériens. Les auteurs des attentats sont soit arrêtés, soit pourchassés par la police et contraints de gagner la clandestinité. Un gouvernement responsable ne saurait engager une négociation sur des bases aussi fragiles. En revanche, le gouvernement considère que, s'il n'y a pas lieu de négocier, les actes du 1er novembre sont au moins le témoignage d'un malaise réel en Algérie, malaise qui peut trouver sa solution dans des réformes. A cette fin, Pierre Mendès France nomme gouverneur général de l'Algérie en janvier 1955 le gaulliste Jacques Soustelle. Le choix peut paraître habile. Le nouveau gouverneur général est considéré comme un libéral, apte à comprendre les mentalités non occidentales (il est ethnologue), mais aussi comme un homme énergique et réaliste (il a dirigé les services secrets de la France libre). Entouré d'une équipe de libéraux, Soustelle gagne Alger où il est fort mal accueilli par les colons européens qui redoutent son réformisme, mais sa présence suscite de grands espoirs chez les notables algériens, tels Farhât Abbas ou Ahmed Francis.

Dans le domaine colonial où la France a particulièrement souffert de sa politique d'immobilisme, Pierre Mendès France lui permet donc de reprendre l'initiative.

Le même réalisme marque la politique étrangère du gouvernement Mendès France.

A son arrivée au pouvoir, la droite française, mais aussi les alliés et les partenaires de la France, soupçonnent Pierre Mendès France de vouloir pratiquer une politique neutraliste en dégageant la France de l'alliance américaine. L'appui que lui apportent les communistes au début de son gouvernement est pour beaucoup dans cette analyse. En fait, dans le contexte de 1954, Pierre Mendès France considère qu'il n'y a pas d'alternative pour la France à l'alliance américaine. Et, lors de ses entretiens avec lui, le Secrétaire d'Etat américain Foster Dulles sera totalement rassuré au point de qualifier de «superman» le chef du gouvernement français.

Il reste que le principal problème que doit régler Pierre Mendès France est celui, toujours pendant, de la CED, cauchemar de tous les chefs de gouvernement. Personnellement, il n'est ni hostile au projet, considérant le réarmement allemand comme inéluctable, ni favorable, car il partage les inquiétudes d'une grande partie de l'Assemblée sur la supranationalité appliquée aux affaires militaires. Il souhaite dédramatiser le débat et conclure un compromis qui le débarrasserait de cet encombrant dossier.

Dans un premier temps, il confie à deux de ses ministres, le général Kœnig, adversaire de la CED, et le radical Bourgès-Maunoury, ferme partisan de celle-ci, le soin de trouver les termes d'une solution acceptable pour tous. Cette tentative échoue.

Pierre Mendès France se propose alors de renégocier le projet avec les partenaires européens de la France. En août 1954, il se rend à Bruxelles en compagnie d'Edgar Faure et propose que le traité soit ratifié, mais que les clauses supranationales ne s'appliquent qu'au terme d'un assez long délai. Mais il se heurte au refus des autres Etats, encouragés dans leur intransigeance par les partisans français de l'Europe supranationale et par les Etats-Unis, convaincus qu'il existe à l'Assemblée nationale une majorité favorable à la CED.

Dans ces conditions, le chef du gouvernement se désintéresse du problème et il décide de soumettre le projet à la ratification du Parlement tout en déclarant qu'il n'engagera pas sur ce vote l'existence du gouvernement. Le 30 août 1954, l'Assemblée nationale vote alors la question préalable qui aboutit au rejet de la CED sans même qu'une discussion sur le fond soit ouverte. Pierre Mendès France s'est débarrassé de la CED, mais les partisans de l'Europe supranationale, tout particulièrement au MRP, ne lui pardonneront jamais le «crime du 30 août» qui sonne le glas de leurs espoirs.

Au demeurant, le rejet de la CED laisse entier le problème du réarmement allemand que les Etats-Unis réclament toujours avec la même énergie. Il faut trouver une solution qui rende celui-ci possible, sans la supranationalité qui a fait échouer la CED. Pierre Mendès France imagine alors une construction à trois étages qui fait l'objet des traités de Londres et de Paris d'octobre 1954 et qui comporte:

— la reconnaissance totale de la souveraineté de l'Allemagne fédérale, y compris en matière militaire;

— l'entrée de l'Allemagne dans l'OTAN, ce qui suppose l'intégration de son armée dans les forces atlantiques;

— la signature d'un traité de *l'Union de l'Europe occidentale* (UEO), extension à l'Allemagne du traité de Bruxelles de 1948 entre la France, la Grande-Bretagne et le Benelux.

Ce réarmement qui s'opère dans le cadre de l'alliance atlantique et de l'alliance des Etats d'Europe occidentale est ratifié de justesse par le Parlement en décembre 1954 (les communistes, le MRP, une partie des radicaux et des socialistes votant contre).

Considéré comme un éminent spécialiste des questions économiques, Pierre Mendès France est attendu sur ce terrain. De fait, le 13 août, il obtient du Parlement des pouvoirs spéciaux d'ordre économique. Sur ce plan, on le sait dirigiste et partisan de profondes réformes de structure (ce qui inquiète la droite), mais aussi décidé à ne pratiquer une politique de redistribution sociale que dans la mesure où l'économie a dégagé des surplus redistribuables (ce qui l'oppose aux socialistes pour qui la redistribution doit se faire sans condition préalable). Mais ces intentions supposées demeurent à l'état de velléités. Entièrement absorbé par les problèmes coloniaux et les questions européennes, Pierre Mendès France n'aura guère le temps de se préoccuper des questions économiques. Tout au plus son passage au pouvoir est-il marqué par quelques idées neuves qu'il saura populariser, en particulier la nécessité pour l'économie française de se moderniser, de se préoccuper de rentabilité et de productivité, l'obligation d'un aménagement du territoire pour éviter que la croissance ne soit génératrice de déséquilibres. Mais ces idées sont partagées par son ministre des Finances Edgar Faure, comme par les hommes du Commissariat au Plan qui en ont fait les axes du second Plan — le Plan Hirsch — lancé dès 1953.

En fait, pendant le gouvernement Mendès France, les finances sont gérées par Edgar Faure qui poursuit la politique qu'il a inaugurée en 1953 d'expansion dans la stabilité, politique qui assure la croissance française et se préoccupe d'investissements et de modernisation. Bien que l'équipe de *L'Express* qui déteste Edgar Faure ait accrédité l'idée d'une différence fondamentale dans ce domaine entre le ministre des Finances et le président du Conseil, rien ne permet d'étayer cette thèse quant au but poursuivi. Les seules différences portent sur les méthodes, Edgar Faure faisant davantage confiance aux mécanismes du marché, au libéralisme économique et se montrant plus méfiant que le chef du gouvernement envers une modification autoritaire des structures. De ce fait, le ministre des Finances dispose de l'appui des milieux d'affaires. Ceux-ci s'alarmeront lorsqu'au début de 1955, le Président du Conseil décide de gérer désormais le portefeuille des Finances en transférant Edgar Faure aux Affaires étrangères.

Ce transfert va jouer un rôle non négligeable dans la chute de Pierre Mendès France.

L'échec de l'expérience Mendès France et l'annonce de la crise du régime

Si l'expérience Mendès France a suscité un très vif intérêt dans l'opinion publique, sa faiblesse réside dans le fait qu'elle s'appuie davantage sur l'audience du Président du Conseil hors du Parlement que sur les groupes qui détiennent la réalité du pouvoir, les états-majors des partis. Seul le traumatisme indochinois a pu contraindre ceux-ci à abandonner provisoirement une part de leur influence. Mais le fonctionnement des mécanismes institutionnels s'opère dans le cadre de la toute-puissance des partis et ceux-ci ne supportent qu'impatiemment le style du président du Conseil, y compris parmi ceux qui soutiennent sa politique (comme les socialistes). En fait, depuis juin 1954, la politique dynamique de Mendès France, tranchant avec l'immobilisme prudent de ses prédécesseurs, accumule contre lui les rancunes ou les haines.

— Du début à la fin de son gouvernement, Mendès France a dû compter avec l'opposition tenace, obstinée, irréconciliable du MRP qui ne lui pardonne ni les accords de Genève ni l'enterrement de la CED.

— Sa politique extérieure provoque le détachement progressif des Républicains-Sociaux qui quittent le gouvernement lorsque Mendès propose au Parlement de ratifier la CED, puis des communistes et d'une partie des socialistes qui l'abandonnent en décembre 1954 lorsqu'il propose au Parlement d'autoriser le réarmement allemand.

— Ses intentions économiques et sociales suscitent la méfiance de la droite qui redoute les mesures qu'il s'apprête à prendre en janvier 1955.

— Il s'y ajoute des oppositions corporatives, celles des «bouilleurs de cru» dont le privilège de fabrication d'alcool a été supprimé en novembre 1954, celle des producteurs de vin qui ne lui pardonnent ni ses campagnes contre l'alcoolisme, ni la propagande en faveur de la consommation de lait.

— Enfin et surtout, sa politique coloniale suscite la colère des représentants des colons européens et lui aliène une fraction de son propre parti, le parti radical. Conduits par le sénateur Borgeaud et le député de Constantine René Mayer, ils s'opposent violemment à la nomination de Jacques Soustelle. A la suite de René Mayer, nombre de radicaux rejettent la confiance que le Président du Conseil demande le 5 février 1955.

Le 6 février, au milieu d'un déferlement de haine où l'antisémitisme a sa part, Pierre Mendès France est renversé par 379 voix contre 273. Ont voté contre lui les communistes, les modérés, le MRP et une partie des radicaux.

Désireux d'éviter un passage à l'opposition des radicaux mendésistes, le président René Coty désigne comme président du Conseil Edgar Faure, l'artisan des succès économiques des années 1953-1955, ministre de Mendès France. Bien que ce dernier ait souhaité, pour mettre fin aux mœurs parlementaires, qu'aucun de ses ministres ne lui succède, Edgar Faure accepte cette désignation en arguant du fait que l'hostilité des dirigeants de *L'Express* l'avait tenu à l'écart de l'équipe Mendès France (voir E. Faure, *Mémoires*, tome I, *Avoir toujours raison, c'est un grand tort*, Paris, Plon, 1982). A la différence de son prédécesseur, il constitue un gouvernement à l'image du centre-droit qui domine l'Assemblée avec des modérés (Antoine Pinay aux Affaires étrangères), des MRP (Pierre Pflimlin aux Finances), des Républicains-Sociaux (le général Kœnig à la Défense nationale), des radicaux (Bourgès-Maunoury à l'Intérieur) et les portefeuilles font l'objet d'une négociation avec les partis politiques. On en est assez largement revenu au gouvernement des partis.

Avec cette équipe de centre-droit, Edgar Faure va pratiquer une politique pragmatique, mais qui n'apparaît guère comme différente de celle du gouvernement Mendès France. On retrouve les lignes de force de la politique économique d'expansion et de modernisation que le Président du Conseil poursuit, dans la voie qu'il avait lui-même tracée auparavant. On discerne une certaine volonté de relance européenne sans supranationalité, marquée par la décision d'examiner la perspective de constitution d'un marché commun européen. Et surtout, dans le domaine essentiel des questions coloniales, la pratique d'Edgar Faure ne diffère guère de celle de Mendès France. En Tunisie, il poursuit les négociations entamées par Mendès France et signe les Accords de juin 1955 qui prévoient les modalités de l'indépendance. Au Maroc où son prédécesseur avait laissé la situation en l'état, il obtient, à force d'obstination et d'habileté manœuvrière, d'une majorité réticente, le départ du sultan Ben Arafa et le retour sur le trône de Mohammed V auquel se rallie le Glaoui. Avec le souverain restauré commencent des négociations qui doivent déboucher sur «l'indépendance dans l'interdépendance», selon l'expression du Président du Conseil. En Algérie enfin, il poursuit la politique de répression contre le FLN qui va le conduire à proclamer l'état d'urgence en juin 1955 (voir S. Berstein, «Un Mendésisme sans Mendès France? Les gouvernements Edgar Faure et Guy Mollet» in F. Bédarida et J.-P. Rioux, *op. cit.*).

Peut-on, dans ces conditions, caractériser le gouvernement Edgar Faure comme un mendésisme sans Mendès France? Sans doute pas, car le mendésisme, pour l'opinion publique, ne réside pas dans le contenu de l'action gouvernementale, mais dans le style que Pierre Mendès France a imprimé à sa fonction. Or, à cet égard, les différences sont considérables entre ce dernier et Edgar Faure, respectueux de l'état des forces au Parlement et des états-majors de partis, comptant plus sur sa souplesse et son habileté pour répondre aux problèmes de l'époque que sur le poids de la raison et l'appui sur les masses. En fait, un mendésisme se développe au même moment dans l'opinion publique, mais largement comme une part d'un mouvement de rejet de la IVe République et contre le Président du Conseil qui incarne le régime. A ce titre, sa fonction est proche de celle du poujadisme qui lui est contemporain.

A l'origine, le poujadisme est né du malaise des petits commerçants et artisans. Avec la disparition de la situation de pénurie des années 50, de nombreuses petites entreprises commerciales, artisanales, et bientôt agricoles, se révèlent mal adaptées aux conditions du marché et de la concurrence. La disparition de la prospérité artificielle qu'avait représentée pour eux la période de guerre et d'après-guerre est ressentie durement par les classes moyennes indépendantes qui subissent alors une crise profonde (voir chapitre VIII). L'amertume qui en résulte se cristallise contre les contrôles fiscaux exercés par les «inspecteurs polyvalents» qui surveillent la comptabilité (souvent sommairement tenue) des petites entreprises, procédant à des redressements fiscaux, voire provoquant des saisies. La multiplication de celles-ci à partir des années 50 donne naissance à un mouvement de protestation qui va se regrouper autour de Pierre Poujade, un papetier de Saint-Céré qui s'est rendu célèbre pour s'être opposé à des contrôles fiscaux. En novembre 1953, il fonde l'UDCA (Union de défense des commerçants et artisans) qui remporte un premier succès en s'assurant la majorité à la Chambre de commerce de Cahors. Mais très vite, en 1954, ce rassemblement corporatif des commerçants et artisans débouche sur une mise en accusation sommaire du régime, qui retrouve spontanément les thèmes de l'extrême droite de l'époque de l'Affaire Dreyfus ou des années trente : refus de l'impôt qui pèse sur les «petits» et épargne les riches, dénonciation de l'impuissance parlementaire, appel à balayer les politiciens, exaltation du nationalisme (contre les abandons coloniaux dont les gouvernements se rendraient coupables), xénophobie et antisémitisme (qui se nourrit du passage au pouvoir de Pierre Mendès France, comme jadis de celui de Léon Blum). De mouvement corporatiste qu'il était à l'origine, le poujadisme devient l'expression politique d'un populisme d'extrême droite qui rassemble, aux côtés des vaincus de la modernisation économique — commerçants, artisans, agriculteurs —, des adversaires convaincus du régime, nostalgiques d'une extrême droite autoritaire discréditée par son soutien à Vichy ou sa collaboration avec les nazis. Sans doute tous ceux qui applaudissent les mots d'ordre sommaires de Pierre Poujade n'adhèrent-ils pas aux thèmes d'une extrême droite qui cherche à utiliser un mouvement dont elle ne partage guère les préoccupations. Il reste que le succès du poujadisme est surtout révélateur du profond discrédit que connaît la IVe République dans la classe moyenne traditionnelle à sensibilité de droite et que le poujadisme sert de lieu d'accueil à la renaissance de l'extrême droite. (Sur le poujadisme, voir Stanley Hoffmann, *Le Mouvement Poujade*, Paris, Colin, 1956 et Dominique Borne, *Petits Bourgeois en révolte? Le mouvement Poujade*, Flammarion, 1977).

A l'autre extrémité de l'échiquier politique, l'émergence dans l'opinion d'un courant mendésiste apporte une preuve supplémentaire de la lassitude des Français. La chute de Pierre Mendès France a considérablement accru son audience et sa popularité dans l'opinion publique. Rejetant l'idée de créer un nouveau parti politique mise en avant par certains de ses fidèles, il invite ses partisans à rejoindre le parti radical auquel lui-même appartient depuis sa jeunesse. Dans les grandes villes, et en particulier dans la France du nord, le radicalisme reçoit ainsi l'appoint de forces neuves, très différentes du radicalisme traditionnel. Avec l'aide de ces troupes fraîches, Pierre Mendès France arrache en mai 1955, au congrès de Wagram, la direction du parti radical aux hommes de centre-droit qui le conduisent depuis 1946. A l'issue d'un congrès haut en couleur au cours duquel la salle, noyautée par les militants mendésistes, met en minorité le président administratif du parti, Léon Martinaud-Deplat, Mendès France prend la tête du parti radical avec le titre de premier vice-président, Edouard Herriot étant président à vie. L'année 1955 est celle de l'épanouissement, à l'intérieur comme à l'extérieur, du parti radical, d'un courant mendésiste qui recrute surtout dans la jeunesse et catalyse autour de lui une gauche qui se sent mal à l'aise au sein des partis traditionnels, la SFIO de Guy Mollet ou le parti communiste de Maurice Thorez. On trouve dans ce courant toute une gauche moderniste, étudiants de l'UNEF, membres des jeunesses socialistes en rupture plus ou moins ouverte avec la SFIO, jeunes radicaux et républicains de tradition rassemblés par Charles Hernu dans le *Club des Jacobins*, chrétiens de gauche qui n'ont jamais pu constituer une formation importante, francs-maçons, syndicalistes, hauts fonctionnaires, lecteurs des hebdomadaires de gauche comme *L'Express*, *Témoignage chrétien*, voire *France-Observateur* (dont la plupart des rédacteurs se montrent cependant critiques envers un mouvement qui leur apparaît trop «bourgeois»).

En réalité, le mendésisme est un mouvement ambigu.

Certains des membres de cette nébuleuse ont été attirés par les idées de Pierre Mendès France, par sa pratique du pouvoir et constituent un groupe de fidèles inconditionnels. Mais beaucoup voient dans le mendésisme autre chose que ce qu'il est réellement, et le sentiment prévaut que ceux-là projettent sur le mendésisme leurs propres aspirations. Ceux qui considèrent en lui l'homme de la modernisation des structures du pays ont sans doute raison, même s'il n'a pu donner sa mesure en ce domaine. Mais on s'éloigne déjà de ce que souhaitait Mendès France lui-même en voyant en lui le rénovateur de la gauche, car son ambition dans ce domaine se bornait à rénover le parti radical et il a rejeté avec horreur la suggestion de certains de ses amis de créer un nouveau parti politique, car à ses yeux, créer un parti autour d'un homme était du «fascisme». Plus éloignés encore de la réalité, ceux qui tiennent le mendésisme pour une tentative de pouvoir autoritaire personnalisé, mettant à la raison les partis politiques, pratiquant le volontarisme, s'adressant au pays par-dessus la tête des parlementaires alors que Mendès France rejette toute idée de personnalisation du pouvoir, est fidèle au système traditionnel des partis et à un parlementarisme sans entraves. Il reste qu'il est exact qu'une partie de l'opinion a retenu ces aspects de l'expérience Mendès France et qu'à cet égard, et bien malgré lui, le mendésisme apparaît comme un pré-gaullisme.

Il faut donc distinguer le mendésisme de Mendès France. Débordant largement ce dernier, le mendésisme apparaît ainsi comme une sorte de catalyseur de toutes les oppositions, venues des rangs d'une gauche marginale et des courants modernistes, de la technocratie et du gaullisme, chacun projetant sur ce courant ses propres aspirations sans que Mendès France (qui rejette le vocable mendésiste) accepte de parrainer l'ensemble. (Sur le mendésisme, voir Jean Lacouture, *Mendès France*, Paris,

Editions du Seuil, 1981, et d'autre part le nº 27 de la revue Pouvoirs, *Le mendésisme*, Paris, Presses Universitaires de France, 1983).

Le succès du poujadisme et du mendésisme qui recueillent l'un et l'autre une incontestable adhésion populaire a pour effet d'affaiblir le régime et de compromettre l'autorité du gouvernement qui semble en sursis, puisque les élections législatives doivent avoir lieu en juin 1956. Or, affronté à la nécessité de décisions urgentes dans l'ordre international et sur les questions coloniales, le gouvernement Edgar Faure considère qu'il ne dispose pas d'une autorité suffisante pour les prendre puisque la majorité n'est pas assurée de sa survie. Désireux de hâter les échéances et de conforter la majorité, il propose à celle-ci de provoquer des élections anticipées avant que le poujadisme et le mendésisme n'aient le temps de consolider leur position. L'Assemblée refuse de se saborder, mais Edgar Faure ayant posé la question de confiance, elle le renverse en novembre 1955. Considérant que les conditions constitutionnelles, désormais simplifiées depuis la «réformette» de 1954, sont réunies (deux gouvernements renversés en moins de 18 mois à la majorité absolue), Edgar Faure décide alors, le 2 décembre 1955, de dissoudre l'Assemblée nationale, provoquant de nouvelles élections en janvier 1956. C'est la première fois depuis le 16 mai 1877 que la procédure de la dissolution est utilisée en France. Mendès France arguëra du fait (peu convaincant politiquement et juridiquement) qu'il s'agit d'un «acte anti-républicain» pour exclure du parti radical Edgar Faure et un certain nombre de radicaux qui le soutiennent (dont Martinaud-Deplat et René Mayer). Les exclus se réfugient au RGR (*Rassemblement des Gauches républicaines*) qu'ils transforment en un véritable parti, à la présidence duquel ils portent Edgar Faure.

La crise de régime dont le mendésisme a représenté la

première phase se précipite et la dissolution provoquée fin 1955 montre qu'il n'est plus guère possible pour un pays affronté à des échéances inéluctables de se contenter des majorités composites qui ont été la règle sous la IVe République.

Les élections du 2 janvier 1956 et les débuts du gouvernement Guy Mollet

Les élections du 2 janvier 1956 se déroulent, comme en 1951, au scrutin proportionnel avec apparentements (voir M. Duverger, F. Goguel, J. Touchard (sous la direction de), *Les Elections de janvier 1956*, Paris, A. Colin, 1957).

Elles voient s'affronter quatre types de listes : celles du parti communiste avec qui les socialistes ont refusé tout apparentement, celles de l'extrême droite qui sont pour la plupart des listes poujadistes et deux rassemblements qui réunissent les partis intégrés au régime, mais en entraînant la scission de trois d'entre eux.

Le premier de ces rassemblements qui prend le nom de *Front républicain* reconstitue pour l'essentiel la coalition mendésiste de 1954-1955. Il comprend le parti socialiste SFIO dans sa totalité et trois fractions de partis, le parti radical qui suit Pierre Mendès France (mais non Edgar Faure et les membres du RGR), la gauche de l'UDSR derrière François Mitterrand, la gauche des Républicains-Sociaux derrière Jacques Chaban-Delmas. Aux yeux de l'opinion, le Front républicain est le rassemblement des mendésistes. Idée confirmée par le fait que *L'Express*, devenu quotidien pour la circonstance, conduit la propagande de la coalition et va distribuer une sorte d'investiture, celle du «bonnet phrygien» de la

République, aux listes qu'il considère comme orthodoxes. En fait, les choses sont moins simples. Le seul groupe à peu près cohérent de ce rassemblement est le parti socialiste SFIO dont les membres sont loin d'approuver toutes les idées de Pierre Mendès France, en particulier sur le plan économique et social. Quant à

Les élections du 2 janvier 1956

Partis	*% des suffrages exprimés*	*Nombre de députés*
Parti communiste	25,9 %	150
Parti socialiste SFIO	15,2 %	96
Radicaux et UDSR	15,3 % (dont 11,3 % pour le Front républicain)	
UDSR + Rass. démocr. africain		19
Radicaux		58
RGR (E. Faure)		14
MRP et apparentés	11,1 %	
MRP		73
Apparentés d'outre-mer		10
Républicains-sociaux	3,9 % (dont 1,2 % pour le Front républicain)	22 (dont 7 Front républicain)
Modérés	15,3 %	95
Extrême droite (Poujadistes pour l'essentiel)	12,8 %	60
Divers	0,4 %	—

Mendès France, leader des radicaux, il conseille non de voter pour le Front républicain, mais pour les listes radicales; or nombre de radicaux qui se sont inclinés devant les décisions du congrès de mai 1955 sont personnellement réservés, voire hostiles à sa personne et à ses idées.

Face au Front républicain, le président du Conseil Edgar Faure a réuni la coalition de centre-droit qui domine l'Assemblée depuis 1952. Elle rassemble les Indépendants, le MRP, l'aile droite du radicalisme réfugiée dans le RGR, l'aile droite de l'UDSR, avec René Pleven et Claudius-Petit, l'aile droite des Républicains-Sociaux.

Entre ces divers groupes, la campagne électorale se déroule non autour de la guerre d'Algérie, devenue le principal problème de l'époque, mais autour de l'adhésion au mendésisme ou de son rejet.

Les résultats des élections du 2 janvier 1956 sont ambigus, la dispersion des listes, l'incertitude de l'appartenance de certaines d'entre elles et la division en quatre grands blocs ne permettant pas de dégager une majorité claire. L'inefficacité des apparentements a permis aux communistes de gagner des sièges, cependant que les Républicains-Sociaux, abandonnés par le général de Gaulle et partagés entre les deux coalitions rivales, s'effondrent. Pour sa part, le MRP continue un déclin amorcé depuis 1947. Les pertes des gaullistes et du MRP profitent à la droite classique du Centre national des Indépendants, mais aussi à l'extrême droite poujadiste qui effectue une véritable percée. Globalement, la gauche du Front républicain progresse dans ses composantes socialiste et radicalisante, ce qu'on peut interpréter avec beaucoup de prudence comme un acquiescement du corps électoral aux idées mendésistes (voir pour la prudence l'excellent article d'Alain Lancelot dans le numéro de la revue *Pouvoirs* sur le mendésisme).

L'interprétation de ces résultats peu clairs appartient

au président de la République René Coty. La gauche (communistes compris) ayant rassemblé 56 % des suffrages, il considère que le scrutin traduit une poussée de l'opinion dans ce sens. Dans ce contexte, c'est évidemment au Front républicain qu'il appartient de constituer le gouvernement. Mais alors que l'opinion attend un ministère Mendès France, le chef de l'Etat, constatant que le parti socialiste possède le groupe parlementaire le plus nombreux de la coalition du Front républicain, confie à son secrétaire général, Guy Mollet, la mission de former le gouvernement. Décision qui va peser lourd dans l'avenir du régime dans la mesure où la mobilisation d'une partie de l'opinion autour de Pierre Mendès France va retomber, se traduisant par une profonde déception et une nouvelle désaffection envers la IVe République.

Le ministère formé par Guy Mollet bénéficie à ses origines d'un soutien considérable au Parlement. Outre les 170 députés du Front républicain, il peut compter sur les 150 communistes qui, à défaut d'un Front populaire qui aurait leur faveur, soutiennent le ministère, ce qui leur permet de sortir de leur isolement. Il est également assuré de l'appui des 73 élus du MRP, ce parti s'efforçant, sous l'influence de Pierre Pflimlin, de se débarrasser de l'image droitière acquise pendant la législature 1951-56 et de retrouver une place au centre. Mais, tout en acceptant ce double soutien, Guy Mollet constitue un gouvernement uniquement formé de ministres du Front républicain. La majorité de ses ministres sont des socialistes, Christian Pineau aux Affaires étrangères, Gaston Defferre à la France d'outre-mer, Albert Gazier aux Affaires sociales, Robert Lacoste, bientôt remplacé par Paul Ramadier, aux Affaires économiques. A leur côté, des Républicains- Sociaux (Jacques Chaban-Delmas, ministre d'Etat aux Anciens Combattants), des UDSR (François Mitterrand, ministre d'Etat à la Justice) et quatorze radicaux. On ne saurait considérer ces derniers comme des représentants du mendésisme. La place de Pierre Mendès France a d'ailleurs fait problème. Il aurait souhaité être ministre des Affaires étrangères, mais Guy Mollet s'y est opposé en raison des sentiments trop peu européens de l'ancien président du Conseil et de l'hostilité du MRP à cette nomination. Le chef du gouvernement lui offre les Finances qu'il refuse, se sachant en désaccord avec les socialistes sur les problèmes économiques et financiers. Finalement, il devient ministre d'Etat sans portefeuille, ce qui ne lui donne pas de réelle influence sur la politique du gouvernement. Il le quittera d'ailleurs dès mai 1956, en désaccord avec la politique algérienne du président du Conseil. Les autres ministres radicaux ne sont pas des mendésistes, mais des notables du Sud-Ouest faisant partie de la clientèle de Jean Baylet, le tout-puissant directeur de *La Dépêche de Toulouse*, comme Maurice Bourgès-Maunoury, ministre de la Défense nationale, Maurice Faure, secrétaire d'Etat aux Affaires européennes, René Billères, ministre de l'Education nationale. Si ce gouvernement est moins mendésiste qu'une partie de l'opinion ne l'espère, il n'en reste pas moins qu'il est le premier gouvernement véritablement orienté à gauche depuis celui de Paul Ramadier en 1947. Il est malaisé de discerner ses intentions, tant la guerre d'Algérie devient rapidement le problème clé du ministère. Si on fait abstraction de celle-ci, on constate que, dans le droit fil de la politique de Mendès France et d'Edgar Faure (avec en outre un certain nombre d'éléments nouveaux) le gouvernement Guy Mollet s'est efforcé de mettre la France à l'heure du monde moderne. (Voir S. Berstein, «Un Mendésisme sans Mendès France? Les gouvernements Edgar Faure et Guy Mollet», *op. cit.*).

Dès ses débuts, le gouvernement Guy Mollet renoue avec la tradition sociale des gouvernements de gauche. Dans la ligne de la politique du Front populaire, il accorde une troisième semaine de congé aux salariés. Il décide l'attribution d'une retraite aux vieux travailleurs et, pour la financer, crée un Fonds national de solidarité alimenté par le produit de la vignette automobile, créée à cette occasion. Une réforme de la Sécurité sociale diminue les frais de santé à la charge des salariés par un contrôle plus strict des honoraires médicaux.

La politique étrangère, sans trancher ouvertement avec celle des gouvernements précédents, connaît un début d'adaptation à la nouvelle conjoncture marquée par la fin de la guerre froide. Christian Pineau, ministre des Affaires étrangères, esquisse un dégagement de la France de l'étroite sujétion dans laquelle elle se trouvait vis-à-vis des Etats-Unis. Il fait un voyage en Union soviétique et surtout, fait caractéristique, tente une exploration vers les pays neutralistes du tiers monde, se rendant en Inde et en Egypte, deux des pays chefs de file de cette tendance.

Au bilan des tentatives de renouveau, il faut faire figurer la relance européenne, dans la voie ouverte par Edgar Faure. La plupart des ministres sont, comme le Président du Conseil, des Européens convaincus. Ils sont résolus à mettre sur pied une union douanière avec les partenaires de la France afin de faire jouer les solidarités économiques, avec l'espoir de consolider ainsi une union politique dont la CED a montré les difficultés. C'est le radical Maurice Faure, Secrétaire d'Etat aux Affaires étrangères, qui, dans ce domaine, joue le rôle essentiel. Il négocie et fait approuver par le Parlement français le projet d'Euratom (Communauté nucléaire européenne) et celui de Communauté économique européenne (Marché commun) qui concrétisent ces vues. Le 25 mars 1957, il signe au nom de la France le traité de Rome qui prévoit la mise en place, par étapes, de l'union douanière, préface à l'union économique du Marché commun.

Enfin, paradoxe évident quand on considère sa politique en Algérie, le gouvernement Guy Mollet s'efforce de mettre en place une politique libérale dans les colonies. C'est lui qui conduit à son terme les processus de négociation amorcés par Mendès France en Tunisie et par Edgar Faure au Maroc, si bien qu'en mars 1956, les deux protectorats accèdent à l'indépendance. En Afrique noire, le gouvernement prend les devants et ébauche prudemment le processus de décolonisation en faisant voter la loi-cadre Defferre qui met en place l'autonomie politique progressive des colonies africaines. Dans chaque territoire est élue une Assemblée qui investit un gouvernement. Le chef de ce gouvernement est nécessairement le représentant de la France (haut-commissaire ou gouverneur), mais le vice-président du Conseil est responsable devant l'Assemblée. C'est à ce poste que les futurs chefs d'Etat de l'Afrique noire indépendante feront leurs premières armes politiques, comme vice-présidents des gouvernements de leur pays, Léopold Senghor au Sénégal, Félix Houphouët-Boigny en Côte-d'Ivoire, Mokhtar Ould Daddah en Mauritanie, l'abbé Youlou au Congo...

Au total, l'œuvre ainsi esquissée au début de 1956 par le gouvernement du Front républicain est loin d'être négligeable. Elle représente, dans la ligne de l'action des gouvernements Mendès France et Edgar Faure, un réel effort d'adaptation au monde du XXe siècle. Sur le plan de l'action politique, la continuité est grande entre ces trois gouvernements, même s'il en va différemment sur le plan de l'impact de leur action sur l'opinion, ni Edgar Faure, ni Guy Mollet, prisonniers du système des partis, n'ayant su créer une dynamique comparable à celle du gouvernement Mendès France. Mais cette modernité et les intentions positives du gouvernement Guy Mollet sont passées inaperçues des contemporains et ont, le plus souvent, été oubliées des historiens. Paradoxe apparent, car dès le printemps 1956 la guerre d'Algérie devient la priorité fondamentale du gouvernement et tous les autres domaines politiques s'y trouvent subordonnés. Même si les intentions du gouvernement Guy Mollet étaient libérales, le poids des contraintes a poussé ce gouvernement à pratiquer la guerre à outrance, au point d'hypothéquer tout le reste de son action, et c'est cet aspect que l'histoire a retenu.

Origines et début de la guerre d'Algérie (1954-1956)

(Sur cette question, on se référera à C.-A. Julien, *L'Afrique du Nord en marche*, Paris, Julliard, 1972, à la commode mise au point de B. Droz et E. Lever, *Histoire de la guerre d'Algérie*, Paris, Seuil, 1982, et surtout à J.-P. Rioux (sous la direction de), *Les Français et la guerre d'Algérie*, Paris, Fayard, 1990).

Les origines de la guerre d'Algérie sont à rechercher dans l'aggravation depuis la fin de la Seconde Guerre mondiale d'une situation dont les racines sont beaucoup plus anciennes.

Première série de causes, celles qui tiennent au statut politique de l'Algérie. Formée de trois départements (Alger, Oran, Constantine), elle est, comme tous les départements français, rattachée au ministère de l'Intérieur. Mais, en réalité, elle constitue une entité très différente des départements de métropole. Elle est en effet soumise à l'autorité d'un Gouverneur général nommé en Conseil des ministres et elle comprend deux catégories de citoyens qui possèdent des droits politiques inégaux : les Français, citoyens de plein exercice, qui élisent leurs représentants aux assemblées françaises et désignent les élus locaux d'une part, les musulmans, de statut coranique, dépourvus de droits politiques, de l'autre. En 1947, l'Assemblée nationale française vote un nouveau statut de l'Algérie qui, tout en modifiant quelque peu la situation, perpétue l'inégalité. Il prévoit l'élection d'une Assemblée algérienne de 120 membres, aux prérogatives restreintes (ses pouvoirs sont surtout financiers) désignée au double collège : les 9 millions de musulmans désignent 60 députés, le même nombre que le million d'Européens. De surcroît, le gouverneur général Naegelen, nommé en janvier 1948, procède au truquage manifeste des élections d'avril à l'Assemblée algérienne, faisant élire quasi uniquement des candidats de l'administration dans le second collège (musulman) et ne laissant aux candidats des partis nationalistes musulmans, dont les élections municipales de 1947 ont révélé l'audience, qu'un nombre ridicule d'élus.

Cette attitude intransigeante de l'administration française conduit à l'impasse le nationalisme musulman et, de ce fait, prive les autorités d'interlocuteurs représentatifs. Traditionnellement, le nationalisme algérien est constitué de trois courants qui sont, tous trois, privés de perspectives dans les années cinquante.

— Le courant traditionaliste, celui des *Ulémas*, entend résister à l'intégration française en s'appuyant sur l'Islam et sur la culture musulmane. Il trouve son inspiration dans le monde arabe, et tout particulièrement à l'Université islamique el-Azar du Caire. Mais la mort de son principal leader Ben Badis le prive de chef et de perspectives.

— Le courant réformiste est formé de bourgeois et d'intellectuels musulmans. Attachés à la voie légale, à une évolution acceptée par la France, ils ont pour chefs Farhât Abbas et Ahmed Francis. Longtemps partisans de l'intégration de l'Algérie à la France avec des droits égaux pour tous les Algériens, ils n'ont que très tardivement choisi la solution d'une République algérienne liée à la France. C'est pendant la guerre, alors que les Américains occupent l'Algérie, que Farhât Abbas lance le Manifeste algérien qui propose cette issue. Rassemblés dans l'*Union démocratique du Manifeste algérien (UD-MA),* ils s'efforcent de convaincre les Français d'accepter une évolution dans le sens qu'ils indiquent. Mais le choix de la France en faveur d'un maintien quasi intangible des structures coloniales montre que cette perspective est irréaliste.

— Le courant activiste et révolutionnaire est mené par Messali Hadj. Proche du parti communiste dans l'entre-deux- guerres, il s'est détaché de lui pour devenir le prophète d'une révolution algérienne à base musulmane. Les «messalistes» forment en 1945 le *Mouvement pour le triomphe des libertés démocratiques (MTLD)*. Ce sont eux qui, le 8 mai 1945, provoquent les émeutes du Constantinois qui donnent lieu à une sévère répression. Leur succès aux élections municipales de 1947 ne fait que renforcer celle-ci. Aussi dès cette date songent-ils à passer à l'action directe et créent-ils à cette occasion l'OS (Organisation spéciale) sous la direction d'Ahmed Ben Bella. Pourchassés par la police et la gendarmerie, les militants du MTLD sont contraints de vivre dans la clandestinité. Leur chef, Messali Hadj, est assigné à résidence en métropole. Ces conditions favorisent une crise permanente de ce parti. Eloigné d'Algérie, Messali Hadj entre rapidement en conflit avec le Comité central de son parti (les «Centralistes»).

Les crises et les scissions se multiplient. Là aussi, l'impasse est quasi totale. Or, l'immobilisme qui résulte de cette absence d'interlocuteurs valables est grave, compte tenu des problèmes que connaît l'Algérie en 1954.

Les problèmes économiques et sociaux constituent en effet la troisième cause du déclenchement de la guerre d'Algérie. L'économie algérienne apparaît en effet comme dualiste. On voit se développer côte à côte une agriculture moderne aux mains des Européens, disposant de crédits, de machines, et tournée vers l'exportation du vin, des céréales, des agrumes, des primeurs, et une agriculture musulmane routinière et peu productive, mais qui concerne la plus grande partie de la population. De la même manière, on constate un début d'implantation de l'industrie du fait des groupes financiers français qui commencent à investir outre-Méditerranée, alors que les musulmans sont, pour la plupart, privés d'emplois industriels et tributaires de l'artisanat, condamnés au chômage ou à des emplois précaires lorsqu'ils sont citadins. Au total, la majorité des musulmans connaît la sujétion économique.

Cette économie dualiste est à l'origine d'une société inégalitaire. Les 984 000 Européens (dont 80 % sont nés en Algérie) sont en grande majorité des citadins, ouvriers ou membres de la classe moyenne (commerçants, cadres, employés). Leur niveau de vie est, dans l'ensemble, médiocre, comparé à celui de leurs homologues de métropole. Mais cette population refuse toute réforme qui donnerait l'égalité aux musulmans. Même modeste, elle se montre donc résolument conservatrice et attachée à son statut privilégié qui lui donne une supériorité sur le reste de la population d'Algérie. Celle-ci qui est numériquement majoritaire (on compte 8 400 000 musulmans) connaît en outre une véritable explosion démographique (sa croissance est de 2,5 % par an), ce qui aggrave les problèmes du pays. En effet, seuls deux millions de musulmans ont un niveau de vie comparable à celui des Européens. Les autres souffrent de la pauvreté, d'une scolarisation insuffisante (seulement 18 % des enfants musulmans sont scolarisés) et de sous-administration (l'arrêt du recrutement des administrateurs en 1947 livre la population à des auxiliaires indigènes qui l'exploitent).

L'ensemble de ces problèmes explique le déclenchement de l'insurrection de 1954. Celle-ci est étroitement tributaire de la conjoncture de l'époque, marquée par l'immense écho de la conférence de Genève de l'été 1954 qui conduit à l'indépendance du Viêt-nam, arrachée de force à la France et qui suscite, dans les milieux nationalistes, une volonté d'imitation du Viêt-minh, d'autant qu'au même moment la France entre en pourparlers avec la Tunisie voisine. Il s'y joint la volonté d'un certain nombre de jeunes nationalistes du MTLD, comme Ben Bella, las des querelles qui agitent le mouvement, de refaire son unité dans le combat contre les colonisateurs. C'est dans ces conditions qu'ils déclenchent l'insurrection de la Toussaint 1954 qui frappe surtout par la simultanéité des 70 actions lancées contre des bâtiments civils et militaires (attaques, lancement de bombes, attentats individuels). Militairement, les résultats sont à peu près nuls, si bien que la proclamation d'un *Front de Libération nationale* (FLN) et l'annonce de la création d'une *Armée de Libération nationale* (ALN) apparaissent dérisoires, de même que semble exorbitante la prétention des organisateurs de l'insurrection de négocier l'indépendance de l'Algérie avec le gouvernement français.

Les réactions françaises sont en rapport avec l'importance apparente du mouvement. Sur place, les colons réclament une vigoureuse répression et, de fait, l'armée et la gendarmerie démantèlent la plupart des réseaux du FLN, réduisant le mouvement à une activité sporadique dans les zones montagneuses des Aurès et de la Kabylie. A Paris, le président du Conseil Mendès France et son ministre de l'Intérieur François Mitterrand multiplient les énergiques déclarations sur leur volonté de maintenir l'ordre. Cependant, analysant la situation comme le résultat d'un malaise, ils concluent à la nécessité de réformes profondes et, à cette fin, désignent pour les pratiquer le gaulliste Jacques Soustelle comme gouverneur général de l'Algérie. Mal accueilli par les colons à son arrivée, début février 1955, il décide la pacification des zones rebelles et l'intégration de l'Algérie à la France par une application loyale du statut de 1947, la modernisation économique et sociale du pays et un large programme de scolarisation. A cette date, la guerre d'Algérie n'a encore qu'une ampleur très limitée et ce programme paraît susceptible de réussir.

Ce n'est véritablement qu'en 1955 qu'est pris le tournant définitif vers la guerre. Décidé à empêcher une politique d'intégration qui apparaît inacceptable aux yeux du nationalisme algérien, le FLN prend une initiative destinée à affirmer son audience sur les masses musulmanes, à creuser le fossé entre les communautés et à intimider les Algériens partisans d'un dialogue avec la France. Les 20 et 21 août, il provoque et encadre un soulèvement des musulmans du Constantinois qui s'attaquent aux quartiers européens des villes et aux fermes isolées tenues par des Français. Une centaine de morts sont dénombrés autour de Constantine. Il en résulte une répression, d'abord spontanée, qui prend la forme de «ratonnades» (chasses à l'Arabe) et qui est le fait des civils européens. Lorsque les autorités parviennent enfin à reprendre les choses en main, on compte un millier de morts parmi les musulmans. Un fossé de sang sépare désormais les deux communautés.

Les conséquences des massacres du Constantinois sont considérables et elles vont rendre irréversible le processus de la guerre. Les Européens, horrifiés par les massacres, se dressent désormais en bloc contre les musulmans. L'action du FLN devient pour eux synonyme d'assassinats, et ils attendent des autorités une énergique répression. De leur côté, les musulmans, indignés par les représailles aveugles dont ils ont été l'objet, passent massivement dans le camp du FLN. Les plus modérés, comme Farhât Abbas qui se ralliera en 1956, font de même, conscients qu'il leur faut faire un choix et que celui-ci ne peut être que celui des musulmans (il est vrai que le FLN les contraint à ce choix par l'intimidation dont ils sont l'objet). Le FLN étend ainsi son emprise sur l'Algérie et peut porter la guerre dans toute l'étendue du pays. Enfin, bouleversé par les massacres, le Gouverneur général Soustelle fait passer au second plan ses objectifs de réforme et considère que sa tâche prioritaire est désormais de rétablir l'ordre en luttant contre le FLN. La guerre devient la priorité de l'action gouvernementale. C'est cette situation que doit affronter en 1956 le gouvernement de Front républicain conduit par Guy Mollet.

La guerre d'Algérie et ses conséquences internationales

Le Front républicain avait conduit une campagne électorale dont l'un des thèmes était de mettre fin à la guerre d'Algérie considérée comme une «guerre imbécile». Le projet de Guy Mollet est de pratiquer en Algérie des réformes qui rallieront la masse de la population musulmane, et d'ouvrir une négociation secrète avec le FLN. Dans cette optique, il décide de remplacer le Gouverneur général Soustelle, désormais gagné à une solution militaire par un ministre résidant en Algérie, poste qu'il confie à un libéral, le général Catroux. Le 6 février 1956, il se rend lui-même à Alger pour y installer le ministre-résidant. Accueilli par les manifestations hostiles des colons, conspué par la foule, cible de jets de tomates, il découvre le problème que posent les Français d'Algérie pour la solution qu'il préconise. Devant cette révélation, il fait machine arrière, remplace le général Catroux par le socialiste Robert Lacoste et définit une nouvelle politique algérienne qui tient compte des angoisses des Européens, affolés par l'idée d'un abandon de la métropole. Cette politique se résume par le triptyque «Cessez-le-feu, élections, négociations»: la France accepte de négocier le sort de l'Algérie, mais avec des interlocuteurs désignés par des élections libres; or celles-ci ne sont possibles qu'une fois instauré le cessez-le-feu, c'est-à-dire le FLN vaincu. A son tour, Guy Mollet abandonne ses velléités libérales pour entrer dans la voie de l'action militaire prioritaire. En mars 1956, l'Assemblée nationale (communistes compris) vote massivement des pouvoirs spéciaux au gouvernement pour mettre en œuvre cette politique. Les dernières velléités de négociations disparaissent lorsque le gouvernement couvre, en octobre 1956, une initiative de l'armée qui détourne l'avion conduisant à Tunis plusieurs dirigeants du FLN (dont Ben Bella) avec lesquels la France était en contact, et procède à leur arrestation. Le ministre Alain Savary, responsable des Affaires tunisiennes et marocaines et partisan de la négociation, donne alors sa démission, mais plusieurs membres du gouvernement manifestent leur désapprobation (Mendès France, maintenant partisan d'une négociation en Algérie, a quitté le gouvernement depuis mai 1956).

Résolu à remporter un succès militaire décisif, le gouvernement s'engage dans une lutte à outrance en Algérie. Le rappel des réservistes et le maintien de plusieurs classes sous les drapeaux permettent de porter les troupes engagées de 200 000 à 400 000 hommes. Sur place, Robert Lacoste, inamovible ministre-résidant jusqu'en 1958, laisse en fait l'armée conduire à sa guise le conflit et transformer l'Algérie en une véritable province militaire. Les frontières avec le Maroc et la Tunisie par où transitent les hommes et les armes à destination du FLN sont hermétiquement fermées par des lignes de barbelés électrifiés, appuyées sur des postes fortifiés, équipés de radars et dotés de garnisons qui font la chasse aux commandos qui tentent de s'infiltrer. A l'intérieur du territoire algérien, l'armée française procède au «quadrillage» du pays, tout en pratiquant également une activité d'assistance sociale (alphabétisation, soins médicaux...) et d'action psychologique afin de gagner les populations à une solution française et d'isoler le FLN. Pour accroître l'efficacité de ces procédés et tenter de soustraire les musulmans à l'influence des «fellagha», les populations sont regroupées.

A Alger où cette action est peu efficace contre le terrorisme urbain, le ministre-résidant confie au général Massu, chef de la 10e division parachutiste, la responsabilité de la sécurité. Ainsi débute en janvier 1957 la «bataille d'Alger» qui va durer 9 mois et au cours de laquelle à la vague d'attentats FLN répond la multiplication des fouilles, des contrôles, des arrestations et, pour obtenir des renseignements, l'appel aux indicateurs et même l'utilisation de la torture.

Sur le plan militaire, l'efficacité de cette action est certaine. L'organisation du FLN à Alger est démantelée et, dans le pays, sa force militaire est très amoindrie. Désormais la perspective d'une défaite militaire française, d'un Dieñ Biên Phû algérien, peut être considérée comme exclue. Mais politiquement, l'armée ne peut empêcher la poursuite du terrorisme ni les harcèlements de la guérilla. L'action psychologique est un échec, car les regroupements de population, la multiplication des contrôles, l'intimidation et la torture provoquent l'hostilité des musulmans, cependant que la terreur que fait régner le FNL contre ceux qui collaboreraient avec les Français précipite les ralliements, volontaires ou forcés. Enfin, les troupes du FLN trouvent refuge au Maroc et surtout en Tunisie. Exaspérés, les militaires n'ont d'autre solution que de pratiquer l'escalade. Ainsi, en février 1958, en vertu du «droit de suite», l'aviation française bombarde le village tunisien de Sakhiet Sidi-Youssef qui servait de base au FLN, faisant 69 morts, dont 21 enfants. Une vague d'indignation contre la France déferle dans le monde.

En fait, c'est l'ensemble de la vie politique française qui se trouve hypothéqué par les conséquences de la guerre d'Algérie, laquelle va, très rapidement, faire échouer tous les aspects novateurs du gouvernement du Front républicain.

Ces conséquences atteignent tous les domaines de la vie politique et, dans la mesure où elles interdisent la tentative d'adaptation de la France au monde moderne que représentait l'expérience du Front républicain, elles compromettent les chances de survie de la IVe République. Mais surtout, dans un premier temps, la guerre d'Algérie détériore la position internationale de la France. En octobre 1956, le gouvernement prend la décision de frapper l'Egypte, qu'il tient pour la «base arrière» du FLN : la Délégation extérieure de celui-ci, qui réunit autour de Farhât Abbas des personnalités politiques, s'est réfugiée au Caire. D'accord avec les Britanniques (qui ne pardonnent pas au colonel Nasser, le «raïs» égyptien, la récente nationalisation du canal de Suez) et avec les Israéliens qui craignent une nouvelle guerre déclenchée contre eux par l'Egypte, le gouvernement Guy Mollet prépare une expédition militaire contre le canal de Suez. L'opération s'avère un succès militaire et un fiasco diplomatique. Suez est prise, de même que Port-Saïd, et le régime du colonel Nasser semble au bord de l'effondrement. Mais la France et la Grande-Bretagne sont mises en accusation à l'ONU et, sous la pression conjointe des Etats-Unis et de l'URSS (qui brandit des menaces de guerre), sont contraintes d'évacuer précipitamment la zone du canal (voir Marc Ferro, *Suez*, Complexe, 1983).

Cette agression fait sombrer la timide ouverture neutraliste tentée par le gouvernement français. Suspect aux yeux du tiers monde, il fait figure d'accusé devant l'organisation internationale qui, à diverses reprises, et malgré les protestations françaises, se saisit du problème algérien. La France ne peut guère compter sur l'aide de ses alliés, anglais et américains. Après le bombardement de Sakhiet, ces deux Etats proposent leurs «bons offices» à la France et à la Tunisie, et cette démarche apparaît comme le début d'une internationalisation du conflit algérien.

Les conséquences financières, économiques et sociales de la guerre d'Algérie

Jusqu'en 1955, l'expansion française s'était réalisée dans la stabilité monétaire. Mais la guerre d'Algérie va avoir pour effet de provoquer dans l'économie française une période de «surchauffe» qui fait renaître les déséquilibres si laborieusement corrigés à partir de 1947. Trois facteurs expliquent cette situation.

En premier lieu, un gonflement de la demande. Celle-ci est d'abord due à l'évolution normale de l'économie. La croissance des investissements en 1953-1955 stimule la demande dans le domaine des biens d'équipement (machines-outils, industries mécanique et électrique, etc.). Or, à cette demande normale s'ajoutent les commandes militaires de la guerre d'Algérie : en 1956, les dépenses militaires augmentent de 30 %, puis à nouveau de 15 % en 1957. Ce gonflement de la demande a certes des aspects positifs, en permettant par exemple la relance de certaines industries en stagnation comme la chaussure ou le textile. Mais globalement, l'industrie française ne peut répondre à ce soudain gonflement de la demande et celle-ci stimule les importations, par exemple dans les secteurs des industries mécanique ou électrique (+25 % en 1956; + 15 % en 1957).

En second lieu, la guerre d'Algérie provoque une raréfaction de l'offre. Le rappel des disponibles sous les drapeaux à partir de 1956, puis la prolongation de la durée effective du service militaire jusqu'à 30 mois, privent la production de 400 000 à 500 000 hommes, entraînant un freinage de celle-ci. A ce phénomène s'ajoute un accident occasionnel, le gel de l'hiver 1956, qui fait de la récolte de cette année la plus mauvaise de l'après-guerre et provoque une hausse des prix agricoles.

En troisième lieu enfin, la guerre d'Algérie entraîne une augmentation des coûts. Celle-ci résulte d'abord de la raréfaction de la main-d'œuvre à laquelle on tente de remédier par l'accroissement de l'immigration, l'encouragement à l'exode rural, le travail des femmes ou des retraités. Mais malgré ces correctifs, le manque de main-d'œuvre aboutit à une hausse rapide des salaires qui pèse sur les coûts de production. Mais cette augmentation des coûts a aussi pour cause la politique sociale du Front républicain (Fonds national de solidarité, 3e semaine de congés payés) qui accroît les charges sociales des entreprises (l'augmentation des salaires et des charges sociales est ainsi de 12 % en 1956, de 12,5 % en 1957). Enfin à ces causes s'ajoutent les effets de l'expédition de Suez qui conduisent au rationnement de l'essence en France et augmentent les prix du pétrole qu'il faut faire venir du Venezuela, puisque le Moyen-Orient n'en fournit plus.

La surchauffe de 1957 n'est donc due que très partiellement au jeu des forces économiques. Sa cause essentielle réside dans les perturbations que font subir à l'économie les conséquences de la guerre d'Algérie et elle révèle que la France ne peut mener de front l'expansion économique, une politique sociale et une guerre coloniale. La preuve va en être administrée par la crise financière que connaît la France du fait de l'accélération de la guerre d'Algérie.

Le déséquilibre économique créé par celle-ci trouve son expression dans la reprise de l'inflation. Celle-ci est due à la fois au décalage entre l'offre et la demande et à la hausse des coûts. Or, le gouvernement redoute que, par le jeu de l'échelle mobile du SMIG, instituée par Antoine Pinay en 1952, la hausse des prix n'entraîne des revendications salariales qui relanceront la spirale inflationniste. C'est pourquoi, dès 1956, le gouvernement Guy Mollet ne parvenant pas à juguler la hausse des prix s'efforce de freiner son thermomètre, l'indice des 213 articles. Pour y parvenir, il décide de subventionner certains produits entrant dans la composition de l'indice afin de masquer la hausse. Au premier trimestre 1956, l'Etat a déjà déboursé 25 milliards pour agir sur l'indice et, en septembre, on en est à 50 milliards. Si bien qu'en 1957, le gouvernement doit renoncer à cette politique et laisser filer les prix. Mais pour éviter les conséquences qui résulteraient du dérapage, il modifie l'indice, substituant à celui des 213 articles un nouvel indice fondé sur 179 articles.

Quels que soient les expédients utilisés pour masquer les réalités de l'inflation, la politique suivie débouche sur le déficit budgétaire. Sans doute, depuis 1944, les dépenses de l'Etat ont toujours dépassé ses recettes. Mais l'explication de ce déficit permanent réside dans le fait que l'Etat, à travers le Trésor public, finance une importante partie des investissements. Toutefois, il ne s'agit pas là d'un déficit réel, mais selon l'expression inventée par Edgar Faure d'une «impasse», l'Etat soldant ce déficit, soit grâce aux fonds provenant de l'aide américaine, soit grâce à l'emprunt. Entre 1952 et 1955, l'«impasse» est ainsi de 650 milliards de francs.

Mais le poids des charges militaires, de la politique sociale et des subventions destinées à peser sur l'indice des prix la font monter dès 1957 à 1 000 milliards. Désormais, les procédés habituels ne suffisent pas, bien que l'Etat s'efforce de drainer l'épargne à son profit et, durant l'année 1957, le gouvernement doit demander à deux reprises des avances de la Banque de France (pour 550 milliards). D'autre part, les entreprises, contraintes de développer leur production pour répondre à la demande croissante, doivent, elles aussi, emprunter et s'adressent aux banques. Les crédits bancaires aux entreprises s'accroissent de 20 % en 1957 (passant de 2 200 milliards à 2 620 milliards), constituant ainsi une nouvelle cause d'inflation.

Ces déséquilibres économiques nés de la guerre d'Algérie se répercutent sur la balance des paiements. Il faut importer davantage pour les besoins militaires, la poursuite de l'équipement national, le comblement des récoltes insuffisantes. En même temps, le prix du pétrole augmente du fait de la crise de Suez. Enfin, l'appel à la main-d'œuvre étrangère entraîne des transferts de salaires à l'étranger. Or la France exporte de moins en moins. La balance des paiements qui en 1955 avait été excédentaire de 423 millions de dollars présente en 1956 un déficit de 783 millions de dollars, et, en 1957, de 859 millions de dollars. La principale conséquence est qu'au début de 1958, la France n'a plus de réserve de devises, ce qui fera dire au général de Gaulle : «*J'ai trouvé les caisses vides.*» Pour faire face à cette situation difficile, le gouvernement doit obtenir d'urgence un crédit du Fonds monétaire international. Celui-ci y consent fin 1957 et avance à la France 300 millions de dollars, mais à la condition expresse qu'elle remette de l'ordre dans son économie.

La solution de la crise financière, compte tenu des

exigences du FMI, va donc être le freinage de l'expansion et la renonciation à la politique sociale inaugurée par le gouvernement Guy Mollet début 1956. C'est à la solution de cette crise que se consacrent les deux derniers gouvernements de la IVe République qui ont encore quelques possibilités d'action, ceux de Maurice Bourgès-Maunoury et de Félix Gaillard (auparavant ministre des Finances du gouvernement Bourgès-Maunoury).

Pour rééquilibrer les finances françaises, il faut comprimer la consommation des Français au niveau de la production disponible, puisqu'il est exclu, tant que dure la guerre d'Algérie (et on ne voit pas qui aurait l'autorité de l'arrêter), que l'on puisse augmenter la production. C'est la raison pour laquelle, durant l'année 1957, sont prises deux séries de mesures, essentiellement par le gouvernement Félix Gaillard. En premier lieu, il s'agit de comprimer les dépenses de l'Etat. Le budget préparé pour 1958 fait des coupes sombres dans les dépenses sociales et même, pour la première fois depuis l'expérience Pinay, dans les investissements. La politique sociale et l'expansion apparaissent donc comme les principales victimes de la nouvelle politique d'austérité. Parallèlement, l'Etat cesse de subventionner les prix de l'indice qui sont lâchés.

Cette compression des dépenses publiques s'accompagne d'un accroissement des recettes. Le budget prévoit pour 1958 32 % d'augmentation d'impôts. En ce qui concerne les entreprises, le gouvernement Gaillard augmente le taux de l'escompte, rendant ainsi le crédit plus cher, et il multiplie les obstacles aux emprunts lancés par les entreprises.

L'objectif est clair. Il s'agit dans la situation de surchauffe que connaît l'économie française de conduire une action déflationniste, afin de freiner les possibilités d'achat et de restreindre la consommation pour stopper la hausse des prix qui atteint 10 % entre juin et décembre 1957 et se maintient encore à 7,5 % entre décembre 1957 et juin 1958. Comme, pendant ce temps, les salaires demeurent stables (les employeurs ne pouvant trouver de crédits pour financer les hausses de salaires), on a une stagnation du pouvoir d'achat. Mais la politique conduite par Félix Gaillard aboutit au freinage désiré.

	1957	*1958*
Production	+ 6,7 %	+ 2,6 %
Consommation des ménages	+ 5,3 %	+ 1 %
Investissements	+ 10,4 %	+ 4,6 %

La crise financière a donc pour résultat de freiner l'expansion économique et l'accroissement du niveau de vie. La seconde série de mesures a pour objet de rétablir l'équilibre des finances extérieures. En août 1957, Félix Gaillard, n'osant pas procéder à une dévaluation ouverte du franc, met en place «l'opération 20 %» qui revient à une dévaluation déguisée : les touristes étrangers reçoivent de l'Office des Changes une prime égale à 20 % du montant de leurs exportations. Quant aux Français, ils paient leurs devises étrangères 20 % plus cher à l'Office des Changes.

Cette dévaluation de fait sera régularisée en droit en juin 1958, le franc étant alors défini par rapport au dollar par un rapport de 1 dollar contre 420 F (au lieu de 350 F auparavant). Le franc ne vaut plus que 2,35 mg d'or.

La IVe République s'achève donc en pleine crise financière, compromettant les principaux succès obtenus auparavant, la croissance économique et l'augmentation du niveau de vie de la population, et faisant sombrer les équilibres si difficilement réalisés au cours des années d'après-guerre.

La crise morale et l'impasse politique de la IVe République

La guerre provoque en France une profonde crise morale. Le conflit entraîne un très vif malaise au sein de la jeunesse, du monde étudiant, des Eglises, des milieux intellectuels, des syndicats. Ces milieux admettent mal de voir la France engagée dans un conflit contre les aspirations nationales d'un peuple. Ils s'indignent de voir l'armée user pour parvenir à ses fins de l'arme de la torture et certaines «affaires» ont un immense retentissement, par exemple la disparition de certains musulmans ou libéraux européens comme Maurice Audin, assistant à la Faculté d'Alger, «disparu» après avoir été arrêté par la police. Le livre du communiste algérien Henri Alleg, *La Question*, qui décrit les tortures dont il a été l'objet, a un écho considérable, malgré son interdiction. Pour un nombre croissant de Français, faire la paix est devenu une nécessité. On voit même certains petits groupes d'extrême gauche, très minoritaires il est vrai, prendre le parti du FLN et l'aider dans son combat. Face à cette aspiration à une paix négociée, le gouvernement répond par des saisies de journaux, des poursuites judiciaires, des révocations. Il est vrai qu'une autre partie de l'opinion est hostile à toute négociation, soit par attachement au maintien de la souveraineté française, soit par crainte du sort réservé aux Français d'Algérie, soit par hostilité au FLN dont les méthodes de guerre ne sont pas moins cruelles que celles imputées à l'armée française (attentats aveugles, massacres, intimidation).

Mais surtout, le conflit a de graves conséquences sur la vie politique française. Il aboutit en effet à l'éclatement rapide de la majorité de gauche et à la paralysie de la vie politique. Dès 1956, une grande partie de la gauche, constatant l'extension du soulèvement algérien, souhaite une solution négociée du conflit et rejette la politique suivie par Guy Mollet et ses successeurs. Mendès France démissionne dès mai 1956; en décembre, les communistes votent contre la politique algérienne du gouvernement, qu'ils ont d'abord soutenue; au sein même de l'équipe ministérielle, certains ministres (Albert Gazier, Gaston Defferre, François Mitterrand) font connaître leur désaccord avec la ligne suivie. Plus grave encore aux yeux de Guy Mollet, à l'intérieur même du parti socialiste se constitue une opposition à la politique algérienne du gouvernement, animée par des leaders de premier plan, Edouard Depreux, Daniel Mayer, André Philip, Alain Savary, Robert Verdier. Très vite, pour trouver une majorité à l'Assemblée, Guy Mollet est conduit à un renversement d'alliances : il doit compter sur le MRP et les Indépendants, alors que les communistes et les radicaux mendésistes votent contre lui et que nombre de socialistes sont tentés d'en faire autant. Pour éviter une scission de son parti, Guy Mollet choisit de se faire renverser sur un vote financier en mai 1957.

Dès lors, la vie politique est paralysée. En dehors des socialistes, il n'existe dans l'Assemblée élue en 1956 aucune majorité viable. René Coty donne pour successeurs à Guy Mollet le radical Maurice Bourgès-Maunoury qui tente de se rapprocher des partisans de l'Algérie française mais qui est renversé en septembre 1957 (pour avoir tenté de faire voter une loi-cadre sur l'Algérie instituant le collège unique) par une coalition de la droite et des communistes, puis un autre radical, Félix Gaillard, mis en minorité en avril 1958 pour avoir accepté les «bons offices» anglo-américains après l'affaire de Sakhiet. En fait ces gouvernements qui ne se maintiennent au pouvoir qu'avec l'accord tacite des socialistes sont dépourvus de toute autorité. D'autant que Guy Mollet souhaiterait tenir son parti à l'écart de la vie gouvernementale afin de préserver une unité que l'affaire algérienne compromet davantage chaque jour. Conscient du scandale que constitue pour nombre de socialistes la politique suivie à Alger par Robert Lacoste, il décide, en avril 1958, que les socialistes ne seront pas membres du prochain gouvernement, ce qui entraînera *ipso facto* le départ du ministre-résidant.

En fait, la principale préoccupation de tous les gouvernements est désormais de trouver une issue politique négociée à la crise algérienne, mais ils n'osent faire connaître ouvertement cet objectif, car ils manquent d'autorité pour imposer leurs vues au Parlement, aux colons européens, à l'armée d'Algérie. Toute esquisse de solution (la loi-cadre Bourgès-Maunoury, les «bons offices» de Félix Gaillard) condamne le gouvernement à la chute. A nouveau, comme sous la première législature pour les questions économiques et sociales, comme sous la seconde législature pour la CED, l'Algérie constitue un ferment de dissolution pour la majorité de gauche de la troisième législature, provoquant comme précédemment instabilité et immobilisme.

Il n'existe aucun espoir de trouver une solution dans le système des partis qui, dès l'origine, a constitué la colonne vertébrale de la IVe République, car l'affaire d'Algérie achève, en ce qui les concerne, une crise dont le mendésisme a été une des premières manifestations. Si le parti communiste trouve dans son hostilité à la guerre d'Algérie et dans la cohésion de ses structures le moyen d'y échapper, toutes les autres formations politiques sont en état de scission plus ou moins ouverte. A gauche, la scission n'est encore qu'une fêlure chez les socialistes entre partisans et adversaires de la négociation en Algérie, mais pour masquée qu'elle soit, la cassure est réelle et elle jouera quelques mois plus tard en septembre 1958. Les radicaux sont désormais divisés en quatre tronçons. A la scission d'Edgar Faure et René Mayer fin 1955 s'est ajoutée en octobre 1956 celle des radicaux hostiles à la négociation en Algérie, conduits par Henri Queuille et André Morice, qui ont fondé un parti rival qui prend bientôt le nom de Centre démocrate; par ailleurs, en 1957, Mendès France, ayant échoué à imposer au groupe parlementaire radical la discipline de vote, démissionne de la direction du parti et se trouve dès lors en état de quasi-scission avec une quinzaine de députés; la place de Valois, siège du parti, reste alors aux mains des centristes du groupe de *La Dépêche*, Maurice Faure, Bourgès-Maunoury, René Billères, Félix Gaillard. La scission de l'UDSR est également consommée entre la gauche de François Mitterrand et la droite de René Pleven et Claudius-Petit. La même remarque s'impose pour ce qui reste des Républicains-Sociaux, partagés entre une aile de centre-gauche avec Chaban-Delmas et une majorité de droite dont Roger Frey est l'inspirateur. Ni le MRP ni les Indépendants ne sont à l'abri du clivage. Au sein du premier la majorité se rallie à la voie centriste définie par Pierre Pflimlin, le nouveau président, qui considère que seule une solution négociée est désormais possible en Algérie, mais il existe un groupe attaché à la prépondérance de l'Algérie française conduit par l'ancien président Georges Bidault. Enfin, malgré la souplesse de leurs structures, les modérés du CNI ne sont pas moins divisés : la plupart à la suite de leur secrétaire général Roger Duchet rejettent toute négociation, mais quelques-uns jugent celle-ci inévitable. Preuve de cette profonde division des forces politiques, qui ne permet d'envisager aucune solution à base parlementaire, la constitution en avril 1956 de l'*Union pour le Salut et le renouveau de l'Algérie française*, dirigée par le gaulliste Soustelle, le radical Morice, le MRP Bidault, l'Indépendant Duchet, sans qu'aucun d'entre eux n'engage son parti.

La guerre d'Algérie débouche ainsi sur une véritable paralysie du régime, incapable d'affronter un problème qui dépasse ses forces, et sans qu'il paraisse exister de solution interne au système de la IVe République, en raison de l'éclatement des partis politiques qui en constituaient les seules forces réelles. L'heure paraît propice aux adversaires du régime.

L'état des forces en mai 1958

Le marasme des forces politiques analysé plus haut ne permet pas d'opérer un classement de l'opinion selon les critères habituels. La distinction entre partis ne signifie plus grand-chose compte tenu des perturbations entraînées par l'affaire algérienne et du discrédit du Parlement. En fait, en 1958, il faudrait distinguer trois grands courants d'importance quantitative inégale, mais dont l'activité paraît inversement proportionnelle à leur importance.

La majorité de l'opinion publique métropolitaine est, à

l'image du Parlement et des forces politiques, en plein désarroi en raison de l'affaire algérienne. Quelle que soit la tendance dont elle se réclame, elle est consciente que les gouvernements ne disposent plus de l'autorité nécessaire pour diriger le pays dans un contexte aggravé par la guerre d'Algérie.

A gauche, elle est convaincue depuis l'échec du mendésisme et la politique algérienne du gouvernement Guy Mollet qu'il n'y a rien à espérer des partis de gouvernement et elle est à la recherche de formules nouvelles que le mendésisme lui a laissé entrevoir, mais qui ne paraissent pas en mesure de se concrétiser. Elle se tourne vers de petits groupes marginaux aux grands partis qui lui semblent incarner ce courant, mais qui apparaissent comme profondément minoritaires, la «Nouvelle Gauche», constituée par des journalistes (Claude Bourdet, Gilles Martinet) avec l'appui de militants chrétiens, les opposants socialistes, les radicaux mendésistes.

A droite, elle a été humiliée dans son nationalisme par les échecs d'Indochine et de Suez et elle est prête à se rallier à toute solution qui éviterait un nouvel échec en Algérie.

Mais, toutes tendances confondues, cette opinion métropolitaine redoute les initiatives que pourraient prendre ceux qu'on appelle les activistes de l'Algérie française.

La paralysie des institutions, le désarroi des partis et de l'opinion laissent le champ libre à des forces d'extrême droite dont le poujadisme avait déjà montré qu'elles étaient prêtes à renaître et que la guerre d'Algérie va stimuler. En fait, on est en présence de groupes très différents qui n'ont en commun que des tendances autoritaires, voire fascisantes.

— Le premier est celui de l'opinion d'extrême droite en France. Il est formé de toute une série de groupuscules qui prolifèrent à partir de 1954, *Association des Anciens Combattants d'Indochine*, *Jeune Nation* qui recrute surtout en milieu étudiant, *Parti patriote révolutionnaire* fondé en 1957 par Me Biaggi. Ils trouvent l'appui d'un certain nombre de poujadistes comme Jean-Marie Le Pen, élu député du Ve arrondissement de Paris en 1956. Peu nombreux, n'entraînant avec eux que d'étroites minorités, leurs thèmes rencontrent cependant un certain écho dont le succès du poujadisme a permis de mesurer l'ampleur : antiparlementarisme, xénophobie, antisémitisme, racisme antiarabe, choix d'un pouvoir fort qui conduirait sans défaillance la guerre d'Algérie et ferait taire les intellectuels de gauche qui la dénoncent. En fait, ce groupe n'a d'intérêt, en dépit de la faiblesse de son audience, que parce qu'il paraît être le répondant en métropole des deux suivants, dont le poids est beaucoup plus considérable.

— L'activisme algérien est fondé sur un contexte permanent, celui de l'audience qu'ont toujours connue les idées d'extrême droite en Algérie. L'antisémitisme y a d'anciennes racines avec Drumont, les colons d'Algérie ont été largement pétainistes, soutenant tour à tour Weygand, Darlan et Giraud, et ne se sont ralliés que du bout des lèvres au général de Gaulle. Enfin, les maurrassiens y ont toujours trouvé un terrain favorable à l'expansion de leurs idées. Dans ces conditions, la crainte de voir la métropole abandonner les départements algériens a stimulé un activisme antiparlementaire, antirépublicain et méfiant envers la métropole, qui ne demandait qu'à s'épanouir. Il fait ses premières armes le 2 février 1956 lors du départ de Soustelle qu'il tente d'empêcher et remporte son premier succès politique le 6 février lors du voyage de Guy Mollet. La reculade du Président du Conseil convainc les activistes d'Alger de leur puissance et de leur aptitude à imposer à Paris la solution de leur choix. Conduits par des exaltés comme l'avocat Lagaillarde, le cafetier Ortiz ou le docteur Martel, ils recrutent largement dans la jeunesse européenne qui se lance avec un enthousiasme romantique dans les défilés, les manifestations, voire les complots plus ou moins réels. Le rêve de cet activisme algérien est celui d'un putsch qui, parti d'Alger, instaurerait en métropole un pouvoir autoritaire décidé à conduire la guerre jusqu'à la victoire. Et si ce rêve prend quelque consistance, c'est qu'il semble pouvoir s'appuyer sur une réalité, l'accord d'une partie de l'armée.

— L'activisme militaire est, en effet, la troisième composante de ce courant. Il est le fait d'un groupe d'officiers de carrière (car le contingent est peu enthousiasmé par la guerre qu'il doit faire en Algérie), surtout des capitaines et des colonels (les généraux, soucieux de leur carrière, se montrant généralement d'une grande prudence). Ces militaires ont été profondément traumatisés par l'échec d'Indochine qu'ils attribuent à l'abandon dans lequel le gouvernement a laissé le corps expéditionnaire et à la trahison des civils (par exemple la rocambolesque «affaire des fuites» de 1954 dans laquelle on tente de compromettre François Mitterrand et Edgar Faure, après la divulgation de secrets de la Défense nationale, et qui s'avère être une médiocre provocation montée par un réseau de policiers d'extrême droite). Méprisant le pouvoir civil et les hommes politiques, ces militaires rêvent de gagner la guerre d'Algérie en utilisant contre le FLN les méthodes de la guerre psychologique qui les ont vaincus au Viêt-nam, avec leur mélange de terreur à l'encontre des adversaires, de persuasion et d'action sociale destinées à gagner la population et à vaincre l'adversaire sur son terrain. L'autonomie que Robert Lacoste laisse aux militaires leur permet de tenter l'expérience. Mais celle-ci se révèle assez peu efficace et ils en tirent la conclusion qu'ils n'aboutissent pas parce que le gouvernement ne les soutient pas, qu'il est tenté par une paix négociée, qu'il laisse se développer les campagnes de presse qui diffament l'armée. Chez les militaires aussi s'impose l'idée que c'est à Paris qu'il faut gagner la guerre d'Algérie en renversant le régime pour lui substituer un gouvernement décidé à faire la guerre en employant à grande échelle les méthodes d'action psychologique et révolutionnaire.

Partis de prémisses très différentes, ces trois courants convergent donc pour attendre d'un coup de force appuyé par l'armée d'Algérie l'instauration à Paris d'un pouvoir fort qui ne reculerait pas devant les méthodes fascisantes pour vaincre l'adversaire. Dans ces conditions, les bruits de complot se multiplient et la nervosité ne cesse de gagner l'armée et la population d'Algérie, qui ne dissimulent pas leur exaspération devant l'indifférence d'une métropole qui se laisse gagner par les délices de la société de consommation et paraît aussi éloignée que possible de la solution souhaitée outre-Méditerranée. En 1957 on découvre un complot contre la République ourdi par le général parachutiste Jacques Faure, qui est mis aux arrêts de rigueur. Le 26 avril 1958, l'armée laisse se développer une manifestation à Alger, qui réclame la formation d'un gouvernement de Salut public pour sauver l'Algérie française. Le décalage est total entre Paris et Alger, et le fiévreux romantisme qui gagne cette dernière reste sans écho en métropole. Entre les deux, les gaullistes vont faire la liaison.

Ils forment le troisième courant significatif qui joue un rôle dans l'effondrement de la IVe République. Depuis 1955, le général de Gaulle, découragé par l'échec du RPF et l'intégration au régime des Républicains-Sociaux, a annoncé sa retraite politique et s'est enfermé dans le silence de Colombey-les-deux-Eglises. Toutefois, il ne se laisse pas oublier et, à bien des égards, la distance prise par rapport à la politique immédiate le sert. La parution de ses *Mémoires de guerre* qui sont un immense succès d'édition campent sa stature historique aux yeux des Français. Les voyages qu'il accomplit outre-mer et l'accueil enthousiaste qui lui est fait, au Sahara ou en Afrique noire, le font apparaître comme l'homme susceptible de résoudre les difficultés coloniales que le régime ne parvient pas à maîtriser. L'interminable crise ministérielle qui suit la chute de Guy Mollet et le sentiment que la République est dans l'impasse font que, à partir du printemps 1958, son nom est de plus en plus souvent prononcé comme celui d'une possible solution, même par des hommes politiques qu'on ne saurait considérer comme des inconditionnels du gaullisme, par exemple Edgar Faure. Au début de mai 1958, devant l'impossibilité de former un gouvernement sans la participation socialiste, le président Coty fait sonder le général de Gaulle sur les conditions de son éventuel retour au pouvoir. Mais ces symptômes n'ont de valeur qu'*a posteriori*, car jusqu'au 13 mai 1958, cette hypothèse est toute gratuite : en janvier 1958, un sondage révèle que 13 % seulement des Français verraient le général de Gaulle s'installer à Matignon!

Toutefois, la crise du régime convainc les gaullistes que le retour au pouvoir de leur chef est désormais possible. La tactique des gaullistes semble être de noyauter les complots qui s'ourdissent un peu partout pour canaliser ceux d'entre eux qui auraient une chance de réussir. Des réunions se tiennent périodiquement chez Me Biaggi, réunissant des gaullistes notoires comme Michel Debré, Roger Frey, Jacques Soustelle, Olivier Guichard pour faire le point de la situation. Jacques Chaban-Delmas, ministre de la Défense nationale du cabinet Félix Gaillard, a envoyé à Alger comme représentant Léon Delbecque qui se tient au courant des complots militaires. On agite dans ces milieux l'idée qu'un putsch se produira en Algérie, qui pourrait être relayé par des opérations coordonnées en métropole; on évoque le largage de parachutistes en France, l'appui qu'ils pourraient trouver dans le Sud-Ouest où le général Miquel, gouverneur militaire de Toulouse, paraît gagné aux vues des putschistes, ainsi que le général Gribius qui commande les chars à Rambouillet et pourrait marcher sur Paris. L'idée prévaut, en tout cas, que si une insurrection éclatait à Alger, Soustelle, devenu pour les Européens d'Algérie le symbole de l'Algérie française, devrait s'y rendre pour imposer une solution gaulliste.

Il est incontestable que le général de Gaulle est au

courant de ces complots par Delbecque qu'il a reçu à plusieurs reprises, bien qu'il feigne de les ignorer. Mais s'il ne les décourage pas, il ne fait rien pour les encourager. En fait, il se veut tout à la fois au-dessus de ces médiocres complots et disponible pour les utiliser si la situation évoluait favorablement. Il entend se garder de toute prise de position hâtive, joue les vieillards découragés, mais demeure attentif et prêt à agir. (Sur l'ensemble du contexte des complots qui marquent les prémices du 13 mai, deux ouvrages qui en évoquent les détails : Serge et Merry Bromberger, *Les treize complots du 13 mai*, Paris, Fayard, 1959, et Raymond Tournoux, *Secrets d'Etat*, Paris, Plon, 1960).

Le 13 mai et l'effondrement de la IVe République (13 mai-3 juin 1958)

(Sur cette question, voir l'excellente mise au point de René Rémond, *Le Retour de de Gaulle*, Complexe, 1983, et l'ouvrage fondamental d'Odile Rudelle, *Le 13 mai, de Gaulle et la République*, Paris, Plon, 1988, coll. L'espoir).

Le 13 mai est le jour où le président du Conseil, enfin désigné par René Coty, le MRP Pierre Pflimlin, doit se présenter devant l'Assemblée nationale pour obtenir son investiture. Le même jour, un Comité de vigilance qui regroupe les associations d'anciens combattants, les groupements patriotiques des partis appelle la foule d'Alger à une grande manifestation de protestation contre l'assassinat par le FLN de trois militaires français faits prisonniers. La désignation de Pierre Pflimlin que l'on soupçonne de méditer une politique d'abandon en Algérie (ne s'est-il pas prononcé pour une solution négociée devant le Conseil général du Bas-Rhin?) va faire dériver la manifestation sur le terrain politique. L'heure semble d'autant plus propice que Robert Lacoste qui représente le pouvoir en Algérie (mais il fait partie d'un gouvernement démissionnaire) a regagné la métropole sans attendre son successeur. Les colonels de l'armée d'Algérie laissent se développer la manifestation qui dégénère en émeute et aboutit à la prise du Gouvernement général, siège des autorités. Là, dans le brouhaha, est proclamée la naissance d'un Comité de Salut public dans lequel on fait entrer, un peu au hasard, des civils activistes, des militaires, des musulmans. Le gaulliste Delbecque parvient à s'y intégrer. A la tête du Comité est placé le général Massu, fort embarrassé par cet honneur inattendu, et qui cherche plus à canaliser le mouvement qu'à le développer. Respectueux de la hiérarchie militaire, le général Massu obtient que le général Salan, commandant en chef de l'armée d'Algérie, soit nommé à la tête d'un vague *Comité de Salut public de l'Algérie française*. Poussé par Massu et Delbecque, le général Salan lance le 15 mai un appel au général de Gaulle. En apparence, l'armée d'Algérie a basculé dans le camp des émeutiers. Mais les choses ne sont pas si simples, car le 13 mai, pour ne pas perdre la face, le gouvernement a nommé le général Salan *Délégué général en Algérie*. Salan gouverne donc effectivement l'Algérie, mais on ne sait trop s'il le fait comme chef nominal des Comités de Salut public, c'est-à-dire chef d'un pouvoir insurrectionnel, ou comme Délégué général, c'est-à-dire représentant d'un pouvoir légal.

Ce jeu ambigu, encouragé par le gouvernement qui souhaite éviter une rupture entre Paris et Alger, subit cependant un choc le 17 mai avec l'arrivée à Alger de Jacques Soustelle qui a réussi à échapper à la surveillance dont il était l'objet. Soustelle affermit le courant gaulliste dans le pouvoir insurrectionnel algérien tout en poussant à la préparation d'opérations en métropole. Désormais, la coupure s'accentue et la guerre civile semble proche. Le 24 mai, la Corse bascule dans le camp d'Alger, à l'instigation des gaullistes. Une opération de parachutage en métropole, l'opération «Résurrection», est prévue dans la nuit du 27 au 28 mai.

Face à cette sécession de l'Algérie et au risque d'une guerre civile en métropole, le gouvernement paraît mal armé pour résister. Le 13 mai, dans un sursaut de défense républicaine, le gouvernement Pflimlin a reçu une large investiture : 274 voix pour, 120 contre (la droite), 137 abstentions dont celles des communistes qui ont renoncé à voter contre, compte tenu des menaces qui pèsent sur le régime. Le Président du Conseil décide aussitôt de former un gouvernement d'union nationale. Si Antoine Pinay refuse sa participation, Guy Mollet accepte d'y faire entrer les socialistes. On place symboliquement au ministère de l'Intérieur Jules Moch qui avait fait la preuve de son énergie en 1947-1948 contre la subversion communiste. En principe, le gouvernement est décidé à faire usage de la force pour mater la rébellion d'Alger. En fait, il manque de moyens : André Mutter, ministre-résidant, ne peut se rendre à Alger ; Pierre de Chévigné, ministre MRP de la Défense nationale, n'est guère obéi par l'armée dont les généraux hésitent à prendre parti pendant que les colonels les poussent vers les insurgés. Lorsque le gouvernement proclame l'état d'urgence et que de Chévigné prend des sanctions contre des généraux de la métropole, le général Ely, chef d'état-major de l'armée, dont l'autorité morale est considérable sur les officiers, démissionne. Jules Moch ne peut davantage compter sur la police. Celle-ci a manifesté en avril 1958 devant le Palais-Bourbon et on sait que le courant antiparlementaire y est très puissant. Dans les années précédentes, elle a été noyautée par des réseaux d'extrême droite mis en place par le commissaire Jean Dides, avec l'appui du préfet de police Baylot. Au lendemain du 13 mai, elle manifeste sa sympathie à la cause de l'Algérie française et du général de Gaulle.

La lutte qui s'esquisse entre la rébellion algérienne et le

gouvernement de la République est donc inégale. La première peut compter sur les corps d'élite de l'armée (blindés, paras), sur de nombreuses sympathies activistes en métropole, et elle bénéficie du prestige du général de Gaulle qu'elle appelle à sa tête; le second est dépourvu de moyens d'actions et ne peut guère compter sur une opinion publique lasse du régime. En outre la plupart des ministres sont décidés à éviter à tout prix la guerre civile qui menace. C'est dans ce contexte qu'intervient le général de Gaulle qui va faire dériver l'affrontement vers une solution politique.

Du 13 mai au 3 juin, le général de Gaulle va peser sur les événements sans autre arme que la parole. Une série de trois déclarations qui apparaissent comme autant d'actes politiques décisifs vont infléchir la situation dans un sens favorable à ses vues.

— La première est le communiqué à la presse du 15 mai, le jour même où Salan crie «*Vive de Gaulle!*» au forum d'Alger. Cette déclaration rend le «régime des partis» responsable du désastre dans lequel la France est engagée et fait savoir que le général de Gaulle «*se tient prêt à assumer les pouvoirs de la République*». Cette déclaration fait un effet désastreux sur le gouvernement et l'Assemblée car elle semble montrer que de Gaulle est solidaire de la rébellion algérienne et encourage celle-ci à lui confier le pouvoir.

— La seconde étape est la conférence de presse du 19 mai qui est au contraire destinée à rassurer les milieux politiques. De Gaulle y rappelle son passé, le respect qu'il a montré pour la démocratie, rejette toute idée de dictature et, s'il ne fait aucune concession sur le régime, prononce des paroles aimables pour les dirigeants de la IVe République.

Cette étape est capitale car elle ouvre la porte à des négociations entre les hommes de la IVe République et le général de Gaulle. Jacques Chaban-Delmas et Antoine Pinay, qui est un des premiers à rencontrer le général, y poussent fortement. Le fait essentiel est le ralliement de Guy Mollet à la nomination à la tête du gouvernement du général de Gaulle. Il redoute en effet que l'émeute d'Alger n'aboutisse à deux solutions, également détestables à ses yeux : une dictature militaire fascisante ou un Front populaire qui ouvrirait la voie à une dictature communiste. Le 25 mai, il rencontre de Gaulle à Colombey et obtient de lui des garanties précises, en particulier le maintien d'un gouvernement parlementaire responsable devant l'Assemblée. Dès lors, il s'efforce de convaincre le groupe socialiste, méfiant, que de Gaulle n'est pas un dictateur. Dans la nuit du 26 au 27 mai, le général de Gaulle rencontre le président du Conseil Pierre Pflimlin, mais l'entrevue est sans résultat. Une troisième déclaration du général de Gaulle va débloquer la situation.

— Le 27 mai (l'opération «Résurrection» est prévue pour la nuit suivante), il fait paraître un communiqué par lequel il fait savoir qu'il a entamé «le processus régulier nécessaire à l'établissement d'un gouvernement républicain». En fait cette assertion ne repose sur aucune réalité, mais la déclaration va avoir un triple effet qui va effectivement rendre inéluctable le processus annoncé.

De Gaulle parlant déjà en chef du gouvernement, l'opinion est convaincue que son retour au pouvoir est décidé et elle manifeste dans l'ensemble sa satisfaction de cette solution.

Les militaires, obéissant à l'injonction qui leur est faite à mots couverts dans la déclaration, ajournent l'opération «Résurrection» : la guerre civile est évitée.

Le gouvernement Pflimlin, constatant qu'il est miné de l'intérieur par les initiatives de Guy Mollet et que de Gaulle parle en maître, démissionne dans la nuit du 27 mai alors que l'Assemblée vient de lui renouveler sa confiance par 408 voix contre 165. Le 28 mai, le pouvoir est vacant et de Gaulle maître du jeu.

C'est entre le 28 mai et le 3 juin que la IVe République

accepte sa disparition et remet le sort du pays entre les mains du général de Gaulle. Pendant que le général négocie avec les présidents des deux Chambres les conditions de son investiture, le président Coty prend parti pour de Gaulle dans un message au Parlement lu le 29 mai : il y fait connaître qu'il démissionnera si les députés n'investissent pas le général de Gaulle. Trois étapes marquent alors la fin du régime :

— le 1er juin, 329 députés contre 250 (communistes, mendésistes, une partie des socialistes) votent l'investiture au gouvernement de Gaulle;

— le 2 juin, les pleins pouvoirs pour six mois sont votés au gouvernement;

— le 3 juin enfin, par 351 voix contre 161 (communistes et mendésistes) et 70 abstentions (socialistes), une loi donne au gouvernement de Gaulle le pouvoir de réviser la Constitution à trois conditions :

. le respect des principes fondamentaux des lois constitutionnelles, en particulier la séparation des pouvoirs (voulue par de Gaulle) et la responsabilité du gouvernement devant le Parlement exigée par les chefs de partis;

. l'avis du Comité consultatif constitutionnel (dont les 2/3 des membres représentent les Commissions du Parlement) et du Conseil d'Etat;

. la subordination de la promulgation de la nouvelle Constitution à un référendum populaire.

Le vote du 3 juin signifie l'arrêt de mort de la IVe République. Mais l'opposition est insignifiante : seuls les enseignants font grève.

La IVe République meurt en 1958 dans l'indifférence générale. Même la gauche mendésiste, qui vote contre de Gaulle, estime qu'il faut réformer le régime. En fait, depuis 1947, les institutions, viables dans le cadre d'un tripartisme cohérent, n'engendrent plus que l'immobilisme ou l'instabilité. L'esprit de rénovation qui avait marqué la Résistance s'est montré sans lendemain et n'a guère engendré de formation partisane neuve ni de vision moderne de la vie politique. Passé les mois qui suivent immédiatement la Libération, la France en revient aux conceptions et aux clivages politiques de la IIIe république. La Troisième Force n'est guère autre chose que la concentration des années trente, l'expérience Pinay un substitut nostalgique du poincarisme, le Front Républicain un nouveau Cartel des gauches et le poujadisme une pâle résurrection des ligues. Caractéristique, dans ce climat, est l'échec d'un Mendès France, le seul à proposer des solutions modernes, adaptées à la France des années 50.

Or le décalage entre les conceptions politiques héritées des années trente et la réalité des problèmes posés au pays est d'autant plus grave que ceux-ci ont nom guerre froide, décolonisation, intégration européenne, modernisation économique. Sur tous ces plans, le régime est à la remorque des événements, provoquant la lassitude de l'opinion qui est consciente de l'impasse dans laquelle s'enfonce la IVe République et accueille comme un sauveur le général de Gaulle qui paraît apte à affronter les problèmes du moment (particulièrement la guerre d'Algérie) et écarte le spectre de la guerre civile. Reste un problème historique que nous poserons sans le trancher. Le général de Gaulle est-il revenu au pouvoir dans le sillage des émeutiers d'Alger et son régime porte-t-il la tare originelle du coup d'Etat qui l'a fait naître, comme l'en accusera la gauche?

Ou bien, n'approuvant en rien l'insurrection tout en comprenant ses motifs, s'est-il interposé pour éviter une guerre civile menaçante en respectant rigoureusement les formes légales (désignation par le Chef de l'Etat, investiture par l'Assemblée, approbation par le référendum populaire)?

Président de la IVᵉ République (1954-1958)

René Coty	janvier 1954-janvier 1959

Les présidents du Conseil de la IVᵉ République
(juin 1954-juin 1958)

Pierre Mendès France (radical)	19 juin 1954-5 février 1955
Edgar Faure (radical)	23 février 1955-24 janvier 1956
Guy Mollet (SFIO)	1ᵉʳ février 1956-21 mai 1957
Maurice Bourgès-Maunoury (radical)	12 juin 1957-30 septembre 1957
Félix Gaillard (radical)	5 novembre 1957-15 avril 1958
Pierre Pflimlin (MRP)	14 mai 1958-28 mai 1958
Charles de Gaulle	1ᵉʳ juin 1958-8 janvier 1959

CONCLUSION

A l'issue de ce mois de mai 1958 qui voit sombrer la IVᵉ République, la France sort de trente années de troubles, de crises, de guerres, inaugurées par une profonde dépression économique et achevées par un putsch larvé qui porte le coup de grâce à la République parlementaire établie presque sans partage (à l'exception de la parenthèse de Vichy) depuis plus de quatre-vingts ans. Trente années tragiques qui font s'effondrer les fragiles espoirs engendrés par les années d'expansion et de reconstruction des années vingt, durant lesquelles la France paraît devoir réussir son entrée dans le XXᵉ siècle.

Pendant dix ans, de 1930 à 1940, la France connaît la tentation du repli frileux sur l'Hexagone. Percevant sa fragilité démographique, subissant de plein fouet, avec la dépression mondiale, les effets de structures économiques restées archaïques dans leur majorité et voyant s'effondrer quelques-unes des entreprises pionnières créées sur l'exemple américain, incapable d'affronter les autres grandes puissances industrielles, que ce soit sur le terrain de la concurrence économique ou sur celui de la rivalité des modèles politiques, consciente que les souvenirs glorieux de la Première Guerre mondiale masquent en réalité une infériorité militaire d'autant plus grande que, dans ses profondeurs, le pays refuse un nouveau conflit, elle aspire au statut effacé mais sécurisant d'une Suisse placée à l'écart des grandes zones de turbulences européennes. Mais elle ne parviendra pas à ce repos tant souhaité. Malgré elle, les drames et les affrontements d'un siècle impitoyable l'entraînent dans leur tourbillon. Elle subira les effets retardés et amortis de la grande crise du monde capitaliste, née en 1929. Elle connaîtra la crainte du fascisme et du communisme, qui se soldera sur son territoire par une guerre civile larvée entre anticommunistes et antifascistes. Elle entrera, sans l'avoir voulu, dans la Seconde Guerre mondiale et subira la plus lourde défaite de son histoire, entraînant dans sa débâcle le régime de la République parlementaire dont elle était si fière, voyant naître sur les ruines de celui-ci, en lieu et place du renouveau politique souhaité, une forme d'Etat archaïque et passéiste qui se veut fondé sur la négation des principes posés depuis 1789. La crise et la guerre paraissent donc faire passer aux profits et pertes cette ardente aspiration à la modernisation manifestée dans les années vingt. Du moins, dans les réalités et les structures, mais pas dans les esprits. Certes la crise a provoqué un raidissement des structures économiques et l'exigence de la protection du *statu quo*. Menacée, la petite entreprise réagit en s'efforçant d'interdire par la loi la concurrence des firmes modernes et bien équipées. Elle triomphe durant la guerre où la pénurie offre son été de la Saint-Martin au monde archaïque des «petits» et établit pour dix ans le règne du petit fermier ou du crémier de quartier. Mais la crise et la guerre sont aussi l'occasion de repenser les structures économiques françaises: de X-Crise aux «Nouveaux Cahiers», des planistes aux adeptes du corporatisme, toute une série d'idées neuves maniées par les intellectuels font leur entrée dans le débat politique. De ce point de vue, il n'y a pas rupture, mais continuité entre les années trente et Vichy: technocrates et synarques, dirigeants des Comités d'Organisation et hauts fonctionnaires des ministères industriels sont bien les héritiers des hommes du «Redressement français», les fils spirituels de Mercier ou de Detœuf. En même temps que l'économique, les intellectuels repensent le politique. L'intense fièvre de recherche de nouvelles formules politiques inaugurées dans les années trente pour remplacer une République parlementaire perçue comme archaïque et dépassée paraît trouver confirmation dans la défaite de 1940 et l'effondrement du régime. Dès lors, quoi de plus naturel, au moins dans un premier temps, que d'attendre du nouveau régime la réalisation de théories élaborées jusque-là dans l'abstrait? A beaucoup d'égards, Vichy se nourrit de la pensée des années trente et, dans un certain nombre de domaines, paraît vouloir la mettre en pratique. La technocratie, le corporatisme, l'appel aux valeurs spirituelles contre le matérialisme, la recherche de nouveaux rapports sociaux sont autant de tentatives de mise en œuvre d'idées neuves. Il n'est pas jusqu'au domaine culturel où ne se constatent des continuités: volonté de mettre l'art et la culture à la portée des masses, effort d'éducation populaire et développement de loisirs collectifs, sacralisation du sport et de la vie au grand air... En fait, la rénovation n'aura pas lieu. Le tournant policier et répressif de Vichy, confirmant des tendances initiales déjà clairement marquées, la volonté d'exclusion dont la persécution antisémite est l'aspect le plus dramatique, l'engrenage de la collaboration font passer au second plan les velléités novatrices (à supposer que les gouvernants aient réellement souhaité les mettre en œuvre). Vichy ne laissera de ses quatre années de pouvoir que l'image désastreuse d'un régime réactionnaire, répressif, ayant consenti à la vassalisation de la France devant le nazisme et accepté tous les abandons en échange de la fiction d'un pouvoir souverain inexistant. Et du même coup, Vichy discrédite pour longtemps les idées de novation politique qu'il a tenté de mettre en œuvre aux origines de son pouvoir. Aux yeux de nombreux Français, elles sont désormais suspectes de «fascisme» et vaguement assimilées aux souvenirs honnis de la collaboration.

Pour autant, la malheureuse expérience de Vichy ne met pas fin à cette aspiration à la modernisation que les années vingt avaient si clairement manifestée. La Libération, aube d'une ère nouvelle, voit sous la poussée de sève d'une France jeune, rénovée par le «baby-boom» démographique, se poursuivre et se développer quelques-unes des tendances des années antérieures. L'essor le plus remarquable est celui de l'économie. Les gouvernements provisoires et la IVe République posent les bases d'une profonde transformation des structures économiques, où la part de l'Etat est prépondérante et dont l'objet est de reprendre, là où elle avait été abandonnée en 1930, la modernisation de l'économie française. Nationalisations, planification, ouverture des frontières mettent en place un nouveau décor économique, contrastant avec le frileux repli des années 1930-1940. Cette France moderne sur le plan économique entend l'être aussi sur le plan social. La Libération pose les bases d'une nouvelle conception des rapports sociaux dont les Assurances sociales n'avaient été qu'une ébauche insuffisante en jetant les fondements, infiniment plus ambitieux, d'un système de Sécurité sociale modifiant profondément les conditions de vie des Français. Les tendances culturelles d'un art de masse, de l'éducation populaire, de la promotion du sport trouvent dans la France de la Libération un climat particulièrement favorable, rappelant à beaucoup d'égards celui du Front populaire. Dans ce contexte de modernisation de tous les domaines de la vie nationale, il n'est pas jusqu'à la position internationale de la France qui ne subisse le début d'une réorientation de grande ampleur. La décolonisation, subie à travers deux guerres dramatiques dont la seconde emportera le régime, la domination du monde par le directoire, puis par l'affrontement indirect des deux super-Grands, remet en cause le rôle mondial que la France jouait avant la guerre. Mais en même temps, les origines de la construction européenne, elle aussi imposée par les circonstances, ouvrent de nouvelles perspectives d'avenir. A beaucoup d'égards, la Libération et la IVe République tiennent ainsi les promesses de modernisation des années vingt que la crise et la guerre avaient ajournées.

Toutefois, le tableau d'une modernisation française réelle sous la IVe République laisse subsister des ombres. La première est la faible transformation des structures sociales. Même si une lente évolution s'opère, entraînant une légère diminution du nombre des paysans et des petits patrons de l'industrie et du commerce, la France des années cinquante reste celle des «petits», préservée par la guerre et la pénurie. Ce n'est pas avant 1953-1954 que ces vieilles structures se mettent à craquer, et la crise poujadiste permet de dater avec une relative précision le moment où ces groupes prennent conscience qu'ils sont condamnés par la modernisation économique. Ce n'est réellement qu'à partir des années soixante qu'on voit se mettre en place progressivement la nouvelle société née de la croissance économique (et c'est pourquoi, les structures étant peu modifiées par rapport aux années trente, le présent volume ne comporte pas de chapitre les concernant, qui répéterait le chapitre VIII du tome I. En revanche, on trouvera dans le tome III deux chapitres analysant les transformations sociales survenues depuis les années soixante).

Seconde ombre au tableau, celle qui concerne le politique. En dépit de la volonté de modernisation, la IVe République s'est écartée avec horreur des novations proposées dans les années trente sur lesquelles se profilait à ses yeux l'ombre du «fascisme». Cette donnée, et le poids des traditions et de la culture politique, conduisent par conséquent à revenir pour l'essentiel à un régime proche de celui de la IIIe République. Et du même coup, ce régime connaît les faiblesses et les insuffisances déjà dénoncées auparavant. Or, les problèmes qu'il a à résoudre sont à beaucoup d'égards dramatiques et supposeraient un pouvoir doté d'une forte capacité d'action et d'une réelle continuité: guerre froide, décolonisation, construction européenne, inflation, effets inattendus des débuts de la croissance économique. L'enjeu est trop gros pour un régime taillé aux mesures des périodes de relative stabilité du début du XXe siècle. Il se brise sur la plus dramatique des épreuves subies par la France des années cinquante: la guerre d'Algérie. Il appartiendra au général de Gaulle d'apporter à la France la modernisation institutionnelle différée en 1946.

Avec le début des années soixante et la naissance de la Ve République s'amorce un nouveau tournant de l'histoire de la France au XXe siècle, celui qui voit la modernisation gagner les structures sociales et les structures politiques et se prolonger dans les domaines où la IVe République avait jeté les bases du renouveau, pour faire de l'adaptation de la France au XXe siècle le maître mot et le thème majeur de l'histoire nationale. Tel sera l'objet du troisième volume de notre *Histoire de la France au XXe siècle*.

CHRONOLOGIE

1931

27 janvier	Pierre Laval président du Conseil.
6 mai	Ouverture de l'Exposition coloniale de Vincennes.
13 mai	Paul Doumer est élu président de la République.
20 juin	Moratoire Hoover sur les Réparations et les dettes de guerre.
21 septembre	Dévaluation de la livre sterling.

1932

12-14 janvier	Chute du second ministère Laval et formation du troisième ministère Laval.
16-20 février	Chute du troisième ministère Laval et formation du troisième ministère Tardieu.
24 février	Ouverture de la conférence de Genève sur le désarmement.
11 mars	Loi sur les allocations familiales.
6 mai	Assassinat du président de la République Paul Doumer.
8 mai	Victoire de la gauche aux élections législatives.
10 mai	Albert Lebrun est élu président de la République.
3 juin	Formation du troisième ministère Herriot.
19 juillet	La Conférence de Lausanne annule les Réparations.
26 novembre	Pacte de non-agression franco-sociétique.
14 décembre	Chute du ministère Herriot sur la question des dettes de guerre envers les Etats-Unis.
18 décembre	Formation du gouvernement Paul-Boncour.

1933

28-31 janvier	Chute du ministère Paul-Boncour et formation du premier gouvernement Daladier.
30 janvier	Hitler est nommé Chancelier du Reich.
16 février	Signature du Pacte de la Petite-Entente.
19 février	Création de la Loterie nationale.
16-17 avril	Congrès socialiste d'Avignon et opposition Blum-Renaudel.
7 juin	Signature du Pacte à Quatre.
19 octobre	Hitler quitte la SDN.
24 octobre	Chute du gouvernement Daladier.
26 octobre	Formation du premier ministère Sarraut.
5 novembre	Les néo-socialistes sont exclus de la SFIO.
23-26 novembre	Chute du cabinet Sarraut et formation du second cabinet Chautemps.
29 décembre	Révélation de l'Affaire Stavisky.

1934

8 janvier	Mort de Stavisky.
26 janvier	Signature du pacte germano-polonais.
27-30 janvier	Démission du ministère Chautemps et formation du second cabinet Daladier.
6 février	Emeute sanglante place de la Concorde.
7 février	Démission du ministère Daladier.
9 février	Formation du ministère de trêve de Doumergue.
12 février	Grève générale et manifestations antifascistes.
3 mars	Création du Comité de vigilance des intellectuels antifascistes.
30 juin	«Nuit des longs couteaux» en Allemagne.
25 juillet	Assassinat en Autriche du Chancelier Dollfuss et tentative de putsch nazi.
27 juillet	Pacte d'unité d'action socialo-communiste.
2 août	Mort de Hindenburg. Hitler devient Reichsführer.
18 septembre	L'Union soviétique entre à la SDN.
9 octobre	Assassinat à Marseille du roi Alexandre de Yougoslavie et du ministre français des Affaires étrangères Louis Barthou.
7-13 novembre	Chute du ministère Doumergue et constitution du ministère Flandin.

1935

7 janvier	Signature à Rome des accords franco-italiens.
13 janvier	Plébiscite sarrois favorable au rattachement à l'Allemagne.
18 janvier	Le général Gamelin devient vice-président du Conseil supérieur de la guerre à la place du général Weygand.
16 mars	Rétablissement du service militaire obligatoire en Allemagne.
14 avril	Pacte de Stresa.

2 mai	Signature du Pacte d'assistance mutuelle franco-soviétique.
5-12 mai	Elections municipales favorables à la gauche.
31 mai-1er juin	Chute du ministère Flandin et formation du gouvernement Bouisson.
4-7 juin	Chute du ministère Bouisson et formation du quatrième cabinet Laval.
18 juin	Accord naval anglo-allemand.
14 juillet	Défilé et serment du Rassemblement populaire.
16 juillet	Décrets-lois Laval mettant en œuvre la déflation.
3 octobre	Les Italiens envahissent l'Ethiopie.
6 décembre	Dissolution des milices armées des ligues.

1936

12 janvier	Publication de la plate-forme du Rassemblement populaire.
20 janvier	Après la démission d'Herriot en décembre 1935, Daladier est élu président du parti radical.
22 janvier	Retrait des ministres radicaux et chute du cabinet Laval.
24 janvier	Formation du second ministère Sarraut.
13 février	Agression contre Léon Blum et dissolution des ligues.
16 février	Le *Frente Popular* remporte les élections en Espagne.
6 mars	Réunification de la CGT.
7 mars	Hitler remilitarise la Rhénanie.
26 avril-3 mai	Victoire électorale du Front populaire.
mai-juin	Grèves avec occupations d'usines.
5 juin	Formation du gouvernement Léon Blum.
7 juin	Accords Matignon.
11-12 juin	Lois sur les conventions collectives, les congés payés, la semaine de quarante heures.
18 juin	Dissolution des ligues.
21 juin	Création du Parti social français.
2 juillet	Loi portant à 14 ans l'âge de la scolarité obligatoire.
18 juillet	Soulèvement contre la République espagnole.
24 juillet	Réforme de la Banque de France.
1er août	Blum propose la «non-intervention» en Espagne.
11 août	Loi sur la nationalisation des industries de guerre.
15 août	Loi sur l'Office du blé.
9 septembre	Accords Viénot sur l'indépendance de la Syrie.
26 septembre	Dévaluation du franc.
18 novembre	Suicide de Roger Salangro.
31 décembre	Loi sur l'arbitrage obligatoire.

1937

13 février	Léon Blum annonce une «pause» dans les réformes.
16 mars	Fusillade de Clichy.
24 mai	Inauguration de l'Exposition internationale de Paris.
21 juin	Chute du ministère Blum et constitution du troisième gouvernement Chautemps.

30 juin	Dévaluation du franc.
31 août	Constitution de la SNCF.
11 septembre	Attentats de la «Cagoule» à Paris.
11 décembre	L'Italie quitte la SDN.
24 décembre	Le pape dénonce par l'encyclique *Mit Brennender Sorge* les persécutions religieuses en Allemagne nazie.

1938

13-17 janvier	Chute du troisième ministère Chautemps et constitution d'un quatrième cabinet Chautemps sans la SFIO.
10 mars	Démission du cabinet Chautemps.
11-13 mars	Invasion de l'Autriche par Hitler et proclamation de l'*Anschluss*.
13 mars	Formation du second gouvernement Blum.
8 avril	Démission du gouvernement Blum.
10 avril	Formation du troisième gouvernement Daladier.
21 août	Discours de Daladier : «Il faut remettre la France au travail.»
15 septembre	Début de la crise des Sudètes.
30 septembre	Signature des Accords de Munich.
4 octobre	Le Parlement ratifie les Accords de Munich.
27 octobre	Le congrès radical met fin au Front populaire.
12 novembre	Eclatement du Comité national du Rassemblement populaire.
13 novembre	Décrets-lois Reynaud.
30 novembre	Echec de la grève générale déclenchée par la CGT.
24-25 décembre	Congrès national extraordinaire de la SFIO à Montrouge.

1939

2 janvier	Daladier commence un voyage en Corse et en Afrique du Nord.
15 mars	Hitler envahit la Bohême-Moravie transformée en protectorat.
5 avril	Réélection d'Albert Lebrun à la présidence de la République.
13 avril	La France et la Grande-Bretagne promettent à la Grèce et à la Roumanie leur aide en cas d'agression.
17 mai	Accord militaire franco-polonais.
22 mai	Signature du Pacte d'Acier entre l'Allemagne et l'Italie.
27 juin	La Chambre adopte la Représentation proportionnelle.
28 juillet	Code de la Famille.
29 juillet	Prorogation de la Chambre des députés.
1er septembre	Mobilisation générale. L'Allemagne envahit la Pologne.
2 septembre	La Chambre vote les crédits de guerre.
3 septembre	La Grande-Bretagne et la France déclarent la guerre au Reich.

27 septembre	Dissolution du parti communiste français et des organisations qui lui sont liées.
8 octobre	Arrestation de députés communistes.

1940

20 janvier	La Chambre vote la déchéance des députés communistes.
20-22 mars	Démission de Daladier et formation du gouvernement Paul Reynaud.
10 mai	Attaque allemande à l'ouest.
13 mai	Percée allemande à Sedan.
18 mai	Remaniement ministériel : Philippe Pétain vice-président du Conseil.
19 mai	Weygand remplace Gamelin comme généralissime.
5 juin	Remaniement du gouvernement Reynaud; le général de Gaulle est nommé sous-secrétaire d'Etat à la Défense nationale et à la Guerre.
10 juin	L'Italie déclare la guerre à la France. Le gouvernement quitte Paris.
14 juin	Les Allemands entrent dans Paris.
16 juin	Démission de Paul Reynaud. Pétain président du Conseil.
17 juin	Pétain demande l'armistice; de Gaulle part pour Londres.
18 juin	Appel du général de Gaulle à la BBC.
22 juin	Signature de l'armistice franco-allemand à Rethondes.
23 juin	Laval et Marquet entrent au gouvernement Pétain.
28 juin	De Gaulle reconnu par le gouvernement britannique comme «chef des Français libres».
3 juillet	Les Britanniques bombardent la flotte française de Mers el-Kébir.
10 juillet	L'Assemblée nationale donne les pouvoirs constituants au maréchal Pétain.
11-12 juillet	Promulgation des quatre premiers «Actes constitutionnels».
22 juillet	Les Nouvelles-Hébrides se rallient à la France Libre.
13 août	Dissolution des sociétés secrètes.
16 août	Mise en place des «Comités provisoires d'organisation».
26-28 août	Ralliement de l'Afrique équatoriale française à la France libre.
29 août	Création de la Légion française des combattants.
17 septembre	Le rationnement des produits alimentaires est instauré.
23-25 septembre	Echec de la France libre devant Dakar.
3 octobre	Statut des Juifs.
24 octobre	Entrevue Pétain-Hitler à Montoire.
27 octobre	De Gaulle crée le Conseil de défense de l'Empire.
11 novembre	Manifestation d'étudiants et de lycéens à Paris.

1er décembre	Christian Pineau fait paraître Libération-Nord.
13 décembre	Révocation et arrestation de Pierre Laval.
14 décembre	Pierre-Etienne Flandin ministre des Affaires étrangères.
15 décembre	Parution de *Résistance* publié par le groupe du Musée de l'Homme.

1941

22 janvier	Création du Conseil national de Vichy.
28 janvier	Le groupe du Musée de l'Homme est demantelé. Henri Frenay renforce le *Mouvement de Libération nationale*.
1er février	Déat et Deloncle créent le *Rassemblement national populaire*.
9 février	Démission de Pierre-Etienne Flandin. L'amiral Darlan est nommé vice-président du Conseil, ministre des Affaires étrangères.
10 février	L'amiral Darlan remplace Laval comme dauphin du Maréchal.
29 mars	Xavier Vallat est nommé Commissaire aux Questions juives.
13 mai	Entrevue Hitler-Darlan.
15 mai	Création du Front national.
26 mai-9 juin	Grève des mineurs du Nord et du Pas-de-Calais.
27-28 mai	Signature des «Protocoles de Paris».
2 juin	Deuxième statut des Juifs.
8 juin	Les Britanniques et les FFL entrent en Syrie.
22 juin	L'Allemagne envahit l'URSS.
7 juillet	Premier numéro de *Libération-Sud*. Création de la Légion des volontaires français contre le bolchevisme (LVF).
18 juillet	Pierre Pucheu ministre de l'Intérieur.
26 juillet	Assassinat de Marx Dormoy.
12 août	Discours du «Vent mauvais».
14 août	Création des Sections spéciales.
21 août	Attentat du métro Barbès.
29 août	Premières exécutions d'otages.
24 septembre	Constitution à Londres du Comité national français.
4 octobre	Promulgation de la Charte du Travail.
novembre	Fondation du mouvement *Combat* et du journal du même nom.
décembre	Publication de *Témoignage chrétien* et de *Franc-Tireur*.
12 décembre	Naissance du Service d'ordre légionnaire (SOL).
24 décembre	Les Forces françaises libres rallient Saint-Pierre-et-Miquelon.

1942

18 janvier	Jean Moulin est parachuté en France.
19 février	Ouverture du procès de Riom.

février	Fondation de *Ceux de la Résistance*.
27 mars	Départ du premier convoi de «déportés raciaux».
28 mars	Christian Pineau gagne Londres pour rencontrer le général de Gaulle.
mars	Naissance des Francs-Tireurs et Partisans français.
15 avril	Suspension du procès de Riom.
18 avril	Après la démission de Darlan, Laval devient chef du gouvernement.
1er mai	D'Astier de la Vigerie se rend à Londres.
6 mai	Darquier de Pellepoix commissaire aux Questions juives.
26 mai-11 juin	Bataille de Bir Hakeim.
16 juin	Laval lance la «Relève».
juin	Publication du premier *Cahier de l'OCM*.
14 juillet	La «France libre» se transforme en «France combattante».
16-17 juillet	Rafle du «vel' d'Hiv'».
16 octobre	Création d'un comité de coordination des mouvements de résistance zone sud.
11 novembre	Les Allemands envahissent la zone sud.
15 novembre	Darlan prend le pouvoir en Afrique du Nord.
27 novembre	La flotte de Toulon se saborde.
décembre	Sortie des *Visiteurs du soir* de Marcel Carné.
8 décembre	Première de *La Reine morte* de Montherlant.
24 décembre	Assassinat de Darlan.
26 décembre	Le général Giraud devient Haut-Commissaire civil et militaire en Afrique du Nord.

1943

26 janvier	Les trois principaux mouvements de zone sud fusionnent dans les MUR.
30 janvier	Création de la Milice.
16 février	Trois classes de jeunes gens mobilisées pour le Service du travail obligatoire (STO).
5 avril	Vichy livre à l'Allemagne Blum, Daladier, Mandel, Reynaud et Gamelin.
27 mai	Création du Conseil national de la Résistance.
3 juin	Création du Comité français de Libération nationale (CFLN).
21 juin	Arrestation de Jean Moulin.
août	Georges Bidault est élu président du CNR.
13 septembre	Débarquement en Corse.
2 octobre	De Gaulle seul président du CFLN.
3 novembre	Séance inaugurale de l'Assemblée consultative d'Alger.
13 novembre	Pétain suspend l'exercice de ses fonctions.
27 novembre	Première à Paris du *Soulier de satin* de Paul Claudel.
2 décembre	Assassinat de Maurice Sarraut.
29 décembre	Création des FFI.

1944

1er janvier	Darnand secrétaire général au Maintien de l'ordre.
5 janvier	Les MUR se transforment en Mouvement de Libération nationale par intégration de mouvements de zone nord.
6 janvier	Philippe Henriot secrétaire d'Etat à l'Information et à la Propagande.
27 janvier	Première d'*Antigone* de Jean Anouilh.
15 mars	Programme du Conseil national de la Résistance.
16 mars	Marcel Déat secrétaire d'Etat au Travail.
26 mars	Miliciens et Allemands donnent l'assaut au maquis de Glières.
2 avril	Massacre d'Ascq.
21 avril	Ordonnance du CFLN sur l'organisation des pouvoirs publics en France libérée. Droit de vote aux femmes.
2 juin	Le CFLN se transforme en Gouvernement provisoire de la République française (GPRF).
6 juin	Débarquement allié en Normandie.
10 juin	Massacre d'Oradour-sur-Glane.
13 juin	Darnand secrétaire d'Etat à l'Intérieur.
20 juin	Assassinat de Jean Zay.
28 juin	Philippe Henriot est abattu par des Résistants.
7 juillet	Assassinat de Georges Mandel.
21-23 juillet	Les Allemands et la Milice donnent l'assaut au maquis du Vercors.
15 août	Débarquement en Provence.
19-25 août	Insurrection et libération de Paris.
2 septembre	Premier Conseil des ministres du GPRF à Paris.
28 octobre	Dissolution des Milices patriotiques.
23 novembre	Leclerc libère Strasbourg.
26 novembre	Constitution du MRP.
27 novembre	Retour de Thorez à Paris.
10 décembre	Signature à Moscou du pacte franco-soviétique.
14 décembre	Nationalisation des houillères du Nord et du Pas-de-Calais.
18 décembre	Premier numéro du *Monde*.

1945

16 janvier	Nationalisation des usines Renault.
25 janvier	Conférence de Yalta où la France n'est pas invitée.
6 février	Exécution de l'écrivain Robert Brasillach.
22 février	Ordonnance sur les comités d'entreprise.
9 avril	Nationalisation de Gnôme-et-Rhône et d'Air France.
26 avril	Retour de Pétain en France.
29 avril-13 mai	Elections municipales.
8 mai	Capitulation allemande. Massacres de Sétif.
16 mai	La France reçoit un siège de membre permanent au Conseil de sécurité de l'ONU.

5 juin	La France obtient une zone d'occupation en Allemagne.
25 juin	Création de l'UDSR.
23 juillet-15 août	Procès et condamnation du maréchal Pétain.
6 août	La première bombe atomique est lancée sur Hiroshima.
15 août	Capitulation du Japon.
20 août	Proclamation de la République du Viêt-nam.
4-19 octobre	Ordonnances sur la Sécurité sociale.
4-15 octobre	Procès et exécution de Laval.
5 octobre	Leclerc débarque à Saigon.
21 octobre	Référendum constitutionnel et élections à l'Assemblée constituante.
21 novembre	Formation du gouvernement de Gaulle.
2 décembre	Nationalisation de la Banque de France et des grandes banques de dépôt.
21 décembre	Création du Commissariat général au Plan.
26 décembre	Dévaluation du franc.

1946

20 janvier	Démission du général de Gaulle.
23 janvier	Charte du Tripartisme.
26 janvier	Gouvernement Félix Gouin.
6 mars	Accords Sainteny-Hô Chi Minh.
8 avril	Nationalisation du gaz et de l'électricité.
25 avril	Nationalisation des grandes compagnies d'assurances.
5 mai	Le projet constitutionnel est rejeté par référendum.
16 mai	Loi sur les Comités d'entreprise.
17 mai	Loi créant les Charbonnages de France.
2 juin	Election de la seconde Assemblée constituante.
12 juin	Création du CNPF.
16 juin	Discours du général de Gaulle à Bayeux.
23 juin	Gouvernement Georges Bidault.
4 septembre	Guy Mollet devient secrétaire général de la SFIO.
22 septembre	Discours du général de Gaulle à Epinal.
13 octobre	La nouvelle Constitution adoptée par référendum.
19 octobre	Statut de la fonction publique.
octobre	Présentation de la 4 CV Renault au Salon de l'Auto.
10 novembre	Elections législatives.
23 novembre	Bombardement d'Haiphong par les Français.
24 novembre-8 décembre	Elections au Conseil de la République.
27 novembre	Adoption du Plan Monnet.
16 décembre	Gouvernement Léon Blum.
19 décembre	Insurrection de Hanoi.
23 décembre	Loi sur les conventions collectives.

1947

16 janvier	Vincent Auriol élu Président de la République.
28 janvier	Gouvernement Paul Ramadier.
30 mars	Début de l'insurrection de Madagascar.
7 avril	Le général de Gaulle fonde le RPF.
25 avril	Début de la grève des usines Renault.
5 mai	Paul Ramadier révoque les ministres communistes.
27 août	Adoption du statut de l'Algérie.
25 septembre	Conférence de Pologne du Kominform.
19-26 octobre	Victoire du RPF aux élections municipales.
novembre	Grande vague de grèves.
19-22 novembre	Démission du ministère Ramadier et formation du gouvernement Schuman.
19 décembre	Force-Ouvrière quitte la CGT.

1948

25 janvier	Dévaluation du franc et blocage des billets.
20-27 février	Coup de Prague.
17 mars	Signature du Pacte de Bruxelles.
4-11 avril	Elections en Algérie.
avril	Nouvelle vague de grèves.
16 avril	Naissance de l'OECE.
19-24 juillet	Démission du gouvernement Robert Schuman et formation du gouvernement André Marie.
25 août	Naissance du «Mouvement de la Paix».
27-31 août	Chute du gouvernement André Marie et formation du second gouvernement Robert Schuman.
11 septembre	Démission du gouvernement Schuman et formation du ministère Henri Queuille.
septembre-novembre	Vague de grèves violentes.
11 octobre	Le gouvernement rappelle des réservistes.
15 décembre	Mise en route de Zoé, première pile atomique française.

1949

24 janvier	Début du procès Kravchenko.
29 janvier	Création d'un Conseil de l'Europe.
24 mars	Picasso dessine la «Colombe de la paix».
4 avril	Signature à Washington du Pacte Atlantique.
27 avril	Dévaluation du franc.
27 juillet	Ratification du Pacte Atlantique.
19 septembre	Dévaluation du franc.
6-27 octobre	Démission du gouvernement Queuille et formation du gouvernement Bidault.
30 novembre	Suppression du Haut-Commissariat au Ravitaillement.
30 décembre	Accords franco-vietnamiens de la baie d'Along.

1950

11 février	Institution du SMIG et loi sur la liberté des salaires.
18 mars	Appel de Stockholm du Mouvement de la Paix.
28 avril	Révocation de Frédéric Joliot-Curie du Commissariat à l'Energie atomique.
9 mai	Déclaration Schuman sur le pool européen du charbon et de l'acier.
24 juin	Démission du gouvernement Bidault et formation d'un second ministère Queuille.
4-13 juillet	Démission du gouvernement Queuille et formation d'un gouvernement René Pleven.
12 septembre	Création par Jean-Paul David de l'organisation anticommuniste «Paix et liberté».
3-8 octobre	Défaite française de Cao Bang en Indochine.
19 octobre	Pierre Mendès France critique la politique française en Indochine.
26 octobre	Projet Pleven de Communauté européenne de défense (CED).
6 décembre	Le général de Lattre de Tassigny est nommé Haut-Commissaire en Indochine.

1951

5-26 janvier	Crise au Maroc entre le sultan et le général Juin.
8 février	Accords franco-tunisiens.
28 février-9 mars	Démission du gouvernement Pleven et formation du troisième ministère Queuille.
18 avril	Naissance de la CECA.
7 mai	Adoption de la loi électorale sur les appartements.
17 juin	Elections législatives.
10 juillet-8 août	Démission du gouvernement Queuille et formation du second gouvernement Pleven.
16 juillet	Mort du maréchal Pétain à l'île d'Yeu.
28 août	Le général Guillaume remplace Juin comme Résident général au Maroc.
21 septembre	Lois Marie-Barangé sur l'aide à l'enseignement privé.
19 décembre	Le gaz naturel de Lacq commence à jaillir.

1952

7-17 janvier	Chute du gouvernement Pleven et formation du gouvernement Edgar Faure.
11 janvier	Mort du général de Lattre.
29 février-6 mars	Chute du gouvernement Edgar Faure et investiture d'Antoine Pinay.
26 mars	Arrestation des ministres tunisiens.
26 mai	Emprunt Pinay.
27 mai	Signature à Paris du traité de CED.
28 mai	Manifestation communiste à Paris contre le général Ridgway.
24 juin	Inauguration de la ligne électrifiée Paris-Lyon.

8 juillet	Adoption de l'échelle mobile des salaires.
12 septembre	Hirsch nommé Commissaire général au Plan.
16 septembre	«Affaires Marty et Tillon» au PCF.
25 octobre	Inauguration du barrage de Donzère-Mondragon.
7-8 décembre	Emeutes de Casablanca.
23 décembre	Démission du gouvernement Pinay.

1953

7 janvier	Gouvernement René Mayer.
12 janvier	Ouverture à Bordeaux du procès des meurtriers d'Oradour.
25 février	De Gaulle prend position contre la CED.
6 mai	De Gaulle rend leur liberté aux élus du RPF.
14 mai	Création de l'hebdomadaire *L'Express*.
21 mai	Démission du gouvernement Mayer.
26 mai	Les parlementaires gaullistes fondent l'Union républicaine d'Action sociale (URAS).
4 juin	Investiture manquée de Pierre Mendès France.
26 juin	Formation du gouvernement Laniel.
22 juillet	Création à Saint-Céré du mouvement Poujade.
août	Grève générale des services publics.
20 août	Déposition du sultan du Maroc.
11 octobre	Les agriculteurs barrent les routes.
4-8 décembre	Sommet occidental aux Bermudes.
23 décembre	Le modéré René Coty est élu au 13e tour Président de la République.

1954

1er février	L'abbé Pierre lance sa campagne en faveur des sans-logis.
5 février	Le camp retranché de Diên Biên Phû est encerclé par le Viêt-minh.
4 avril	Laniel et Pleven conspués place de l'Etoile.
26 avril	Ouverture de la conférence de Genève.
7 mai	Chute du camp retranché de Diên Biên Phû.
12 juin	Chute du gouvernement Laniel.
18 juin	Mendès France devient Président du Conseil.
20 juillet	Accords de Genève qui mettent fin à la guerre d'Indochine.
31 juillet	Discours de Carthage promettant l'autonomie interne à la Tunisie.
13 août	Vote de pouvoirs spéciaux au gouvernement en matière économique.
30 août	L'Assemblée nationale rejette la CED.
18 septembre	Début de l'«affaire des fuites».
21 octobre	Accord avec l'Inde sur l'évacuation des comptoirs français.
3-23 octobre	Accords de Londres et de Paris sur le réarmement allemand et la création de l'Union de l'Europe occidentale.

1er novembre	Début de l'insurrection en Algérie.
30 novembre	Vote de la petite réforme constitutionnelle, la «réformette».
30 décembre	Ratification des accords de Paris.

1955

25 janvier	Jacques Soustelle est nommé Gouverneur général de l'Algérie.
6 février	Chute du ministère Mendès France.
25 février	Second gouvernement Edgar Faure.
2 avril	Vote de l'état d'urgence en Algérie.
18-24 avril	Conférence de Bandoung.
27 mai	Adoption du IIe Plan.
1er-3 juin	Conférence de Messine sur la relance de la construction européenne.
3 juin	La Tunisie reçoit l'autonomie interne.
juin-août	Grèves à Nantes et Saint-Nazaire.
24 août	Rappel de réservistes en Algérie.
15 septembre	Accord salarial chez Renault.
13 octobre	Jean Monnet crée le Comité d'action pour l'Europe.
5 novembre	Mohammed V est rétabli sur le trône du Maroc.
29 novembre	Le gouvernement Edgar Faure est renversé.
2 décembre	Dissolution de l'Assemblée nationale.
8 décembre	Formation, pour les élections, du Front républicain.

1956

2 janvier	Elections législatives.
7 janvier	Mise en route de la pile atomique de Marcoule.
5 février	Investiture du gouvernement Guy Mollet.
6 février	Voyage de Guy Mollet à Alger.
9 février	Robert Lacoste ministre-résidant en Algérie.
28 février	Institution de la 3e semaine de congés payés.
7 mars	Indépendance du Maroc.
12 mars	L'Assemblée nationale vote les pouvoirs spéciaux en Algérie.
20 mars	Indépendance de la Tunisie.
23 mars	Loi-cadre Defferre sur l'évolution des territoires d'outre-mer.
26 juillet	Nasser nationalise le canal de Suez.
28 septembre	Première électricité nucléaire à Marcoule.
22 octobre	Interception de l'avion transportant Ben Bella et les dirigeants du FLN.
23-30 octobre	Insurrection de Budapest.
5-7 novembre	Expédition de Suez.

1957

7 janvier	Le général Massu nommé responsable de l'ordre à Alger.
25 mars	Signature du traité de Rome créant la Communauté économique européenne.

21 mai	Chute du gouvernement Guy Mollet.
12 juin	Investiture du gouvernement Bourgès-Maunoury.
21 juin	Disparition de Maurice Audin en Algérie.
12 août	Dévaluation déguisée du franc (opération 20%).
15 septembre	Achèvement de la ligne Morice en Algérie.
30 septembre	Chute du gouvernement Bourgès-Maunoury.
7 octobre	Albert Camus prix Nobel de littérature.
5 novembre	Investiture du gouvernement Félix Gaillard.

1958

1er janvier	Entrée en vigueur du Marché commun.
11 janvier	Le pétrole du Sahara parvient à Philippeville.
31 janvier	Vote de la loi-cadre sur l'Algérie.
8 février	Bombardement du village tunisien de Sakhiet Sidi-Youssef.
17 février	Proposition de «bons offices» anglo-américains dans l'affaire d'Algérie.
15 avril	Chute du gouvernement Félix Gaillard.
13 mai	Investiture du gouvernement Pflimlin, prise du gouvernement général à Alger et formation du Comité de Salut public.
15 mai	Le général Salan fait appel au général de Gaulle — Communiqué du général de Gaulle.
19 mai	Conférence de presse du général de Gaulle.
28 mai	Démission de Pflimlin — Manifestation antifasciste à Paris.
1er juin	Investiture du général de Gaulle.
2 juin	Vote des pleins pouvoirs au général de Gaulle.

Bibliographie sommaire

Ouvrages généraux

R. RÉMOND (avec la collaboration de J.-F. Sinirelli), *Notre Siècle 1918-1988*, Paris, Fayard, 1988.

M. AGULHON, *La République, de 1880 à nos jours*, Paris, Hachette, 1990 (Histoire de France, Hachette, tome 5).

Y. LEQUIN (sous la direction de), *Histoire des Français, XIXe-XXe siècles*, Paris, A. Colin, 3 volumes, 1983-1984.

G. et S. BERSTEIN, *La Troisième République, les noms, les thèmes, les lieux*, Paris, MA, 1987.

S. BERSTEIN, *La France des années trente*, Paris, A. Colin, 1988 (coll. «Cursus»).

D. BORNE et A. DUBIEF, *La Crise des années 30 (1929-1938)*, Paris, Seuil, 1989 (Nouvelle Histoire de la France contemporaine, tome 13).

J.-P. AZÉMA, *De Munich à la Libération 1938-1944*, Paris, Seuil (Nouvelle Histoire de la France contemporaine, tome 14).

J.-P. RIOUX, *La France de la IVe République 1 — L'ardeur et la nécessité 1944-1952; 2 — L'expansion et l'impuissance 1952-1958*, Paris, Seuil, 1980-1983 (Nouvelle Histoire de la France contemporaine, tomes 15 et 16).

Vie politique et forces politiques

J.-M. MAYEUR, *La Vie politique sous la IIIe République 1870-1940*, Paris, Seuil, 1984.

J.-J. BECKER et S. BERSTEIN, *Histoire de l'anticommunisme en France*, t. I, *1917-1940*, Paris, Olivier Orban, 1987.

J.-J. BECKER, *Le Parti communiste veut-il prendre le pouvoir? La stratégie du PCF de 1930 à nos jours*, Paris, Seuil, 1981.

J.-P. BRUNET, *Histoire du PCF*, Paris, PUF, 1982 (coll. «Que sais-je?»).

J.-P. BRUNET, *Histoire du socialisme en France (de 1871 à nos jours)*, Paris, PUF, 1989 (coll. «Que sais-je?»).

S. BERSTEIN, *Histoire du parti radical*, 2 volumes, Paris, Presses de la FNSP, 1980-1982.

J.-M. MAYEUR, *Des partis catholiques à la démocratie-chrétienne (XIXe-XXe siècles)*, Paris, A. Colin, 1980.

P. MILZA, *Fascismes français, Passé et présent*, Paris, Flammarion, 1987.

R. RÉMOND, *Les Droites en France*, Paris, Aubier, 1982.

Z. STERNHELL, *Ni droite ni gauche, L'idéologie fasciste en France*, Paris, Seuil, 1983; Complexe, 1987.

E. WEBER, *L'Action française*, Paris, Stock, 1964.

PH. WILLIAMS, *La Vie politique sous la IVe République*, Paris, A. Colin, 1971.

J. CHAPSAL, *La Vie politique en France de 1940 à 1948*, Paris, PUF, 1984.

M. WINOCK, *La Fièvre hexagonale, Les grandes crises politiques, 1871-1968*, Paris, Calmann-Lévy, 1986.

M. WINOCK, *Nationalisme, antisémitisme et fascisme en France*, Paris, Seuil, 1990, coll. «Points-Histoire».

Les événements et les périodes

S. BERSTEIN, *Le 6 février 1934*, Paris, Gallimard-Julliard, 1975 (coll. «Archives»).

L. BODIN et J. TOUCHARD, *Front populaire, 1936*, Paris, A. Colin, 1985 (coll. «L'histoire par la presse»).

G. DUPEUX, *Le Front populaire et les élections de 1936*, Paris, A. Colin, 1969.

G. LEFRANC, *Histoire du Front Populaire*, Paris, Payot, 1964.

G. LEFRANC, *Juin 36*, Paris, Julliard, 1966 (coll. «Archives»).

P. RENOUVIN et R. RÉMOND (sous la direction de), *Léon Blum, chef de gouvernement*, Actes du colloque de la Fondation nationale des Sciences politiques, Paris, A. Colin, 1965.

R. RÉMOND et J. BOURDIN (sous la direction de), *Edouard Daladier, chef de gouvernement*, Paris, Presses de la FNSP, 1977.

R. RÉMOND et J. BOURDIN (sous la direction de), *La France et les Français en 1938-1939*, Paris, Presses de la FNSP, 1978.

Y. DURAND, *La France dans la Seconde Guerre mondiale 1939-1945*, Paris, A. Colin, 1989 (coll. «Cursus»).

G. ROSSI-LANDI, *La drôle de guerre, La vie politique en France 2 septembre 1939-10 mai 1940*, Paris, A. Colin, 1971.

F. BÉDARIDA, *La Stratégie secrète de la drôle de guerre — Le conseil suprême interallié*, Paris, Presses de la FNSP, 1979.

E. JÄCKEL, *La France dans l'Europe de Hitler*, Paris, Fayard, 1968.

R. PAXTON, *La France de Vichy*, Paris, Seuil, 1972.

M. COINTET, *Le Conseil national de Vichy, 1940-1944*, Paris, Aux amateurs de livres, 1989.

H. ROUSSO, *La Collaboration*, MA Editions, 1987.

P. LABORIE, *L'Opinion française sous Vichy*, Paris, Seuil, 1990.

H. MICHEL, *Histoire de la Résistance en France*, Paris, PUF, 1962 (coll. «Que sais-je?»).

H. MICHEL, *Histoire de la France libre*, Paris, PUF, 1963 (coll. «Que sais-je?»).

F. BÉDARIDA et J.-P. RIOUX (sous la direction de), *Pierre Mendès France et le mendésisme*, Paris, Fayard, 1985.

J.-P. RIOUX (sous la direction de), *La Guerre d'Algérie et les Français*, Paris, Fayard, 1990.

Aspects économiques

J.-C. ASSELAIN, *Histoire économique de la France*, Paris, Seuil, 2 vol., 1984 (coll. «Points-Histoire»).

H. BONIN, *Histoire économique de la France depuis 1880*, Paris, Masson, 1988.

H. BONIN, *L'Argent en France depuis 1880, banquiers, financiers, épargnants*, Paris, Masson, 1989.

F. BRAUDEL, E. LABROUSSE (sous la direction de), *Histoire économique de la France*, tome 4, second volume 1914 (années 1880-1950) et tome 4, troisième volume (années 1950 à nos jours), Paris, PUF, 1980 et 1982.

H. BONIN, *Histoire économique de la IVe République*, Paris, Economica, 1987.

F. CARON, *Histoire économique de la France (XIXe-XXe siècles)*, Paris, A. Colin, 1981.

J.-F. ECK, *Histoire de l'économie française depuis 1945*, Paris, A. Colin, 1988 (coll. «Cursus»).

J.-M. JEANNENEY, *Force et faiblesses de l'économie française 1945-1959*, Paris, A. Colin, 1961.

J. GUYARD, *Le Miracle français*, Paris, Seuil, 1965.

J. NERE, *Les Crises économiques au XXe siècle*, Paris, A. Colin, 1989 (coll. «Cursus»).

A. SAUVY, *Histoire économique de la France entre les deux guerres*, Paris, Fayard, 1967-1972, tomes 2 et 3.

J.-P. THOMAS, *Les Politiques économiques au XXe siècle*, Paris, A. Colin, 1990 (coll. «Cursus»).

Aspects démographiques et sociaux

A. ARMENGAUD, *La population en France au XXe siècle*, Paris, PUF, 1965.

PH. ARIES, *Histoire des populations françaises*, Paris, Seuil, 1971.

P. BARRAL, *Les Agrariens français de Méline à Pisani*, Paris, A. Colin, 1968.

F. BÉDARIDA, J.-M. MAYEUR, J.-L. MONNERON, A. PROST, *Histoire du peuple français. Cent ans d'esprit républicain*, tome 5, Paris, Nouvelle librairie de France, 1967.

A. DAUMARD, *Les Bourgeois et la bourgeoisie en France depuis 1815*, Paris, Aubier, 1987.

A. DEWERPE, *Le Monde du travail en France, 1800-1950*, Paris, A. Colin, 1989.

G. DUBY et PH. ARIÈS, *Histoire de la vie privée*, tome 5, sous la direction de Gérard VINCENT et Antoine PROST, Paris, Seuil, 1987.

J. DUPAQUIER (sous la direction de), *Histoire de la population française*, tome 4, *De 1914 à nos jours*, Paris, PUF, 1988.

G. DUPEUX, *La Société française, 1789-1970*, Paris, A. Colin, 1973.

A. FOURCAUT, *Bobigny, banlieue rouge*, Paris, Editions ouvrières, Presses de la FNSP, 1986.

G. GERVAIS, M. JOLLIVET et Y. TAVERNIER, *Histoire de la France rurale*, tome 4, *La fin de la France paysanne de 1914 à nos jours*, Paris, Seuil, 1977.

Histoire de la France urbaine, tomes 4 (M. AGULHON, dir.) et 5 (M. RONCAYOLO, dir.), Paris, Seuil, 1983-1985.

Y. LEQUIN (sous la direction de), *La Mosaïque France. Histoire des étrangers et de l'immigration en France*, Paris, Larousse, 1988.

P. MILZA et M. AMAR, *L'Immigration en France au XXe siècle*, Paris, A. Colin, 1990.

P. MILZA (sous la direction de), *Les Italiens en France de 1914 à 1940*, Ecole française de Rome, 1986.

O. MILZA, *Les Français devant l'immigration*, Bruxelles, Complexe, 1988.

A. MOULIN, *Les Paysans dans la société française. De la Révolution à nos jours*, Paris, Seuil, 1988.

G. NOIRIEL, *Le Creuset français. Histoire de l'immigration, XIXe-XXe siècles*, Paris, Seuil, 1988.

G. NOIRIEL, *Les Ouvriers dans la société française, XIXe-XXe siècles*, Paris, Seuil, 1986.

G. NOIRIEL, *Longwy. Immigrés et prolétaires, 1880-1980*, Paris, PUF, 1984.

J. PONTY, *Polonais méconnus*, Paris, Publications de la Sorbonne, 1988.

R. SCHOR, *L'Opinion française et les étrangers, 1919-1939*, Paris, Publications de la Sorbonne, 1985.

P. SORLIN, *La Société française*, tome 2, *1914-1968*, Paris, Arthaud, 1971.

Aspects culturels et religieux

P. ALBERT et A.-J. TUDESQ, *Histoire de la radio-télévision*, Paris, PUF, «Que sais-je?», 1981.

M. AMAR, *Nés pour courir. Sport, pouvoirs et rébellions, 1944-1958*, Grenoble, PUG, 1987.

C. BELLANGER, J. GODECHOT, P. GUIRAL et F. TERROU (sous la direction de), *Histoire générale de la presse française*, tomes 4 et 5, Paris, PUF, 1974-1976.

L. BERTRAND - DORLÉAC, *Histoire de l'art, Paris - 1940-1944. Ordre national, traditions et modernités*, Paris, Publications de la Sorbonne, 1986.

A. CHEBEL D'APPOLLONIA, *Histoire politique des intellectuels en France (1944-1954)*, 2 vol., Bruxelles, Complexe, 1991.

R. CHIRAT, *Le Cinéma des années de guerre*, Paris, Hatier, 1983.

R. CHIRAT, *La IVe République et ses films*, Paris, Hatier, 1985.

A. COUTROT et F.-G. DREYFUS, *Les Forces religieuses dans la société française*, Paris, A. Colin, 1965.

M. CRUBELLIER, *Histoire culturelle de la France, XIXe-XXe siècles*, Paris, A. Colin, 1974.

F. GARÇON, *De Blum à Pétain. Cinéma et société française (1936-1944)*, Paris, Le Cerf, 1984.

J.-P. JEANCOLAS, *Quinze ans d'années trente. Le cinéma des Français, 1929-1944*, Paris, Stock, 1983.

H.-R. LOTTMAN, *La Rive gauche, du front populaire à la guerre froide*, Paris, Seuil, 1981, rééd. «Points-Histoire», 1984.

J.-L. LOUBET DEL BAYLE, *Les non-conformistes des années 30. Une tentation de renouvellement de la pensée politique française*, Paris, Seuil, 1969.

J.-M. MAYEUR (sous la direction de), *L'Histoire religieuse de la France. Problèmes et méthodes*, Paris, 1975.

P. MIQUEL, *Histoire de la radio et de la télévision*, Paris, Perrin, 1984.

M. NADEAU, *Histoire du surréalisme*, Paris, rééd., Seuil, 1970.

P. ORY, chapitre 5 de l'*Histoire des Français, XIXe-XXe siècles*, sous la direction d'Yves Lequin, tome 3, Paris, A. Colin, 1984.

P. ORY, *L'Aventure culturelle française, 1945-1989*, Paris, Flammarion, 1989.

P. ORY et J.-F. SIRINELLI, *Les Intellectuels en France, de l'Affaire Dreyfus à nos jours*, Paris, A. Colin, 1986.

A. PROST, *L'enseignement en France, 1800-1967*, Paris, A. Colin, 1968.

J.-P. RIOUX (sous la direction de), *La Vie culturelle sous Vichy*, Bruxelles, Complexe, 1990.

G. SADOUL, *Le Cinéma français*, Paris, 1962.

J.-F. SIRINELLI, *Génération intellectuelle. Khâgneux et normaliens dans l'entre-deux-guerres*, Paris, Fayard, 1988.

J.-F. SIRINELLI, *Intellectuels et passions françaises: manifestes et pétitions au XXe siècle*, Paris, Fayard, 1990.

J. VERDÈS-LEROUX, *Au service du parti. Le parti communiste, les intellectuels et la culture (1944-1956)*, Paris, Fayard - Editions de Minuit, 1983.

M. WINOCK, *Histoire politique de la revue «Esprit», 1930-1950*, Paris, Seuil, 1975.

Aspects internationaux

A. ADAMWAITE, *France and the Coming of the Second World War, 1938-1939*, Londres, Frank Cass, 1977.

G. DE CARMOY, *Les Politiques extérieures de la France, 1944-1966*, Paris, La Table Ronde, 1967.

J. DOISE et M. VAÏSSE, *Diplomatie et outil militaire*, Paris, Imprimerie nationale, 1987.

J.-E. DREIFORT, *Yvon Delbos and the Quai d'Orsay. French Foreign Policy during the Popular Front*, Univ. Press of Kansas, 1971.

J. DROZ, *Histoire de l'antifacisme en Europe, 1923-1939*, Paris, La Découverte, 1985.

J.-B. DUROSELLE, *Histoire diplomatique de 1919 à nos jours*, Paris, Dalloz.

J.-B. DUROSELLE, *La Décadence, 1932-1939*, Paris, Imprimerie nationale, 1979, réédité au Seuil en «Points Histoire».

J.-B. DUROSELLE, *L'Abîme, 1939-1945*, Paris, Imprimerie nationale, 1982, réédité au Seuil en «Points Histoire».

R. FRANKESTEIN, *Le Prix du réarmement français, 1935-1939*, Paris, Publications de la Sorbonne, 1982.

P. GERBET, *La Construction de l'Europe*, Paris, Imprimerie nationale, 1983.

R. GIRAULT et R. FRANK, *Turbulente Europe et nouveaux mondes*, Paris, Masson, 1989.

A. GROSSER, *La Politique extérieure de la IVe République*, Paris, A. Colin.

A. GROSSER, *Affaires extérieures. La politique extérieure de la France, 1944-1984*, Paris, Flammarion, 1984.

A. GROSSER, *Les Occidentaux. Les pays d'Europe et les Etats-Unis depuis la guerre*, Paris, Fayard, 1978.

J.-N. JEANNENEY, *François de Wendel en République, l'argent et le pouvoir, 1914-1940*, Paris, Seuil, 1976.

La France et l'Allemagne entre deux guerres mondiales, Acte du colloque de l'Université de Nancy II, 1987.

P. MILZA, *Le Fascisme italien et la presse française, 1920-1940*, Bruxelles, Complexe, 1987.

D.W. PIKE, *La France et la guerre d'Espagne, 1936-1939*, Paris, PUF, 1975.

M. TACEL, *La France et le monde au XXe siècle*, Paris, Masson, 1989.

M. VAÏSSE, *Sécurité d'abord. La politique française en matière de désarmement, 1930-1934*, Paris, Publications de la Sorbonne, 1981.

INDEX

TABLE

collection tempus
Perrin

DÉJÀ PARU

1. *Histoire des femmes en Occident* (dir. Michelle Perrot, Georges Duby), *L'Antiquité* (dir. Pauline Schmitt Pantel).
2. *Histoire des femmes en Occident* (dir. Michelle Perrot, Georges Duby), *Le Moyen Âge* (dir. Christiane Klapisch-Zuber).
3. *Histoire des femmes en Occident* (dir. Michelle Perrot, Georges Duby), *XVIe-XVIIIe siècle* (dir. Natalie Zemon Davis, Arlette Farge).
4. *Histoire des femmes en Occident* (dir. Michelle Perrot, Georges Duby), *Le XIXe siècle* (dir. Michelle Perrot, Geneviève Fraisse).
5. *Histoire des femmes en Occident* (dir. Michelle Perrot, Georges Duby), *Le XXe siècle* (dir. Françoise Thébaud).
6. *L'épopée des croisades* – René Grousset.
7. *La bataille d'Alger* – Pierre Pellissier.
8. *Louis XIV* – Jean-Christian Petitfils.
9. *Les soldats de la Grande Armée* – Jean-Claude Damamme.
10. *Histoire de la Milice* – Pierre Giolitto.
11. *La régression démocratique* – Alain-Gérard Slama.
12. *La première croisade* – Jacques Heers.
13. *Histoire de l'armée française* – Philippe Masson.
14. *Histoire de Byzance* – John Julius Norwich.
15. *Les Chevaliers teutoniques* – Henry Bogdan.
16. *Mémoires, Les champs de braises* – Hélie de Saint Marc.
17. *Histoire des cathares* – Michel Roquebert.
18. *Franco* – Bartolomé Bennassar.
19. *Trois tentations dans l'Église* – Alain Besançon.
20. *Le monde d'Homère* – Pierre Vidal-Naquet.
21. *La guerre à l'Est* – August von Kageneck.
22. *Histoire du gaullisme* – Serge Berstein.
23. *Les Cent-Jours* – Dominique de Villepin.
24. *Nouvelle histoire de la France*, tome I – Jacques Marseille.
25. *Nouvelle histoire de la France*, tome II – Jacques Marseille.
26. *Histoire de la Restauration* – Emmanuel de Waresquiel et Benoît Yvert.
27. *La Grande Guerre des Français* – Jean-Baptiste Duroselle.
28. *Histoire de l'Italie* – Catherine Brice.
29. *La civilisation de l'Europe à la Renaissance* – John Hale.
30. *Histoire du Consulat et de l'Empire* – Jacques-Olivier Boudon.
31. *Les Templiers* – Laurent Daillez.
32. *Madame de Pompadour* – Évelyne Lever.

33. *La guerre en Indochine* – Georges Fleury.
34. *De Gaulle et Churchill* – François Kersaudy.
35. *Le passé d'une discorde* – Michel Abitbol.
36. *Louis XV* – François Bluche.
37. *Histoire de Vichy* – Jean-Paul Cointet.
38. *La bataille de Waterloo* – Jean-Claude Damamme.
39. *Pour comprendre la guerre d'Algérie* – Jacques Duquesne.
40. *Louis XI* – Jacques Heers.
41. *La bête du Gévaudan* – Michel Louis.
42. *Histoire de Versailles* – Jean-François Solnon.
43. *Voyager au Moyen Âge* – Jean Verdon.
44. *La Belle Époque* – Michel Winock.
45. *Les manuscrits de la mer Morte* – Michael Wise, Martin Abegg Jr. & Edward Cook.
46. *Histoire de l'éducation,* tome I – Michel Rouche.
47. *Histoire de l'éducation,* tome II – François Lebrun, Marc Venard, Jean Quéniart.
48. *Les derniers jours de Hitler* – Joachim Fest.
49. *Zita impératrice courage* – Jean Sévillia.
50. *Histoire de l'Allemagne* – Henry Bogdan.
51. *Lieutenant de panzers* – August von Kageneck.
52. *Les hommes de Dien Bien Phu* – Roger Bruge.
53. *Histoire des Français venus d'ailleurs* – Vincent Viet.
54. *La France qui tombe* – Nicolas Baverez.
55. *Histoire du climat* – Pascal Acot.
56. *Charles Quint* – Philippe Erlanger.
57. *Le terrorisme intellectuel* – Jean Sévillia.
58. *La place des bonnes* – Anne Martin-Fugier.
59. *Les grands jours de l'Europe* – Jean-Michel Gaillard.
60. *Georges Pompidou* – Éric Roussel.
61. *Les États-Unis d'aujourd'hui* – André Kaspi.
62. *Le masque de fer* – Jean-Christian Petitfils.
63. *Le voyage d'Italie* – Dominique Fernandez.
64. *1789, l'année sans pareille* – Michel Winock.
65. *Les Français du Jour J* – Georges Fleury.
66. *Padre Pio* – Yves Chiron.
67. *Naissance et mort des Empires.*
68. *Vichy 1940-1944* – Jean-Pierre Azéma, Olivier Wieviorka.
69. *L'Arabie Saoudite en guerre* – Antoine Basbous.
70. *Histoire de l'éducation,* tome III – Françoise Mayeur.
71. *Histoire de l'éducation,* tome IV – Antoine Prost.
72. *La bataille de la Marne* – Pierre Miquel.
73. *Les intellectuels en France* – Pascal Ory, Jean-François Sirinelli.
74. *Dictionnaire des pharaons* – Pascal Vernus, Jean Yoyotte.

75. *La Révolution américaine* – Bernard Cottret.
76. *Voyage dans l'Égypte des Pharaons* – Christian Jacq.
77. *Histoire de la Grande-Bretagne* – Roland Marx, Philippe Chassaigne.
78. *Histoire de la Hongrie* – Miklós Molnar.
79. *Chateaubriand* – Ghislain de Diesbach.
80. *La Libération de la France* – André Kaspi.
81. *L'empire des Plantagenêt* – Martin Aurell.
82. *La Révolution française* – Jean-Paul Bertaud.
83. *Les Vikings* – Régis Boyer.
84. *Examen de conscience* – August von Kageneck.
85. *1905, la séparation des Églises et de l'État.*
86. *Les femmes cathares* – Anne Brenon.
87. *L'Espagne musulmane* – André Clot.
88. *Verdi et son temps* – Pierre Milza.
89. *Sartre* – Denis Bertholet.
90. *L'avorton de Dieu* – Alain Decaux.
91. *La guerre des deux France* – Jacques Marseille.
92. *Honoré d'Estienne d'Orves* – Étienne de Montety.
93. *Gilles de Rais* – Jacques Heers.
94. *Laurent le Magnifique* – Jack Lang.
95. *Histoire de Venise* – Alvise Zorzi.
96. *Le malheur du siècle* – Alain Besançon.
97. *Fouquet* – Jean-Christian Petitfils.
98. *Sissi, impératrice d'Autriche* – Jean des Cars.
99. *Histoire des Tchèques et des Slovaques* – Antoine Marès.
100. *Marie Curie* – Laurent Lemire.
101. *Histoire des Espagnols,* tome I – Bartolomé Bennassar.
102. *Pie XII et la Seconde Guerre mondiale* – Pierre Blet.
103. *Histoire de Rome,* tome I – Marcel Le Glay.
104. *Histoire de Rome,* tome II – Marcel Le Glay.
105. *L'État bourguignon 1363-1477* – Bertrand Schnerb.
106. *L'Impératrice Joséphine* – Françoise Wagener.
107. *Histoire des Habsbourg* – Henry Bogdan.
108. *La Première Guerre mondiale* – John Keegan.
109. *Marguerite de Valois* – Éliane Viennot.
110. *La Bible arrachée aux sables* – Werner Keller.
111. *Le grand gaspillage* – Jacques Marseille.
112. *« Si je reviens comme je l'espère » : lettres du front et de l'Arrière, 1914-1918* – Marthe, Joseph, Lucien et Marcel Papillon.
113. *Le communisme* – Marc Lazar.
114. *La guerre et le vin* – Donald et Petie Kladstrup.
115. *Les chrétiens d'Allah* – Lucile et Bartolomé Bennassar.
116. *L'Égypte de Bonaparte* – Jean-Joël Brégeon.
117. *Les empires nomades* – Gérard Chaliand.

118. *La guerre de Trente Ans* – Henry Bogdan.
119. *La bataille de la Somme* – Alain Denizot.
120. *L'Église des premiers siècles* – Maurice Vallery-Radot.
121. *L'épopée cathare,* tome I, *L'invasion* – Michel Roquebert.
122. *L'homme européen* – Jorge Semprún, Dominique de Villepin.
123. *Mozart* – Pierre-Petit.
124. *La guerre de Crimée* – Alain Gouttman.
125. *Jésus et Marie-Madeleine* – Roland Hureaux.
126. *L'épopée cathare,* tome II, *Muret ou la dépossession* – Michel Roquebert.
127. *De la guerre* – Carl von Clausewitz.
128. *La fabrique d'une nation* – Claude Nicolet.
129. *Quand les catholiques étaient hors la loi* – Jean Sévillia.
130. *Dans le bunker de Hitler* – Bernd Freytag von Loringhoven et François d'Alançon.
131. *Marthe Robin* – Jean-Jacques Antier.
132. *Les empires normands d'Orient* – Pierre Aubé.
133. *La guerre d'Espagne* – Bartolomé Bennassar.
134. *Richelieu* – Philippe Erlanger.
135. *Les Mérovingiennes* – Roger-Xavier Lantéri.
136. *De Gaulle et Roosevelt* – François Kersaudy.
137. *Historiquement correct* – Jean Sévillia.
138. *L'actualité expliquée par l'Histoire.*
139. *Tuez-les tous! La guerre de religion à travers l'histoire* – Élie Barnavi, Anthony Rowley.
140. *Jean Moulin* – Jean-Pierre Azéma.
141. *Nouveau monde, vieille France* – Nicolas Baverez.
142. *L'Islam et la Raison* – Malek Chebel.
143. *La gauche en France* – Michel Winock.
144. *Malraux* – Curtis Cate.
145. *Une vie pour les autres. L'aventure du père Ceyrac* – Jérôme Cordelier.
146. *Albert Speer* – Joachim Fest.
147. *Du bon usage de la guerre civile en France* – Jacques Marseille.
148. *Raymond Aron* – Nicolas Baverez.
149. *Joyeux Noël* – Christian Carion.
150. *Frères de tranchées* – Marc Ferro.
151. *Histoire des croisades et du royaume franc de Jérusalem*, tome I, *1095-1130, L'anarchie musulmane* – René Grousset.
152. *Histoire des croisades et du royaume franc de Jérusalem*, tome II, *1131-1187, L'équilibre* – René Grousset.
153. *Histoire des croisades et du royaume franc de Jérusalem*, tome III, *1188-1291, L'anarchie franque* – René Grousset.
154. *Napoléon* – Luigi Mascilli Migliorini.
155. *Versailles, le chantier de Louis XIV* – Frédéric Tiberghien.

156. *Le siècle de saint Bernard et Abélard* – Jacques Verger, Jean Jolivet.
157. *Juifs et Arabes au XXᵉ siècle* – Michel Abitbol.
158. *Par le sang versé. La Légion étrangère en Indochine* – Paul Bonnecarrère.
159. *Napoléon III* – Pierre Milza.
160. *Staline et son système* – Nicolas Werth.
161. *Que faire?* – Nicolas Baverez.
162. *Stratégie* – B. H. Liddell Hart.
163. *Les populismes* (dir. Jean-Pierre Rioux).
164. *De Gaulle, 1890-1945,* tome I – Éric Roussel.
165. *De Gaulle, 1946-1970,* tome II – Éric Roussel.
166. *La Vendée et la Révolution* – Jean-Clément Martin.
167. *Aristocrates et grands bourgeois* – Éric Mension-Rigau.
168. *La campagne d'Italie* – Jean-Christophe Notin.
169. *Lawrence d'Arabie* – Jacques Benoist-Méchin.
170. *Les douze Césars* – Régis F. Martin.
171. *L'épopée cathare,* tome III, *Le lys et la croix* – Michel Roquebert.
172. *L'épopée cathare,* tome IV, *Mourir à Montségur* – Michel Roquebert.
173. *Henri III* – Jean-François Solnon.
174. *Histoires des Antilles françaises* – Paul Butel.
175. *Rodolphe et les secrets de Mayerling* – Jean des Cars.
176. *Oradour, 10 juin 1944* – Sarah Farmer.
177. *Volontaires français sous l'uniforme allemand* – Pierre Giolitto.
178. *Chute et mort de Constantinople* – Jacques Heers.
179. *Nouvelle histoire de l'Homme* – Pascal Picq.
180. *L'écriture. Des hiéroglyphes au numérique.*
181. *C'était Versailles* – Alain Decaux.
182. *De Raspoutine à Poutine* – Vladimir Fedorovski.
183. *Histoire de l'esclavage aux États-Unis* – Claude Fohlen.
184. *Ces papes qui ont fait l'histoire* – Henri Tincq.
185. *Classes laborieuses et classes dangereuses* – Louis Chevalier.
186. *Les enfants soldats* – Alain Louyot.
187. *Premiers ministres et présidents du Conseil* – Benoît Yvert.
188. *Le massacre de Katyn* – Victor Zaslavsky.
189. *Enquête sur les apparitions de la Vierge* – Yves Chiron.
190. *L'épopée cathare,* tome V, *La fin des Amis de Dieu* – Michel Roquebert.
191. *Histoire de la diplomatie française,* tome I.
192. *Histoire de la diplomatie française,* tome II.
193. *Histoire de l'émigration* – Ghislain de Diesbach.
194. *Le monde des Ramsès* – Claire Lalouette.
195. *Bernadette Soubirous* – Anne Bernet.
196. *Cosa Nostra. La mafia sicilienne de 1860 à nos jours* – John Dickie.

197. *Les mensonges de l'Histoire* – Pierre Miquel.
198. *Les négriers en terres d'islam* – Jacques Heers.
199. *Nelson Mandela* – Jack Lang.
200. *Un monde de ressources rares* – Le Cercle des économistes et Érik Orsenna.
201. *L'histoire de l'univers et le sens de la création* – Claude Tresmontant.
202. *Ils étaient sept hommes en guerre* – Marc Ferro.
203. *Précis de l'art de la guerre* – Antoine-Henri Jomini.
204. *Comprendre les États-unis d'aujourd'hui* – André Kaspi.
205. *Tsahal* – Pierre Razoux.
206. *Pop philosophie* – Mehdi Belahj Kacem, Philippe Nassif.
207. *Le roman de Vienne* – Jean des Cars.
208. *Hélie de Saint Marc* – Laurent Beccaria.
209. *La dénazification* (dir. Marie-Bénédicte Vincent).
210. *La vie mondaine sous le nazisme* – Fabrice d'Almeida.
211. *Comment naissent les révolutions.*
212. *Comprendre la Chine d'aujourd'hui* – Jean-Luc Domenach.
213. *Le second Empire* – Pierre Miquel.
214. *Les papes en Avignon* – Dominique Paladilhe.
215. *Jean Jaurès* – Jean-Pierre Rioux.
216. *La Rome des Flaviens* – Catherine Salles.
217. *6 juin 44* – Jean-Pierre Azéma, Philippe Burrin, Robert O. Paxton.
218. *Eugénie, la dernière impératrice* – Jean des Cars.
219. *L'homme Robespierre* – Max Gallo.
220. *Les Barbaresques* – Jacques Heers.
221. *L'élection présidentielle en France, 1958-2007* – Michel Winock.
222. *Histoire de la Légion étrangère* – Georges Blond.
223. *1 000 ans de jeux Olympiques* – Moses I. Finley, H. W. Pleket.
224. *Quand les Alliés bombardaient la France* – Eddy Florentin.
225. *La crise des années 30 est devant nous* – François Lenglet.
226. *Le royaume wisigoth d'Occitanie* – Joël Schmidt.
227. *L'épuration sauvage* – Philippe Bourdrel.
228. *La révolution de la Croix* – Alain Decaux.
229. *Frédéric de Hohenstaufen* – Jacques Benoist-Méchin.
230. *Savants sous l'Occupation* – Nicolas Chevassus-au-Louis.
231. *Moralement correct* – Jean Sévillia.
232. *Claude Lévi-Strauss, le passeur de sens* – Marcel Hénaff.
233. *Le voyage d'automne* – François Dufay.
234. *Erbo, pilote de chasse* – August von Kageneck.
235. *L'éducation des filles en France au* XIXe *siècle* – Françoise Mayeur.
236. *Histoire des pays de l'Est* – Henry Bogdan.
237. *Les Capétiens* – François Menant, Hervé Martin, Bernard Merdrignac, Monique Chauvin.

238. *Le roi, l'empereur et le tsar* – Catrine Clay.
239. *Neanderthal* – Marylène Patou-Mathis.
240. *Judas, de l'Évangile à l'Holocauste* – Pierre-Emmanuel Dauzat.
241. *Le roman vrai de la crise financière* – Olivier Pastré, Jean-Marc Sylvestre.
242. *Comment l'Algérie devint française* – Georges Fleury.
243. *Le Moyen Âge, une imposture* – Jacques Heers.
244. *L'île aux cannibales* – Nicolas Werth.
245. *Policiers français sous l'Occupation* – Jean-Marc Berlière.
246. *Histoire secrète de l'Inquisition* – Peter Godman.
247. *La guerre des capitalismes aura lieu* – Le Cercle des économistes (dir. Jean-Hervé Lorenzi).
248. *Les guerres bâtardes* – Arnaud de La Grange, Jean-Marc Balencie.
249. *De la croix de fer à la potence* – August von Kageneck.
250. *Nous voulions tuer Hitler* – Philipp Freiherr von Boeselager.
251. *Le soleil noir de la puissance, 1796-1807* – Dominique de Villepin.
252. *L'aventure des Normands, VIIIe- XIIIe siècle* – François Neveux.
253. *La spectaculaire histoire des rois des Belges* – Patrick Roegiers.
254. *L'islam expliqué par* – Malek Chebel.
255. *Pour en finir avec Dieu* – Richard Dawkins.
256. *La troisième révolution américaine* – Jacques Mistral.
257. *Les dernières heures du libéralisme* – Christian Chavagneux.
258. *La Chine m'inquiète* – Jean-Luc Domenach.
259. *La religion cathare* – Michel Roquebert.
260. *Histoire de la France,* tome I, *1900-1930* – Serge Berstein, Pierre Milza.
261. *Histoire de la France,* tome II, *1930-1958* – Serge Berstein, Pierre Milza.

À PARAÎTRE

Histoire de la France, tome III, *1958 à nos jours* – Serge Berstein, Pierre Milza.
Les Grecs et nous – Marcel Detienne.
Deleuze – Alberto Gualandi.
Le réenchantement du monde – Michel Maffesoli.
Spinoza – André Scala.
Les Français au quotidien, 1939-1949 – Éric Alary, Bénédicte Vergez-Chaignon, Gilles Gauvin.
Teilhard de Chardin – Jacques Arnould.
Jeanne d'Arc – Colette Beaune.

Composition Nord Compo
Villeneuve-d'Ascq

Impression réalisée par

Brodard & Taupin

La Flèche (Sarthe), le 25-02-2009
pour le compte des Éditions Perrin
11, rue de Grenelle
Paris 7e
N° d'édition : 2474 – N° d'impression : 51606
Dépôt légal : février 2009
Imprimé en France